Maxime Chattam

Né en 1976 à Herblay, dans le Val-d'Oise, Maxime Chattam fait au cours de son enfance de fréquents séjours aux États-Unis, à New York, à Denver, et surtout à Portland (Oregon), qui devient le cadre de *L'âme du mal*. Après avoir écrit deux ouvrages (qu'il ne soumet à aucun éditeur), il s'inscrit à 23 ans aux cours de criminologie dispensés par l'université Saint-Denis. Son premier thriller, *Le 5e règne*, publié sous le pseudonyme Maxime Williams, paraît en 2003 aux éditions Le Masque. Cet ouvrage a reçu le Prix du roman fantastique du festival de Gérardmer. Maxime Chattam se consacre aujourd'hui entièrement à l'écriture. Après la trilogie composée de *L'âme du mal*, *In tenebris*, et *Maléfices*, il a écrit trois autres romans : *Le sang du temps* (2005, Michel Lafon), *Les Arcanes du Chaos* (2006, Albin Michel) et *Prédateurs* (Albin Michel, 2007).

Retrouvez toute l'actualité de Maxime Chattam sur
www.maximechattam.com

D1115257

MALÉFICES

MAXIME CHATTAM

MALÉFICES

MICHEL LAFON

Bien que cette histoire soit en grande partie basée sur de la documentation bien réelle, les personnages, sociétés ou situations décrits ici sont purement imaginaires et s'il se révélait que la réalité rejoigne un jour la fiction, l'auteur ne pourrait en aucun cas en être tenu pour responsable...

© Éditions Michel Lafon, 2004
ISBN : 978-2-266-14375-2

À ceux qui n'ont pas lu les deux romans précédents : n'ayez aucune crainte, cette histoire vous sera parfaitement compréhensible, elle est le dernier acte d'un drame humain, mais l'intrigue se suffit à elle-même, laissez-vous guider. Aux autres : je me réjouis de vous retrouver ici, et espère sincèrement que cet épilogue comblera vos désirs… et vos peurs.

Bonne lecture, je vous attends dans environ cinq cents pages, pour un dernier mot.

Maxime CHATTAM,
Edgecombe, janvier 2003.

« Tout l'océan du grand Neptune pourrait-il laver ce sang de ma main ? Non, c'est plutôt cette main qui empourprera les vagues innombrables faisant de la mer verte un océan rouge... »

SHAKESPEARE, Macbeth

PROLOGUE

Portland, juin 2001

Sydney Folstom, médecin légiste et directrice de la morgue de Portland, s'empara d'un scalpel par la mitre et vérifia le tranchant de sa lame. Le soleil de ce début de matinée venait s'y réfléchir à travers la verrière, soulignant le fil aigu et dangereux.

D'un geste appliqué, le Dr Folstom sectionna un rameau à sa base puis le repiqua dans l'humus. Elle fit un pas en arrière. Cette serre attenante à son bureau était son havre de repos, la quiétude des végétaux au cœur du royaume des morts.

« Pousse ma grande, fais-moi plaisir », murmura-t-elle avec un geste maternel à l'attention de la bouture.

Sous le dôme de lumière de cette petite pièce, les multiples variétés de plantes s'emparaient de l'espace jusqu'à rendre l'air plus dense, la chlorophylle s'étalait sur les murs de verre, grimpait sur les treillis et mordait sur le sol et la porte. Sydney s'épongea le front. Le mois de juin était à peine entamé, et il faisait déjà une chaleur étouffante.

Elle détestait cette canicule estivale.

Désormais et pour plusieurs mois, les corps allaient arriver dans un état de putréfaction avancée, tout gonflés, la « tache verte » abdominale, normalement limitée à la fosse iliaque droite, serait déjà propagée à tout le ventre. Ils seraient visqueux et suinteraient des asticots grouillant à l'intérieur. Non, vraiment, elle n'aimait pas l'été.

Sydney grimaça un instant et enfila sa blouse vert d'eau avant de sortir par la minuscule porte du fond. Le travail l'attendait.

Au sous-sol de l'institut médico-légal, le Dr Folstom se lava les mains en s'efforçant de se concentrer. Le miroir lui renvoyait l'image d'une femme qu'elle avait longtemps perçue comme grande et élégante mais qui aux yeux des autres n'était que stricte, une image froide au regard perçant. Au blond mordoré de ses cheveux venaient se greffer des sillons gris qu'elle apprenait à haïr un peu plus chaque matin. Lui rappelant qu'elle avait déjà bien entamé sa quarantaine, tout autant que sa solitude.

Elle expira deux bouffées d'air, rapidement, à la manière d'un jogger, et poussa la porte à double battant. Aussitôt, le masque de courtoisie se figea sur son visage.

De l'autre côté l'attendait un homme relativement jeune, avec les cheveux parfaitement coiffés, plaqués par plusieurs tonnes de laque, il évoluait par petits gestes précis dans un costume beige d'une grande élégance, calculant le moindre de ses déplacements ; tout en lui évoquait le politicien.

– Monsieur Cotland ? s'exclama-t-elle à moitié surprise. L'attorney m'envoie son substitut tandis que la police de notre ville ne daigne pas assister à l'autopsie ?

Bentley Cotland haussa les sourcils sans décrocher un sourire.

– L'inspecteur Lloyd Meats est en train d'examiner la scène où on a retrouvé le cadavre. Nous pouvons le joindre à tout moment si nous avons besoin de renseignements, fit-il en exhibant un téléphone portable.

Il veut s'épargner l'autopsie, oui ! songea Sydney.

L'air autour d'eux était chargé de particules dérangeantes, une odeur de mort médicamenteuse, un relent aigre de viande froide et d'antiseptique.

Au milieu de cette salle aveugle, les scialytiques fondaient sur le corps d'un homme comme les poursuites d'un théâtre sur l'artiste.

– Alors, quel est ce patient qui nécessite une autopsie dans l'urgence ? demanda-t-elle.

Cotland se rapprocha du cadavre. Cela faisait désormais plus d'un an et demi qu'il était en poste au bureau de l'attorney, il commençait à en avoir vu suffisamment pour ne pas s'inquiéter du teint rosé, il savait que la pâleur légendaire des morts n'était pas un axiome systématique, bien souvent la peau conservait sa couleur quelques heures avant de devenir cireuse.

– Il s'appelle Jeremiah Fischer, on l'a retrouvé il y a seulement cinq heures chez lui, dans son lit, c'est la femme de ménage qui l'a découvert.

– L'inspecteur Meats m'a appelée ce matin pour me demander de procéder à l'autopsie dès l'arrivée du corps, pourquoi un tel empressement ?

Cotland leva l'index pour montrer qu'il en venait à ce point.

– Fischer est marié, mais on n'a trouvé aucune trace de l'épouse. Ni chez eux, ni à son travail. On a contacté la famille, en vain. La femme de ménage dit qu'elle l'a eu au téléphone la veille, tout semblait normal. Le légiste qui a assuré la levée de corps a remarqué une marque de piqûre dans le creux du bras droit. Nous voudrions nous assurer de la cause de la mort rapidement avant de lancer un mandat de recherche concernant la femme de ce pauvre type.

– Très bien, je peux pratiquer l'autopsie pour vérifier que tout est intact, mais s'il s'agit bien d'un empoisonnement, et ça y ressemble, on ne le saura qu'avec les résultats de la toxicologie dans l'après-midi.

Cotland secoua les épaules.

– Le plus tôt sera le mieux. De toute manière, je parie que Mme Fischer est déjà dans un autre État à l'heure qu'il est.

Sydney Folstom enfila ses différentes épaisseurs de gants et se livra aux constatations préliminaires, pesée, étude macroscopique du corps, cherchant une ecchymose ou une blessure dissimulée dans le cuir chevelu. Elle ôta les sacs plastique qui entouraient les pieds et les mains et les examina attentivement. Elle gratta le dessous des ongles à la recherche de fragments de peau ou de sang caillé, sans succès.

– Aucun signe de lutte, murmura-t-elle.

Jeremiah Fischer reposait nu sur l'inox glacé, la bouche entrouverte, un des deux yeux à moitié fermé après que le légiste eut inspecté ses globes oculaires à la recherche de pétéchies, signe éventuel de strangulation.

Avec la précision et la vitesse de celle qui pratique quotidiennement ce geste, le Dr Folstom enfonça la pointe de son scalpel dans le bras gauche, et traça un trait noir de dix centimètres de profondeur dans la graisse et le muscle, sans provoquer d'épanchement particulier de sang. Elle écarta les deux pans de chair et fouilla l'intérieur.

– Pas d'ecchymose interne non plus.

Elle contourna la table de dissection et fendit l'autre bras de la même manière sous le regard écœuré de

Bentley Cotland. Voir un mort était une chose, assister à son dépeçage une autre, qu'il n'avait toujours pas réussi à surmonter sans dégoût.

Soudain, au moment même où la lame transperçait la peau, la main du mort se mit à trembler. Les doigts se déplièrent avant de se rétracter et se crisper. Cotland eut le désagréable sentiment que Jeremiah serrait le poing pour supporter la douleur.

– C'est normal, ça ?

Sydney Folstom leva les yeux vers le substitut de l'attorney.

– Quoi donc ?

– Eh bien, là, le mouvement de la main.

Elle recula mais ne distingua rien de particulier.

– Il a bougé les doigts, commenta Cotland d'une voix atone.

– Vous êtes sûr ?

– Plutôt, oui ! Ça m'a flanqué une sacrée peur !

– J'ai dû remuer le bras sans y prêter attention.

– On aurait vraiment dit qu'il bougeait, je vous dis ; vous savez, dans le genre réflexe *post mortem*, un résidu d'électricité.

Le Dr Folstom planta ses prunelles dans celles du jeune homme.

– Peu probable, la rigidité cadavérique a déjà commencé. Cet individu est mort il y a sept ou huit heures.

Cotland ouvrit la bouche mais s'abstint de poursuivre. Il alla s'asseoir et sortit un chewing-gum d'une poche. Il l'avait à peine mis dans sa bouche qu'il le recracha dans son emballage et expira longuement pour se détendre.

Sydney pratiqua ensuite une profonde ouverture depuis le menton jusqu'au pubis. Elle faisait partie de ces rares légistes à ne pas utiliser l'incision en Y, lui préférant le I qui dégageait dès le début l'accès à la gorge. Après avoir récliné latéralement le muscle sterno-cléido-mastoïdien, elle tâta l'intérieur du cou du bout du doigt. Pas d'ecchymose interne là non plus. Elle rétracta la peau à l'aide de plusieurs entailles sèches pour laisser apparaître le plastron sterno-costal et la cavité abdominale. Le tranchant émoussé par l'opération, Sydney posa son scalpel et en prit un neuf.

Elle se tailla un chemin en douceur jusqu'à la vessie, réclinant vers le haut l'intestin pour prélever de l'urine à l'aide d'une seringue. Puis, utilisant la technique d'éviscération dite de Virchow, elle prédisséqua *in situ* les organes et leurs connexions anatomiques.

La lame brillant sous la lumière crue s'immobilisa soudain.

Devinant un problème, Cotland releva la tête.

– Quoi ? Qu'est-ce qu'il y a ? demanda-t-il, inquiet.

Une alarme retentit dans son esprit lorsqu'il capta la lueur du doute sur le visage du légiste.

– C'est… C'est étrange. La peau vient de réagir.

Cotland se releva péniblement, blafard.

– C'est étrange, répéta Sydney Folstom. Je n'ai jamais vu ça, on dirait la chair de poule sur le haut des cuisses, là.

– La chair de poule ? Comme s'il avait froid, vous voulez dire ?

– Non, c'est impossible, mais…

Le Dr Folstom posa son scalpel sur le chariot roulant et se pencha au-dessus du corps. Elle aussi devenait livide.

L'épaule du cadavre se mit subitement à tressaillir.

Un tremblement qui fit tomber une des pinces placées dans ses entrailles.

Jeremiah Fischer redevint statique aussitôt.

Trébuchant, Cotland porta une main à sa bouche.

– Sainte Marie mère de Dieu, ce type n'est tout de même pas vivant ?

– Ne dites pas de bêtises.

– Et ça, vous l'expliquez comment ? s'écria Cotland. Il a bougé, et il a la chair de poule, merde !

S'évertuant à garder son sang-froid, Sydney Folstom s'empara d'une petite lampe torche.

– Substitut Cotland, vous devriez le savoir : avant d'atterrir ici, mes « patients » sont auscultés, leur respiration est arrêtée, leur pouls nul et leurs pupilles ne répondent plus à aucun stimulus. Je l'ai reconstaté moi-même il y a moins d'une demi-heure. Il n'y a aucune erreur possible, croyez-moi.

Elle ouvrit l'œil du cadavre et y posa le faisceau de la lampe.

– Regar…

Les mots moururent sur ses lèvres.

En une seconde ses jambes flageolèrent, ses gants s'inondèrent de moiteur.

Elle ne voyait plus qu'un abîme monstrueux.

Un trou noir dans lequel elle venait d'être aspirée.

Toute sa science venait de disparaître, et avec elle toutes les certitudes de ce monde, tout cela absorbé, englouti par une pupille.

Cette fois, le corps entier de Jeremiah Fischer frémit.

Sydney se pétrifia. Elle ne pouvait plus bouger, elle ne le *voulait* plus. La terreur se propagea en elle comme un feu sur une nappe de pétrole.

Elle savait que si elle baissait les yeux, ce qu'elle verrait la rendrait folle.

À jamais.

UN AN PLUS TARD

1

Le mont Hood se dresse à cinquante kilomètres à l'est de Portland, dans l'Oregon. Sa masse est posée là comme un colosse écorché, un titan recroquevillé que le temps aurait décapité. Les massifs qui l'environnent rebondissent mollement, ressemblant davantage aux vaguelettes dans le sillage d'un raz de marée. À ses pieds, l'altitude tombe tout d'un coup, et les collines qui se succèdent bombent leurs dos touffus sur des dizaines et des dizaines de kilomètres. Les forêts qui recouvrent la moindre parcelle de paysage ne prennent fin que dans le trait ténu de l'horizon, vaguement perturbé par des nappes de brume flottant dans leurs cimes tranquilles. Pour celui qui les survole en hélicoptère, elles se métamorphosent alors en une longue colonie de félins endormis, le poil hérissé, et la tête dissimulée sous des lacs placides. C'est le territoire sauvage de Mont Hood National Forest, un monde végétal immense, aux gouffres menaçants, aux torrents à la violence écrasante.

Un véhicule miroite sous le soleil de juin, semblable à un bijou perdu au milieu de ce tableau d'émeraude...

Les bips de la radio-scanner emplirent l'habitacle de la jeep. « *Adrien ?... Adrien ?... C'est Jim au PC.* »

Adrien Arque posa sa hachette sur le cuir du fauteuil et s'empara du micro.

« Ici Adrien, qu'est-ce qu'il y a ? »

Les crépitements fusèrent hors de la voiture par la portière ouverte et se dissipèrent dans le ciel bleu de l'après-midi, unique désagrément de la présence humaine parmi les quelques cris de rapaces et le feulement du vent dans les branchages.

« *Il y a que les gars de l'EPA[1] ont encore appelé, ils n'ont toujours pas de nouvelles de leur homme, un dénommé Fleitcher Salhindro. Tu pourrais pas aller jeter un coup d'œil, il est parti ce matin pour la grande clairière derrière le refuge de Eagle Creek. La clairière Eagle Creek 7.* »

Adrien posa un pied sur le rebord de la jeep et s'accouda au toit. Il hocha la tête :

« OK, je vais y faire un tour. Qu'est-ce qu'il faisait là ce type, ce Fleitcher ? »

« *Sais pas trop, il est parti ce matin pour la clairière et n'a pas transmis d'appel radio ni répondu à son QG depuis. Ses collègues de Portland voudraient qu'on s'assure qu'il n'est pas en panne là-bas. Vois ce que tu peux faire, merci.* »

Adrien s'empara de son chapeau de garde forestier et le jeta sur le siège arrière avec les échantillons de mousse et les branchettes qu'il avait recueillis.

---

1. EPA : Environmental Protection Agency (Agence pour la protection de l'environnement).

Le moteur ronronna, délogeant une grappe d'oiseaux, et la jeep s'élança sur le chemin broussailleux.

Adrien travaillait dans ce secteur depuis trois ans, il connaissait tous les chemins et toutes les routes de sa zone sur le bout des doigts, anticipant les plus gros nids-de-poule et les écarts subits dus aux ornières, et puisque la circulation était plutôt rare dans la région, il se permettait de rouler à vive allure. Dans le jargon, on appelait l'endroit le R6IMS, *Region 6 Inventory and Monitoring Survey*, un univers farouche de près de quatre-vingt-dix kilomètres sur soixante dont la partie occidentale était à sa charge. Son travail consistait essentiellement dans le suivi de la flore et de la faune, la surveillance de l'évolution des bois, la prévention des incendies et parfois quelques missions de sauvetage. Les randonneurs novices ne s'écartaient presque jamais des sentiers balisés, ou suffisamment peu pour éviter de se perdre. Cette jungle était bien trop grande pour susciter des désirs d'exploration à quiconque n'en avait pas les capacités. On savait que se perdre ici pouvait être mortel.

Adrien bifurqua vers le nord et fit prendre de l'élan à son 4 × 4 avant de grimper une côte abrupte.

Secoué par les heurts de la route, Adrien s'accrochait à son volant tandis que les branches basses venaient fouetter le pare-brise. Il longea une rivière tumultueuse sur deux kilomètres, dépassa la cabane abandonnée de Eagle Creek – un amas de planches dépouillées qui servait autrefois aux trappeurs – avant d'atteindre l'entrée de la clairière où il se gara.

Dehors, Adrien savoura la fraîcheur à l'ombre des sapins de Douglas tout en faisant le tour complet du parking – en fait une simple zone plane assez vaste pour y garer une quinzaine de véhicules – et trouva un pick-up rouge derrière un massif de fougères. Les clés étaient sur le contact, les fenêtres ouvertes, une carte de la région traînait sur le siège passager. Le type ne devait pas être bien loin. Adrien se pencha pour discerner la clairière par-dessous les feuillages.

Elle était très grande et montait un peu, en forme de croissant. Ici et là, au milieu des hautes herbes panachées de fleurs mauves et jaunes, se dressaient un arbre solitaire, un bouquet de troncs renversés ou des souches déchiquetées qui ressemblaient à des forteresses maléfiques.

Adrien passa sous les remparts intriqués de la végétation, il fut aussitôt écrasé par la chaleur. Le cri sibyllin d'un faucon lui souhaita la bienvenue.

L'ombre profilée planait presque au-dessus de lui, décrivant des cercles réguliers.

Le garde forestier extirpa une paire de Ray-Ban de sa poche de chemise afin d'atténuer la surintensité lumineuse.

Ce... Fleitcher doit être dans le coin, peut-être dans la partie supérieure de la clairière ou en train de piquer un roupillon au frais, quelque part contre un tronc...

Il mit ses mains en porte-voix et commença à appeler :

– EH-OH ! EH ! FLEITCHER ! FLEITCHER SALHINDRO !

Le faucon décocha une longue stridence en réponse.

Adrien fit quelques pas supplémentaires, en direction d'une dépression.

Trois mois plus tôt, l'endroit accueillait encore des promeneurs occasionnels, pour des pique-niques ou des haltes afin d'admirer le paysage. Et puis il y avait eu cette série d'accidents. Quatre blessés dont une femme sévèrement touchée. En à peine trois mois. Tous de la même manière, une...

Le faucon lança de nouveau sa complainte aiguë.

Qu'est-ce qu'il a celui-là ?

Adrien posa une main en visière au-dessus de ses lunettes de soleil et observa l'oiseau.

Il décrivait des cercles relativement courts, à moins de trente mètres du sol. Adrien remarqua alors que le diamètre des spirales n'avait pas bougé depuis qu'il avait vu le faucon. Habituellement, ce type de rapace tourne autour d'une proie et forme des boucles de plus en plus courtes jusqu'à fondre sur sa victime. Pourtant, dans ce cas, il ne semblait pas prêt à piquer, c'était comme s'il avait repéré son repas sans oser l'attaquer.

Eh bien ? As-tu vu quelque chose qui te dérange, mon ami ?

Intrigué, Adrien prit la direction de la zone survolée, à moins de dix mètres.

Les herbes lui arrivaient jusqu'à la ceinture, larges et d'un vert éclatant. Le vent venait y danser, les brassant toutes en une mélopée murmurée en canon.

L'air était lourd, rendu épais par la chaleur.

Puis l'odeur parvint aux narines du garde forestier en même temps qu'elle s'infiltrait dans les fibres de ses vêtements.

Une odeur âcre et acide, le remugle des chairs gâtées.

Adrien aperçut le cuir noir d'une botte sur laquelle le soleil venait tinter, puis une jambe repliée et le torse d'un homme couché sur le sol.

Son regard remonta ensuite jusqu'au visage de ce qui devait être Fleitcher Salhindro

Sous la canicule de juin, Adrien se surprit à claquer des dents.

2

Le soleil couchant remorque à la traîne sa cape d'ornement, dessinant sur la forêt un sillage en ces tons orange qui semblent palpitants et encore incandescents. Arrimé à flanc de colline, un chalet monté sur pilotis fait face au spectacle. De loin, il ressemble à un petit brigantin perdu dans cet océan vert. Sa longue terrasse de cèdre blanc fait songer au pont supérieur d'un navire pirate avec le pilot central qui jaillit du sol et, six mètres plus haut, traverse la plate-forme comme un mât nu. Une baie vitrée en jalonne toute la longueur, dont l'une des portes est ouverte.

Les derniers pétales pourpres de la lumière y entrent tandis que la musique s'en échappe.

Les notes mélancoliques d'un piano s'élèvent, harmonieuses, soudain hésitantes. La sonate n'est pas parfaitement maîtrisée par son interprète. Il y travaille. En fait, plus que l'aspect technique c'est l'émotion qu'il recherche dans cette musique. Il y a un air de Beethoven là-dedans, ça ressemble un peu au *Clair de lune*.

L'homme est assis devant le Bösendorfer laqué, ses longs doigts caressant les touches avec un sens inné du rythme, il ne joue que pour lui, improvisant son monologue aérien dans un langage inconnu.

Joshua Brolin s'interrompit d'un coup, rabattit le clapet et traversa le salon silencieusement, ses pieds nus s'enfonçant dans la moquette. Frustré par son niveau technique trop en deçà de ce qu'il souhaitait pour s'exprimer pleinement. Il se servit un fond de Baileys et sortit sur la terrasse. Le cèdre, doux et chaud au contact, portait encore le baiser tiède d'un très bel après-midi.

Les ombres sourdaient lentement de la terre, se hissant dans les arbres tout autour du chalet ; sur la crête de l'horizon, le soleil ne formait plus qu'un minuscule point de couleur.

– Voilà, murmura Brolin, une nouvelle nuit.

Sa chevelure de jais s'agita un peu dans le vent, ses longues mèches courbes dissimulèrent un court instant son visage. Il était difficile de lui donner un âge, une trentaine d'années disait la surface de sa peau, ce qui était proche de la vérité, mais son regard en souffrait vingt de plus.

Sa chemise de soie noire claqua comme un drapeau corsaire dans le vent.

Quelque part dans le crépuscule se trouvait son passé. Portland, la ville où il avait été inspecteur, la cité tranquille à l'ouest, bordant la Willamette River et ses brumes étranges d'où était sorti l'impensable, presque trois ans auparavant[1]. Il but une gorgée en contemplant la forêt qui l'entourait, cette retraite qu'il avait choisie.

1. Voir *L'Âme du Mal*, du même auteur, aux éditions Michel Lafon et Pocket n°11757.

Ici, il vivait avec sa solitude, sans le mensonge de la civilisation, cette alchimie de bonheur formaté et de communion virtuelle avec les autres. Il n'avait pas besoin de l'illusion d'autres vies pour se sentir mieux, le babil des oiseaux et le bruissement des branches suffisaient.

La démarche enthousiaste de Saphir vint le sortir de sa méditation. Le chien se posta à ses pieds, l'observant avec bonhomie. C'était un mélange de chien-loup et de labrador, un bâtard abandonné qu'il avait trouvé dans un vieil entrepôt new-yorkais cinq mois plus tôt.

Brolin vida son verre et rentra, imité par Saphir.

Depuis plusieurs mois, Brolin avait remarqué à quel point la nuit pouvait accentuer les failles, transformer les inquiétudes et les amertumes du jour en peurs et en peines véritables. À vrai dire, il l'avait toujours su, il apprenait désormais à le craindre. Il dormait de moins en moins, mettant à profit ce temps supplémentaire pour travailler davantage. En peu de temps, il s'était forgé une très bonne réputation dans le monde des détectives privés, il s'était spécialisé dans les affaires de disparition et avait sur ce point l'une des meilleures compétences.

Sa main effleura les lattes ambrées du lambris. Il commençait à tourner en rond. Il ignora le piano – il n'en jouait presque plus la nuit, préférant l'aube et le crépuscule – ainsi que les kyrielles de livres qui s'entassaient sur plusieurs pans du salon et de la mezzanine.

Il entra finalement dans son bureau, entièrement boisé, où les poutres de la charpente couraient sur toute la longueur. Un immense attrape-rêve indien y était accroché, comme dans toutes les pièces de la maison. Cela n'avait rien à voir avec la superstition, c'était la symbolique, disait-il.

Le chalet craqua de toute part dans la fraîcheur qui accompagnait enfin la lune.

Brolin prit le dossier qui était sur le bureau, sa dernière affaire en date, l'enlèvement d'une jeune fille de dix-sept ans qui s'était révélé en fait une fugue maquillée par l'adolescente et son petit copain. Pas tout à fait ce à quoi il s'était juré de travailler sans relâche. Il jeta le dossier par terre, affaire classée.

En cherchant du regard quelque chose à quoi s'intéresser, il prit conscience de l'obscurité et alluma sa lampe de bureau.

Ordinateur portable, fax, étagères couvertes de classeurs, la pièce ne recelait aucun trésor, et surtout aucune échappatoire. Brolin hésita ; depuis quelques semaines, dans ces errances nocturnes, il nourrissait le désir de décrocher son téléphone et de composer le numéro magique.

Peut-être était-ce à force de très peu parler, de voir peu de gens, quelques flics – ses ex-collègues –, parfois Lloyd Meats, Larry Salhindro bien sûr, et d'autres, mais tous le renvoyaient à un passé qu'il préférait ne pas remuer.

C'était surtout parce qu'elle lui manquait.

Pas physiquement, pas sentimentalement, non, juste elle et ses propres blessures. Ce qui la faisait lui ressembler.

Annabel. Son amie.

Ils s'étaient rencontrés à New York, en janvier dernier lors d'une enquête *particulière*[1], et ils s'étaient trouvés. Ils avaient le silence commun. Cette faculté à

1. Voir *In Tenebris* du même auteur, aux éditions Michel Lafon, et Pocket. Ceci est la dernière référence aux romans précédents pour éviter les notes de bas de page répétitives. Si le lecteur souhaite plus d'information sur ces événements passés (enquêtes…), il peut se reporter aux deux ouvrages déjà mentionnés.

ne pas éprouver de gêne en la présence de l'autre, à se comprendre sans avoir besoin de mots ; à ses côtés, Brolin avait eu l'impression que leurs ombres pouvaient se toucher sans pour autant s'éclipser.

Près de cinq mois sans se voir.

Au début, il n'en avait ressenti qu'une forme de nostalgie, il percevait à présent l'envie.

La minute d'après il tenait le combiné dans une main et composait le numéro qu'il avait déjà si souvent tapé avant de raccrocher aussi sec. Cette fois il entendit la première sonnerie.

On décrocha à la troisième alors qu'il s'apprêtait à fuir de nouveau et à reposer le téléphone. La voix suave d'Annabel emplit l'écouteur, Brolin se remémora aussitôt les longues tresses de la jeune femme et son parfum délicat qu'il avait capté en de rares occasions.

– Annabel O'Donnel, j'écoute ?

Enfoncé dans son siège, Brolin eut un léger sourire.

– Allô ? insista-t-elle.

– Bonsoir, fit-il simplement.

Après une courte pause, Annabel demanda :

– J… Joshua ?

– Je ne dérange pas ?

– Quelle surprise… Je… Ça fait longtemps.

– C'est ce que je me suis dit. Comment vas-tu ?

Il y eut un bruit de frottement, Brolin supposa qu'elle changeait de position pour être plus confortable, elle enchaîna d'un ton plus décontracté :

– Bien, Brooklyn reste Brooklyn, le quotidien ne change pas.

Il y eut un silence.

– Tu… commencèrent-ils en même temps.

Ils rirent de bon cœur, ce qui termina de délier l'atmosphère.

– Tu es à Portland ? reprit-elle.

– Oui, chez moi, un peu à l'écart de la ville. Annabel, ça fait quelques jours que je songe à venir à New York, peut-être pourrions-nous passer un peu de temps ensemble.

– Bien sûr.

Elle avait répondu dans la foulée.

La nature singulière de leur relation les fascinait tous deux. Ils n'étaient pas amants, ne l'avaient jamais été, ils étaient deux solitudes écorchées, deux voix perdues dans l'immensité et s'étaient trouvés à l'unisson. Brolin ne parvenait pas à poser de mots sur ce qu'il éprouvait pour elle, elle n'était ni une petite sœur, ni une maîtresse, juste elle.

– Je n'ai pas d'affaire en cours en ce moment, je peux avoir un billet d'avion demain ou après-demain…

Elle approuva.

– C'est parfait, j'ai des congés à prendre, ajouta-t-elle. Tu te rappelles Coney Island, notre promenade nocturne sur la plage ? On pourrait y retourner maintenant que les beaux jours reviennent. Une bière dans chaque poche, comme la dernière fois…

– Avec plaisir.

Nouveau silence.

– Josh… Je suis contente de t'entendre. J'ai souvent eu envie d'appeler.

Dans la faible clarté de sa lampe de bureau, il hocha la tête. Lui aussi. Il savait également pourquoi elle ne l'avait pas fait. Ils se savaient incapables d'une relation épistolaire ou téléphonique, ce qui les unissait c'était justement leur présence, le mélange de leurs manques, côte à côte. Il l'imagina un instant, allongée comme à son habitude dans son sofa, admirant la skyline de

Manhattan par la baie du salon, à quatre mille cinq cents kilomètres de là.

– Je t'appelle demain lorsque je serai à l'aéroport, fit-il, et il raccrocha.

Cela n'avait pas duré plus de deux minutes. À aucun moment avant de le formuler, il n'avait envisagé de venir à New York pour quelques jours. C'était venu comme ça, de loin à l'intérieur.

Il secoua la tête, encore amusé de la situation, puis se leva et ôta sa chemise avant d'atteindre la chambre. Il alluma une bougie et s'allongea en jean sur le lit sans quitter la flamme des yeux.

Pour une fois, la nuit n'allait pas être longue.

Il venait de sombrer dans le sommeil lorsque le son d'un moteur lui fit ouvrir les yeux. Une voiture venait de se garer devant chez lui. Il se leva. Il enfilait une chemise propre lorsqu'on frappa à la porte.

La nuit était déjà bien entamée.

Larry Salhindro se tenait sur le seuil, les yeux rouges et le teint blême.

Au lieu de son uniforme habituel de la police, il portait un haut de jogging gris sur un short avec des baskets. Depuis sept ans qu'ils se connaissaient, Brolin ne l'avait jamais vu vêtu ainsi.

– Josh… C'est mon frère… Fleitcher… Il est mort.

Brolin le fixa un instant dans les yeux puis s'écarta, l'invitant à entrer.

Un mug de thé fumant posé devant lui, Larry Salhindro se tenait la tête à deux mains. C'était un homme d'une cinquantaine d'années, les cheveux gris et la bedaine généreuse, c'était aussi et surtout l'ancien collègue de Brolin et son ami.

34

– Ils l'ont trouvé hier après-midi, comme foudroyé par la peur.

Il avait dit ça entre ses doigts, à la manière d'une supplique répétée pour la énième fois. Brolin le dévisagea depuis le fauteuil opposé. Les mains potelées de son ami tremblaient dans la pénombre du salon. Salhindro n'avait ni femme ni enfant, il vivait seul, et Brolin savait que son frère était son unique famille.

– Un accident ? demanda Brolin.

Salhindro inspira lentement.

– On ne sait pas. Il doit y avoir une autopsie. (Il leva les yeux vers Brolin.) Josh, je l'ai vu, il était… tétanisé par la terreur. On aurait dit qu'il était mort de peur !

Ses yeux devinrent humides et ses mâchoires se serrèrent.

– Même le médecin en était tout secoué, finit-il par articuler entre ses dents. L'autopsie sera faite aujourd'hui…

Salhindro posa une main maladroite sur sa tasse de thé.

– Je… je crois pas que je pourrai y aller…

Brolin s'avança dans son fauteuil et se pencha vers son ami.

Ils avaient partagé des heures par centaines, tous les deux, à refaire le monde comme deux adolescents ; vieux dinosaure de la police de Portland, Salhindro avait veillé sur Brolin à son arrivée, jouant le rôle du père, puis celui de l'ami. N'ayant que mère Justice pour femme, Larry avait souvent convié Joshua à des barbecues dominicaux qui s'étaient achevés dans l'herbe, sous les étoiles, à boire des bières en pestant contre la bêtise humaine.

À le voir abattu comme cela, Brolin en avait une boule douloureuse dans le ventre. Il oublia aussitôt ses projets de voyage.

35

– Tu vas rester ici quelques jours, lui lança-t-il, juste toi et moi dans ce coin paumé.

Salhindro prit son inspiration pour protester ; lorsque son regard croisa celui de Brolin, il s'interrompit. Les prunelles du détective privé étaient aussi tranchantes que le ton de sa voix.

– Tu vas t'installer ici le temps que tu voudras, on ira faire quelques courses et on pourra monopoliser la terrasse avec une glacière pleine et autant d'heures devant nous pour parler.

Brolin s'empressa d'ajouter sur un ton aussi calme que possible :

– Et c'est moi qui irai à l'autopsie de ton frère, je veillerai à ce que ça se passe bien.

Salhindro hocha mollement la tête. Il perçut le contact d'une main sur son bras.

Au-dessus d'eux, l'attrape-rêve se mit à tourner doucement.

3

Le V8 de la Ford Mustang ronflait imperturbablement, attendant qu'on daigne l'emballer un peu. Brolin et Salhindro étaient sur l'Interstate 84, longeant la Columbia River qu'ils apercevaient par intermittence, colossale et pourtant docile au fond de sa gorge.

Ils atteignirent les quartiers est de Portland en moins d'une demi-heure.

Sur le chemin, Salhindro était resté muet jusqu'à l'entrée dans la ville. Il remua sur son fauteuil et jeta un bref coup d'œil à son ami qui conduisait.

– La vie est une saloperie corrosive, pas vrai ?

Il avait dit cela sur un ton neutre, un constat, sans amertume particulière.

– Putain, Josh, je sais pas ce que je vais dire à Dolly et aux gosses… Ils peuvent pas comprendre, à leur âge…

Salhindro poussa un long soupir las. Après un temps, il fixa Brolin.

– Je suis désolé. C'est pas à toi que je devrais dire ça…

Il se souvenait encore de Brolin, presque trois ans plus tôt, quittant l'immeuble de la police pour aller annoncer aux parents de la femme qu'il aimait que celle-ci venait de décéder lors de l'enquête dont il avait la charge.

– Tu vois, commença Salhindro, s'il y avait pas cette foutue saloperie de peine et ce côté dramatique qu'a la mort, peut-être que j'aurais aimé avoir des enfants… Dans une autre vie.

– Il n'est pas trop tard.

Les premiers mots de Brolin depuis le début du voyage estomaquèrent son ex-collègue.

– Dis pas de conneries, merde ! J'ai cinquante piges passées !

– Comment s'appellent les gosses de ton frère ?

– Christopher et Martha.

– Ils vont avoir besoin de toi, Larry.

Salhindro ouvrit la bouche mais aucun mot n'en sortit. Il lui arrivait parfois de haïr cette manière qu'avait Brolin de vous clouer le bec.

Joshua enfonça l'allume-cigare et sortit une Winston de la poche de sa chemise. Son regard se diluait au loin, sur la route.

– Et toi ? demanda Salhindro. Si t'arrêtais la clope, hein ? Compromets pas ton avenir, j'ai envie de faire sauter sur mes genoux un petit Joshua junior un de ces jours ! Quand vas-tu arrêter cette merde ?

– Quand tu arrêteras les donuts, répondit Brolin en lançant un rapide regard vers la bedaine de son ami.

Ils rirent ensemble, et Salhindro oublia un instant la peine qui lui enserrait l'âme.

Dans le hall de l'institut médico-légal, Salhindro retrouva Dolly, la femme de son frère, et la serra dans ses bras en silence. Brolin en profita pour s'écarter et passer un coup de téléphone. Lorsque le répondeur d'Annabel se mit en marche, il en éprouva un soulagement inexplicable. Il annula sa visite et, prétextant un imprévu, balbutia des excuses.

Quelques minutes plus tard, il était au sous-sol, dans une salle carrelée avec une table en inox au milieu, sous le feu des projecteurs. Le médecin qui allait procéder à l'autopsie était un homme que Brolin ne connaissait pas. À ses côtés attendait un individu de petite taille, d'origine asiatique, avec une fine moustache et très peu de cheveux. L'homme se présenta sous le nom de Tran Seeyog, travaillant pour l'Agence de protection de l'environnement, l'EPA, où exerçait Fleitcher Salhindro.

– L'EPA ? s'étonna Brolin. Je ne savais pas qu'elle envoyait du personnel aux autopsies…

Tran Seeyog eut un sourire aimable mais ne releva pas, il se contenta de croiser les bras.

Le légiste entra à ce moment, tout en ajustant ses gants. Il répondait au nom de Karstian, si Brolin avait bien compris ce qu'on lui avait dit au rez-de-chaussée.

– Vous devez être Joshua Brolin, fit le médecin, le Dr Folstom m'a expliqué votre présence.

Karstian haussa les épaules pour montrer que tout ça lui était égal. Sydney Folstom était la directrice de la morgue, et une connaissance de Brolin depuis plusieurs années. Malgré son attitude sèche et parfois arrogante, Brolin la soupçonnait de bien l'aimer. Comme il s'y était attendu, elle n'avait rien trouvé à redire à ce qu'il assiste à l'autopsie. Ils s'étaient mutuellement rendu de nombreux services.

Karstian pointa l'index vers l'Asiatique.

– Monsieur Seeyog, c'est ça ?

L'intéressé acquiesça.

– Parfait, nous sommes au complet, nous pouvons commencer.

Brolin s'approcha.

– Je n'ai pas eu l'occasion de le lui demander, dit-il, mais je suis étonné que le Dr Folstom ne procède pas à l'autopsie.

Karstian secoua la tête tout en disposant son plateau avec ses scalpels devant lui.

– Elle ne pratique presque plus.

La réponse ne satisfit pas Brolin. Sydney connaissait Larry. Compte tenu des circonstances, elle lui devait bien cette attention.

– Je ne savais pas. Elle croule sous la paperasse ?

– Je présume, éluda Karstian. Bien, allons-y.

Il fit signe à un assistant qu'on apporte le corps.

Lorsque le chariot roulant entra dans la pièce, Tran Seeyog fit un pas en arrière. Le sac blanc en chlorure de polyvinyle luisait sous l'éclairage puissant. Ses grincements à chaque mouvement évoquaient ceux de la peau sur une bouée pour enfant.

Karstian leva les yeux vers l'officiel de l'EPA.

– Ça va aller, monsieur Seeyog ?

– Oui, bien sûr, répondit-il un peu rapidement. C'est juste que… tout ça est un peu brutal, je ne m'y attendais pas.

Le légiste haussa un sourcil, et retourna à son cadavre en laissant échapper un faible soupir.

– Je croyais que les housses pour mettre les morts étaient noires, pour qu'on ne voie pas trop le sang, fit remarquer Seeyog.

Karstian secoua la tête.

– Plus maintenant. Elles sont blanches pour qu'on ne risque pas de laisser un détail à l'intérieur, ainsi le moindre poil ou fragment de peau devient plus visible.

Tran Seeyog approuva comme si l'information était de la plus grande importance. Le légiste n'avait pas la main sur la fermeture à glissière de la housse que Seeyog s'exclamait :

– J'étais dans la pièce d'à côté tout à l'heure, c'est fou ce qu'il y fait froid ! C'est normal ?

Excédé, Karstian répondit, sous l'œil amusé de Brolin :

– Vous vous trouviez dans une salle qui sert habituellement à entreposer des corps, il y fait 4 degrés Celsius, ce qui est assez froid pour empêcher les bactéries de se développer sur les cadavres tout en évitant le gel. Maintenant, si vous pouviez me laisser faire mon travail je vous en serais reconnaissant.

Soudain conscient que son malaise était visible de tous depuis le début, Seeyog se rembrunit et s'adossa au mur.

D'un geste vif, Karstian fit coulisser jusqu'en bas la fermeture de la housse.

Des doigts recroquevillés apparurent, dépassant du sac, comme si le mort cherchait à agripper quelque chose.

Lorsque le légiste eut rabattu les deux pans pour dévoiler le cadavre entier, Seeyog porta une main à sa bouche en fronçant les sourcils. Brolin, bien qu'habitué à voir des corps, fut surpris par l'apparence de celui-ci.

Il hurlait.

Les scialytiques brillaient sur l'émail de ses dents. Sa bouche était tellement ouverte, crispée, que ses lèvres se résumaient à deux fines bandes blanches, et plusieurs veines émergeaient sur son visage comme d'énormes vers sous-cutanés. La position étrange de son bras – figé au-dessus du torse sans pour autant le toucher – était due à la rigidité cadavérique, nota Brolin. Fleitcher

Salhindro avait été entendu par radio à 10 h 30 la veille et son cadavre découvert aux environs de dix-sept heures. Au pire, il était mort depuis cinq ou six heures lorsqu'on était tombé dessus, pas de quoi développer la rigidité à son maximum, quoique, avec la chaleur, le processus fût accéléré. Ensuite, le corps avait été conservé au frais, ce qui avait bloqué ou ralenti énormément le passage de l'état acide à l'état alcalin. Brolin savait que tout cela n'était pas très fiable, cependant, la position du bras était assez étonnante et pouvait induire que la mort n'était pas survenue sans complication.

Arrête ça, tu sais très bien que la rigor mortis *est souvent trompeuse...*

C'était plus fort que lui, quinze ans d'expérience et d'entraînement à l'investigation, à la recherche du détail qui fera la différence.

Alors, seulement, Brolin prit conscience qu'il avait devant lui Fleitcher Salhindro, cet homme qu'il avait déjà rencontré, ce bon vivant adepte de blagues salaces. Le frère de son ami. Il évacua sans tarder tout souvenir de sa mémoire. Ça n'était pas le moment.

Le Dr Karstian examina le corps de Fleitcher de plus près.

L'homme portait des bottes en cuir, un pantalon de toile et polo sans manches, rien de plus sinon une montre et son alliance. Après l'examen préliminaire, l'assistant et le légiste soulevèrent le corps jusqu'à la table en inox. Ils fouillèrent la housse une dernière fois et l'assistant disparut en l'emportant.

– ... en dehors de son... attitude, le sujet ne présente aucun autre signe distinctif...

Karstian procédait à ses constatations protocolaires à voix haute.

En s'approchant un peu plus, Brolin remarqua un voile glaireux sur la cornée. À force d'assister à des autopsies au temps où il était inspecteur et grâce à ses nombreuses lectures, il savait que cette opacification n'était que rarement marquée avant cinq ou six heures suivant le décès.

Sauf que Fleitcher a séjourné en plein air, avec la chaleur qu'il fait l'après-midi, la déshydratation peut être accélérée. Avait-il les yeux ouverts ?

Brolin secoua la tête. Ça n'était pas son boulot. Il était là pour servir de témoin à Larry, rien de plus.

Se tournant vers Tran Seeyog, il murmura :

– Vous savez où il a été trouvé ?

L'autre hocha la tête, heureux d'avoir l'occasion de briser ce silence pesant.

– Au bord d'une clairière dans la forêt du mont Hood. La forêt en question couvrait près de six mille kilomètres carrés.

– Vous savez où exactement ?

– Une clairière non répertoriée, à l'écart des routes, dans une zone sauvage. Les gardes forestiers l'appellent Eagle Creek 7.

– Qu'est-ce que Fleitcher Salhindro faisait là ?

Cette fois, Tran Seeyog eut un regard suspicieux à son égard.

– Vous êtes de la police, c'est ça ?

– Pas exactement. Je suis détective privé. Je travaille pour la famille.

Ce raccourci lui permettait au moins de se débarrasser d'explications fastidieuses. Il trouva utile d'ajouter :

– Je suis là pour faire la lumière sur ce qui est arrivé à M. Salhindro.

43

Seeyog imprima à son visage une grimace qui signifiait qu'il comprenait, comme s'il s'y était attendu. Sa réaction était assez étrange.

Sa présence *est étrange ! L'EPA n'envoie jamais personne à une autopsie, ils n'ont rien à y faire...* Brolin se pencha vers lui mais le légiste les interrompit.

– Il y a dans la région sterno-cléido-mastoïdienne droite un renflement anormal.

Brolin contourna la table de dissection pour examiner l'autre côté de la victime.

– On dirait une réaction à une piqûre d'insecte, fit remarquer Karstian.

En effet, une bosse rouge surgissait à la base du cou, une cloque du diamètre d'une balle de golf mais haute d'à peine un centimètre, suintant légèrement en son sommet.

– Ça ne pourrait pas être une morsure de serpent ?

Le légiste examina l'œdème plus attentivement encore.

– C'est ce qui serait le plus logique, pourtant ça n'y ressemble pas, je ne vois pas de perforation de crochets.

– Qu'est-ce que c'est, alors ? demanda le détective privé.

– Pas la moindre idée. C'est trop gros pour un insecte, pourtant ça y ressemble. Je vais en prélever un échantillon pour analyse.

Il fit d'abord une photo avec un Polaroid CU-5 dont le flash satura l'air de son crépitement, avant de découper proprement la chair. Un fluide transparent s'écoula hors de la plaie.

– C'est vraiment étrange, commenta Karstian en s'appliquant à recueillir dans son éprouvette un maximum du liquide. Attendez une minute...

Il déposa son scalpel et s'empara d'une grosse loupe au bord lumineux qu'il plaça au-dessus du cou.

– Alors ça…

Brolin le dévisagea. Après une courte hésitation, Karstian lui fit signe de venir voir.

– Regardez, sur le dessus de cette espèce de vésicule. Il y a deux trous nettement marqués.

– Oui, je vois. Vous savez ce que c'est ?

– Ça me semble petit pour des crochets de serpent. Non, on dirait ce que j'ai dit tout à l'heure, une piqûre d'insecte, mais de cette taille-là, c'est impossible !

– Pourquoi pas ?

– Parce que la réaction est disproportionnée, à moins d'avoir dans le sang une quantité de venin que seul un insecte gros comme un nourrisson pourrait injecter !

– Ça ne pourrait pas être une réaction due à une allergie ? interrogea Brolin.

Karstian inspira longuement, pas convaincu.

– Peut-être, mais ça n'explique pas l'écart entre ces deux trous ! Ou alors il y a eu deux insectes en même temps pour le piquer… L'anatomopathologie nous en dira plus cet après-midi sur la blessure.

Il entreprit ensuite de déshabiller le mort. L'autopsie dura moins de deux heures, le légiste ne relevant rien de particulier. Lorsqu'il préleva le cœur, 30 centimètres cubes de sang vermillon dégoulinèrent par l'oreillette et le ventricule gauches. Il s'attendait à trouver un caillot, un rétrécissement significatif et parut presque déçu de cette absence d'anomalie. La mort n'était pas causée par une défaillance cardiaque.

Ses gants et sa blouse étaient d'un brun humide. Il exhiba les nombreux prélèvements qu'il avait effectués – sang des veines fémorales, urine, morceaux d'organes… – et toussa avant d'exposer :

– Pour l'heure l'autopsie est blanche, en ce qui me concerne je n'ai rien remarqué qui pourrait expliquer la mort. Je pense que les analyses toxicologiques seront plus parlantes, espérons-le.

Observant le cri d'effroi que la mort avait fixé à jamais, Brolin désigna le cadavre :

– Son expression ne vous étonne pas ? Vous n'avez rien de ce côté-là ?

Karstian fit la moue.

– Oui, c'est… singulier. Mais concrètement, moi je n'ai rien qui puisse l'expliquer. Et pour être franc avec vous, je ne pense pas qu'on en trouvera la raison, je vois quotidiennement défiler des corps dans des positions ou des attitudes bizarres, voire improbables, et pourtant… Tout ne s'explique pas, pourquoi la femme assassinée la semaine dernière par son beau-frère est-elle morte avec le sourire alors qu'il l'égorgeait ? Tout ce que je peux dire, c'est la cause de la mort, les circonstances en étant chanceux, pour le reste, je reste médecin légiste et pas sorcier. Ces parcelles de mystère sont propres à la vie, leur explication n'appartient qu'à un seul être. La mort est surprenante, monsieur Brolin ; à la côtoyer tous les jours, elle devient omniprésente et pourtant si discrète, un état doué d'originalité dont nous n'avons pas toujours la clé.

La fébrilité qui habitait Karstian à cet instant toucha Brolin, il en conçut presque l'envie de lui proposer de poursuivre cette conversation plus tard, autour d'un verre. Le privé chassa ces idées de son esprit et revint à la main tétanisée de Salhindro. Il glissa sur son abdomen ouvert comme un cratère de volcan et se heurta à l'imposant bulbe à la base du cou.

– Et pour ça ? Ne peut-il y avoir un lien ? demanda-t-il.

– C'est bien possible. Je vais recevoir dans la journée le dossier médical de cet homme, j'en saurai alors plus sur une allergie éventuelle. (Il se pencha au-dessus du renflement.) Il y a un début de nécrose, semble-t-il, sur le pourtour de l'œdème. Je ne m'y connais pas bien en animaux venimeux, mais après tout, c'est peut-être un serpent. Pour l'instant je me garderai de toute conclusion.

– Une morsure au cou ? insista Brolin.

Karstian haussa les épaules.

– Tout est possible. Il était peut-être allongé dans l'herbe, allez savoir !

Tran Seeyog les observait, un peu en retrait. Ses yeux s'agitaient, suivant le cours de la discussion avec intérêt.

– De toute manière, reprit le légiste, je finaliserai mon rapport dans l'après-midi avec les résultats des autres tests.

Brolin n'insista pas et le salua brièvement. En remontant vers la surface, il s'approcha de Seeyog qui reprenait des couleurs à mesure qu'ils retournaient à l'air libre.

– Je peux vous demander ce que l'EPA fait là, à une autopsie ?

– Nous voulons nous assurer des causes du décès, tout comme vous… M. Sahlindro est mort dans ces circonstances inhabituelles et il est de notre devoir de nous y intéresser, par respect pour ce qu'il a fait parmi nous et pour sa famille.

La présence charismatique du détective privé le troublait sensiblement. Même lui se rendit compte que son discours était artificiel.

En débouchant dans le hall, il aperçut la veuve de Fleitcher Salhindro et son frère. Il posa une main sur le bras de Brolin.

– Si vous voulez bien m'excuser, je dois présenter mes condoléances à la famille, au nom de l'Agence.

Pour la première fois de la matinée, Tran Seeyog contempla le privé droit dans les yeux. Il baissa aussitôt le regard, s'empressa de lui lâcher le bras et esquissa un sourire composé avant de disparaître vers les Salhindro.

4

Installée sur la banquette confortable d'un salon de thé, Dolly Salhindro guettait le morne ballet des voitures dans la rue en tournant sans relâche une cuillère dans sa tasse de café froid. Un peu à l'écart, Larry et Brolin s'entretenaient à voix basse. Ils avaient passé les dernières heures dans un restaurant, sans qu'aucun d'eux ne touche à son assiette. Brolin avait expliqué succinctement que les causes de la mort n'étaient pas encore définies. Il s'était gardé de mentionner la présence de l'œdème au cou tant qu'il n'en saurait pas plus.

Ils attendaient avec une patience morbide que le rapport final de l'autopsie leur soit communiqué.

– … je pense que c'est préférable ainsi, je ne vais pas la laisser seule chez elle avec les deux gamins, expliqua Larry en prenant une poignée de sachets de sucre.

Les mains dans les poches de son jean usé, Brolin approuva.

– Sache en tout cas que ma porte t'est ouverte si tu en as besoin, dit-il.

Larry lui posa une main amicale sur l'épaule. À côté d'eux, une jeune femme au visage de poupée les observa fugitivement, en s'attardant un instant sur Brolin. Celui-ci possédait un don étrange pour cela, Larry l'avait remarqué au fil de leur amitié, qui s'était développé de manière exponentielle depuis que Brolin avait quitté la police et entretenu sa vie à l'écart des autres. Il pouvait passer plus inaperçu qu'un fantôme. Que ce fût dans la foule ou dans l'intimité d'une conversation, c'était comme si les autres ne pouvaient lever les yeux vers lui sans passer au travers. Et parfois, un homme ou une femme croisait son regard, et sa substance l'envahissait. Sa présence d'abord éthérée et spectrale devenait caressante puis électrique. Il irradiait de lui un magnétisme sauvage, presque effrayant. Larry avait assisté à cet étonnement à de nombreuses reprises.

La fille au visage de poupée capta l'attention que lui portait Salhindro et se détourna non sans accorder en rougissant un dernier coup d'œil au privé.

– Tu devrais sortir, Josh. Je veux dire, te trouver quelqu'un.

Surpris, Brolin resta sans voix.

– Je sais que c'est pas le moment, insista le gros flic, mais je crois vraiment qu'il est temps pour toi de te reprendre en main.

– Larry, je n'en ai pas envie. Je suis bien comme ça.

– Tu parles ! Tu te morfonds dans le royaume des ombres, oui ! Non mais regarde-toi, on dirait une apparition ! À moitié transparent le jour, et à peine vivant la nuit. Les gens qui te remarquent sont soit fascinés, soit terrorisés ; pour les autres, tu n'existes même pas !

Brolin porta une main à son visage, il toucha nerveusement sa joue. Des mèches désordonnées vinrent se poser sur ses doigts, comme animées d'une vie propre.

Larry pinça les lèvres en fixant son ancien collègue. Les traits du privé étaient fins, les courbes nettes dessinaient un faciès racé, et ses yeux ne se posaient nulle part, ils englobaient tout.

– Je pense que tu as peur, voilà. Pourquoi n'es-tu jamais avec une femme, tu peux me dire ? Cette Annabel, à New York, j'ai bien senti quand on en a parlé que tu l'appréciais, pourquoi ne l'as-tu jamais revue ?

Après l'enquête sur la secte de Caliban, les journaux ne s'étaient pas privés de dresser un portrait complet de Brolin et d'Annabel, suggérant même une romance sous cette collaboration.

– Larry, fit Brolin d'un ton très calme, laisse tomber, tu veux bien ?

Salhindro soupira en grognant.

– Toujours le même… lança-t-il, dépité.

Accotés au bar, les deux hommes contemplaient la salle à moitié vide. Après un long silence, Brolin reprit la parole.

– Je l'ai appelée hier soir. Annabel. J'ai même songé à la revoir.

Larry écarquilla les yeux. Il n'eut pas le temps d'enchaîner, le téléphone portable de Brolin se mit à sonner.

– Brolin ? C'est Sydney Folstom.

Il releva la tête, s'attendant à entendre le Dr Karstian. Cela ne présageait rien de bon, à moins qu'elle n'ait subitement pris l'affaire très à cœur.

– Je viens de lire le compte rendu de Karstian sur l'autopsie de Fleitcher Salhindro. Il est en ce moment même dans son bureau avec le type de l'EPA.

– Que dit le rapport ?

– L'analyse microscopique des tissus prélevés dans le cou a révélé des thromboses veineuses et une coagulation intravasculaire disséminée, entre autres. Et l'étude toxicologique fait mention d'une substance exogène dans le sang. On l'a passée au chromatographe pour en avoir la composition exacte. C'est du venin.

– Du venin ? Un serpent ?

– C'est ça le plus extraordinaire. C'est qu'il s'agit d'un venin d'araignée. Rien d'anormal en soi si ce n'est sa concentration et sa quantité, de quoi tuer un éléphant.

Brolin releva les yeux vers Larry. Celui-ci articula le mot « quoi ? » sans le prononcer.

– Qu'est-ce que vous entendez par là ? insista Brolin.

Il perçut les cheveux de sa nuque qui se dressaient.

– Ce que je veux dire c'est que, à moins qu'il n'ait été mordu par une araignée de la taille d'une roue de camion, c'est impossible.

– Et pour l'œdème dans le cou ?

– On va faire venir un entomologiste pour avoir son avis, mais il se pourrait que ce soit la morsure.

Brolin se souvint de la taille de la boursouflure et de l'écart entre les deux petits trous dans la peau. Des mandibules larges de cinq à six centimètres.

Impossible.

– Brolin ? Vous êtes toujours là ?

– Oui.

– Pas un mot pour l'instant, je ne veux pas que la presse soit au courant, ça va encore nous retomber dessus, les tabloïds adoreraient cette histoire d'araignée géante.

– Seeyog, le gars de l'EPA, il est au courant, j'imagine ?

– Il l'est maintenant. À ce sujet, je crois que vous devriez venir. Il vient de nous expliquer la véritable cause de sa présence ici. Ça pourrait vous intéresser.

Après une pause, Sydney ajouta, la voix anormalement fébrile :

– Ce qu'il vient de nous raconter est… effrayant.

5

La directrice de la morgue était en compagnie du Dr Karstian et de Tran Seeyog quand Brolin et Larry Salhindro entrèrent dans son bureau.

Les stores vénitiens étaient tirés et les rayons du soleil entraient dans la pièce en fines lamelles d'or dans lesquelles venaient danser les volutes de poussière. Malgré l'air conditionné, le crâne de Seeyog était couvert d'un voile humide, et ses yeux ressemblaient à présent à deux traits d'eyeliner. La situation le dépassait, songea Brolin. Ce qui n'était pas bon signe.

Ils se saluèrent d'un signe de tête et Salhindro prit place dans un fauteuil à côté des deux hommes. Brolin préféra rester debout, un peu à l'écart, bras croisés dans cette ombre qu'il trouvait rassurante.

– Allons-y, entama Sydney Folstom en se tournant vers Seeyog, si vous nous répétiez toute cette histoire, je crois qu'il est légitime que ces messieurs l'entendent à leur tour.

Il se racla la gorge en essayant de trouver une meilleure position dans son siège.

– Oui. Hum… Vous connaissez la forêt du mont Hood, je présume, un gigantesque parc naturel, paradis des amoureux de la nature, de la randonnée, du rafting et… bref, tous ces trucs. C'est un territoire si vaste et parfois si sauvage que la majeure partie n'est pas aménagée, même pas accessible en fait. La plupart des randonneurs ne s'éloignent pas des sentiers…

– Quel rapport avec mon frère ? intervint Salhindro, un peu agacé.

– J'y viens. Malgré tout ça, il y a des sites connus de quelques habitués, des sites qui ne sont pas sur les cartes, notamment une grande clairière magnifique, avec une chute d'eau à proximité. Les gardes forestiers l'appellent Eagle Creek 7. Elle se trouve à moins de cinq cents mètres d'un chemin de randonnée, aussi il n'est pas exceptionnel d'y voir des pique-niqueurs.

« Il y a trois mois de cela, un accident est survenu. Un couple qui prenait quelques photos à cet endroit, la femme a été piquée par une araignée. Une veuve noire.

– C'est habituel d'en trouver dans cette région ? interrogea Brolin.

– C'est rare, mais ça arrive, en revanche c'est beaucoup plus étonnant à cette période de l'année. Mi-mars, c'est un peu tôt. Quoi qu'il en soit, cette femme a été piquée dans la clairière. Le temps pour son mari de prévenir les secours et qu'ils arrivent, le système nerveux avait été gravement touché, elle a été hospitalisée d'urgence et s'en est sortie, avec des séquelles. Il faut savoir que le venin d'une veuve noire est quinze fois plus toxique que celui d'un serpent à sonnette !

– Que vient faire l'EPA dans cette histoire ? demanda Salhindro, son agressivité première se transformant peu à peu en curiosité.

– L'EPA a été contactée par les gardes forestiers début mai, il y a un peu plus d'un mois, lorsque la troisième piqûre de veuve noire est survenue dans cette clairière. Ils voulaient qu'on éclaircisse la situation. D'autant qu'une quatrième personne a été mordue courant mai. C'est un miracle s'il n'y a pas eu de mort jusqu'à présent. Mais quatre attaques de veuve noire en si peu de temps, et surtout avec si peu de passage dans cette clairière, c'est comme si elle était infestée par une colonie entière d'araignées. Au début, on a essayé de refiler le problème à l'U.S. Fish and Wildlife Service[1] et au Centre médical pour l'environnement du CDCP[2], mais ils n'en ont pas voulu, prétextant que ça n'était pas de leur ressort. Entre-temps, les randonneurs ont déserté la clairière.

Seeyog fixa Salhindro, l'air gêné.

– C'est votre frère qui a été envoyé là-bas pour faire des prélèvements. Il s'y rendait régulièrement, et il y a une semaine, il a rapporté une veuve noire d'une de ses visites. Il y était retourné pour essayer d'en trouver d'autres, pour s'assurer que le site n'était pas infesté lorsqu'il… a été piqué.

Salhindro déglutit bruyamment, il porta une main à sa bouche.

Brolin lui avait tout dit dans la voiture. Le venin en trop grande quantité, la taille de la boursouflure et l'écart entre les trous de ce qui ressemblait à une prise de mandibules.

Se tournant vers Brolin, Tran Seeyog leva les paumes des mains vers le plafond, en un geste d'incompréhension.

1. Service de la Pêche et de la Vie sauvage.
2. Center for Disease Control and Prevention (Centre de prévention et de contrôle des maladies).

– Croyez-moi, je n'en sais pas plus sur ce qui a pu tuer M. Salhindro. L'EPA ne dispose d'aucune autre information. Tout autant que vous, nous souhaitons comprendre ce qui a pu arriver. L'explication d'une… *araignée géante* ne satisfait personne.

– Ne dites pas ça, intervint le Dr Folstom, personne ici n'a parlé d'araignée géante, il peut y avoir des dizaines d'autres explications.

– Comme ? demanda Seeyog.

– Je ne suis pas là pour faire des suppositions, mais s'il vous plaît, j'aimerais qu'on ne parle pas d'araignée géante.

– En dehors de l'œdème au cou, il n'y avait pas d'autre trace de morsure ? demanda Brolin au Dr Karstian.

– Non, aucune. Je vois où vous voulez en venir, oubliez. Fleitcher Salhindro n'a pas été piqué par plusieurs araignées en même temps.

Contemplant son ami défait, Brolin posa la main sur son épaule.

– Larry, tu devrais peut-être rentrer, tu ne crois pas ?

L'intéressé répondit d'un geste par la négative.

Par-dessus le souffle feutré de la climatisation, la voix grave de Brolin s'éleva :

– L'EPA a fait analyser la veuve noire trouvée dans la clairière ?

– Oui, fit Seeyog immédiatement, sans résultat particulier. C'est une espèce commune dans notre pays. En revanche, nous ne nous expliquons pas une telle prolifération si localisée.

– Et la quantité de venin dans le corps de Fleitcher, insista Brolin, vous l'expliquez ? Et cette trace énorme de morsure sur son cou ? (Il se pencha pour murmurer à l'oreille du petit homme.) Et son expression de terreur ?

Seeyog s'épongea le front avec la manche de son costume. Brolin le considéra une seconde, il l'avait un peu secoué, juste ce qu'il fallait pour le rendre plus docile. Seeyog n'était pas de ces gens à la forte personnalité et au caractère en acier trempé, c'était inscrit dans le moindre de ses gestes hésitants.

– Monsieur Seeyog, déclara Brolin d'une voix posée, et si vous nous accompagniez dans cette clairière, en demandant aux gardes forestiers de nous y rejoindre ?

– Moi ? Maintenant ?

Pour toute réponse, Brolin lui glissa un bout de papier dans la poche.

– Voici mes coordonnées, considérez à partir de maintenant que j'enquête sur cette affaire.

– Mais... enfin c'est un acci... Je veux dire que ça n'est pas du ressort de la police ou d'un enquêteur privé, les...

Brolin plongea vers lui. Sa main agrippa son épaule et ses lèvres effleurèrent l'oreille de Seeyog pour lui chuchoter :

– Allez dire ça à la famille.

Alors que les trois hommes s'éloignaient, Sydney Folstom se servit un grand verre d'eau fraîche.

Elle se sentait poisseuse.

Toutes ces présences dans son bureau, toutes ces vies s'affrontant... Elle était fatiguée. Et peut-être un peu usée également.

Au loin une porte claqua et Sydney ouvrit un dossier qui traînait là depuis trop longtemps.

Il fallait bien le faire.

6

Brolin était finalement parvenu à convaincre Larry de retourner auprès de Dolly, sa belle-sœur. Il lui avait promis de faire son maximum pour élucider la mort de son frère.

La Mustang filait sur le fil de civilisation qu'était la route au milieu de ces immenses collines boisées. Derrière, la voiture de Tran Seeyog suivait paresseusement, à bonne distance.

Ils atteignirent rapidement Sandy – dernier bastion citadin avant les étendues infinies de la forêt. La masse blanche du mont Hood surgissait à l'est, le volcan dominait tout le paysage, à l'instar d'un monstre somnolent sur son trône.

Sandy était le quartier général des gardes forestiers de la Mont Hood National Forest, Brolin et Seeyog y retrouvèrent Adrien Arque, l'homme qui avait découvert le corps sans vie de Salhindro. Adrien accepta de les emmener dans la clairière, Eagle Creek 7, et la jeep embarqua bientôt les trois hommes en direction du nord.

En chemin, Adrien chercha à être rassuré sur les causes de la mort de Salhindro, il ne parvenait pas à chasser l'expression de terreur absolue qu'il avait lue sur son visage. Il n'en avait pas fermé l'œil de la nuit. Lorsque Brolin lui répondit qu'on n'en savait toujours rien, Adrien eut du mal à le croire. Il entreprit un descriptif de la région, pour chasser son malaise :

– Vous savez, il n'y a quasiment aucune route là où nous allons, juste un sentier suffisamment large pour qu'on puisse y passer en jeep, et encore !

Brolin, qui était assis à côté de lui, à l'avant, demanda :

– Il y a beaucoup de promeneurs qui viennent ?

– Tout dépend où. Plus au sud je vous dirais oui, beaucoup, mais dans cette portion, c'est l'inverse. Quelques randonneurs. Le coin est très vallonné, des gorges profondes, énormément de chutes d'eau, et une végétation très dense. Il y a aussi pas mal de grottes, mais elles ne sont pas répertoriées.

– À ce point ?

– Je le répète : c'est pas un coin très fréquenté. Ça se trouve, il y a même des espèces qu'on n'a pas encore découvertes ! Eh, vous saviez que la légende de Bigfoot[1] vient d'ici ? Sans blague !

Seeyog, qui jusqu'à présent était absorbé dans la contemplation de l'horizon, se pencha vers l'avant :

– C'est une supercherie, un canular monté de toutes pièces…

Adrien haussa les épaules.

– Peut-être, mais en attendant l'hypothèse d'espèces inconnues n'est pas à écarter. Vous savez, la forêt du

---

1. Ou *Sasquatch*, sorte de Yéti américain très populaire aux États-Unis ; à l'origine c'est une légende indienne, mais quelques photos floues et des témoignages de campeurs ont fait couler beaucoup d'encre et alimentent encore le mythe.

mont Hood dont nous avons la charge n'est qu'une
« petite » portion d'un ensemble gigantesque. C'est en
fait une bande de végétation dense qui traverse tout
l'Oregon du nord au sud et se poursuit même en Californie. Et elle remonte au nord, dans l'État de
Washington et jusqu'au Canada, des milliers et des milliers de kilomètres, presque quatre mille en longueur.
Au plus fin, elle ne fait que trente kilomètres de large,
ce qui est déjà pas mal, mais elle atteint des largeurs de
cinq cents kilomètres par endroits, c'est l'une des plus
grandes forêts du monde. Et c'est là qu'on trouve les
plus hauts arbres de la planète, certains culminent à cent
dix mètres, et aussi les plus vieux : il n'est pas rare de
croiser des séquoias de plus de deux mille ans ! Ils
étaient là au temps de Jésus, vous imaginez ça ?

– Difficilement, murmura Brolin en fixant la succession de monts trapus qui formaient justement la portion
qui les intéressait.

– Vous n'êtes pas du coin ? l'interrogea Adrien.

– Si. C'est juste que je ne suis pas souvent venu par
ici depuis que je suis gosse.

– Vous allez voir, c'est un endroit qu'on n'oublie pas.

Adrien n'avait pas tort, l'échantillon de richesses
visuelles qu'offrait la forêt à cet endroit était étonnant.
Outre l'imbroglio des arbres qui se hissaient en muraille
de part et d'autre de la route, il y avait les somptueuses
cascades, déversant leur treillage chaotique de cheveux
d'ange depuis des corniches si hautes qu'elles semblaient inviolées par l'homme. Et puis la jeep longeait
des ravins, fissures noires au fond desquelles serpen-
taient des eaux glacées au tumulte cristallin.

Le véhicule cahotait au gré d'un vague sillon
encombré de fougères et de branches basses, épousant

la courbe tantôt ascendante, tantôt descendante des petits monts. En un peu plus d'une heure, ils rejoignirent la clairière Eagle Creek 7. Ce qui leur avait servi de piste s'achevait sur un dégagement relativement clairsemé qu'Adrien appela leur parking, où ils purent se dégourdir les jambes.

Eagle Creek 7 s'étendait au-delà.

Brolin quitta la clémence ombrée de la lisière pour pénétrer le vaste croissant de hautes herbes. Bien qu'on fût en fin d'après-midi, la chaleur demeurait écrasante, s'élevant du sol en nappe lourde et suffocante.

Il se tourna vers Adrien et Tran Seeyog qui attendaient à l'orée, mal à l'aise.

– Où se trouvait le corps de Fleitcher ? demanda-t-il.

Adrien disposa son chapeau de garde forestier sur son crâne et le rejoignit.

– Un peu plus haut, par là. Venez, je vais vous montrer.

Ils enjambèrent un tronc pourri et montèrent la pente douce de la clairière.

– Évitez de laisser traîner vos mains dans les herbes, prévint Adrien, on ne sait jamais.

– Vous pensez qu'il y a tant de veuves noires que ça ?

Adrien leva une main pour chasser l'air devant lui.

– Qui sait ? Il doit venir ici au maximum cinq à dix personnes par mois à la belle saison. Et quatre se sont fait mordre par ces saloperies d'araignées au cours du dernier trimestre ! Compte tenu de la taille de la clairière, ça fait des statistiques éloquentes ! Elle doit être infestée ! Tenez, ça se trouve on en écrase des dizaines depuis qu'on marche…

Adrien frissonna.

Ils stoppèrent devant une zone aux plantes courbées, plusieurs tiges étaient cassées.

– Je crois que c'est là.

Brolin s'agenouilla et fouilla doucement le sol du bout de l'index.

– Vous avez inspecté les alentours ? demanda-t-il au garde forestier.

– Non. J'ai prévenu mes collègues pour avoir du renfort. Je savais qu'une ambulance ne pourrait pas monter jusqu'ici. On a rapporté le corps à Sandy avec une jeep.

Brolin se redressa et commença à tourner sur lui-même pour examiner le périmètre proche. À deux reprises il s'arrêta, s'approcha et reprit son petit manège. Son front se plissa. Il se hissa sur la pointe des pieds puis écarta quelques herbes.

– Il y a eu du mouvement ici.

À moins de trois mètres d'eux, plusieurs fleurs étaient coupées, se desséchant au soleil. Brolin en prit une et gratta la tige.

– Regardez, dit-il en la tendant à Adrien, elles n'ont pas été arrachées mais cassées. Pareil pour les herbes.

– C'est peut-être ce Fleitcher Salhindro quand il est venu chercher des spécimens d'araignées…

– Ça m'étonnerait. Regardez dans notre sillage, nous n'avons rien cassé, seulement repoussé. On dirait plutôt des signes de lutte.

Brolin étudia le sol à tout hasard. L'absence de pluie depuis plusieurs jours l'avait rendu sec, il n'avait gardé aucune trace de pas ou autre.

– Vous pensez qu'il s'est battu ? Je veux dire, c'est… On parle de meurtre, c'est ça ?

Brolin resta silencieux, inspectant Eagle Creek 7, ses yeux réduits à une rigole sombre à cause du soleil encore puissant à cette heure.

Il fut frappé par le contraste entre la clairière et les arbres qui l'environnaient. La lumière et les ténèbres.

– Vous avez ce que vous vouliez ? interrogea le jeune garde forestier.

Eagle Creek 7 montait sur près de cinq cents mètres avant de former sur la droite un croissant dont toute la partie supérieure était masquée par les arbres. Au milieu de cette courbe, une souche assez haute sourdait du sol comme un totem oublié. Brisé en biseau, le sommet du tronc pointait son aiguille vers le ciel bleu. De là, on devait dominer toute la portion inférieure et voir la partie qui s'étendait au-dessus.

– J'aimerais jeter un coup d'œil là-haut.

Adrien eut l'air contrarié.

– Euh… Je ne suis pas sûr que ça soit une bonne idée de tout traverser. Si c'est truffé de veuves noires, personnellement je ne saurais que vous déconseiller de…

– Je prends le risque.

Brolin entama son ascension. Adrien chercha Tran Seeyog. Le fonctionnaire de l'EPA n'avait pas bougé de l'orée. Il lui fit un vague signe de la tête. L'Asiatique ne semblait pas prêt à venir.

– Et merde…

Il emboîta le pas au détective privé.

Alors qu'ils se rapprochaient de la souche, Brolin demanda :

– Vous m'aviez parlé d'une chute d'eau assez proche, je n'ai rien entendu depuis que nous sommes là.

– Elle est à trois ou quatre cents mètres d'ici, mais c'est à cause de la végétation, elle est si dense qu'elle ne laisse pas filtrer les sons. Je vous jure, ce coin est un monde à lui tout seul.

Brolin voulait bien le croire. Il ne cessait d'observer le rail noir des arbres en bordure, il croyait capter un mouvement suspect toutes les trente secondes.

– Vous travaillez seul quand vous venez ici ?

Adrien sourit.

– Oui, tout seul. Et oui, j'ai parfois… la trouille, si c'est ce que vous vouliez savoir. C'est pas parce qu'on est garde forestier que la forêt ne nous fait plus peur. Pour tout vous dire, je pense que même mes collègues les plus expérimentés ne sont pas rassurés lorsqu'ils viennent par ici. Il y a quelque chose de primitif qui habite ces bois. C'est comme si la nature était hostile ici, qu'elle cachait un secret. Des secrets.

Le cri d'un faucon les surprit tous les deux.

Adrien repensa aussitôt à la présence du rapace et au rôle qu'il avait joué lors de la découverte du cadavre. Il planait au-dessus des sapins, guettant sa proie.

Une fois au pied de la grande souche, Adrien sortit un mouchoir pour s'éponger le front pendant que Brolin en faisait le tour. L'immense tronc gisait sur le côté, vermoulu. Il avait été brisé à trois mètres de sa base, probablement par la foudre. C'était assez impressionnant. Il semblait avoir implosé. Le détective privé trouva un escalier naturel sur l'autre face, avec un énorme champignon et deux branches mortes qui l'aidèrent à grimper au sommet de la souche.

De cette hauteur, la perspective changeait totalement. La lisière n'apparaissait pas plus petite, mais plus menaçante. En revanche, comme il s'en était douté, il dominait toute la clairière et put constater que la partie supérieure était mouchetée de grappes de fleurs jaunes et mauves, des lupins qui proliféraient par centaines. Eagle Creek 7 étirait son croissant sur un flanc de mont culminant à environ mille mètres, dont le sommet les surplombait à une heure de marche. Plusieurs rochers gigantesques semblaient sur le point de dévaler la pente. Les conifères qui conduisaient au sommet s'agitaient dans le léger vent, à la manière d'une fourrure ondoyante. Il y avait des…

Le regard de Brolin descendit vers l'extrémité nord de la clairière. Vers une forme à angle droit, une masse géométrique. Si incroyable que cela pût être, un bâtiment était caché dans la forêt.

– Adrien, qu'est-ce que c'est que cette construction ? Vous connaissez ?

Le garde forestier suivit la direction indiquée par le bras du privé.

– Je ne vois rien d'en bas. Mais ça doit être les structures du gouvernement.

– Quoi ?

– Oh, c'est pas grand-chose, en fait c'est complètement abandonné. C'était à l'armée autrefois, mais ils l'ont fermé il y quatre ou cinq ans. C'est tout vide maintenant.

– Comment se fait-il que personne n'en ait parlé ?

– Elle est pas sur les cartes. Et comme il n'y a pas de voie officielle pour y accéder, pas grand monde est au courant. Je crois même qu'ils ont bouché la route qui permettait d'y monter.

– Qu'est-ce qu'on y faisait, vous savez ?

– Non, c'est pas très grand. Un de mes collègues dit que c'était un centre top-secret d'entraînement. Pour l'élite. Mais on n'en sait rien, en fait.

Brolin considéra le morceau de béton qui dépassait de sa gangue verte. La présence de l'armée ici n'avait finalement rien de curieux. C'était le site rêvé pour être discret.

Il prit tout à coup conscience qu'il s'était assis sur une lamelle du tronc. Cela s'était fait tout naturellement. En y regardant de plus près, il découvrit que la lamelle en question ressemblait à une planche réduite qu'on avait tirée des cernes annuels jusqu'à ce qu'elle soit à angle droit avec le bois de cœur. Avec ce qui restait de l'arbre pour dossier, on pouvait s'installer là pendant une heure ou deux dans le plus grand confort.

– Vous avez un problème ? s'inquiéta Adrien.

Brolin se pencha et inspecta le siège improvisé.

Il y avait des entailles sur le côté, provoquées par une lame. Quelqu'un s'était fabriqué un poste d'observation. Brolin remarqua comme les fibres de la moelle étaient lissées à cet endroit. Quelqu'un qui était venu souvent. Très souvent.

– Vous venez régulièrement ici ? demanda Brolin.

– Oh, trois-quatre fois par an. Pourquoi ?

– Il y a un ermite qui vit dans les environs ? Des bûcherons ou quiconque ?

– Personne. Je vous l'ai dit : c'est vraiment très peu fréquenté.

Brolin caressa du pouce l'usure du bois sur le dossier du siège.

Tout d'abord les traces de ce qui ressemblait fortement à un affrontement.

Et maintenant ça. Cette souche brisée était parfaite pour dominer toute la clairière. Si quelqu'un avait souhaité en avoir une vue d'ensemble, c'est là qu'il était venu.

Brolin inspira doucement.

Ce qui avait commencé comme un doute se muait en certitude.

Fleitcher Salhindro n'était pas mort tout seul.

Les hautes herbes se mirent à frémir lorsque la brise estivale qui jouait avec le sommet du mont descendit.

Cet endroit avait été témoin de quelque chose d'étrange.

Étrange et affreux.

7

Le jet brûlant coulait sur le corps de Brolin, épousant les courbes de ses muscles avant de ruisseler sur le caillebotis de la douche. Une nappe de vapeur s'était tissée dans la pièce.

Il songeait à la mort de Fleitcher Salhindro.

Joshua tentait de disposer les éléments entre eux, comme s'il essayait de deviner le motif final d'un grand puzzle dont il n'aurait que quelques pièces entre les mains.

Quel rapport pouvait-il y avoir entre la présence de dizaines de veuves noires dans une clairière et le meurtre d'un homme par empoisonnement ? Car plus il y pensait, plus il discernait le spectre avide du meurtre là-dessous. Il ne pouvait croire à l'existence d'une « araignée géante », c'était complètement stupide. Et il y avait ces traces de lutte là où on avait retrouvé le cadavre. Brolin devinait également un lien avec ce poste d'observation dans l'arbre. Personne n'habitait le coin et pourtant quelqu'un y venait souvent. Dans quel but ?

Et si tout cela n'avait aucun rapport ? Tu anticipes trop... Pour le moment tu n'as quasiment rien, classe

tout ça dans ta tête, sans créer de passerelles artifi-
cielles. Elles t'embrouilleront...

Il tourna le mitigeur et l'eau cessa de couler. Il se
sécha sommairement et, une serviette nouée autour de
sa taille, traversa le salon en direction de la longue terrasse. Surplombant le paysage forestier du haut de ses
pilotis, elle offrait une vue superbe sur le coucher de
soleil. Brolin se roula une cigarette avec ce tabac gras
à la pomme qu'il prisait depuis ses quelques mois de
vie en Égypte. Il l'alluma et savoura les bouffées
douces de sa fumée. Le thé à la menthe avec un narguilé
de tabac à la pomme, le chant lointain des minarets, tout
cela flottait parmi les fantômes de sa mémoire.

La tiédeur du soir termina de sécher sa peau et ses
cheveux, ses mèches d'ébène formant une arabesque
acérée.

Quelque chose cogna contre la porte d'entrée.

C'était un son lourd, avec une dynamique marquée,
très certainement provoqué par un être vivant.

Brolin s'assura que Saphir était bien à ses pieds et
entra dans le salon en prenant soin d'être silencieux. Il
vivait en pleine forêt, pourtant il n'avait pas l'impression qu'il s'agissait d'une bête. Il hésita un instant à
prendre son arme et se ravisa aussitôt. L'isolement
commençait à le rendre parano.

Il posa une main sur la poignée de la porte d'entrée
et l'entrouvrit légèrement. Le poids qui était de l'autre
côté le surprit et il la lâcha.

La porte s'ouvrit en grand et un corps tomba sur le
seuil.

La personne qui gisait aux pieds du détective privé
devait s'être assise, le dos appuyé contre la porte, et
avait naturellement roulé en arrière.

C'était une femme.

Son visage était délicat. Sa peau naturellement hâlée semblait aussi douce au regard qu'elle devait l'être au toucher, elle avait des lèvres larges, à peine ourlées, et ses grands yeux observaient Brolin depuis le sol. Les longues tresses de sa chevelure tentaculaire s'étalaient autour d'elle, évoquant des origines africaines.

– Annabel ?

Saphir vint coller sa truffe humide sur le nez de la jeune femme et renifla bruyamment.

– Bonsoir, bafouilla-t-elle en scrutant Brolin drapé dans sa serviette.

Il lui tendit la main pour l'aider à se relever. Une fois debout, elle épousseta sa longue robe en patchwork, et réajusta son haut sans bretelles qui ne dépassait pas le bas de ses épaules. Ainsi vêtue, elle avait des allures de gitane. Pourtant, malgré la féminité des vêtements, Brolin perçut l'athlétisme du corps et l'image d'Annabel O'Donnel, détective à Brooklyn s'imposa à sa rétine.

– Qu'est-ce que… Qu'est-ce que tu fais là ? demanda-t-il sans parvenir à s'habituer à ce qu'il voyait.

Il n'avait jamais envisagé la présence d'Annabel entre ces murs. Elle était pour lui l'âme de New York, la femme citadine.

– J'ai, hum… J'ai écouté ce que ton ami m'a dit. Que tu avais besoin de moi.

– Mon ami ?

Brolin vit clair en une seconde.

– Larry ? Il t'a appelée ? Qu'est-ce qui lui a… Comment a-t-il eu ton numéro ?

– C'est un flic. Et si tu ne lui avais jamais donné mon nom entier, la presse ne s'était pas privée de le faire quand…

Ils s'observèrent. Une esquisse de sourire aux lèvres.

– J'ai pris le premier avion que j'ai trouvé. Et un taxi m'a déposée il y a un quart d'heure.

Elle se tourna vers les arbres qui entouraient le chalet avant d'ajouter :

– J'ai sonné, sans réponse. Mon téléphone portable est dans mon sac, la batterie vide. J'avoue que je commençais à m'inquiéter de passer la nuit ici, dehors.

– J'étais sous la douche, fit-il en baissant les yeux vers la serviette qui lui nouait la taille.

Elle mordilla sa lèvre, persuadée que son teint n'allait pas dissimuler ses joues rougissantes. Elle arracha son regard du torse nu de Brolin. *Qu'est-ce qui te prend, maintenant ? C'est pas la première fois que tu vois un homme bien foutu ! Et c'est Joshua, ton ami !*

Il s'effaça pour la laisser passer.

– Entre.

Elle prit un petit sac de voyage et pénétra dans la tanière du détective privé.

– Larry m'a dit que tu étais fatigué, que tu lui faisais peur. Il a dit qu'il fallait que je vienne sans tarder pour « te botter les miches », c'est ce qu'il a dit…

– Quand t'a-t-il appelée ?

– Cet après-midi.

Brolin ferma les yeux un court instant. *Larry, tu me paieras ça.* Larry avait dû prendre son téléphone après leur seconde visite à la morgue, après qu'il lui eut confié qu'il avait lui-même appelé Annabel la veille.

– Je n'aurai pas dû ? demanda la jeune femme avec une lueur d'inquiétude dans le regard.

– Je suis surpris. La situation est assez délicate, Larry vient de perdre son frère et je…

– Il me l'a dit. Écoute, je ne veux pas m'imposer, si ma présence pose un problème ici, je reprends le premier avion demain matin, en fait si tu m'appelles un taxi je peux même y aller maintenant...

Brolin attrapa le sac de voyage.

– C'est hors de question. Sois la bienvenue chez moi. Je vais te montrer la chambre d'amis.

Lorsqu'elle lui avait proposé de repartir, Brolin avait capté cette fragilité qui animait la jeune femme, le doute qui l'habitait, ce soupçon de peine à l'idée qu'il ne voulait pas d'elle ici. Il avait presque entendu son cœur se froisser, et le goût de la tristesse qui avait envahi Annabel s'insinua jusqu'à sa propre gorge.

Toutes ces choses qui lui rappelaient à quel point elle lui avait manqué depuis cinq mois.

*
* *

Georges Lyfield se gratta le bord du nez.

– C'est pas vrai, murmura-t-il, où est cette bon Dieu de télécommande ?

Le sexagénaire posa son journal et quitta le confort du sofa pour chercher l'appareil sur une des étagères.

– Chérie, tu n'as pas vu la télécommande de la télé ?

La voix étouffée de Norma lui parvint de la cuisine.

– Non. Veux-tu du fromage dans ta soupe ?

Georges pesta en silence. Il en avait plus qu'assez de devoir passer des heures et des heures à chercher cette satanée machine. *Ils vous vendent ça comme un progrès ! Avec ces télés modernes, sans la télécommande on ne peut plus rien faire !*

Énervé, il abandonna l'idée de regarder les infos et se dirigea vers les escaliers.

– Je vais prendre une douche.

Dans la chambre, il retira ses vêtements qu'il plia minutieusement et enfila un peignoir qu'ils avaient rapporté de Las Vegas, l'hiver précédent. Il ne remarqua pas le petit corps chitineux qui se déplaçait dans son dos, surgissant de sous le lit. La créature glissa sur le sol dans le mouvement coulé de ses huit pattes. La *Loxosceles reclusa*, connue pour la toxicité de son venin nécrosant, s'immobilisa au milieu de la pièce, formant une tache marron sur la moquette blanche.

Georges posa son pantalon et traversa la chambre vers l'armoire. Son pied nu se posa à quelques centimètres de l'araignée. Celle-ci resta sans bouger, puis ses deux pattes avant se levèrent.

Le vieil homme fouilla dans le fond du meuble à la recherche de sous-vêtements propres. Son pied se déplaça de dix centimètres. Il touchait presque l'araignée.

Une des pattes de l'arachnide se posa sur la peau du pied.

Tout en cherchant dans son linge, Georges leva son pied et se gratta la cheville. Son talon vint se replacer sous les yeux minuscules de la *Loxosceles*.

– Ah, voilà.

Georges agrippa ce qu'il cherchait et entra dans la pièce mitoyenne.

La douche détendit Georges Lyfield, si bien qu'il se mit à siffler en enfilant son peignoir et en se coiffant devant la glace. La porte était ouverte, elle donnait dans la chambre et notamment sur la moquette qui s'étendait au pied du lit. L'araignée n'y était plus.

Tout en sifflotant l'air d'une vieille chanson de Jerry Lee Lewis, Georges se mit en quête de ses chaussons.

C'est pas vrai ! C'est une conspiration...

Après la télécommande, c'était au tour de ses pantoufles. Sur le seuil de la chambre, il demanda :

– Chérie ? Tu n'aurais pas vu mes chaussons ?

Norma était toujours affairée dans la cuisine.

– Regarde sous le lit, s'écria-t-elle par-dessus le tintement d'une casserole.

Georges fit la moue, pas tout à fait convaincu. Il s'accroupit et regarda sous le lit. Les pantoufles étaient bien là.

– Ah, bien sûr…

Il appuya sa tête contre la moquette et tendit le bras pour les saisir. Ses doigts touchèrent le bord en feutre.

– Norma, pourquoi diable as-tu besoin de les lancer ? Tu ne peux pas juste les poser là, non ? maugréa-t-il.

Son index entra en contact avec quelque chose de mou. Il était dans le chausson.

– Qu'est-ce…

Au rez-de-chaussée, Norma avait mis leurs bols de soupe dans le micro-ondes, il n'y avait plus qu'à les réchauffer. Et elle venait d'entamer la préparation d'un vrai chili con carne, pour toute la famille qui viendrait le dimanche midi. Elle devait s'occuper des haricots longtemps à l'avance, leur laisser le temps de macérer avec une pincée de bicarbonate pour favoriser la digestion.

Lorsque son mari hurla à l'étage, elle lâcha la casserole et les haricots rouges se répandirent sur tout le carrelage.

Au service pédiatrie du Meridian Park Hospital, le Dr Vordinsky monta dans l'ascenseur. La journée était finie. Il pouvait rentrer chez lui, exténué. Mark Donner était déjà dans la cabine, le doigt sur le bouton du lobby. Il semblait pressé.

– Salut Mark, un problème ?

– Aux urgences, on vient d'amener un vieil homme, crise cardiaque.

Vordinsky inclina brièvement la tête pour montrer qu'il compatissait.

– Apparemment il s'est fait mordre par une araignée, développa le Dr Donner. Je ne crois pas que la toxicité y soit pour quelque chose, c'est la trouille qui a dû tout déclencher. Il doit être arachnophobe, tu sais, la peur des araignées, c'est la plus répandue au monde, j'ai entendu dire.

– Une araignée ?

– Ouais. Saloperie de bestiole.

Mark Donner considéra son confrère qui avait soudain l'air soucieux.

– Tout va bien ?

Vordinsky leva son visage vers lui.

– C'est que… Tu ferais bien de lui faire un bilan toxicologique, on nous a déjà amené deux personnes cette semaine qui avait été mordues par des araignées, sacrément venimeuses. Et…

– Quoi ?

Vordinsky se remémora ce qu'une infirmière lui avait raconté dans l'après-midi.

– Et ils ont eu trois cas similaires à l'Emanuel Hospital et deux aussi au Good Samaritan Hospital. Tout ça en une semaine.

Cette fois l'inquiétude avait gagné le visage de Mark Donner. Il ne s'agissait que d'hôpitaux situés en pleine ville.

– Tu veux bien me rendre un service, demanda-t-il, avant de partir, tu pourrais passer un coup de fil au Département de la santé à l'hôtel de ville. J'ai comme l'impression qu'il se passe quelque chose de bizarre.

L'ascenseur émit un « ding » sec avant que les portes ne s'ouvrent sur les urgences.

8

Annabel ouvrit les yeux, il était neuf heures passées. Le soleil et la chaleur commençaient déjà à monter. Elle enfila un long t-shirt par-dessus sa culotte et hésita à mettre autre chose en plus avant de descendre. Elle se sentait gênée d'être si peu vêtue devant Brolin. *Ne sois pas gourde, vous avez passé une nuit ensemble cet hiver.* Ils avaient dormi tous les deux, chastement, dans le réconfort de la chaleur de l'autre. Tout de même, elle était chez lui et…

Elle se maudit à voix haute et sortit sur la mezzanine dominant le salon.

Brolin était sur la terrasse, vêtu d'un ensemble en lin beige, il profitait des premiers rayons du soleil, un verre de thé glacé à la main.

– Bonjour.

Elle le salua en nouant ses tresses en queue de cheval.

– Bien dormi ?

– Oui, fit-elle. J'ai mis une heure à m'habituer aux cris des animaux pour finalement ne rouvrir les yeux qu'il y a cinq minutes.

– C'est la magie de cette maison. Le pas des écureuils sur le toit remplace la trotteuse de l'horloge, il n'y a pas d'autre berceuse que le hululement des chouettes et la rumeur des hommes ne parvient pas jusqu'ici. Rien que la complainte du vent dans les arbres.

– C'est mignon. Tu l'as préparé ? demanda-t-elle en souriant.

– C'est ma mère qui disait tout le temps ça quand j'étais gosse.

– Tu as grandi ici ? s'étonna Annabel.

– Non. Dans une petite maison entre champs et forêts au sud-est de Portland. Ma mère y vit toujours. Elle passe ses journées à peindre depuis la véranda.

L'amusement pétillait sur le visage de la jeune femme. Difficile d'imaginer qu'un gamin élevé par une femme peintre et vivant à la campagne avait pu devenir profileur pour le FBI avant d'être inspecteur de police puis détective privé. *Et surtout d'avoir développé une personnalité si singulière*, se dit-elle. Le parcours était original.

– Il y a du thé glacé et du jus d'orange frais dans le frigo, fais comme chez toi.

Brolin porta son verre à ses lèvres et s'arrêta avant de boire.

– Larry ne devrait pas tarder, prévint-il. Il a appelé ce matin, il voudrait me parler d'une histoire, qui pourrait avoir un lien avec son frère, a-t-il dit. Quelque chose qu'il a entendu.

Annabel se mordilla l'intérieur de la joue.

– Tu es sûr que je ne te dérange pas ? demanda-t-elle après une courte hésitation.

– Nous en avons parlé hier soir. J'ai une mauvaise intuition sur cette histoire de venin, il y a des éléments que je ne comprends pas et je ne veux pas laisser Larry tout seul là-dedans. Je vais mener ma petite enquête, c'est l'affaire d'un ou deux jours. Ensuite nous pourrons partir une semaine sur les plages d'Astoria.

La veille, ils avaient passé leur soirée de retrouvailles sur la terrasse, dans des chaises longues séparées par une bougie, sous l'éclat immémorial des étoiles. Brolin avait détaillé le contexte dans lequel elle le trouvait avant qu'ils ne partent à se raconter leur vie des six derniers mois.

– Je vais prendre une douche, dit-elle.

Elle perçut le contact chaud d'une main sur son poignet. Une poigne délicate mais ferme.

– Annabel, je ne veux pas que tu te sentes mal à l'aise ou de trop ici. J'aimerais que ce soit pour toi un nid de sécurité et de confort. Même en présence de Larry, s'il t'a tout raconté c'est qu'il n'y a pas de problème.

Elle le fixa puis acquiesça avant de monter.

Lorsque Larry Salhindro entra dans le salon, il semblait moins consistant encore qu'une nappe de brouillard. Dès le premier regard, Brolin sut qu'il transportait de mauvaises nouvelles. Il portait son uniforme d'officier de police, il n'avait donc pas pris la journée pour se reposer.

– Assieds-toi d'abord, commanda Brolin.

Annabel descendit les marches pour les rejoindre, enveloppée dans une longue robe safran. L'eau de la douche perlait encore sur sa peau brune.

Larry l'accueillit avec un sourire doux ; ses yeux trahissaient l'effort qu'il produisait pour masquer son inquiétude.

– Joshua m'avait dit que vous étiez une âme riche, il avait oublié de mentionner la grâce et la beauté.

Annabel rentra la tête entre ses épaules, gênée.

– Je suis désolé que notre rencontre se fasse dans ces conditions, ajouta-t-il.

Elle désigna la terrasse d'une main.

– Je vais vous laisser et…

– Non, restez, la coupa Larry. Je n'ai rien à vous cacher, et c'est un peu à cause de moi si vous êtes là, alors restez. Et puis… je crois que ça pourrait vous intéresser, enfin votre curiosité de flic.

Il s'installa dans un des petits sofas et sortit de sa poche une feuille de papier pliée en quatre.

– Ce matin en arrivant au poste central, j'ai pris connaissance de l'activité nocturne, comme d'hab.

Larry Salhindro était l'officier chargé de la liaison et de la coordination entre les différentes sections. Entre les officiers de police en patrouille sur le terrain et les inspecteurs de la Division des enquêtes criminelles notamment, où il avait rencontré Brolin. Un poste bâtard, dont il avait hérité après des problèmes de santé, pour lui épargner les éprouvantes heures de ronde.

– La nuit a eu son lot d'animations coutumières, deux agressions mineures et une foule de petits délits. En revanche, le 911[1] a été appelé à deux reprises dans la nuit à propos de piqûres d'animaux venimeux. Dans un des cas, deux de nos flics se sont amusés à chercher l'araignée en question, car il s'agissait bien d'araignée, dans toute une chambre.

– Ils l'ont trouvée ? voulut savoir Brolin.

– Ils l'ont écrasée. À leur place, je crois que j'en aurais fait autant. Compte tenu des circonstances, ça m'a comme qui dirait mis la puce à l'oreille. J'ai passé quelques coups de fil. On rapporte pas moins de neuf

---

1. Numéro d'urgence, police secours.

cas en une semaine. Neuf hospitalisations dues à des morsures d'araignées. Et deux décès. Un homme âgé la nuit dernière et… un nouveau-né.

Annabel porta une main à sa bouche.

– Je n'en ai pas encore confirmation mais d'après ce qu'on m'a dit il y a deux types d'araignées. Tout ça a eu lieu dans des quartiers différents, éloignés même.

– Tu as contacté le Département de la santé de la ville ? demanda Brolin.

– Ce sont eux qui m'ont donné ces informations. Un médecin les a appelés cette nuit. Pour le moment, ils veulent que ça reste secret, le temps de vérifier qu'il ne s'agit pas d'une invasion.

– Une invasion ?

– C'est ce que le type m'a dit.

Brolin secoua la tête.

– C'est absurde. Il n'y a jamais eu d'invasion d'araignées venimeuses, encore moins à Portland. Les flics sont sur le coup ?

– J'ai fait un topo au capitaine Chamberlin, et Lloyd Meats va se pencher sur le dossier.

Deux vieilles connaissances de Brolin. Le nom de ces deux hommes évoqua une nuée de souvenirs.

– Et c'est tout ? interrogea-t-il.

– C'est triste à dire mais les décès concernent des individus particulièrement vulnérables, il n'y a rien de suspect là-dedans m'a-t-on répliqué. Surtout que, d'après le médecin, l'araignée qui a mordu le vieil homme hier n'est pas mortelle ou très rarement, et dans ce cas, elle n'est pas la cause directe du décès, l'homme est mort dans la nuit après avoir fait une crise cardiaque, il était fragile du cœur et particulièrement terrorisé par les araignées. Tout ça c'est du domaine de la santé, m'a-t-on répondu…

– Neuf morsures en une semaine ? Et avec ce qui est arrivé à ton frère ?

Larry se rembrunit davantage encore.

– C'est parce qu'il y a cette histoire avec mon frère que Chamberlin a demandé à Lloyd Meats de voir s'il trouvait quelque chose de louche. Sans quoi notre bonne vieille police n'y fourrerait même pas le nez. Lloyd va suivre le dossier de Fleitcher.

– Tu as pu te procurer la liste des victimes ?

Larry agita sa feuille de papier devant eux.

– Tout est là. J'ai rassemblé ce que j'ai pu trouver comme données. Noms, prénoms, adresses, dates de naissance, professions…

Brolin tendit la main vers la fiche. Larry l'examina, embarrassé.

– Merci, Josh… Je veux dire merci de faire ça pour moi et de…

– Laisse tomber. Passe-moi cette liste.

Larry la lui donna en échangeant avec Annabel un regard confus.

– Meats a-t-il prévu de passer voir tous ces gens pour les interroger ? demanda le détective privé en consultant les informations inscrites sur le bout de papier.

– Je ne sais pas.

Brolin se concentra en silence sur ce qu'il lisait, puis se leva d'un bond et se précipita vers son bureau, bientôt suivi par Larry et Annabel. Il fouilla sur une étagère parmi une multitude d'atlas et de cartes. Il trouva le document qu'il cherchait et le déplia avant de l'accrocher sur un des pans boisés de la pièce. C'était un plan détaillé de Portland et de sa proche banlieue. En s'aidant de la liste apportée par Larry il plaça de petites épingles rouges à divers endroits.

– Ceci correspond à tous les foyers touchés par ces morsures.

Ils étudièrent la disposition des épingles, comme si elles pouvaient former la clé d'un pentagramme occulte. Sans résultat. Brolin reprit son analyse à voix haute :

– L'un était charpentier, celui-ci comptable, celle-ci assistante sociale, là un médecin à la retraite…

À chaque fois, Brolin posait son index sur l'épingle qui correspondait.

– M. et Mme Lernitz, M. et Mme Caufield, M… Une minute… Larry, tu as remarqué ? Il n'y a que des couples.

– Oui, j'ai vu ça en rassemblant tout ce que je trouvais sur eux, tout à l'heure. Rien d'anormal, je veux dire qu'il s'agit d'adultes, et, euh… en dehors de toi et moi, la majeure partie des gens vivent en couple, non ?

Un minuscule frémissement secoua le coin de l'œil du privé.

– Tout de même…

– Josh, je ne peux pas parler au nom de tous ces gens, mais mon frère n'avait pas d'ennemi, pas d'argent, ni un poste convoité… Tu comprends ? S'il s'agit bien d'un meurtre et pas d'un accident, alors pourquoi lui ?

– Ce n'est pas un acte ciblé, j'ai bien peur que ton frère ait été au mauvais endroit au mauvais moment.

Annabel se pencha en avant.

– Qu'est-ce qui te permet de l'affirmer ? demanda-t-elle.

– Il y a un poste d'observation dans la clairière. Du genre utilisé assez souvent, et personne n'habite dans la région. Je pense que celui qui a tué Fleitcher est celui qui venait s'installer ici. On ne pouvait pas prévoir à l'avance que Fleitcher viendrait dans cet endroit ; si on avait voulu le tuer, lui et pas un autre, il aurait été impossible de préméditer ce geste à cet endroit. Rien ne prouvait que l'EPA allait envoyer quelqu'un, ni que ce serait Fleitcher. Non, au contraire, je crois que Fleitcher a mis les pieds là où on ne voulait pas de lui.

– Pourquoi ? Qu'est-ce que cette clairière peut avoir de si particulier ?

– La même chose que ce qu'on trouve de plus en plus en ville... Des araignées.

– Quel intérêt ? s'étonna Annabel. Qui s'amuserait à jouer avec ces créatures ? Il faut être particulièrement perfide pour imaginer un plan pareil ! Tu imagines ? Aller déposer des araignées dangereuses un peu partout dans la ville dans l'espoir de tuer un maximum de personnes ? Qui ferait ça, un terroriste d'un genre nouveau ? Et pour quelles raisons ?

Brolin écarta les mains devant lui.

– Je n'en ai pas la moindre idée, et c'est bien par là qu'il faut commencer.

9

Assis derrière son bureau, Lloyd Meats – détective à la Division des enquêtes criminelles et second du capitaine Chamberlin – classait les dossiers qui s'amoncelaient en petites piles polychromes. Il caressa sa barbe aux reflets gris, celle-là même qu'il avait laissée repousser au grand désespoir de sa femme, et qu'il envisageait de couper à nouveau.

À croire que ces quelques poils sont un baromètre de ton moral..., ironisa-t-il.

La cinquantaine lui allait bien finalement.

Alors qu'il revenait de congés, il avait des cernes plus creusés encore qu'à l'accoutumée. Depuis le départ des enfants, ils se découvraient une seconde vie avec Carla, son épouse. Ils voyageaient : Mexique, Antilles... Ils riaient en faisant les pitres, et même leur vie sexuelle retrouvait un piment qu'ils avaient cru perdu dans le dédale du quotidien.

Pour la première fois depuis des années, c'était sa vie privée qui l'épuisait plus que son travail.

Il avait en souffrance deux affaires d'agressions, dont un vol à main armée dans une petite supérette des quartiers nord qui prenait une mauvaise tournure. Pas d'empreinte, la vidéo-surveillance était inexploitable, et l'épicier était en état de choc, une balle lui ayant rasé les cheveux au-dessus de l'oreille, il s'en était fallu de deux ou trois centimètres pour qu'il y reste. Quand il parvenait à s'exprimer c'était pour affirmer que son agresseur était cagoulé et qu'il n'avait rien remarqué de singulier. Un dossier merdique.

L'autre concernait un couple qui s'était fait braquer dans une rue par deux malfrats. Ils avaient tout d'abord pris l'argent du couple puis avaient essayé de violer la femme. Le mari s'était interposé et avait reçu un coup de couteau, avant que les deux agresseurs s'enfuient. Il était à l'hôpital avec un poumon perforé. C'était la troisième attaque similaire en deux mois.

Et voilà qu'un nouveau dossier s'entassait sur les autres. Tout frais, il datait du matin même.

Cette fois, un homme affirmait que sa femme avait été enlevée pendant qu'il dormait. Aucun signe d'effraction n'avait été relevé par la patrouille, et la seule chose qui empêchait la police de classer l'affaire était que la femme en question n'avait absolument rien emporté. Ni vêtements, ni sac à main, ni son permis de conduire ou sa carte de crédit, rien. L'appel du mari remontait à moins de trois heures, aussi deux officiers de police travaillaient à recueillir des témoignages du voisinage pour le moment.

Concernant les personnes adultes et autonomes, le délai minimum préconisé avant d'enregistrer une disparition était de vingt-quatre heures.

Meats prit le dossier et le posa à l'écart. La panique d'un homme qui se réveille sans sa femme n'avait rien à faire ici. Parfois, les officiers en charge des patrouilles se montraient un peu trop zélés, et trop prompts à satisfaire n'importe quelle demande. Si ça continuait ainsi, il se retrouverait bientôt avec toutes les disparitions d'animaux familiers à résoudre.

Le capitaine Chamberlin passa la tête dans l'ouverture de la porte. Devant ce grand nerveux aux cheveux gris et à l'épaisse moustache noire, Meats laissa poindre un sourire. Les flics le surnommaient Jameson, en hommage à la bande dessinée *Spiderman* et au très caractériel patron de Peter Parker. « C'est vrai qu'il lui ressemble ! » songea Meats.

– Qu'est-ce qui te fait marrer, Lloyd ? C'est ma tronche ?

Le détective hocha la tête.

– Tant mieux.

Le capitaine déplaça son corps noueux en silence, pour faire face à Lloyd Meats.

– Lloyd, je voudrais que tu laisses l'attaque de la supérette, je vais mettre Franck Balenger dessus. Pareil pour les agressions au couteau.

Meats se cala dans le fond de son fauteuil, attendant d'entendre ce qui préoccupait son supérieur.

– Je sais que ça ne va pas t'enchanter, mais j'aimerais que tu te focalises sur cette histoire d'araignées.

Meats soupira.

– C'est pas de notre ressort, c'est aux affaires sanitaires de régler ce problème, protesta-t-il.

Chamberlin leva un index.

– Suis-moi, ordonna-t-il en se dirigeant vers son propre bureau.

Le capitaine appuya sur une touche de son répondeur téléphonique.

– Ça date de ce matin, vers sept heures. D'après le standard, la personne a simplement demandé à parler au responsable des enquêtes criminelles. Il a insisté pour me laisser un message.

Il pressa la touche *play*.

Une voix haut perchée sortit de l'appareil. Timide, elle sonnait trop fluette pour être celle d'un adulte.

« Je… Je vous appelle pour vous parler des araignées… Celles qui tuent les gens… C'est que le début… Il va y en avoir plein d'autres, beaucoup d'autres… Et celles-ci sont des petites, mais moi je sais où se trouve leur mère… »

Meats s'appuyait des deux mains sur le bureau, la tête inclinée vers le répondeur pour mieux entendre.

– C'est une plaisanterie ? On dirait un gamin…

Chamberlin lui fit signe d'écouter.

« … elle habite la forêt, à l'est… Vous n'avez qu'à rejoindre la forêt du mont Hood… Sur le chemin 433, en venant du nord, il faut contourner Big Cedar Springs, ensuite il y a un torrent sur la gauche, on doit quitter le chemin, longer le cours d'eau sur un kilomètre… Il y a une cascade… C'est là qu'était la mère des araignées cette nuit… Tous les animaux ont fui, si vous y allez, vous serez tout seul… Et c'est rien que le début… »

Il y eut une inspiration hésitante, puis le bip indiqua que c'était la fin du message.

Meats haussa les épaules.

– Tu ne vas pas me coller une enquête sur un coup de téléphone bidon ! C'était un gosse, un ado qui a besoin de se faire remarquer, c'est tout… Tu as bien entendu, on dirait qu'il lit un texte préparé…

– Sur l'écran du standard, le numéro qui s'est affiché correspond à celui d'une cabine téléphonique à la gare routière.

– Qu'est-ce que ça change ?

– Rien, je t'accorde que la présence d'un adolescent à la gare routière à sept heures du matin n'a rien en soi d'inquiétant. Mais comment sait-il pour les araignées ? La presse n'est pas encore au courant.

Meats posa une fesse sur le bureau, réfléchissant à tout cela.

– Le hasard a fait qu'il connaît deux des familles mordues ? proposa-t-il.

Sa protestation n'avait déjà plus la même énergie.

Le capitaine Chamberlin vint se poster en face de lui.

– Lloyd, va vérifier ce coin de la forêt, s'il te plaît. Ça ne te prendra qu'une journée, et on sera tranquilles ensuite.

Meats capitula en laissant échapper une longue bouffée d'air.

– Larry Salhindro m'a dit que Brolin était avec lui. Contacte-les, vois s'ils ne veulent pas t'accompagner.

Meats approuva. Après tout, il pouvait bien faire ça pour Larry. Celui-ci constaterait que ses collègues ne le laissaient pas tomber. Quant à Brolin… Il le croisait de temps à autre, en général lorsqu'il avait besoin d'information pour une de ses enquêtes de privé. Il n'y avait plus cette amitié d'autrefois ; depuis qu'il avait quitté la police, Joshua n'était plus le même. *Le serais-tu, toi, s'il t'était arrivé la même chose ?*

Oui, il allait les appeler. Bien qu'ayant désormais le statut civil, Brolin avait été flic, un sacré bon flic même, il savait quoi faire. Il pourrait filer un coup de main tout en se montrant discret.

Meats écouta de nouveau le message du répondeur et reporta les instructions sur un bout de papier.

« … *C'est là qu'était la mère des araignées cette nuit… Tous les animaux ont fui, si vous y allez, vous serez tout seul… Et c'est rien que le début…* »

10

Lloyd Meats appela Larry pour l'informer du message sur le répondeur, et ils convinrent d'un rendez-vous à Latourell, une petite bourgade au nord de chez Brolin, sur la route longeant les gorges somptueuses de la Columbia River.

Lloyd et Brolin ne s'étaient pas vus depuis plusieurs mois. Leur poignée de main dura un peu plus long-temps. Meats était mal à l'aise, il ne savait que dire face à cet homme qu'il avait fréquenté, dont il avait même sauvé la vie face au Fantôme de Portland. Brolin sem-blait touché de le revoir, pourtant il n'émanait aucune chaleur de lui, tout passait par le regard.

Meats fut d'autant plus troublé lorsque la silhouette athlétique d'Annabel apparut hors de la Mustang. Elle était belle, avec ses longues tresses qui venaient ren-forcer son apparence métisse, et surtout, Meats remarqua qu'elle était armée.

– Les flics de Los Angeles et de New York sont peut-être les seuls dont les supérieurs cautionnent le fait qu'ils soient armés à tout moment, même quand ils ne sont pas en service, expliqua-t-elle une fois les présentations effectuées.

– Tant que vous êtes dans votre juridiction, je comprends, mais ici c'est l'Oregon et…

Devant les trois regards qui le transperçaient, il rejeta la tête en arrière.

– OK, c'est bon, céda-t-il. Je n'ai rien dit. De toute manière, vous n'êtes là qu'à titre amical, tant que vous ne sortez pas votre flingue, je n'ai rien à dire…

Il désigna le semblant de cafétéria devant laquelle ils s'étaient retrouvés.

– Je vais chercher quelques sandwichs et on y va. Vous me suivrez jusqu'à une aire de pique-nique où nous garerons les voitures, ensuite il nous faudra marcher sur plusieurs kilomètres. J'espère que vous avez de bonnes chaussures.

Les deux véhicules glissaient au creux d'un sillon brun, perdus dans la forêt comme deux minuscules insectes. La végétation recouvrait le moutonnement des collines. Parfois, un mont s'élevait plus haut que les autres, fendu en son sommet par un bloc rocheux, le vent venait s'y empaler, aiguisant ces lames grises depuis des millénaires ; de parois dociles le temps les avaient muées en brisants célestes. Et puis les montagnes surgissaient, cônes déchiquetés d'anciens volcans ou pointes tranchantes, elles grimpaient vers les cieux dont elles portaient, la majeure partie de l'année, l'empreinte blanche.

Les méandres de la route, à peine visible dans ce paysage, conduisirent Lloyd Meats sur plusieurs kilomètres jusqu'à une esplanade de terre où il se gara, suivi de près par la Mustang de Brolin.

Il n'était que dix heures du matin, et déjà l'air se densifiait sous la chaleur naissante.

Annabel déplia ses membres sous le ciel bleu et mit ses lunettes de soleil. Elle vit Lloyd Meats prendre un sac à dos et leur montrer un petit sentier qui partait vers les arbres.

– On a au moins cinq kilomètres à faire avant de quitter le chemin, prévint-il. J'ai de l'eau, n'hésitez pas à m'en demander.

Il se couvrit les yeux d'une main et scruta cette contrée sauvage, avant de secouer la tête.

– C'est absurde… murmura-t-il.

Larry, qui avait entendu, s'approcha un peu plus.

– Pourquoi dis-tu ça ?

– Regarde donc, pour quelle raison va-t-on marcher toute la journée ? Qu'est-ce qu'un ado vient faire dans cette histoire d'araignée ? Pour moi c'est une vaste connerie. L'endroit indiqué par le gosse est inaccessible en voiture, ça veut dire qu'il faut deux ou trois heures pour y aller en marchant, qu'est-ce qu'on va trouver là-bas ? Un dessin avec l'inscription « je vous ai bien eus » ?

– La coïncidence est grande, tout de même.

Les deux hommes se tournèrent vers Annabel. Elle les examina par-dessus ses fines lunettes noires.

– Oui, la coïncidence est un peu forte, insista-t-elle. D'abord que l'adolescent soit au courant pour les araignées, et même si on peut lui trouver des explications – son père est un des médecins qui traitent les morsures par exemple –, il nous envoie à l'ouest, dans les forêts du mont Hood. Je sais qu'elles sont gigantesques, mais c'est là que… que le frère de Larry a été attaqué. Comment peut-il le savoir ?

– C'était à plus de dix kilomètres d'ici, contra Meats sans vigueur.

Il devait bien avouer qu'il était intrigué, malgré tout. La jeune femme avait raison, et il le savait. Il s'était fermé à toute réflexion positive en réponse à un ordre qui ne l'enchantait pas, une journée dans la nature ne l'emballait pas spécialement. Il devait se comporter en professionnel.

Il jeta un coup d'œil vers Brolin qui se tenait sur le bord du dénivelé, les yeux perdus dans l'horizon. *Il pense. Il est déjà là-bas, là où nous allons. Il anticipe, il essaie d'imaginer ce qui nous attend, ce qui a pu se passer.* Meats savait comment fonctionnait l'ex-inspecteur. Pendant les courtes années passées avec lui, il avait appris à le cerner. Et ce comportement félin qu'il décelait aujourd'hui chez son ami lui faisait peur.

Brolin avait toujours eu une longueur d'avance sur les autres flics parce qu'il pouvait comprendre le criminel, il n'avait pas seulement la fibre en lui, il en avait l'âme, celle du psychopathe ; il pouvait le comprendre parce qu'il en avait toujours eu les germes en lui. Et Meats réalisa que cet instinct du prédateur, autrefois enfoui et maîtrisé, était désormais partie intégrante de sa personnalité.

Tu vas un peu loin, là... tu ne crois pas ?

Se sentant observé, Brolin pivota vers Meats. Son regard était doux, sans animosité aucune. *Comment est-ce que je peux songer à des trucs pareils ?* s'en voulut Meats. Pourtant, il brûlait une lueur captivante dans ces prunelles. *Cet homme peut être dangereux... Il n'est probablement pas comme tu viens de le dépeindre, mais il pourrait tuer.* Décidément, l'image du félin semblait tout à fait appropriée.

La femme qu'il aimait avait été massacrée sous ses yeux, avec une cruauté sans nom. Brolin vivait avec ce sang dans le cœur, et alors qu'il aurait pu tuer le coupable, il ne l'avait pas fait. Il vivait avec ce choix dans l'âme.

– On va attendre qu'il fasse nuit pour y aller ? demanda Larry avec son cynisme habituel.

Un quart d'heure plus tard, ils étaient à flanc de colline, serpentant sous la relative fraîcheur des arbres.

Le sentier grimpait doucement, s'enroulant autour d'un mont culminant à un peu plus de mille mètres. La flore était constituée d'un panaché de sapins de Douglas et de feuillus entrelacés d'une mer de fougères. Pendant près d'une demi-heure, les quatre randonneurs improvisés dominèrent un petit lac à la surface étrangement noire. Annabel remarqua que même l'azur du ciel ne venait pas s'y refléter et elle ne put s'empêcher de songer à Stephen King et à ses histoires où la nature recèle les pires dangers.

Le pépiement des oiseaux les accompagnait, entrecoupé des cris de rapaces planant non loin. À plusieurs reprises, ils durent franchir de modestes cours d'eau, d'abord sur un petit pont en rondins, puis à l'aide de gués aux pierres glissantes. Larry n'y manqua pas, il trébucha sur l'une d'elles et proféra tous les jurons de la terre lorsqu'il fut trempé jusqu'à la chemise. Annabel échangea un clin d'œil complice avec Brolin ; ni l'un ni l'autre n'avaient cependant envie d'en rire, pas de Larry, pas en ce moment.

Ils parvinrent à un torrent plus tourmenté après deux heures de marche. Meats leur fit signe que c'était là qu'ils devaient quitter le chemin. Ils en profitèrent pour manger leurs sandwichs, assis sur des anfractuosités de rochers. Entre les sommets des arbres ils distinguaient le versant d'un mont à un ou deux kilomètres.

Ils se remirent en route sans tarder, treize heures se profilaient et les grandes chaleurs de la journée allaient plomber l'atmosphère d'ici peu.

À mesure qu'ils approchaient du but, les paroles se faisaient plus rares, Lloyd Meats qui avait assuré la conversation tout le long du chemin devint de plus en plus silencieux. Qu'allaient-ils trouver là-bas, au milieu de nulle part ? Annabel avait songé au pire, mais la présence d'un cadavre était à exclure. Personne n'aurait charrié un corps mort sur une si longue distance. Un autre message, alors ?

Les suppositions fusaient dans l'esprit de tous.

Ils abandonnèrent le sentier pour longer le torrent, vers les hauteurs du mont. Ils se scindèrent en deux groupes, Larry et Meats sur la rive gauche et Annabel avec Brolin sur l'autre bord. Ils gravirent la pente ainsi, au même niveau, contraints de baisser et lever la tête sans interruption, pour vérifier où ils mettaient les pieds tout en guettant le moindre signe insolite, sur le sol, dans les branches, et sur la pierre des rochers qui sourdaient çà et là.

Le lit du torrent se creusait, ils grimpèrent bientôt le long d'une ravine escarpée depuis laquelle montait le mugissement furieux des eaux. Elles bruinaient en tumulte, plus haut que les pins, nappant les feuilles et les écorces environnantes d'un délicat voile de colère. En quelques minutes d'ascension, les quatre investigateurs furent rafraîchis et tout humides.

Annabel pressa le pas et se hissa aux côtés de Brolin.

– Tu as une idée de ce qu'on peut trouver là-haut ? s'écria-t-elle pour couvrir le fracas du torrent.

Sans la regarder, il continuait sa progression. Il haussa les épaules.

– J'attends. Je ne voudrais pas faire de suppositions trop rapides. Mais le type qui s'est fabriqué un poste d'observation dans la clairière où a été tué Fleitcher Salhindro semblait connaître le coin. L'usure de son siège improvisé témoignait d'un passage régulier, pourtant ce n'est pas un site très visité par les promeneurs. Je ne peux m'empêcher de rapprocher tout cela du message téléphonique. Quoi qu'on trouve au bout de ce cours d'eau, les instructions étaient précises…

– Tu penses qu'il pourrait s'agir de la même personne ?

– Je n'en sais rien. En tout cas les deux ont l'air de bien connaître cette forêt gigantesque.

Essoufflée, Annabel se concentra sur ses mouvements, elle garda à l'esprit les mots du détective privé.

Elle comprit d'un coup ce qui rendait Brolin si attentif à leur environnement depuis le début, elle ne pouvait parler de nervosité, elle ne l'avait jamais vu fébrile ou même nerveux, il était… préoccupé. Parce qu'il était sûrement le seul du groupe à considérer la situation comme potentiellement dangereuse.

Si le lien existait entre la mort de Fleitcher, les morsures d'araignées en ville et cet adolescent qui les envoyait ici, alors il n'était pas impossible qu'il s'agisse d'un piège.

Tu débloques, Anna. Arrête ta parano stupide, sois vigilante, pas d'hypothèses, rien que de l'attention.

Une sueur glacée coula le long de sa colonne vertébrale.

Les oiseaux.

Il n'y avait plus le moindre chant d'oiseau depuis plusieurs minutes.

Elle venait seulement de s'en rendre compte. *Oh, non…*

Qu'est-ce qui ferait taire la faune ? Allez, pourquoi se taire ? Ou bien qu'est-ce qui les ferait tous fuir… Bien sûr. *Un prédateur.*

Elle essuya la pellicule de rosée qui s'était déposée sur son visage. Le déferlement du torrent reprit tout d'un coup sa place parmi ses perceptions.

Bravo ! Quelle idiote tu fais... Évidemment que tu n'entends plus les oiseaux, avec ce boucan ! Quelle imbécile !

Elle n'était pas présente, pas comme il le fallait, elle se laissait gouverner par ses impressions, son ressenti.

Annabel passa le restant de la marche à se dégager de ses émotions, à redevenir un détective, dans l'instant présent, en analyse, pas en vécu.

Ils avaient parcouru un kilomètre, c'est du moins ce que pensait Lloyd Meats, lorsque la pente s'arrêta pour faire place à un petit bassin de dix mètres de large. Ils étaient encore à bonne distance du sommet, mais d'après le message ils ne devaient plus être très loin de leur but. Une cascade haute comme trois hommes se déversait entre deux rocs, écumant de rage, poissant son rivage d'une mousse épaisse. Plusieurs branches penchaient jusqu'à boire dans cette cuvette.

Meats fit de grands signes vers Brolin.

— Je crois que c'est là ! hurla-t-il par-dessus la chute d'eau. Il faut chercher tout autour !

Brolin tendit le bras, pouce tendu vers le ciel. Il se tourna et vit qu'Annabel s'était avancée, elle avait presque les pieds dans l'eau. C'est en voyant l'expression de son visage qu'il sut que quelque chose n'allait pas.

Elle se tenait raide, la bouche entrouverte.

Elle fixait quelqu'un, ou quelque chose près de la cascade.

Brolin fit un geste lent, ramassant son bras contre son corps pour aller attraper la crosse de son arme.

Il réalisa alors comme la jeune femme était terrorisée.

11

Brolin dégaina lentement son Glock et fit un pas vers Annabel. Celle-ci fixait toujours ce qui se trouvait face à elle.

Elle cligna des yeux et souffla doucement.

Elle temporisait.

Une partie de la tension déserta Brolin. Il s'approcha précautionneusement, l'arme tendue devant lui malgré tout.

Il dépassa l'arbre qui le gênait et il suivit le regard d'Annabel jusqu'à la paroi rocheuse d'où tombait la cascade.

Il ne lui fallut pas longtemps pour la repérer.

Une forme blanche, filandreuse. À quatre mètres du sol, suspendue entre deux branches.

Brolin fit un dernier pas et posa une main sur le bras d'Annabel, pour lui signifier sa présence tout autant que pour la réconforter un minimum. Il siffla le plus fort possible, à l'intention de Meats et Salhindro.

– Je crois qu'on a trouvé, cria-t-il.

Sans toutefois ranger son arme, il la baissa ; le pourtour de ses yeux se plissa tandis qu'il essayait de discerner ce qu'était la forme blanche dans l'arbre.

Elle était grande, peut-être un mètre cinquante ou plus encore. Et elle…

Il déglutit.

C'était une forme humaine, recroquevillée. Un homme ou une femme dans… Il porta une main à sa bouche sans s'en rendre compte.

Dans un cocon.

Comme celui d'une araignée.

*
* *

À bonne distance des quatre individus, une fougère se souleva doucement. L'ombre qui se déplaça n'était pas aussi silencieuse qu'il l'aurait fallu, mais elle savait qu'on ne pouvait l'entendre de là-bas, le bruit de la chute d'eau était bien trop fort.

Elle jubilait.

Même à l'heure des préparatifs, jamais elle n'avait espéré ressentir une telle joie. C'était divin. Et dire que ça n'était que le début… Rien que le début.

La silhouette leva l'objet qu'elle tenait à l'abri sous les longues feuilles. Le soleil ne passait pas très bien sous la frondaison, mais il valait mieux être prudent, il suffisait d'un reflet pour qu'elle soit repérée.

Un large sourire plaqué aux lèvres, elle commença à mitrailler la scène.

Avec un maximum de gros plans sur les quatre visages.

Une succession de déclics mécaniques brefs et ils furent tous capturés dans la boîte.

Leur tête, leur corps.

Et leurs identités n'allaient plus tarder.

*
* *

Annabel prit ses tresses et les noua en queue de cheval pour la énième fois depuis la matinée. Elle était nerveuse.

– Je vais voir le corps, on ne sait jamais, fit-elle.

C'était la première chose à faire en arrivant sur une scène de crime. Tout comme Brolin, elle savait néanmoins que c'était ici peine perdue, la victime était affaissée, en équilibre sur les branches, entièrement emmitouflée dans sa toile collante.

– Il faut sécuriser le périmètre, ajouta-t-elle.

Seconde règle.

Le détective privé se pencha vers elle :

– Tu connais les procédures mieux que moi, tu dresses les limites de la scène de crime, pendant ce temps je vais faire un rapide tour d'horizon.

Il allait s'écarter lorsqu'elle le retint par la manche.

– Josh, mets les pieds là où nous avons marché pour venir, il faut conserver un chemin et un seul, préserver le reste de la zone intacte.

Il lui adressa une esquisse de sourire et recula.

Annabel examina le sol jusqu'à l'arbre dans lequel le corps reposait. Elle se choisit un itinéraire en prenant soin de passer par là où elle ferait le moins de dégâts et de traces. Elle fit attention avant chaque pas à ne pas marcher sur une empreinte quelconque et rejoignit le tronc.

Les branches craquaient de temps à autre sous le poids du cocon transparent. Annabel inclina la tête, il lui sembla distinguer la silhouette d'une femme, le bord d'un sein pendait mollement sur le flanc gauche.

Mon Dieu... Qu'est-ce qui s'est passé, ici ?

Elle chercha parmi les branches basses pour se trouver un appui. Il n'y avait qu'une possibilité. *Si je passe par là, je risque d'effacer les empreintes du tueur.* Elle scruta encore l'arbre sans trouver d'autre prise. Annabel savait pertinemment rien qu'en regardant cette forme qu'elle était morte. *Mais tu dois y aller, s'il y a une chance, même infime pour que cette femme respire encore, tu ne peux pas la laisser filer.* Elle pesta et attrapa le bas de sa robe. Avant de partir, le matin, elle avait troqué ses sandales contre de petites tennis blanches, plus adaptées à la marche, et avait pensé qu'une robe légère serait parfaite pour le climat. Elle n'avait pas pensé une minute qu'elle escaladerait un arbre pour examiner un cadavre. Après avoir noué le bas de sa robe sur le dessus de ses cuisses, elle s'agrippa à un trou dans l'écorce et se hissa vers les premières branches. Elle prenait soin de poser les mains là où c'était le moins logique, se compliquant l'ascension ; elle espérait sauver de cette manière quelques-unes des traces laissées par l'auteur de cette macabre mise en scène.

La chute d'eau crachait ses hordes bouillonnantes à plusieurs mètres, le tourbillon d'humidité qui en résultait avait sûrement effacé les empreintes de doigts ou de paumes, Annabel le savait. Tout ça commençait bien mal.

Elle était à deux mètres du sol, et leva la tête.

C'était bien une femme, nue. Enveloppée dans un sarcophage de soie immaculée. La pellicule de fil n'était pas très épaisse, aussi Annabel put se rendre compte que le crâne de la victime avait été tondu. Elle fronça les sourcils. Le bois craqua au-dessus d'elle.

Annabel assura sa prise et se rapprocha encore un peu du corps.

Elle était à trois mètres du sol. Ses longues jambes bronzées en appui sur l'arbre, les muscles saillant sous la peau.

Le fil épousait parfaitement la silhouette immobile, et plus Annabel s'en approchait, plus elle avait la conviction que c'était bien de la toile d'araignée. Parfaitement filée autour du corps, en un long tourbillon ordonné.

Avec le bruit de la cascade dans son dos, Annabel avait l'impression d'être seule dans cette forêt, aucun autre son ne lui parvenait. Brolin pouvait être à trente centimètres d'elle, l'accompagnant dans son escalade qu'elle ne s'en rendrait pas compte. Il n'y avait que le déferlement de l'eau et les grincements des branches supérieures autour d'elle.

Annabel se mit sur la pointe des pieds mais ne parvint pas à distinguer le visage dans le cocon.

Elle se faufila entre deux rameaux et grimpa un peu plus.

La femme sous son linceul aérien était parfaitement immobile.

Annabel ne voyait pas encore son visage. Il était tourné de l'autre côté, vers l'extérieur du cône végétal.

En s'appuyant sur un ergot qui dépassait, le genou d'Annabel entra en contact avec l'épaule sous la toile. La jeune femme retira immédiatement sa jambe. C'était exactement la texture de la soie d'araignée.

La main de la femme glissa de sa hanche. Cela fit une petite bosse mouvante sur le dessus du cocon, comme une créature sous un tapis.

Annabel avala sa salive. *C'est à cause des vibrations que tu produis en te déplaçant. Cette femme est morte. C'est impossible autrement.*

Tout l'environnement s'estompa, y compris le mur d'eau de la cascade.

Annabel se cramponna à ce qu'elle trouva et se pencha sur le torse, frôlant sa texture fibreuse. Une odeur d'épices provenant de la femme la saisit.

Dans un équilibre précaire, elle allongea le cou tant qu'elle put pour distinguer ce visage absent...

Le crâne gris récemment rasé...

L'hématome rosé, marbré de vermillon, sur l'extrémité de la tempe...

Les rides creusées...

Annabel reçut un coup en plein estomac.

Le visage de cette femme était épouvantable. Elle hurlait.

La mort l'avait arrachée si violemment à son existence qu'elle avait laissé à son enveloppe le reliquat d'un vécu trop intense, trop lourd à charrier dans les limbes.

Celui de l'effroi.

Elle était morte en hurlant de terreur.

Joshua Brolin était au bord de la grande mare, il se désigna de l'index avant de lui signifier par des moulinets de la main qu'il allait faire le tour du périmètre. De l'autre côté, Lloyd Meats approuva et lui indiqua qu'il allait le rejoindre. Il disparut bientôt derrière un rocher en compagnie de Larry Salhindro.

Brolin se tourna et recula pour avoir une vue d'ensemble.

Celui qui avait abandonné le corps ici avait certainement emprunté le même passage qu'eux. De part et d'autre de la cascade, un mur de pierre d'environ cinq à six mètres rendait l'accès aux hauteurs difficiles, il semblait peu probable que l'individu soit arrivé par là avec un corps sur les bras. Non, il venait de l'est, du sens de la pente. Brolin s'écarta d'environ cent mètres depuis le cocon et marcha perpendiculairement au torrent. Les sens en alerte, il guettait le moindre signe suspect.

La découverte du corps n'avait pas diminué son inquiétude. En d'autres circonstances, il aurait songé que c'était ce que le tueur voulait, uniquement les guider jusqu'au cadavre, pour bien leur signifier que le jeu avait commencé, et qu'il venait d'ouvrir le score. Ce type de personnalité cherchait à narguer les flics, pas à les tuer, pas directement du moins, il fallait d'abord qu'ils sachent qui ils avaient en face d'eux. Ici, la situation était toute différente. D'après ce que Lloyd Meats leur avait rapporté, le message téléphonique était précis, l'adolescent était au courant pour les araignées en ville, et il avait bien dit que ça n'était que le début. Ensuite il les avait orientés jusque dans cette forêt. Si c'était lui qui avait apporté le corps là, il était très certainement celui qui éparpillait des araignées dangereuses dans toute la ville. Et c'était bien cela qui préoccupait Brolin. On retrouvait dans cette démarche le même type de mode opératoire que chez le poseur de bombe. Il devait repérer les lieux, s'y introduire frauduleusement, installer son piège – son ou ses araignées – avant de partir. Il n'assistait pas à l'incident, le plaisir n'était pas là. Il ne cherchait pas la confrontation directe avec ses victimes. Brolin savait que bon nombre de poseurs de bombe étaient machiavéliques, beaucoup aimaient à prévenir les secours ou bien attendaient que leur engin explose et que la police et les premiers soins soient sur les lieux pour faire sauter une deuxième charge.

Et cette situation y ressemblait. Le corps servait d'appât au même titre qu'un coup de téléphone, et une fois les forces de l'ordre sur place… le vrai danger surgissait.

Brolin fouilla du regard les buissons, les talus de fougères, dont la mêlée dodelinante ne lui permettait pas de distinguer grand-chose. Il coupa à angle droit après cent mètres et continua en direction de la paroi d'où jaillissait la chute d'eau. Il avait couvert une zone assez large tout autour du corps. Bredouille, il revint sur ses pas.

Lloyd Meats arrivait, la sueur au front, il avait fait tout le tour depuis le sentier, un kilomètre plus bas.

– Les téléphones portables n'ayant pas de réseau par ici, Larry est parti nous chercher des renforts, ils ne seront là que dans cinq heures. Et avec ce chemin qu'il faut faire à pied, on n'aura pas droit à tout l'équipement habituel. (Son visage prit un air encore plus sévère.) C'est bien ce que j'ai cru voir, n'est-ce pas ? C'est un corps ?

Brolin hocha la tête.

– Allons-y.

Après s'être assurée qu'il n'y avait aucune trace de pas autre que les siennes, Annabel avait multiplié les allers-retours au pied de la petite falaise pour ramasser de longs bâtons qu'elle avait alignés jusqu'à délimiter un passage entre la mare et l'arbre dans lequel se trouvait le cocon.

– Suivez les morceaux de bois, ordonna-t-elle aux deux hommes quand elle les vit approcher. Tout le reste du secteur doit rester tel que le tueur l'a laissé à son départ.

Le mot « tueur » était la confirmation de ce que craignait Lloyd Meats.

– Vous avez grimpé là-haut ? demanda-t-il à la jeune femme.

Elle fit signe que oui.

– Je ne sais pas comment c'est arrivé, mais c'est… Enfin c'est pas un suicide. Je n'ai touché à rien pour laisser les techniciens de la scène de crime faire leur boulot, néanmoins je devais monter m'en assurer.

– Vous avez bien fait. L'équipe technique ne sera pas là avant la fin d'après-midi.

Annabel inspecta brièvement les environs en tournant la tête de droite à gauche. Sans se l'avouer, elle était choquée. Son instinct de flic reprenait le dessus, elle avait besoin de s'occuper, d'être « professionnelle » pour ne pas repenser au cadavre.

– Dans ce cas, peut-être pourrait-on commencer le travail ? lança-t-elle. Compte tenu de la taille de la zone à fouiller, je propose de procéder selon la méthode en bande, à trois c'est l'idéal…

Elle capta alors la lueur – presque amusée s'il n'y avait eu cet environnement de mort – dans l'œil de Meats.

– Oh, pardonnez-moi, fit-elle, confuse. Ce sont les habitudes, je suis désolée, c'est vous le flic ic…

– Non, non, au contraire, vous faites exactement ce qu'il faut. Je suis de la vieille école, plutôt à faire des croquis de la scène et laisser les techniciens faire tout ce boulot, alors… Vous avez raison, c'est le moment d'agir. Donc, comment fait-on pour cette fouille selon la *méthode en bande* ?

Elle lui répondit d'un sourire qui n'aurait pas eu cet air factice si elle n'avait vu ce visage terrorisé un quart d'heure plus tôt.

– On avance tous les trois en parallèle, chacun sur une bande d'un mètre de large, et on quadrille toute la zone de cette manière. Je pense qu'on peut chercher dans un périmètre d'une cinquantaine de mètres. S'il y a quoi que ce soit, nous n'aurons qu'à planter un bout de bois pour simplifier le travail des techniciens. Bien sûr, on ne touche à rien.

– Ça me paraît bien.

Meats tourna la tête vers Brolin, ce dernier cligna lentement des paupières en signe d'acquiescement.

– C'est parti... conclut Meats en s'emparant d'une petite branche morte.

Ils se lancèrent dans leur quête de l'insolite, de l'empreinte de pas, du mégot ou du paquet de chips abandonné. Pendant trois heures, ils remuèrent les fougères et se brisèrent le dos.

Sans remarquer la silhouette dissimulée de l'autre côté de la mare.

Lorsque celle-ci eut obtenu tout ce qu'elle voulait, elle rangea son appareil dans son sac à dos et ouvrit la bouche.

Sa petite langue pointue glissa sur ses lèvres en y laissant de minuscules filaments de bave.

Puis elle recula.

Et disparut dans la nasse végétale.

12

L'après-midi touchait à sa fin. Larry Salhindro était en nage lorsqu'il réapparut en compagnie de deux personnes de l'unité de scène de crime. C'était dans ce type d'effort qu'il haïssait ses kilos superflus.

Bien qu'il eût perdu le peu de cheveux qui lui restait à l'époque, Brolin reconnut Craig Nova, le plus âgé des deux techniciens. Il portait deux valises en inox et son visage était rougi sous l'effort. Dans son dos, une toute jeune recrue, une femme de moins de trente ans chargée également d'une valise et d'un gros sac sur l'épaule.

Lloyd vint à leur rencontre et leur expliqua brièvement la situation. Craig Nova écouta en jetant quelques coups d'œil en direction d'Annabel et de Brolin. Il ne parut pas surpris outre mesure par leur présence. Larry l'avait prévenu, songea Brolin.

La recrue de Craig s'appelait Emma. Elle l'aida à enfiler une combinaison blanche, ne laissant pas de fibre, avant d'en faire autant.

Craig s'approcha d'Annabel.

– L'inspecteur Meats m'a dit ce que vous aviez fait. C'est du bon boulot, je vous félicite. En revanche, il est possible que j'aie besoin de vous, puisque vous êtes déjà montée là-haut ; est-ce que, éventuellement, je peux vous solliciter ?

– Dites-moi ce que vous voulez.

– Diverses choses, vous savez mieux que moi où vous avez posé les mains, alors si je vous indique la démarche à suivre vous pourriez tenter de trouver des empreintes… Et puis des relevés de températures. Oui, c'est pour l'entomologie.

– Les insectes ?

– Les insectes. En pleine forêt on va en trouver pléthore, et je vais avoir besoin d'un maximum d'informations extérieures.

– Vous pouvez compter sur moi.

Il parut satisfait et se dirigea vers l'une de ses mallettes qu'il ouvrit.

Pendant leur attente, Brolin avait eu le loisir d'analyser les lieux, d'en tirer un minimum de constatations. Soit il y avait plusieurs tueurs, soit il était costaud, du type très sportif, il avait fallu monter le corps dans l'arbre. Et par expérience, Brolin savait que les soixante kilos d'un cadavre n'étaient pas les mêmes que ceux d'un être vivant. La moindre parcelle du corps était à soulever, sans la compensation musculaire propre à un être vivant. Brolin espérait que l'autopsie serait parlante, il était primordial de savoir si la victime était déjà morte en arrivant ici. Il était difficile de faire tout ce chemin avec un poids mort sur l'épaule à moins d'être particulièrement endurant. Et il n'y avait aucune route. Par ailleurs Annabel lui avait assuré que le cocon qui enveloppait la femme était exactement identique à de la toile d'araignée, or il semblait impossible de manipuler pareille matière dans un environnement extérieur, avec le vent, les brindilles, tout ce qui pouvait s'accrocher. Cela suggérait qu'on avait « momifié » la victime auparavant pour la transporter jusqu'ici.

Ils sont plusieurs, s'était dit Brolin.

Rien ne le prouve. Le type peut être très musclé, un excessif de l'haltère, un obsédé du physique ou tout simplement un bon sportif. Il aura trouvé un système ingénieux pour transporter le cocon jusqu'ici...

Brolin savait que les « illuminés » de ce monde pouvaient se montrer d'une incroyable intelligence. On ne comptait plus les inventions perverses, du kit de viol désormais répandu, au mécanisme de verrouillage de portière contrôlé par le chauffeur uniquement.

Et puis il avait songé aux conditions psychologiques de celui ou ceux qui avaient apporté là le cadavre, jubilant à l'avance de l'effet que cette mise en scène ferait aux flics. La nervosité, l'excitation, peut-être un peu de peur. C'est ainsi que Brolin avait pensé aux troncs.

– Craig, je peux vous demander de faire quelque chose ? demanda-t-il.

L'intéressé leva la tête de ses accessoires.

– Joshua Brolin... Comment dois-je dire maintenant ? J'imagine qu'« inspecteur » n'est plus adapté.

Les deux hommes s'observèrent. L'ancien flic avait beaucoup changé, remarqua Craig. Auparavant, il semblait sérieux, pénétré par son travail. Ce qu'il était aujourd'hui... c'était : hanté. Voilà le mot qu'il cherchait depuis qu'il l'avait aperçu. Hanté.

– Allez, dites-moi ce que je peux faire pour vous.

– J'aimerais que vous vérifiiez les troncs d'arbre, à leur base, avec une source de lumière alternative ou ce que vous avez, pour trouver d'éventuelles traces d'urine. Il y a de l'ADN dans les urines, n'est-ce pas ?

– Oui, si tout se passe bien.

Lloyd Meats se pencha vers eux.

– Tu crois que ce type a pissé contre un arbre ? interrogea-t-il.

– On verra bien. Ce mec a marché pendant plusieurs heures, il a probablement vécu beaucoup d'émotions fortes ici… La majorité des gens ressentent le besoin d'uriner lorsqu'ils sont stressés. Mets dix hommes dans une forêt en leur demandant d'aller pisser, neuf iront le faire contre un tronc. Ça ne coûte qu'un peu de temps d'essayer.

Meats opina.

– Bien vu.

Il hésita avant d'ajouter :

– Tu manques à la police, Josh.

Une heure s'écoula, pendant laquelle Craig et Emma passèrent la zone au peigne fin. Après quoi Craig secoua la tête et fit signe à Annabel de le rejoindre au pied de l'arbre où se trouvait toujours le cocon. Derrière, Emma se promenait de tronc en tronc, tenant dans une main ce qui ressemblait à un Karcher ou un petit aspirateur, et en promenait le câble sur les écorces, les irradiant d'une lueur bleue dont elle venait de régler l'intensité sur le maximum.

Craig fit une grimace peu optimiste.

– Il fait très sec depuis deux semaines, dit-il, ça n'aide pas pour les traces de pas, il n'y a rien, absolument rien du tout. Vous vous sentez d'aplomb, pour regrimper ?

– Dites-moi ce que je dois faire.

Craig s'empara d'un flacon de poudre blanche, d'un pinceau semblable à une brosse de maquillage et d'un étui assez fin pour être glissé dans une poche.

– Gardez le pinceau dans son étui jusqu'au dernier moment. Si vos doigts touchent les poils, la poudre qui viendra se coller aux graisses laissées fera des taches dans l'empreinte. L'idée c'est de monter comme vous l'avez fait tout à l'heure, en ne vous appuyant qu'à des endroits un peu écartés. Au contraire, tout ce qui semble être un endroit de prise logique pour escalader, je veux que vous le passiez à la poudre. Un voile délicat uniquement, juste pour voir s'il y a quelque chose. Le moindre dépôt sudoral accrochera la poudre. Je vous préviens, ça ne va pas être facile. Mais à cette hauteur on ne peut pas passer la Polylight.

– Je m'en sortirai.

– Je n'en doute pas. Ah, il faut aussi que vous preniez ça.

Il sortit un appareil photo de sa housse avant de passer les sangles autour du cou d'Annabel.

– Si vous repérez une empreinte, vous la photographiez d'abord. Si besoin, demandez-moi, et pas de monsieur, appelez-moi Craig. Je reste en bas, je vous guiderai à chaque étape. On y va ?

Elle répondit d'un geste sec de la nuque.

– Et n'oubliez pas : essayez de poser les mains là où vous les avez posées tout à l'heure.

Craig Nova fut surpris par la souplesse de la jeune femme, en peu de mouvements elle avait déjà quitté le sol et atteint les premières hauteurs. À califourchon sur une grosse branche, elle prit le pinceau et le flacon de poudre. Craig suçotait un morceau de peau sèche sur sa lèvre.

– Très bien, approuva-t-il. Vous allez tremper brièvement les poils dans la poudre avant de passer un coup de pinceau sur la branche, mais très léger le coup, comme une caresse.

Annabel avait déjà vu l'opération maintes fois, elle se rendit compte qu'elle avait mis trop de poudre et secoua un peu le pinceau.

– En cas d'excès faites tourner le manche entre vos paumes, comme pour faire du feu avec un bâton, expliqua Craig en dessous.

Ensuite, elle appliqua la poudre sur l'écorce, effleurant le bois en de longs mouvements. Des particules blanches glissaient sur son sillage.

– Il n'y a rien, je crois, commenta Annabel.

Soudain, juste entre ses cuisses, une petite marque allongée apparut.

– Si, j'en ai une, j'en ai une !

La poudre soulignait à peine le dessin de l'empreinte, au moins deux phalanges.

– Parfait, faites une photo. Voilà. Est-ce que la surface est à peu près plane ?

– Oui, sans déformation.

– Je vais vous demander de bien regarder l'empreinte, est-ce que vous distinguez son sens ?

Annabel approuva.

– Dans ce cas, vous allez rajouter un peu de poudre, très méticuleusement, dans le sens de l'empreinte, lentement, sans pression qui risquerait de couper les sillons. Ça y est ? Génial, soufflez un peu dessus maintenant, pour faire disparaître l'excédent de poudre. Allez-y, n'ayez pas peur. Et faites-moi une jolie photo de ce que vous avez, doublez-la même.

Craig prit des notes sur un calepin. Il archivait les numéros des photos et indiquait leur emplacement dans l'arbre, par rapport au corps.

– OK, on passe à l'opération la plus périlleuse. Dans l'étui que je vous ai donné, vous allez trouver des rectangles transparents de la taille d'une carte d'identité. Prenez-en un et tirez sur la languette jusqu'à décoller la surface adhésive. Vous allez l'appliquer sur l'empreinte, en commençant par le haut de celle-ci, sans vous arrêter, d'un seul geste et surtout pas de ride. Dès que c'est fait, vous appuyez fermement dessus, mais ne le lissez pas !

Annabel suivit le processus à la lettre. Puis elle décolla l'adhésif comme il le lui disait, capturant l'image poudrée, et l'appliqua sur la fiche cartonnée. L'empreinte était nette sur le fond noir du papier. C'est alors qu'elle remarqua l'autre empreinte sur le côté. Elle répéta les gestes de saupoudrage. Il y avait là toute une paume de main. Soudain son visage se contracta. Elle colla son nez à la branche.

– Évitez de trop respirer la poudre, l'avertit Craig, deux mètres plus bas. C'est volatile et pas terrible pour la santé.

Annabel détailla les courbes de cette main spectrale qui jaillissait sous ses yeux. Une main gauche. Elle prit sa propre paume et la superposa sur celle-ci, en prenant soin de ne pas la toucher. Même taille. Annabel suivit les principaux sillons et les compara aux siens.

– Craig ? Je crois que je suis nulle. C'est ma propre main que je viens de prélever.

Sa voix trahissait une énorme déception.

– C'est pas grave, vous êtes flic, vous savez bien que la majeure partie des empreintes qu'on relève sur une scène de crime sont celles des officiers présents sur les lieux. Tant pis, continuez, refaites la même chose sur les branches supérieures. On ne monte pas un corps dans un arbre sans laisser la moindre trace, et même s'il avait des gants, il y aura au moins des éraflures ou peut-être des marques de terre laissée par ses chaussures.

Annabel remballa son matériel et se hissa un peu plus haut, plus près du cadavre.

Brolin assista à toute l'opération, un peu en retrait. Il était saisi par le contraste entre cette scène de crime en apparence si calme, presque reposante, au milieu de la forêt, et ce qu'était habituellement la découverte d'un cadavre : le fourmillement des agents, les gyrophares, les crépitements des radios et les cordons de sécurité pour contenir le public et la presse. Ce « manque » atténuait le réalisme, il lénifiait le sordide.

Le côté dramatique de la mort était bel et bien ancré dans une échelle humaine, tout était question de décorum finalement. Accoté à un sapin, Brolin soupira. Une bouffée de dégoût pour les émotions humaines l'assaillit une fois encore. Ces vagues de haine étaient fréquentes chez lui depuis la mort de... Il ne parvenait presque plus à prononcer son nom. Pendant plusieurs mois il avait craint ces émotions. À force, il se sentait synthétique, imperméable à la vie. Désormais il les accueillait comme on vit avec le souvenir d'un mort dont on a fait le deuil. De cette guerre intestine, il était le vaincu qui refuse la défaite pourtant consommée.

À travers la claie du feuillage, Brolin voyait Annabel secouer la tête, minute après minute, à mesure qu'elle couvrait l'arbre de poudre et qu'elle ne trouvait rien. Elle effectua des relevés de température à différentes hauteurs et inspecta la soie du cocon à la recherche de larves pour Craig Nova, sans plus de réussite. Brolin la vit dépasser le cadavre pour découvrir des fragments de toile d'araignée coincés entre les rameaux supérieurs.

Ils comprirent tous alors que le tueur n'était pas passé par en bas mais qu'il avait descendu le corps depuis le sommet de la falaise. Meats et Salhindro partirent au pas de charge pour contourner cet affleurement rocheux, ils ne tardèrent pas à réapparaître au sommet. Il y avait un moyen d'accès assez simple pour peu qu'on prenne le temps de faire un détour. Finalement, Brolin n'avait peut-être pas vu juste, le tueur était passé par l'ouest, par-derrière.

Évidemment, la pierre où ils se trouvaient n'avait pris aucune empreinte, c'était toute la raison de la manœuvre.

Larry fit de grands signes, six mètres plus haut. Il leur cria qu'il voyait des sillons caractéristiques d'une corde nouée à un tronc. Non, de deux cordes nouées l'une au-dessus de l'autre.

Le tueur s'était servi de la première pour descendre le corps. Et la seconde ? *Pour descendre lui-même défaire celle qui entourait le corps !* comprit Brolin.

Pourquoi se donner autant de mal ? D'après ce qu'Annabel lui avait dit, le cadavre n'était pas en mauvais état, il sentait fort, mais pas l'odeur de décomposition, il n'était donc pas ici depuis longtemps. Cela signifiait que la terre était sèche lorsque le tueur était venu, il n'était pas tombé une goutte de pluie en deux semaines. Il avait tout loisir d'arpenter les alentours sans que ses pas marquent le sol. Alors pourquoi s'être compliqué la tâche à ce point ?

Brolin marcha parmi les fougères, sondant le bref horizon de cette forêt palpitante.

Le cocon de soie. Réfléchis, replace chaque détail dans un ensemble. Les araignées. Le visage terrorisé de cette femme, Annabel te l'a dit, elle hurlait quand elle est morte. Ce type se donne beaucoup de mal pour styliser ces crimes. Tout fait partie de sa démarche. Oui, c'est ça. Passer des heures à momifier cette femme dans une toile d'araignée pour finalement l'abandonner là où n'importe qui aurait pu la mettre c'eût été bâcler le travail. Il se devait d'être homogène jusqu'au bout, y compris dans la découverte du corps.

114

Brolin cueillit une feuille de fougère qu'il frotta entre ses doigts avant d'en humer le parfum de chlorophylle.

À partir de maintenant, tu ne dois pas oublier cela, ce type est construit, il a planifié ses actes. Il poursuit un schéma mental parfaitement cohérent. Il croit en ce qu'il fait ? Probablement. À ce niveau ça n'est pas une mise en scène, il y croit. Ce qui nous semble superflu comme de devoir utiliser deux cordes pour se débarrasser du cadavre est à ses yeux important, loin d'être une inutile débauche d'énergie. Et s'il n'était pas seul ? Alors il y a cette même volonté de cohérence, ce qui est encore plus difficile à obtenir avec plusieurs individus. Ils sont particulièrement déterminés.

Emma, l'assistante de Craig Nova, vint à sa rencontre.

– Il n'y a rien sur les troncs, pas de trace d'urine, j'ai passé au crible tout le périmètre. Désolée.

Au moins ils avaient essayé. Brolin entendit Meats qui donnait son aval pour que l'on descende le cadavre. Il ne fallait plus tarder, la journée touchait à sa fin et ils devaient encore faire le chemin du retour.

Craig Nova grimpa dans l'arbre pendant qu'Annabel se tenait à l'écart. Il coupa quelques rameaux avec de gros ciseaux et avec l'aide de Meats ils commencèrent à faire descendre le cocon. Entre l'équilibre qu'ils devaient assurer et les gestes souples nécessaires au déplacement d'un fardeau aussi fragile, les deux hommes se mirent vite à transpirer. Mais dès les premiers mouvements, Brolin perçut l'étonnement des deux hommes. Au sol, on emballa le cadavre dans un drap blanc avant de le glisser dans une housse à glissière. On disposa le sinistre paquet sur une civière démontable. Joshua s'approcha de Lloyd et l'interrogea d'un geste du menton.

Meats fit claquer ses gants en plastique en les ôtant. La tension habitait tout son corps, jusque dans son regard fuyant. Il était déstabilisé.

– C'est… son poids. (Ses yeux se posèrent enfin, sur la housse.) On dirait qu'elle est inconsistante. Je veux dire qu'elle ne pèse pas grand-chose, et parfois sa peau se creuse bizarrement quand on la porte.

– Lloyd, je veux assister à l'autopsie. Mets-moi dans le coup. Il y a un truc dans cette histoire, celui qui a fait ça n'est pas comme les autres cinglés de son genre. Je peux vous aider.

Meats avait un air absent.

– C'est moi qui prends l'enquête, fit-il d'une voix atone. Je verrai ce que je peux faire.

Il parlait comme une machine débitant un programme, sans émotion.

Brolin posa une main sur son épaule.

– Qu'est-ce que tu as ?

– Josh, murmura Meats. Je comprends pas… Cette fille, elle… Je crois qu'on lui a pris sa substance.

Quand ils se mirent en route le soleil déclinait par-dessus le mont opposé, l'intérieur de la forêt commençait à ne plus briller comme une émeraude percée de rayons d'or. Les taches d'ombre gagnaient en taille, noyant la perspective, elles se répandaient jusqu'aux pieds du petit groupe. Très vite, Brolin se rendit compte qu'il évitait de marcher dessus, il s'imagina une voix aigrelette lui murmurant : « *Pas dans l'ombre… Il y a quelque chose de terrible dans l'ombre…* » à la manière d'un troll scandinave dissimulé dans la végétation.

Par-dessus tout, ce furent pourtant les derniers mots de Meats qui lui donnèrent la chair de poule.

« Je crois qu'on lui a pris sa substance… »

13

Saphir accueillit Annabel et Brolin en secouant la queue et en reniflant le bas de leurs jambes. Ils prirent une douche chacun de son côté avant de se retrouver au salon. Les bruits de la forêt entraient par la baie vitrée ouverte sur la terrasse.

Annabel fut surprise de trouver Brolin vêtu d'un pantalon et d'un t-shirt noir ainsi que de baskets. Elle-même n'était couverte que d'une longue chemise pour dormir. Il fit disparaître une lampe torche dans un sac à dos posé devant lui, sur le sofa.

– Que fais-tu ?

– Je prépare ma nuit.

– Tu ne dors pas là ?

Elle comprit en le voyant qu'elle ne faisait plus partie de l'équipe. Il était de nouveau cet être solitaire à l'âme indiscernable.

– Non. Annabel, j'ai bien peur que la situation ne dépasse ce que nous pensions. Il ne s'agit plus d'une coïncidence, mais bien de meurtres. Je ne vais pas laisser Larry tout seul dans cette histoire.

C'était sa façon à lui de lui dire au revoir. Annabel s'approcha pour poser une main sur son bras.

– Ça n'est pas seulement Larry, ne me prends pas pour une idiote. Je le vois bien, tu es intrigué. Tu veux savoir qui est derrière tout ça, quel genre d'homme est ce tueur. Qu'est-ce que tu crois ? Je me suis retrouvée nez à nez avec cette femme tout à l'heure, j'ai affronté sa terreur. Moi aussi je veux savoir, ce sont les raisons qui ont fait de nous des flics.

Elle ajouta d'une voix posée, presque réconfortante :

– Après avoir vu l'état de cette femme, tout le monde veut coincer le coupable, toi tu t'attaches autant à comprendre ce qu'il est qu'à l'arrêter. Mais n'oublie pas que les flics ont le même but que toi. (Elle l'observa en silence avant de reprendre la parole.) Ne m'exclus pas comme ça. Je n'ai rien à faire dans cette enquête, c'est vrai, cela ne t'autorise pas pour autant à m'ignorer et à fermer toutes tes écoutilles sous mon nez.

Il leva les yeux vers elle. Dans la faible clarté d'une unique lampe à l'autre bout de la pièce, il vit le doute dans le regard de la jeune femme. La crainte qu'il l'ignore, d'être à nouveau seule.

– Excuse-moi, chuchota-t-il. Excuse-moi…

La paume de sa main vint à la rencontre de son cou, son pouce effleura la joue d'Annabel. Elle eut la chair de poule.

– J'ai vu de quoi est capable ce type, murmura-t-il, je sais qu'avec un peu de temps je serai apte à comprendre son raisonnement, je pourrai le cerner, le faire coffrer… avant qu'il n'en tue d'autres… Je veux traquer le chasseur…

– Et tu vas le faire, répondit-elle sur le même ton bas. Mais ne deviens pas comme lui… Tu aurais dû te voir il y a quelques secondes, froid et impassible, déterminé comme il doit l'être au moment où il part chasser sa proie. Et si… seul.

Le salon s'était transformé en sanctuaire, chaque mot était à peine effleuré des lèvres, il y avait du sacrilège dans ce qui était dit.

– Que vas-tu faire à cette heure ? demanda Annabel en désignant le sac à dos.

Il répondit tout d'abord par le silence avant d'agiter imperceptiblement la tête.

– Il y a quelque chose dans cette clairière où le frère de Larry a été tué. Le tueur s'est fabriqué un poste d'observation, il y venait souvent. Et la présence de veuves noires en nombre n'a pour objectif que de faire fuir les randonneurs éventuels. Il ne cherche pas à faire beaucoup de victimes là-bas, il s'y prendrait autrement. Comme en ville par exemple, où son but devient l'accumulation, la terreur. Je pense que la clairière, Eagle Creek 7, est hautement symbolique pour lui. Reste à trouver pourquoi.

Annabel posa l'index sur le sac à dos et la lampe torche à l'intérieur.

– Tu vas y passer la nuit ?

– Puisque le tueur y allait souvent, il est possible qu'il y retourne. Peut-être a-t-il encore des raisons de le faire, du moins tant que la police ne couvrira pas les lieux. À moi d'être discret.

Annabel recula et se laissa tomber sur le sofa.

– C'est le genre de planque qui peut durer plusieurs jours, je ne sais pas si…

– Tant que je n'aurai pas de nouvelles de Lloyd ou de Larry, j'y passerai mon temps. Écoute, tout ça prend des proportions qu'on ne soupçonnait pas, je crois qu'il faudrait qu'on remette notre projet de vacances à plus tard… Tu comprends ? Je… ne vais pas être disponible, pour quelques jours probablement. Et…

– Je peux t'aider, trancha-t-elle.

– Annabel, tu n'as rien à faire là-dedans, je ne veux pas t'embarqu…

– Ce que j'ai vu cet après-midi me donne le droit d'être particulièrement impliquée. Pas officiellement, pas plus que toi. Mais je peux t'aider. Si le tueur doit revenir dans cette clairière, que crois-tu qu'il fera avant tout ? Il inspectera les alentours, je suppose, et s'il voit ta voiture garée à proximité il s'enfuira ou te cherchera… Je vais te déposer et je viendrai demain t'apporter des provisions puisque tu tiens à rester là-bas, et si Larry appelle je pourrai te tenir au courant. J'appelle ça *notre* collaboration.

Annabel devança toute protestation en se levant et en grimpant les marches vers la mezzanine.

– Je vais me changer, fit-elle en déboutonnant sa chemise.

Et elle donna un coup de talon pour pousser la porte.

*
* *

Encerclé de forêts à l'est, d'un immense parc sur une colline à l'ouest et contenu au nord par la rivière Columbia, Portland brillait dans la nuit, semblable à une plate-forme pétrolière perdue en pleine mer d'ombres.

Minuit approchait, et la chaleur retombait à peine. Dans les rues, les lampadaires bourdonnaient sous un nuage d'insectes agglutinés à la lumière. L'asphalte tiédissait peu à peu, les feuilles et les pétales se

120

décontractaient pour ressembler à une veloutine un peu rêche. Les habitants de la ville étaient agités, suant sur leur lit pour la plupart, s'observant en chien de faïence depuis leur véhicule, promenant leur chien à la langue pendante avant de rentrer éteindre la télévision et aller se coucher.

Lloyd Meats s'assura que le cadavre était bien enregistré à la morgue et fila au Central de police où le capitaine Chamberlin l'attendait.

Les deux hommes parlèrent peu, l'enquête passait en priorité avec un black-out total sur les médias pour l'instant. Dès qu'ils seraient au courant, c'était Chamberlin qui se chargerait des communiqués de presse. Ils abordèrent la question de Larry Salhindro, il y avait sûrement un lien entre la mort de son frère et ce cadavre dans la forêt. Fallait-il pour autant l'écarter de l'enquête ? Ils le connaissaient trop bien pour commettre cette erreur. Mieux valait jouer la carte de la franchise, le tenir au courant, et se servir de ses compétences pour continuer de coordonner les différents services.

– Et Joshua ? avait demandé Meats.

Chamberlin faisait face à la fenêtre. La lumière synthétique de la rue perdait dans des contours flous le reflet de son propre bureau et la silhouette de l'inspecteur Meats.

– Il a demandé à suivre l'enquête ?

Chamberlin vit dans la vitre Lloyd Meats qui acquiesçait.

– Pour quelle raison ?

– Pour Larry, je présume. Il ne veut pas laisser tomber son vieil ami. Et je crois que ce que nous avons découvert aujourd'hui l'interpelle. Cette… démence ou bizarrerie, comme vous voudrez, de se prendre pour une araignée avec ses victimes. À mon avis Joshua est curieux de connaître la personnalité qui se tapit derrière ces crimes.

Chamberlin respirait par le nez, émettant de petits souffles à chaque expiration.

– Qu'en penses-tu, Lloyd ? Brolin ne fait plus partie de la maison, c'est lui qui a choisi de s'exiler.

– Tu sais très bien ce que je pense, là n'est pas la question. Nous n'avions pas encore balayé la zone qu'il avait déjà sa petite idée sur ce qu'il fallait faire. Tout le monde le sait ici, dès qu'il y a un crime avec un cinglé, personne n'a son pareil pour remonter sa piste. Bien sûr que Brolin nous serait utile.

Le capitaine rejeta la tête en arrière et sa nuque émit un craquement sec.

– S'il est toujours motivé, mets-le sur le coup avec nous, pas de statut officiel, si la presse le remarque on prétextera qu'il est là à titre d'expert des sciences du comportement.

Brolin avait été formé au profiling et à l'étude du comportement en général par le FBI à l'académie de Quantico avant de rejoindre la police de Portland, quelques années auparavant. Autant de passerelles artificielles dont Chamberlin pouvait user pour justifier sa présence parmi la cellule d'investigation.

– Il est autorisé à te suivre partout où il peut apporter ses connaissances, ajouta Chamberlin. Autopsie, labo, et si nous avons un suspect il pourra assister à l'interrogatoire mais il n'intervient pas. Et cette femme dont tu m'as parlé, qui est-ce déjà ?

– Détective Annabel O'Donnel du NYPD. C'est avec elle que Brolin a conduit l'enquête sur la secte de Caliban l'hiver dernier.

Chamberlin se souvint. Comme tout le monde, il avait lu la presse et entendu parler de cette affaire à la télé. Le rôle majeur qu'avait joué la jeune femme lui revint en mémoire.

– Qu'est-ce qu'elle fait là ? Ne me dis pas qu'elle est aussi devenue détective privée ?

– Non, d'après ce que j'ai compris elle est en visite chez Joshua. Elle nous a filé un bon coup de main aujourd'hui, elle connaît bien son boulot...

– Qu'elle soit discrète, son badge de flic n'a pas de valeur dans cet État, je ne veux pas non plus que cette enquête se transforme en foire. Je ne dirai rien tant qu'on ne la voit pas, c'est entendu ?

– Parfaitement.

– Très bien, maintenant file te reposer, demain nous avons une longue journée.

Lorsque Chamberlin fut seul dans son bureau, il posa son front contre la vitre et soupira. Dans quoi s'embarquaient-ils encore ?

Lloyd Meats fit un crochet par le service d'identification. Lors du long chemin de retour à pied, avec la civière et son chargement sinistre, Annabel était venue lui parler. Elle avait passé pas mal de temps dans l'arbre en compagnie de la victime. Elle-même flic, Annabel avait remarqué quelques détails qui pouvaient simplifier l'identification. Tout d'abord le corps portait une alliance à l'annulaire gauche. Son mari avait certainement lancé un avis de recherche, la police devait donc disposer quelque part d'une fiche à son nom. Par ailleurs, la femme était tatouée sur l'épaule droite, un morceau de parchemin couvert de l'inscription CARPE DIEM. Meats demanda à l'officier de permanence de faire le tri parmi tous les avis de disparition. Il avait sur le moment repensé à cette affaire qui venait d'échouer sur son bureau, cette histoire de mari qui clamait que sa femme avait disparu, mais celle-ci n'avait aucun tatouage. Fausse piste.

Sur quoi Meats prit la direction de l'ascenseur.

Il se sentait sale, la chemise puant la transpiration malgré la tonne de déodorant. Il rêvait d'une bonne nuit de repos et de sentir le corps de sa femme contre lui. Avec cette chaleur, elle dormait nue, et il savoura l'idée d'entrer dans ce lit, le corps rafraîchi par la douche froide qu'il allait prendre.

Quand les portes s'ouvrirent sur le sous-sol, Lloyd Meats était tout d'un coup bien loin de ce cocon en soie au cadavre trop léger, comme vidé, bu par quelque chose d'immonde. Meats était bien loin d'imaginer qu'au moment même où il tournait sa clé de contact, deux personnes supplémentaires étaient hospitalisées suite à la morsure d'une araignée particulièrement dangereuse.

Il n'était pas arrivé chez lui que l'une d'entre elles, une adolescente de dix-sept ans, mourait dans les bras d'une infirmière.

14

La nuit gîtait sur le flanc, balayée sans ménagement par les vagues de l'aube. L'écume lumineuse s'étalait sur le ciel, noyant les étoiles les unes après les autres. Il ne restait plus que la lune, tel un coquillage affleurant la surface, trop rond pour donner prise aux courants sidéraux.

Le dos rompu, Brolin s'appuya contre une large branche. Il commençait à percevoir le décalage créé par la fatigue, il se sentait moins présent, tout ce qu'il voyait lui arrivait avec un peu de retard. Il sortit une bouteille d'eau de son sac à dos et s'aspergea le visage. Il faisait bon, le soleil n'avait pas encore échaudé tout cet air.

À cinq mètres de haut, Brolin dominait toute la clairière Eagle Creek 7. Si quelqu'un y pénétrait, il ne pouvait le manquer.

Joshua n'avait pas mis longtemps à trouver son poste d'observation, un arbre touffu, à l'orée de la forêt, avec un nœud de branche suffisamment épais pour qu'il puisse s'y installer « confortablement ».

Les heures de veille avaient été, jusqu'à présent, stériles. Il n'avait rien vu. C'était d'ailleurs ce qui le dérangeait lorsque le soleil pointa ses crêtes de feu sur l'horizon. Il n'avait rien vu. Pas même des animaux. La clairière était vaste, il s'était attendu à y surprendre une troupe de wapitis ou au moins un cerf. *Les animaux eux-mêmes ne s'approchent plus d'ici, ils sentent un danger qui rôde...* Brolin fit claquer sa langue. Quel crétin il faisait... Il parlait comme dans un film d'horreur où les bois sont hantés par un monstre. *Et pourquoi pas une araignée génétiquement modifiée tant qu'on y est ?*

Il descendit à trois reprises pour se dégourdir les jambes et uriner. Il n'alluma aucune cigarette, l'endroit et la situation ne s'y prêtaient pas. Vers midi il mangea des biscuits qu'il avait emportés, résigné à passer vingt-quatre heures supplémentaires s'il le fallait. Annabel devait venir lui apporter des provisions dans la soirée. S'il y avait eu du nouveau dans l'enquête Larry n'aurait pas manqué de l'appeler. Ce soir, elle le tiendrait au courant.

Elle n'avait rien voulu savoir. Hors de question de repartir à New York, même avec la promesse qu'une fois cette histoire éclaircie ce serait lui qui viendrait à Brooklyn pour passer une semaine. Elle voulait rester, peut-être participer. Était-ce vraiment à cause de ce visage terrifié qu'elle avait affronté dans l'arbre ? En partie, certainement. L'âme du flic.

Pourtant, au fond de lui Brolin savait qu'il y avait autre chose, que lui-même avait ressenti. Cette osmose lorsqu'ils travaillaient ensemble. Ils l'avaient expérimentée lors de l'enquête sur Caliban et sa secte. Cette électricité qui les animait tous deux, l'adrénaline du challenge, du risque, de l'énigme. Une émulsion.

C'est un peu exagéré tout ça. Nous nous entendons bien, on mène une investigation différemment et nos méthodes se complètent, voilà pourquoi ça marche, on se motive l'un l'autre. C'est pas non plus...

C'était efficace, il devait bien l'avouer. Et il aimait ça, cette complicité. Si Annabel voulait rester, de quel droit la chasserait-il ? Lui-même avait eu un pincement au cœur quand elle avait résolument décidé de ne pas partir. Après tout, si c'était ce qu'elle voulait, il pourrait partager ses déductions éventuelles, ils agissaient l'un sur l'autre comme un stimulant, ça ne pouvait que donner de bons résultats.

Brolin capta un mouvement à la périphérie de sa vision.

À deux cents mètres au sud, les taillis bougèrent.

Une forme humaine se déplaçait lentement dans la clairière.

Annabel apparut dans les hautes herbes. Elle se couvrit le front de sa main pour se protéger du soleil et scruta les alentours.

Brolin descendit et, longeant la forêt, il la rejoignit avant qu'elle ne fasse demi-tour.

– Je suis là, dit-il à moins de vingt mètres.

Sa voix était douce et grave, trahissant la fatigue.

Annabel portait un pantalon corsaire souple, un débardeur, des baskets, et elle avait pris soin d'attacher ses tresses en un bouquet bombé. Un sac en toile était posé à ses pieds.

– Tu pars en randonnée ? interrogea Brolin.

– Je te remplace.

Il ouvrit la bouche mais elle posa son index sur les lèvres du privé.

– L'inspecteur Meats a appelé, ils ont identifié la victime qu'on a trouvée hier. Elle s'appelle Carol Peyton. Tu verras, je t'ai tout écrit sur un papier, il est sur le siège passager de la voiture. Ils sont chez le mari et ils t'attendent. Si tu as passé plus de dix heures ici c'est que tu crois vraiment que c'est important, alors je vais le faire. J'ai apporté le nécessaire, nourriture, couverture, tout pour passer l'après-midi et même la nuit s'il le faut.

– Annabel, je ne vais pas te laisser toute seule ici.

– Tu perds du temps, Meats et Larry t'attendent.

– Non, tu…

La jeune femme fit claquer sa langue derrière ses incisives tout en secouant la tête. Elle était farouchement campée sur sa décision.

Brolin croisa les bras sur son torse. Il examina brièvement Eagle Creek 7.

– Si tu me montrais où tu étais, rétorqua Annabel.

Après un bref affrontement silencieux, Brolin fit signe du menton.

– Tu es plus têtue que moi encore… Suis-moi.

Ils firent plusieurs pas et Annabel confia avec amusement :

– Tu vois, ça n'est pas si difficile de me faire confiance.

*
* *

Michael et Carol Peyton vivaient sur North-east – 17ᵉ rue, à proximité du grand centre commercial, dans une petite maison en tout point similaire aux soixante-dix autres du quartier. Brolin se gara non loin et remonta la rue en notant la présence du fourgon de l'unité de scène de crime.

Lloyd Meats le fit entrer jusqu'au salon où Michael Peyton était assis en compagnie d'une femme flic qui lui parlait. Peyton avait à peine trente ans, l'air sportif, et pour le moment il avait surtout les yeux rouges, il ne parvenait pas à fermer la bouche, encore sous le choc.

Dans son cadre en plastique la photo d'une jeune femme blonde à l'air très doux trônait sur un guéridon. Meats l'attrapa et la tendit à Brolin.

– C'est elle, montra-t-il en prenant soin de parler bas. Carol Peyton, vingt-huit ans. Son mari a signalé sa disparition il y a trois jours. C'est le tatouage qui nous a permis de faire le rapprochement ce matin.

– Comment ça s'est passé, elle n'a pas été enlevée en plein jour ?

Meats fourragea dans sa barbe grise.

– Non, le mari, Michael, se souvient qu'ils se sont couchés ensemble, il dit qu'ils ont même fait l'amour le soir. À son réveil, elle n'était plus là. Il n'a pas souvenir de quoi que ce soit, pas de bruit, rien. Elle n'était tout simplement plus dans la maison. Sauf qu'elle n'avait rien pris, ni ses papiers, ni vêtements, rien.

– Signe d'effraction ?

Meats eut l'air désespéré en répondant par la négative.

– La porte était fermée à clé et aucune fenêtre n'était ouverte cette nuit-là, ajouta-t-il.

– Peut-être qu'elle connaissait le meurtrier, fit remarquer Brolin. Pour une raison inconnue elle lui a ouvert et a accepté de le suivre, en pleine nuit, sans réveiller son mari.

– C'est ce qu'on a pensé tout d'abord mais M. Peyton dit qu'il a remarqué des choses étranges le matin même. Des objets avaient bougé dans la nuit.

– Des objets ?

– Oui, on dirait que Carol s'est battue, mais que son ravisseur a tout remis en place avant de partir. C'était dans la chambre.

– Et il n'a rien entendu ?

– Absolument rien. On va lui faire une prise de sang, il nous a dit qu'il n'est pas allé travailler le jour même à cause de ça, mais qu'il ne se sentait pas très bien par ailleurs, maux de tête, difficulté à respirer... Il n'est pas sous médicaments et ne prend pas de drogue.

Dans le dos des deux hommes le flash d'un appareil photo illuminait la cuisine. Un des techniciens archivait des images de toute la maison pour le dossier.

Brolin se pencha un peu, juste pour distinguer Michael Peyton. Ce dernier écoutait la femme qui lui parlait à voix basse. Il ressemblait davantage à un enfant perdu qu'à un criminel potentiel. Néanmoins Brolin demanda :

– Il faudra voir avec l'autopsie à quel moment elle est morte, et vérifier si le mari a un alibi solide.

– Josh, c'est pas trop le mari qui m'inquiète.

Lloyd Meats avait vraiment l'air préoccupé, songea Brolin.

– Avant que je bosse là-dessus, continua l'inspecteur, on m'a transmis un dossier de disparition. Sur le coup j'ai jugé l'avis de recherche un peu rapide et j'ai mis l'affaire de côté. Les officiers de police intervenus sur place avaient estimé le cas intrigant et avaient insisté pour qu'on enquête sans attendre les vingt-quatre heures habituelles. Je ne les ai pas écoutés et je commence à m'en mordre les doigts.

– Quel genre de disparition ?

– Un type qui affirme que sa femme a été kidnappée pendant qu'il dormait. Ça s'est passé mercredi, hier matin.

La similitude était trop frappante pour ne pas être effrayante. Y avait-il déjà un autre cadavre, quelque part ?

Craig Nova fit son apparition dans l'escalier. Remarquant Brolin, il lui adressa un salut dans lequel transparaissait la joie de le revoir.

– On rempile dans la police, alors ? s'exclama-t-il.

– Pas tout à fait.

Craig Nova n'eut pas l'air étonné de cette réponse, il n'insista pas et fit face à Meats :

– Inspecteur, dit-il, on va s'occuper de la chambre, si vous voulez venir…

Meats fit signe à Brolin de l'accompagner.

– On pense que ça s'est passé là-haut, expliqua-t-il en grimpant les marches. Michael Peyton nous a confié que la descente de lit n'était pas du tout à sa place à son réveil. Il a trouvé les boucles d'oreilles de sa femme par terre, elles avaient roulé sous le lit dans la nuit et la pile de bouquins qui l'attendaient avait été remise dans un désordre total. Apparemment, Peyton est plutôt du genre maniaque. Il remarque le moindre détail qui cloche dans son petit environnement.

Tout le premier étage était couvert de parquet. Ils traversèrent le couloir jusqu'à la porte d'une grande chambre avec un lit à baldaquin dans le fond.

– Ça fait déjà trois jours qu'elle a disparu, cela dit Peyton n'a presque pas été dans sa chambre depuis, et personne d'autre n'y a mis les pieds. Craig a relevé les empreintes digitales sur les brosses à dents tout à l'heure. Si on tombe sur une jolie trace de doigt ou de paume on pourra savoir très vite s'il s'agit de la famille Peyton ou non.

La toute jeune assistante de Craig, Emma, se tenait devant la fenêtre. Elle venait de poudrer les livres dont Michael Peyton avait parlé.

– Je n'ai rien ici, fit-elle savoir, en dehors des empreintes de M. Peyton lui-même, il me semble.

Craig posa une de ses valises en inox.

– Notre homme portait des gants, on dirait. Emma, tire les rideaux, je voudrais essayer un truc.

Il sortit de son bric-à-brac un flacon blanc muni d'un vaporisateur.

– Messieurs, j'ai un peu fureté dans la pièce tout à l'heure. D'après ce qu'on m'a dit, cette descente de lit, là, n'est pas à sa place. Remercions M. Peyton d'avoir eu l'intelligence de ne pas la remettre car si vous regardez, disposée ainsi, on dirait qu'elle ne sert pas à grand-chose si ce n'est à camoufler le sol. J'ai déjà jeté un coup d'œil dessous, sans résultat. Du moins aujourd'hui, ce qui ne veut pas dire qu'il n'y avait rien à voir il y a trois jours.

Craig Nova souleva la descente de lit, le parquet était immaculé, il vaporisa un produit humide sur le sol. Tous reconnurent l'usage du luminol, un produit chimique réagissant avec le fer contenu dans le sang qui s'incruste dans toute matière. Le miracle du luminol consiste à faire ressortir la présence de taches de sang, même après que celui-ci a été lavé, et il fonctionne parfaitement avec des traces anciennes. En fait plus le sang est vieux, plus la luminescence est forte.

Dans la pénombre de la pièce, ils ne tardèrent pas à voir se former le halo de gouttes bleu-vert, brillant faiblement.

– C'est bien ce que je pensais, murmura Craig. Dommage que M. Peyton ait vidé ses poubelles récemment, je pense qu'on y aurait trouvé des textiles ou du papier taché de sang. Le type qui a enlevé Carol Peyton a pris soin de laver les taches derrière lui, le parquet devait être humide, il a disposé la descente de lit par-dessus pour faire sécher ou tout simplement parce qu'il ne savait pas où la remettre en place. Emma, les rideaux s'il te plaît. Merci.

Il plaqua ses mains au sol et ses yeux rasèrent les taches désormais presque invisibles avec la lumière de l'après-midi.

– Elles sont nombreuses, relativement fines et un peu allongées, en forme de poire. Donc vélocité moyenne, ce n'est pas une arme à feu qui a fait ça, pas d'effet de brume, non, plutôt un objet tranchant ou contondant qui est entré en contact avec la victime à grande vitesse. Toutes proviennent du même endroit, elles s'étirent dans une direction unique. La base – le point d'impact de la goutte sur le sol –, plus ronde, plus régulière, est ici, et la queue pointe à l'opposé du lit. On peut donc supposer que la victime était proche du lit lorsqu'elle a été frappée.

Il se tourna et chercha dans sa valise.

– Inspecteur Meats, depuis le temps, vous devez savoir comment on calcule l'angle de chute d'une goutte de sang, non ?

– Je déteste les maths.

– L'angle d'impact est égal à l'arc sinus de la largeur de la goutte divisée par sa longueur, récita Craig.

Il effectua plusieurs relevés avec des instruments de mesure puis fit ses calculs. Un peu à l'écart, Emma promenait le tube lumineux de la Polylight en quête d'empreintes. Régulièrement, elle s'arrêtait pour passer des poudres de couleurs différentes en fonction du support et prélevait ce qu'elle trouvait, sans grande joie. Depuis le début, les dizaines de traces de doigts qu'ils avaient enregistrées semblaient toutes correspondre à celles de la famille Peyton.

À l'aide de petites épingles qu'il planta dans le parquet, Craig tira plusieurs ficelles selon un angle très précis. Il répéta l'opération en partant de six taches de sang. Toutes les ficelles venaient s'accrocher irrémédiablement à la même épingle qu'il avait fichée dans le tissu du mur, au-dessus du lit.

– Je sais, c'est un peu archaïque, d'habitude on fait ça avec de minuscules lasers portatifs, se justifia-t-il, c'est plus impressionnant, mais je n'ai pas le matériel avec moi, alors je l'ai fait à l'ancienne. Voilà, en tout cas ça nous indique où était la victime lorsqu'elle a été frappée. Ici, sur le lit, vu la hauteur, elle était assise. On l'a frappée violemment, certainement à la tête, faudra le vérifier à l'autopsie. Je pense que c'était avec un objet contondant. Quoi qu'il en soit, la victime s'effondre sur le parquet suite à ce coup, on voit bien ici qu'il y a d'autres gouttes, plus larges, plus nettes, sans couronne, elles sont tombées de moins haut. Elles nous guident jusqu'à cette table où se trouvaient les livres de M. Peyton.

Craig Nova ferma les rideaux et vaporisa du luminol sur le sol, puis sur la table. De nouveaux cercles luminescents apparurent.

– Le contraire m'aurait étonné… lâcha-t-il. Donc, notre victime marche à quatre pattes, ou rampe, c'est sûrement une blessure à la tête, en tout cas elle ne saigne pas trop. Elle s'accroche à la table, se hisse et là… *tac*, un autre coup sur le crâne, on voit encore ces projections à moyenne vélocité sur le bord du meuble. Elle a dû se cogner contre un des pieds ou c'est l'agresseur qui l'a fait, c'est pour ça que les livres empilés sont tombés.

– Avec le mari qui dort à côté ? intervint Brolin. Soit c'est une mise en scène de sa part, soit il a été drogué. J'ai peine à croire que sa femme ait été réveillée, frappée et enlevée à moins de deux mètres de lui sans qu'il ne l'entende. Une personne qui reçoit un coup d'une telle violence sur le crâne et qui trouve la force de ramper sur deux mètres, elle souffre, elle crie. Il faudrait savoir si Michael Peyton a vu quelqu'un la veille, qui lui aurait fait boire ou manger une substance particulière.

Meats opina et griffonna dans son carnet.

– Bien sûr, reprit Craig Nova, c'est juste le scénario qui me semble le plus proche de ce que je vois, ça n'exclut pas d'autres possibilités.

Meats observa le lit.

– Tout ça avec rien au départ, bravo Craig.

– Dis plutôt merci au type qui a fait ça, en voulant nettoyer ce bordel plutôt que de frotter un tissu humide partout où il y avait des gouttes, il a dû le poser pour que le sang soit bu. Beaucoup de criminels font ça, ils s'imaginent que s'ils étalent le sang il sera plus difficile à faire disparaître ensuite. En tout cas moi ça m'arrange, si notre tueur avait frotté le sol au lieu d'être délicat, je n'aurais trouvé qu'un amas luminescent à la Jackson Pollock, sans rien à en tirer.

Craig Nova étudia avec eux toutes les probabilités imaginables, ils finirent par s'accorder avec le scénario élaboré par l'expert.

De son côté, Emma venait de passer toute la pièce à la Polylight pour les empreintes, et s'apprêtait à étudier la salle de bains quand elle se souvint qu'elle avait gardé le dessous des meubles pour la fin. *Le dessous, Emma*, disait toujours Craig, *c'est toujours le dessous qu'on oublie. Le dessous d'un téléphone, d'une assiette, le dessous d'une voiture, l'intérieur d'un abat-jour...* Elle enfila une autre paire de gants et vérifia le lit d'abord, en faisant se déplacer l'inspecteur Meats et Craig. Le troisième homme, Brolin, se tenait sur le seuil, il examinait la chambre dans son ensemble. Par moments, il lui faisait un peu peur. Il était séduisant, avec ces longues mèches d'ébène, et en même temps troublant.

Rien sous le lit. Elle passa à l'armoire.

C'était dans ses yeux. *Oui, on dirait qu'il est insaisissable*, songea-t-elle. Comme un animal impossible à apprivoiser. *Sauf que lui est un homme... Il ne devrait pas y avoir cette lueur dans...*

Ses doigts rencontrèrent un objet. Elle retira aussitôt sa main. Emma fouilla dans la valise pour en tirer une lampe.

— Qu'est-ce qu'il y a ? demanda Craig.

— Je ne sais pas, une forme lourde sous l'armoire, tout au fond.

Elle s'accroupit et illumina le dessous du meuble.

— C'est une lampe torche, annonça-t-elle.

Craig la rejoignit et s'agenouilla.

— Prends-la tout doucement, par le bout, et ne la fais pas rouler, pour les empreintes...

— Vieux grincheux, je connais les procédures.

Se doutant que la familiarité n'avait pas échappé à Brolin, Meats se pencha vers lui pour lui chuchoter :

— C'est sa nièce.

Emma brandit une lampe de trente centimètres.

— La Polylight, Emma.

Celle-ci alluma l'appareil et régla le faisceau lumineux sur la longueur d'onde voulue. Une lueur bleue se promena sur tout le manche de la lampe.

— Pas d'empreintes ? interrogea Meats.

— Non, et d'une certaine manière c'est une bonne nouvelle. Je ne crois pas que M. Peyton utilise des gants ou essuie tous les objets dont il se sert avant de les faire rouler sous ses meubles. Ce qui veut donc dire que c'est très certainement la lampe de l'agresseur. Enfin, ça semble le plus évident.

Craig Nova enfila des gants en caoutchouc à son tour et saisit l'appareil. Il était lourd. Une idée lui vint subitement à l'esprit. Il vaporisa du luminol dessous avant d'aller tirer les rideaux pour la troisième fois.

Une nébuleuse bleu-vert scintilla sur le bout du manche, le dessin s'étirait en plusieurs sens. Du sang.

– Ma paye que c'est avec ça qu'il l'a frappée, tonna Craig.

Emma lui tendit une pochette en papier pour ranger la lampe.

– Tu n'oublies pas quelque chose ?

Elle fronça les sourcils avant d'ouvrir tout grands les yeux.

Craig se tourna vers Meats et Brolin.

– C'est ce que j'appelle un objet à tiroirs. Il y a plusieurs niveaux à inspecter, et ça, même les criminels n'y pensent pas souvent.

Ils comprirent tous ce que Craig voulait dire en voyant Emma dévisser l'extrémité de la torche et très précautionneusement faire glisser les trois énormes piles. L'éclairage de la Polylight révéla bientôt les arabesques d'une paume de main sur la première pile.

Un large sourire coupa le visage de Craig. Il désigna ce qui ressemblait à deux phalanges de l'autre côté de la pile.

– Non, les criminels ne pensent pas toujours à tout. Messieurs, je crois que nous avons là une superbe empreinte de pouce.

15

Annabel avait plié sa couverture en huit pour se faire un siège confortable au point de départ de trois grosses branches dont l'une lui servait de dossier. Avec la chaleur et cette assise pas désagréable elle s'était vite mise à dodeliner de la tête. Elle avait lutté contre le sommeil en détaillant le paysage : le massif végétal après les cimes des sapins, le sommet du mont qui surplombait la clairière, la haute souche au milieu dont avait parlé Brolin, celle dans laquelle le tueur venait souvent s'installer.

C'est ainsi qu'elle découvrit l'Asile des Oubliés.

Du moins était-ce là le nom qu'elle lui avait donné. L'angle d'un bâtiment gris saillant entre la crête des arbres à l'extrémité la plus lointaine d'Eagle Creek 7. Et la pointe d'une tour au-delà. Très vite, la jeune femme s'était demandé quel genre de lieu ce pouvait être, perdu dans une forêt incommensurable. Brolin lui avait laissé, entre autres choses, un atlas DeLorme de l'Oregon ; elle l'avait ouvert à la page correspondant à cette zone où n'apparaissait aucune mention spéciale.

Qu'est-ce que ça pouvait bien être ? Son imagination s'était emportée, nourrie par l'ambiance sauvage, elle avait supposé le pire. Un asile, écarté de la civilisation pour accueillir les patients les plus déments du pays. Un lieu si reculé qu'on ne pourrait pas entendre leurs hurlements incessants, leurs rires habités par la folie pure. Ces murs étaient comme les bords d'un navire fantôme chargé de spectres aux yeux roulant dans leurs orbites, ou bien un îlot en quarantaine pour prévenir le monde d'une contagion démentielle. Annabel y avait enfin vu le donjon d'hommes et de femmes éloignés de tous, jusqu'à pourrir, enfermés dans l'oubli. Ainsi était né l'Asile des Oubliés, pour passer le temps.

Deux heures plus tard, emportée par ses idées, elle se sentait mal à l'aise. Elle avait l'impression de ne pas être la bienvenue ici, toute seule dans ce monde ancestral de la forêt. Elle se remémora un épisode d'*X-Files* où des hommes étaient attaqués par des insectes antédiluviens qu'ils avaient réveillés en coupant des arbres. Isolés dans une forêt gigantesque, les bûcherons étaient décimés les uns après les autres.

C'était bien le moment de penser à des choses pareilles !

Annabel avala une gorgée d'eau et prit les jumelles de Brolin pour passer en revue toute la clairière. Elle ne tarda pas à s'arrêter sur le morceau de bâtiment qui dépassait. *Qu'est-ce que ça peut bien être ?* Si ça n'apparaissait sur aucune carte, il était fort possible qu'il s'agisse de l'armée. Pourtant le site ne s'y prêtait guère. *Pentu, inaccessible, loin de toute ressource, quoique ce dernier point puisse être le but justement...* Il avait l'air abandonné. Annabel n'en distinguait quasiment rien, un toit vétuste, un bout de fenêtre noire et des feuilles mangeant la moitié du mur visible.

Et si c'était ça que le tueur venait voir ? La souche était idéalement placée pour observer toute la clairière, y compris ce fragment de construction. *Pourquoi ici, alors ?* Tout d'un coup ces bâtiments prenaient une importance tout autre. Même pour un tueur psychopathe, il était futile en soi de venir passer des heures et des heures à surveiller une clairière déserte, en revanche l'existence d'un complexe bâti par l'homme pouvait peut-être l'expliquer. Il fallait trouver ce qu'il était pour éventuellement comprendre le lien.

Si tu quittes ton poste pour ça, ce sera une grosse connerie, tu le sais. Ce ne sont pas des murs de pierre et des pièces vides qui t'apprendront quoi que ce soit sur le tueur de cette femme.

Et pourquoi pas ? Qu'en savait-elle tant qu'elle n'y aurait pas mis les pieds, juste pour voir ?

Annabel secoua la tête.

– Je suis idiote, chuchota-t-elle pour elle-même, je ne devrais pas faire ça…

Que risquait-elle ? Certes pas grand-chose, la probabilité de rencontrer quelqu'un de mal intentionné ici était minime, même si celui qui avait attaqué Fleitcher Salhindro et Carol Peyton y venait souvent.

Elle laissait la clairière sans surveillance, voilà ce qui n'allait pas. *Oui, mais pour une heure tout au plus, de toute façon ce type ne va pas se pointer en plein après-midi…*

Sa décision était déjà prise.

Elle fouilla dans le sac à dos pour prendre la lampe torche et son Beretta et laissa le reste dans l'arbre. Elle cala le holster dans l'élastique de son pantalon corsaire et conserva la lampe à la main avant de descendre et prendre la direction de l'Asile.

Si ça se trouve c'est vraiment ça, un hôpital psychiatrique abandonné...

Il faisait très lourd, le ciel était blanc-gris, le beau temps avait fui avec la matinée, restait une chaleur moite et pesante. Annabel craignait qu'un orage n'éclate dans la soirée. Ce serait la cerise sur le gâteau.

Les grillons l'entouraient, ils la cernaient de leur crécelle.

« Si seulement il pouvait y avoir un peu de vent », songea-t-elle en s'épongeant le front.

Les grillons se turent d'un coup.

Dans la seconde qui suivit, les branches des arbres lointains frissonnèrent, bruissant au milieu du silence d'Eagle Creek 7. Mais le vent ne parvint pas jusqu'à Annabel.

Puis les grésillements des grillons reprirent.

Elle parvint en sueur à l'autre bout de la clairière, le débardeur collant à sa peau. Écartant les fougères et les ronces, elle se fraya un chemin tant bien que mal en s'aidant d'un bâton. L'ombre de la frondaison atténuait un peu la canicule, ce qu'apprécia la jeune femme malgré les nombreuses écorchures sur ses mollets. *Bravo pour le corsaire, toi qui voulais être mobile et à l'aise...* Elle ne tarda pas à atteindre une clôture grillagée surmontée de barbelés en spirale.

– Eh bien, on ne veut pas d'intrus ici, murmura-t-elle.

Même sans les barbelés, la clôture n'était pas évidente à franchir, elle devait approcher les cinq mètres de hauteur.

De l'autre côté, un long édifice de trois étages s'enfonçait dans les bois, surmonté d'une tour couverte. De part et d'autre, des hangars et quelques bâtisses s'élevaient de la terre, entre des préfabriqués pourrissants. Tout le site était laissé à l'abandon, recouvert de végétation. En longeant l'enceinte grillagée, Annabel tomba sur une plaque militaire accrochée dans les mailles. DÉFENSE DE FRANCHIR, ZONE MILITAIRE, DANGER.

Au moins elle était fixée maintenant.

Des plaques similaires se retrouvaient tous les cinquante mètres. Annabel allait rebrousser chemin lorsqu'elle aperçut au loin une déformation dans la grille. Elle s'en approcha et vit qu'elle était déchiquetée, avec des touffes de poils prises dedans. Un animal avait forcé le passage. *Vu la taille, j'espère que ça n'est pas un ours...* Elle écarta un pan de clôture et passa de l'autre côté.

De hautes herbes recouvraient tout l'espace, avec çà et là des pins blancs. Annabel dépassa deux préfabriqués en pleine déliquescence jusqu'au bâtiment principal. Il courait sur pas loin de cent mètres et atteignait quinze mètres de haut, sans compter son « clocher » au milieu. Les fenêtres étaient condamnées par des planches, sauf quelques-unes en hauteur qui ne réfléchissaient qu'une plaque noire, donnant à l'immeuble des allures de cathédrale lugubre. Les rares portes étaient rendues inaccessibles par d'autres planches clouées. Finalement, Annabel en débusqua une avec un espace suffisamment grand sur le bas pour la laisser entrer. Elle s'agenouilla et d'une ondulation du bassin pénétra les ténèbres.

À l'étage, la silhouette d'un homme aux cheveux longs recula jusqu'à se fondre dans le néant. Il avait espionné la jeune femme pendant cinq minutes entre les lattes de bois d'une fenêtre. Il se rongea un ongle, hésitant sur la démarche à suivre. Il cracha la rognure par terre. Puis il sut ce qui était le mieux. Déterminé, il alla vers l'escalier à pas feutrés.

De là, si la jeune femme s'approchait, il ne pourrait pas la manquer.

16

Pendant que Craig Nova transmettait l'empreinte du pouce pour une éventuelle identification via l'AFIS – le fichier des empreintes digitales –, Lloyd Meats emmena Brolin et Emma Nova chez Keith Morgan. Le mercredi 12 juin, Keith avait regardé la télé jusqu'à minuit avant de rejoindre sa femme, Lindsey, au lit. À son réveil, elle n'était plus là.

Il avait tout de suite perçu que quelque chose n'allait pas. D'abord c'était son état à lui, il avait eu beaucoup de difficultés à se lever, le réveil bipait depuis vingt minutes dans ses oreilles. Il avait mal au crâne. Puis Lindsey n'était pas dans la maison, et lorsqu'il découvrit son sac à main avec tous ses papiers et cartes de crédit, il commença à se faire du souci. D'autant plus que la voiture de sa femme était toujours là et la sienne aussi.

Il passa quelques coups de téléphone pour la trouver, sans résultat. Avant d'appeler la police. Lorsqu'on lui avait demandé s'il envisageait qu'elle puisse être partie sur un coup de tête, pour le quitter, il avait répondu aussi vite qu'ils venaient de se marier, trois mois plus tôt et que Lindsey ne parlait que de leur lune de miel à Paris, en juillet prochain. Et de toute façon, il ne manquait aucune des affaires de Lindsey.

Estimant le cas sérieux, les officiers sur les lieux avaient insisté pour qu'un inspecteur s'en occupe jusqu'à ce que Meats écarte le dossier, ne le jugeant pas prioritaire.

Keith Morgan répéta toute son histoire aux deux hommes, en détail, pendant qu'Emma lui faisait une prise de sang. Il certifia qu'il n'y avait aucun signe d'effraction au matin de la disparition – toutes les fenêtres et les portes étaient fermées, même celle de la cuisine, toujours verrouillée – et qu'il n'avait rien entendu de la nuit. Toute la journée suivante il avait eu des maux de tête et le souffle court. Comme Michael Peyton, le mari de Carol, qu'on avait retrouvée assassinée dans les bois.

Il confia à Meats une photo de Lindsey, une jeune femme un peu maigre aux jolis yeux verts. De son côté, Brolin compara Lindsey et Carol. Deux belles femmes n'ayant pas trente ans, mariées et travaillant. Des victimes idéales pour frapper la société là où ça faisait mal. La symbolique pouvait être intéressante à long terme, se dit Brolin, en espérant qu'il n'y aurait pas de long terme.

Depuis le début, cette enquête sentait la série criminelle. Les mises en scène ultra-sophistiquées pour la mort de Fleitcher Salhindro et Carol Peyton, ou les dizaines d'araignées dangereuses lâchées en ville... Celui qui se cachait derrière ces actes témoignait d'une minutie et d'une détermination laissant présager qu'il n'allait pas s'arrêter en si bon chemin. Ça n'était que le début, il l'avait bien dit dans le message adressé au capitaine Chamberlin.

Dès qu'un crime prenait une tournure un peu singulière, en général un acte conduit sans réel mobile, on assistait souvent à une série. La vie n'avait-elle plus aucune valeur ? Dans chaque État de ce pays sévissait un tueur dit « en série », il en allait de même en Europe, en Russie, en Amérique du Sud… Pourtant ces fameux traumatismes majeurs qui « fabriquent » les tueurs en série avaient de tout temps existé. En brisant les carcans sociaux et moraux, avait-on également lâché la bride aux traumas, leur permettant de se décupler sans l'étau moralisateur des anciennes sociétés ? Brolin n'en savait rien. On vivait dans l'ère des petites libertés individuelles, où chacun devait se sentir libre, peut-être que ça venait de là ; certains, percevant l'illusion de ce système, s'octroyaient une véritable liberté, celle de vie et de mort sur autrui. Comment savoir ?

Lorsqu'ils sortirent du pavillon des Morgan sans y avoir trouvé quoi que ce fût, Lloyd Meats rangea son calepin et alluma une cigarette.

– Je vais demander qu'on épluche toutes les disparitions survenues en ville depuis trois mois. Les affaires les plus atypiques transitent souvent par mon bureau mais j'ai pu en laisser passer, ce qui a bien failli arriver avec le dossier Morgan, on a eu de la chance, sans quoi on n'aurait pas fait le rapprochement.

– Jusqu'à ce qu'on trouve son cadavre, fit Brolin, l'air sévère.

– Un peu d'optimisme, on ne sait jamais. Bon, l'autopsie de Carol Peyton aura lieu ce soir, j'ai fait accélérer le processus. On se voit là-bas à vingt heures. Rentre te reposer, Josh, tu as une sale gueule.

L'intéressé acquiesça. Il pouvait s'accorder trois heures de sommeil, ensuite il irait à l'autopsie avant de remplacer Annabel pour la nuit.

En montant dans sa voiture il songea à elle. Il la revit le midi dans la forêt, son corps athlétique pris dans les rayons du soleil, ses grands yeux noirs le fixant avec espièglerie. C'était tout à fait ça, elle était contente de le voir, de jouer avec lui, malgré les circonstances. Tout à coup, il eut très envie qu'elle soit au chalet, pour la prendre dans ses bras, pour sentir son parfum à peine musqué, ses tresses dans son cou et s'endormir ainsi.

La fatigue lui pesait sur le crâne. Il redisposa ses mèches en arrière d'un geste de la main et démarra.

L'important c'était qu'elle soit là-bas, à surveiller que le tueur ne revienne pas. *Ou plutôt, l'essentiel c'est qu'elle n'ait rien, qu'elle soit en sécurité.*

Ce fut à ce moment qu'il s'aperçut que lui-même ne croyait pas vraiment à son hypothèse. Il y avait très peu de chances que le tueur remette les pieds dans cette clairière. Très peu.

Annabel ne risquait rien dans la forêt.

17

Annabel était dans le hall du bâtiment principal.

De part et d'autre des murs, les escaliers s'enroulaient vers le balcon du premier étage, semblables aux cornes d'un buffle géant à la tête baissée. La jeune femme alluma sa lampe torche, découpant une ramure d'or dans cette forêt d'obscurité. Capturés dans le trait de la lumière, des diamants de poussière dansaient mollement dans l'air avant de retourner à la vaste cape fuligineuse habillant les lieux. L'abandon avait tissé, avec le temps, un nid gris d'amertume. La vie n'était ici plus qu'une éraflure sur les linos moisis, le trou d'un clou disparu sur le plâtre du mur. Annabel repensa à l'analogie qu'elle avait faite depuis son arbre, avec un navire fantôme. C'était exactement cela. Une coque rouillée perdue dans les brumes de l'oubli. L'eau qui avait inondé l'épave était ici remplacée par l'air saturé de poussière, densifié jusqu'à diminuer la portée de la lampe torche. Annabel s'attendait presque à flotter.

Les longs couloirs sans souffle, les successions de pièces sans battement de cœur, tout était entièrement vide. De temps à autre, subsistait une armoire en acier à la porte tordue, ou une chaise à trois pieds, faisant ressembler le complexe à un *Freak Show* de l'inanimé.

Annabel explora rapidement les pièces attenantes au grand hall puis revint sur ses pas. Le rez-de-chaussée abritait les vestiges d'un système administratif avec enfilade de bureaux identiques, il n'y avait plus rien à voir. Elle était curieuse de savoir ce que les étages dissimulaient.

S'assurant que les marches de l'escalier pouvaient supporter le poids d'un être humain, elle grimpa avec prudence, balayant de son pinceau lumineux le grand gris-bleu qui l'entourait.

Même les sons étaient étouffés, remarqua-t-elle. Le chant des oiseaux ne parvenait pas jusque-là, et plus elle progressait, plus Annabel avait le sentiment étrange de s'enfoncer loin du monde, dans les profondeurs fraîches des abysses.

L'ombre qui la surveillait depuis le palier du premier étage recula avant que le faisceau ne l'attrape, comme une créature de l'ombre effrayée par la lumière.

Avant d'amorcer sa montée vers les étages supérieurs, Annabel fut intriguée par les grosses flèches rouges peintes sur les murs. Des chiffres étaient affichés en dessous, décatis par les années.

Derrière la première ouverture, elle découvrit une salle avec des paillasses, et des petits boxes en carrelage envahissant tout un pan de mur. Par la seconde, Annabel entra dans une très longue pièce aveugle, où il ne restait que des plaques de métal munies de trous pour accueillir des rivets sur le sol.

Qu'est-ce qu'on faisait ici ? Qu'y avait-il de si secret dans cet établissement pour que cette base militaire n'apparaisse pas sur les cartes ?

Elle continua sa déambulation pendant quelques minutes, explorant les alvéoles vides de cette ancienne ruche, sans trouver quoi que ce soit qui aurait pu l'aider à comprendre. Le jour filtrait de temps en temps entre les lattes de bois qui couvraient les rares fenêtres, découpant l'air en lamelles brillantes. Mais ce côté du premier étage était pratiquement aveugle. Annabel se félicita d'avoir une lampe avec elle.

Elle quitta ce qui ressemblait à un ancien laboratoire pour retourner dans le couloir.

Son pied buta sur un extincteur oublié. Annabel piqua vers l'avant, lâcha la torche, et eut à peine le temps de mettre un pied devant l'autre et de se rattraper à la paroi opposée, une main devant elle pour ne pas se cogner violemment la tête.

La torche roula sur le lino, projetant un raz de marée lumineux sur le plafond et les murs. Appuyée contre le plâtre, Annabel expira lentement.

Et si tu arrêtais tes conneries ? Tu ne vas pas jouer à Indiana Jones toute la journée ! Il n'y a plus rien ici, tu voulais savoir ce que c'était, tu le sais à présent, alors retourne dans ton fichu arbre !

C'était facile à dire maintenant qu'elle avait ferré sa propre curiosité.

Annabel posa un genou à terre pour reprendre sa lampe, elle leva les yeux vers le bout du couloir.

Ses doigts s'immobilisèrent.

Ses cheveux se dressèrent sur sa nuque.

Tout au fond du corridor, à l'extrémité de la zone couverte par le halo de la lumière, il y avait une basket blanche. Juste le bout, le reste disparaissant dans le coude.

Pas de sueur froide, c'est sûrement une chaussure abandonnée par quelqu'un. Un squatteur ou... Ici ? Au beau milieu de la forêt ?

Alors qu'elle formulait ses pensées, la basket glissa vers l'arrière.

Avec une douceur infinie, pour ne plus être visible du tout.

Cette fois Annabel porta une main dans son dos, vers son holster, et l'autre se saisit de la lampe torche. Elle dégaina son Beretta et s'écria :

– Police ! Je sais que vous êtes là, alors ne bougez plus !

Il y eut le raclement d'une prise d'élan aussitôt suivi par le martèlement d'un pas de course. Annabel s'élança.

Elle atteignit l'angle du couloir et se projeta de l'autre côté, dans l'hypothèse où l'individu serait armé, pour ne pas lui faciliter la tâche. Elle aperçut une ombre détalant à toute vitesse.

Dans la seconde suivante, Annabel poussait sur la pointe de ses pieds, sprintant à vive allure. L'ombre se mit subitement à rétrécir.

Un escalier.

Annabel décida de ne pas ralentir. Une rambarde courait sur plus d'un mètre avant la série de marches, dominant le palier intermédiaire. L'ombre était encore à descendre les marches quatre à quatre lorsque la jeune femme bloqua ses talons et se mit à déraper, elle contracta ses abdominaux jusqu'à recevoir la rambarde en plein estomac. Son buste s'inclina vers le vide, elle s'agrippa à son arme. Puis ses lombaires firent le travail inverse, la redressant dans la foulée. Tout cela n'avait pris qu'un très bref instant. L'ombre était sur le palier, juste en dessous.

– Plus un geste ! hurla Annabel en braquant son Beretta vers le fuyard.

Celui-ci releva la tête et la vit, menaçante. Sa jambe s'arrêta alors qu'il allait poursuivre sa course. L'homme avait une vingtaine d'années à peine, les cheveux longs, une barbiche taillée en pointe, des piercings au nez, à l'arcade, ainsi qu'à la lèvre, et il portait un t-shirt Marilyn Manson.

Il s'empressa de lever les mains.

– OK, OK ! fit-il tout essoufflé.

– Reculez jusqu'au mur et tournez-vous.

Le garçon s'exécuta pendant qu'Annabel descendait à son niveau, sans le laisser s'écarter de sa ligne de mire.

– Qu'est-ce que vous faites là ? lui demanda-t-elle en reprenant une respiration plus calme.

Le nez rivé à la poussière de la cage d'escalier, le garçon haussa les épaules.

– Je peux vous retourner la même question... C'est un terrain militaire, les flics n'ont rien à y faire... Et je vous ai vue fureter, vous êtes là comme moi, en visite...

L'adrénaline de l'action se dissipait à grande vitesse, Annabel ne se sentait plus aussi sûre d'elle. S'il demandait à voir sa plaque, c'était foutu, détective de New York ça ne valait rien ici.

– Vous avez une carte d'identité sur vous ? interrogea-t-elle en conservant tant bien que mal un ton autoritaire.

– Dans la poche arrière de mon pantalon.

Annabel pointa le canon entre les omoplates du garçon et palpa ses poches arrière pour en tirer un portefeuille. Il répondait au nom de Frederick McIntyre et il n'avait pas vingt ans.

– Qu'est-ce que tu fous là ? insista Annabel.

Il soupira.

– Je me balade... Je cherche des trucs.

– Quel genre de trucs ?

– N'importe quoi, ce que l'armée aurait pu laisser derrière elle. Des fois on trouve des documents, rien d'important mais on sait jamais, peut-être qu'un de ces jours… Et vous, qu'est-ce que vous faites là ?

– J'enquête.

Il émit un ricanement sec.

– Ici ? Sur quoi ? Le meurtre d'un écureuil ? Sans déc', vous êtes pas là officiellement, arrêtez vos conneries…

Annabel rangea son arme. Ce type était trop jeune et son look la rassurait. Elle avait appris à plus se méfier de ceux qui cherchaient à passer inaperçus qu'aux « m'as-tu-vu ». Elle recopia sur un bout de papier les informations de sa carte d'identité avant de lui rendre son portefeuille.

– Tu viens souvent ici, Frederick ?

Il se tourna vers elle, il était déjà moins penaud.

– Pourquoi, vous allez me dénoncer à l'armée ?

– Écoute, je me fous de l'armée et ce que tu fais ici m'importe peu, en revanche, tu peux peut-être m'aider si tu connais les lieux. Alors, tu viens souvent ?

– Parfois. Je vous l'ai dit, il y a sûrement des trucs intéressants à trouver, alors je fouille un peu, c'est rien de mal.

– Tu sais ce que c'est, cet endroit ?

– Une base de l'armée. Mon vieux dit qu'on y faisait des recherches sur les armes, et c'est sûrement vrai parce qu'il y a plein de champs de tir de l'autre côté. Et j'ai trouvé des milliers de douilles en plastique dans une fosse.

Annabel approuva. Dans un complexe aussi éloigné de la civilisation, on pouvait tirer toute la journée sans gêner quiconque ou se faire trop remarquer.

– Et que faisais-tu à l'étage ?

– Comme vous, j'explore. Je vous ai entendue approcher tout à l'heure. J'ai failli détaler comme un lapin et puis je me suis demandé ce qu'une nana faisait ici.

Il reprenait son assurance au fur et à mesure, lorgnant de plus en plus vers le décolleté d'Annabel.

– Sans déconner, vous faites quoi alors ? demanda-t-il.

– Je cherche quelqu'un. Tu as déjà aperçu un homme ou une femme dans les environs ?

– Ça risque pas. C'est carrément désert par ici. Il paraît qu'il y a des randonneurs sur les sentiers un peu plus haut, mais j'en croise jamais, je passe par la vieille route de la base militaire. C'est coton à trouver mais ensuite on peut remonter jusque devant la grille d'entrée. À condition d'être en moto parce que le revêtement est foutu et couvert de végétation.

Il caressa les poils de son bouc.

– Mais je suis pas le premier à venir, ajouta-t-il.

– Comment ça ?

– Je rentre à chaque fois par une ouverture découpée dans la grille. C'est propre, fait à la pince.

– Tu sais qui a pu faire ça ?

– Des jeunes de la région. On est pas nombreux d'accord, mais beaucoup savent pour cette base, j'imagine que ça doit être le top pour emmener une nana un soir…

Annabel hocha la tête.

– Très bien, Frederick, maintenant tu vas filer et rentrer chez toi. Peut-être que mes collègues te contacteront s'ils ont besoin d'infos. J'ai ton adresse, à… Stevenson.

Du vague souvenir qu'elle avait de la carte, c'était une des rares villes assez proches, de l'autre côté de la rivière Columbia dans l'État de Washington, à dix ou douze kilomètres à vol d'oiseau.

– Vous voulez pas me dire pourquoi vous êtes là ? Franchement, c'est…

– Frederick, cette conversation est close. Tire-toi avant que je ne change d'avis et te colle une amende pour violation de propriété militaire. Et ne remets plus jamais les pieds ici, c'est dangereux.

Frederick McIntyre se gratta le crâne et s'écarta d'un pas lourd.

Dehors, dans la touffeur, le tonnerre gronda avec force, roulant dans les cieux gris.

Annabel fit la grimace. Si Brolin n'apparaissait pas rapidement elle allait être trempée. Elle essuya la sueur qui lui envahissait le front avec le bas de son débardeur et se mit en route. Elle devait retourner à la clairière. Sa petite incursion dans cette base ne lui avait pas servi à grand-chose hormis se faire une frayeur avec un adolescent en mal de sensations. Au moins elle l'avait fait, elle avait vérifié ce lieu, elle pouvait se concentrer pleinement sur Eagle Creek 7 désormais.

Elle retrouva la sortie en un rien de temps.

Dans l'air moite il y eut un autre « bang » colossal.

L'orage approchait.

18

La pièce était carrelée du sol au plafond, étroite, elle servait à entreposer le matériel chirurgical ; c'était là également qu'on venait stériliser certains outils réutilisables. Des lames de toutes tailles brillaient sur leurs plateaux, capturant la lumière, le tranchant si fin et parfait qu'on pouvait s'imaginer qu'il sifflerait au moindre déplacement dans l'air. La salle avait des dents d'acier, accrochées aux murs, disposées sur les tables, dissimulées derrière des plaques de verre ; si on avait enfermé quelqu'un dedans en le privant d'apesanteur pendant une heure, il n'en serait ressorti à coup sûr qu'une purée sanguinolente. L'endroit faisait peur.

Dans un coin, un escalier sombre descendait en s'enroulant vers les profondeurs de la morgue. Une musique montait des entrailles du bâtiment, un vieil air, semblable à un chant funéraire, couvert par les crépitements d'un antique tourne-disque.

Tout en bas, le Dr Hugues cala ses petites lunettes sur l'arête de son nez, un sourire rivé aux lèvres. Il adorait ce morceau. Le pavillon du gramophone laissa

échapper les nappes successives de violons, lanci-
nantes, puis tout l'orchestre reprit le thème.

Hugues avait la réputation d'être fou. Parce qu'il
écoutait de la musique sinistre sur un gramophone,
parce qu'il adorait travailler la nuit et parce qu'il n'avait
jamais sa langue dans sa poche. Cinquante-cinq ans, les
cheveux blancs lissés en arrière et plus sec qu'un bout
de cuir laissé sous le soleil, il était parmi les experts de
médecine légale les plus compétents de l'État malgré
sa réputation. Son horreur du politiquement correct et
de l'hypocrisie propre aux sphères de pouvoir lui avait
barré le poste de directeur de la morgue vingt ans auparavant. Les conflits avec Sydney Folstom, l'actuelle
directrice, étaient fréquents, presque toutes les semaines.
Tous deux s'appréciaient énormément, mais Hugues
avait besoin de provoquer. Puisque Sydney Folstom ne
pratiquait plus d'autopsie depuis un an, il avait insisté
pour faire celle du soir, celle de cette fille enveloppée
dans un cocon. Le cas était étrange, intrigant.

L'inspecteur Lloyd Meats poussa l'une des portes à
battant et entra, suivi d'un homme charismatique. Un
homme-basilic, songea immédiatement Hugues. Dont
le regard était puissant, très puissant. Hugues n'avait
jamais croisé de tels yeux, surtout chez un homme aussi
jeune. Cette force était propre aux individus d'âge mûr,
et encore, ils étaient rares. Ses mèches noires formaient
un rempart défensif autour de son visage, et Hugues
pensa aux barrières de ronces protégeant le château
dans *La Belle au bois dormant*.

Cet homme ne pouvait être que Joshua Brolin.

Hugues avait entendu parler de lui, comme tout le
monde ici. L'enquête du Fantôme de Portland, la mort
atroce de sa petite amie, puis plus récemment ses
exploits lors de l'arrestation de la secte à New York.

– Docteur Hugues, salua Lloyd Meats tout en contemplant le gramophone.

– Bonsoir messieurs.

Hugues posa son dernier scalpel sur l'étoffe verte. Brolin rabattit ses cheveux en arrière et fit un signe de la tête au médecin légiste.

– Je suis surpris de vous trouver ici, monsieur Brolin, commenta Hugues.

– Tout est arrangé, le coupa Meats, il est là pour nous aider dans l'enquête.

Hugues pinça les lèvres en ouvrant tout grands les yeux.

– Ah, je vois. Nous n'avons pas eu l'honneur de travailler ensemble à l'époque où vous étiez inspecteur, c'est ainsi chose faite. Nous n'attendons plus personne ? Bien, je vais faire venir le corps.

Le disque s'arrêta tout seul sur sa platine, émettant une dernière série de crachotements.

Bientôt, un chariot cognait contre les portes, transportant son étrange cargaison.

Le docteur et son assistant – le *diener* – soulevèrent le cocon sans difficulté pour le poser sur la table de dissection.

– Je peux vous poser une question ? interrogea Meats. Des mois que ça me trotte dans la tête et je ne pense jamais à demander. Pourquoi appelle-t-on les assistants des *deener* ?

– *Diener*. C'est de l'allemand, un vieux nom pour assistant d'autopsie. La tradition, j'imagine.

Sans autre transition, Hugues enchaîna :

– Bien, nous avons là un corps de femme, de type caucasien. Elle est à moitié recroquevillée dans ce qui semble être un… cocon, comme de la soie d'araignée. Il semble qu'elle soit entièrement rasée, cheveux, sourcils, pas de poils au pubis, je n'en vois pas sous les aisselles, mais le... la soie empêche d'être plus précis, et son crâne est parfaitement lisse, ce qui est récent on dirait, on note une décoloration visible par rapport au reste du corps et ce malgré l'excessive pâleur du sujet.

– En effet, approuva Meats, le mari nous a confirmé que sa femme avait les cheveux longs.

Le légiste enfila une blouse avant d'aller éteindre toutes les lumières de la salle hormis celle des scialytiques.

– D'après le rapport qu'on m'a fourni, aucun insecte, aucune larve n'ont été trouvés sur le... cocon ou à proximité, n'est-ce pas ?

Meats approuva.

– Et il était dans un arbre, ce qui ne facilite pas les choses.

Hugues n'eut pas l'air de partager cet avis. Il examina attentivement la soie qui enveloppait les restes de Carol Peyton. Ses sourcils se contractèrent.

– Quelque chose ? s'inquiéta Meats.

– C'est que... On dirait vraiment de la soie d'araignée...

– Et alors ? On est tombé sur un dingue, un furieux qui se prend pour un *Spiderman* version maléfique.

– Non, non, inspecteur Meats, ce que je veux dire c'est que c'est impossible, en théorie. À ma connaissance, personne n'est jamais parvenu à faire la récolte de soie d'araignée, ni les industriels, ni les gouvernements ; pour des raisons précises que j'ignore, l'homme n'a jamais réussi à domestiquer cette créature. Enfin, je ne suis pas spécialiste de la question, mais j'ai lu un article là-dessus il y a quelque temps.

Meats leva les mains au ciel.

– Alors comment notre homme s'y est-il pris pour… faire ça ?

– Ça, c'est votre boulot. Tout à l'heure, je vous donnerai le nom d'un spécialiste en entomologie, je sais qu'il est parti étudier les arachnides au Brésil et en Guyane lorsqu'il était universitaire, il pourra peut-être vous éclairer.

– On lui fera parvenir un échantillon du cocon pour avoir son avis.

Hugues procéda à diverses mesures préliminaires, notant toutes les données sur une liasse de feuilles. Lorsqu'il pesa le cadavre, il hocha sombrement la tête.

– Oui, il y a vraiment un problème. Trente-deux kilos pour un mètre soixante-dix.

Il glissa une main gantée sous le crâne de Carol Peyton et le soupesa.

– Trop léger.

Hugues demanda à son *diener* de faire descendre de toute urgence une dénommée Aubrey Gildersen avec un appareil à rayons X portable. Puis il tâta l'abdomen au travers de la pellicule filandreuse d'un blanc laiteux.

– Regardez… Mes doigts s'enfoncent, il manque quelque chose. L'autopsie va nous le confirmer, néanmoins je suis prêt à parier que cette jeune femme n'a plus ses viscères.

Meats se tourna vers Brolin, échangeant avec lui un regard préoccupé tandis que le Dr Hugues s'assurait que le micro au-dessus de la table de dissection était bien branché. Une fois les informations de base enregistrées, il s'empara d'un scalpel et très délicatement il pratiqua une ouverture dans la toile depuis la tête jusqu'aux cuisses. La lame trancha le voile de soie dans un souffle de brise. Carol Peyton émergea sous la lumière crue et puissante.

Elle hurlait.

Sa mâchoire se distendait jusqu'à transformer ses lèvres en deux traits minuscules. Ses dents luisaient sous l'éclat du projecteur, presque humides. Ainsi nue sur l'inox, Brolin remarqua à quel point elle était blanche, la peau presque transparente. On l'avait saignée comme un gibier après la chasse. En revanche, son torse prenait une teinte plus cireuse, tirant vers le jaune, et quelques zones, notamment le ventre, étaient fripées à l'image du bout des doigts lorsqu'on a passé trop de temps dans l'eau.

Il repensa à cette photo aperçue chez les Peyton, à son air doux, à ses longs cheveux blonds.

Aubrey Gildersen entra en poussant son appareil sur roulettes. C'était une femme grande et ronde. En moins de cinq minutes elle effectua des radios du visage, de la nuque et du torse et disparut sans rien dire d'autre que « vous les aurez dans un instant ». Ensuite, Hugues procéda à la recherche de fibres, poils, cheveux, allant jusqu'à gratter le dessous des ongles, tout y passa. Il fut décontenancé de ne rien découvrir. C'était comme si le corps avait été lavé avant d'être emballé dans son cocon.

Brolin fit un pas en avant pour mieux distinguer l'état de ce crâne. On l'avait rasée, avec beaucoup d'attention. Sa tempe était gonflée, rose et rouge, à plusieurs endroits. Le sang avait coulé. Le sang sur le parquet de la chambre.

Il fait nuit, la maison est silencieuse. Dehors, toutes les lumières sont éteintes, c'est un quartier résidentiel tranquille, personne ne veille encore si tard. Soudain Carol se réveille. Quelque chose l'a tirée de son sommeil.

Pourquoi elle et pas son mari ? Brolin ferma les paupières un court instant, le temps de chasser cette pensée, pour le moment.

Carol doit être encore ensuquée, ses yeux papillonnent dans l'obscurité, elle se redresse, s'assoit sur le bord du lit. Soudain il est là. Forme menaçante, juste à côté d'elle, il se dresse devant son visage, il était là depuis le début, il l'a regardée se réveiller ; peut-être a-t-il fait exprès, c'est lui qui l'a sortie de son repos. Elle n'a pas le temps de crier, la lampe qu'il tient dans la main fouette l'air avec une violence inouïe. Elle heurte la tempe de Carol. Le choc sonne la jeune femme. La répétition du geste est encore plus terrible, aussi rapide, le manche de la lampe frappe de nouveau la tempe, projetant des gouttes de sang sur le sol. Carol s'effondre. Elle gémit. Complètement traumatisée par le choc mais pas inconsciente. Elle doit se mettre à pousser des lamentations inarticulées, proches des râles insupportables poussés par un animal souffrant le martyre. Elle rampe, elle sent son agresseur au-dessus d'elle, qui la suit, pas à pas. Sa tête tourne, elle n'arrive pas à parler, à vraiment hurler, chacune de ses expirations se transforme en geignements torturés. Elle tire sur ses mains pour fuir le lit, elle s'agrippe à une chaise. L'ombre est sur elle, la main levée. L'arme attend quelques secondes dans les airs, dernière menace. Le temps se fige. Carol voit enfin l'objet s'effondrer sur elle, se ruer sur sa tête et le flash est aveuglant, la douleur instantanée. Elle sombre...

Que s'était-il passé ensuite ? Le tueur l'avait emmenée dans son repaire, pour la tondre et l'achever ?

« Comment s'y est-il pris pour qu'une telle terreur s'imprime sur son visage au moment de mourir ? se demanda Brolin. De quel stratagème use-t-il ? »

Hugues s'empara d'une lampe à ultraviolets, la Woods Light, et coupa les scialytiques avant de la mettre en marche. Un *clac* mécanique et toute la pièce fut plongée dans les ténèbres.

La Woods Light s'alluma en émettant une vibration à la manière des néons. La faible lueur se promena sur le cadavre, à la recherche de fluides particuliers. Au niveau de la base de la gorge, une petite tache blanche apparut, tirant sur le violet. Hugues arrondit sa bouche pour produire le son d'une bulle d'air qui éclate. Il avait trouvé quelque chose.

– Puisque mon assistant n'est pas là, auriez-vous l'amabilité de m'aider, inspecteur ? Prenez l'appareil photo qui se trouve derrière vous, sur la table, avec un étui contenant plusieurs filtres. Allumez la veilleuse pour y voir clair. Prenez celui avec l'étiquette *Wratten 2*ᵉ et placez-le devant l'objectif, il absorbe l'ultraviolet et une partie du bleu. Parfait. Et prenez un ou deux clichés de cette zone du corps, là où il y a fluorescence. Merci.

Meats obtempéra puis le légiste éteignit la Woods Light et ralluma les scialytiques.

La base de la gorge était rouge, anormalement gonflée, suintant par une fente de trois ou quatre centimètres. Sans y revenir, le docteur Hugues palpa le ventre mou de la jeune femme. La peau s'enfonçait, formant une cuvette, comme s'il n'y avait plus rien à l'intérieur.

– Sa peau est huileuse, on la dirait enduite d'onguents, et la teinte un peu jaunâtre du ventre laisse à penser qu'on lui a injecté une substance, je procéderai à une analyse, commenta Hugues. Mais c'est surtout l'absence d'incision qui me tracasse...

Gildersen entra avec des radios à la main et une enveloppe marron. Elle donna les radios à Hugues et tendit l'enveloppe à Meats.

– Des copies pour vos services, lui dit-elle.

Elle fit face au légiste.

– Je crois qu'elle a le nez cassé, mais c'est très discret, informa-t-elle.

Le légiste leva la radio du visage et la détailla.

– Non seulement cassé, mais il en manque un bout, fit-il, lui-même surpris. L'ethmoïde.

– C'est peut-être antérieur à la mort, supposa Brolin qui était resté très discret jusqu'ici.

– Très peu probable... Merci Aubrey.

Celle-ci les salua et les abandonna à la pénombre de la salle de dissection, avec pour seul îlot de lumière un cadavre blanc.

– On en saura plus tout à l'heure lorsque j'ouvrirai le crâne, fit savoir Hugues avant de poser les radios et de revenir à la dépouille de Carol Peyton.

Il s'intéressa de nouveau au ventre, souleva ensuite une jambe, puis l'autre avant de retourner le cadavre pour étudier son dos.

– Messieurs, cette personne a été entièrement vidée, je veux dire que son torse ne contient plus d'organes, ou plus grand-chose si l'on considère son poids et la dépression abdominale. De plus, elle n'a plus ou presque plus de sang dans le corps.

Il vérifia une fois encore avant d'énoncer sombrement :

– Pas de lividité cadavérique, elle est pâle comme un suaire.

Meats commença à se caresser la barbe, signe de nervosité chez lui.

– Comment l'a-t-on vidée alors ? s'entendit-il articuler.

163

Les épaules affaissées, Hugues soupira.

– C'est bien ce qui m'échappe. Sa tête est si légère qu'on a dû lui ôter le cerveau également.

– Et ça, qu'est-ce que c'est ? interrogea Brolin en désignant la boursouflure à la base de la gorge, dans la partie tendre. N'est-ce pas une coupure ?

Hugues prit son scalpel et se pencha.

– Je ne sais pas encore, mais je ne vois pas comment notre homme aurait pu prélever tous les organes du torse par là, non c'est autre chose. On dirait une sorte de réaction, comme si elle avait été piquée par un insecte.

– Un très gros insecte, fit remarquer Meats. Dites, ça ne vous rappelle pas quelque chose ? C'est comme pour les araignées. On dit qu'elles plantent leurs mandibules dans leur victime pour lui injecter un venin qui liquéfie l'intérieur et ensuite elles aspirent tout par le même trou. Oh, bordel de merde...

Les doigts de caoutchouc écartèrent la plaie.

Hugues travaillait à l'ancienne, nota Brolin. Il n'avait pas de gants anticoupure dessous. Il faisait partie de ces légistes qui préféraient prendre des risques sous prétexte qu'on ne pouvait sentir les moindres détails avec des gants trop épais, surtout lorsqu'on fourrageait à l'aveugle, ou presque, dans un amas visqueux de chair à la recherche de minuscules indices.

– Inspecteur, il va falloir que vous arrêtiez le coupable sans tarder, parce que, croyez-moi, il est complètement malade.

Dans la bouche d'un homme comme Hugues ces propos sonnaient avec encore plus de poids.

– On lui a charcuté la gorge, expliqua-t-il. Jusqu'à la trachée. Petite coupure dont on a utilisé l'élasticité, il y a des hématomes, et surtout... du sperme. C'est ce que la Woods Light avait mis en évidence tout à l'heure.

– Quoi ? s'écria Meats. Du sperme ? Vous voulez dire, dans la gorge, elle en a... euh, avalé ?

Hugues s'empara d'un plateau avec une batterie de tubes et de tiges de prélèvements.

– Non, on lui a ouvert la gorge sur quelques centimètres à peine, là dans le trou tendre à la base, et on l'a violée par ici. Cette boursouflure qui ressemble à une morsure d'insecte géant est aussi le point d'entrée. Ce malade a éjaculé dans la plaie, en partie dans la trachée. Pour le moment je n'ai distingué aucun signe d'asphyxie, je vous le confirmerai plus tard avec les analyses. Avec un peu de chance, au moins elle n'était pas vivante lorsqu'il a fait ça.

Brolin croisa les bras sur sa poitrine. Ce genre de pratique n'était heureusement pas courante, elle pouvait peut-être se révéler utile pour comprendre cet homme, pour appréhender ce qu'il était vraiment. Dans tous les cas qu'il avait étudiés, Brolin avait souvenir de quelques tueurs ayant violé leurs victimes à même les plaies qu'ils avaient pratiquées au couteau, parfois alors même qu'elles étaient vivantes. À chaque fois, l'étude de ce comportement avait débouché sur des éléments intéressants, dans leur rapport à autrui, aux femmes, à leur mère ou leur enfance. Et le pire était qu'il ne s'agissait pas toujours de psychotiques, mais aussi d'hommes entièrement maîtres d'eux-mêmes et tout à fait conscients de ce qu'ils faisaient, recherchant ce rapport précis, ce plaisir-là.

– Vous sentez ? demanda Hugues à Meats.

L'inspecteur l'observa curieusement.

– Quoi donc ?

– Penchez-vous sur le corps.

À contrecœur Lloyd Meats se posta contre la table et renifla à quelques centimètres du cadavre. Des petites rides se creusèrent à la commissure de ses yeux.

– C'est… acide. Et on dirait une odeur de… d'épices par-dessus. C'est ça ?

– Oui, c'est aussi ce que je dirais.

Hugues prit un autre scalpel et lui fit signe de reculer, il allait ouvrir le corps.

– Vous ne mettez pas la ventilation ? s'inquiéta Meats.

– Moi ? Jamais ! Ça pourrait aspirer des fibres ou des poils, on ne sait pas. Et puis les odeurs sont toujours importantes.

Il fallut deux scalpels pour procéder à l'incision le long de l'abdomen et pour découper les côtes afin de retirer le plastron sterno-costal. L'odeur aigre qui s'en échappa leur piqua la gorge à tous.

Le légiste tira sur les pans de peau, dévoilant plus encore l'intérieur de Carol Peyton.

Au fond de cette carcasse ouverte, la colonne vertébrale était visible, avec de petites flaques de sang d'une couleur étonnamment claire. De minuscules fragments d'organes y flottaient, ce qui ne représentait rien au regard de ce qui aurait dû se trouver là.

Elle était vide.

À l'intérieur, un bout de trachée pendait de la gorge, semblable à une vieille chambre à air dégonflée. Les muscles sterno-cléido-mastoïdiens étaient en place, on n'avait quasiment pas touché à la gorge. L'éviscération n'avait pas été effectuée par cette fine ouverture ayant servi au viol, qui ressemblait à une morsure disproportionnée d'araignée. Les organes n'avaient pu être extraits par là, à moins d'avoir été réduits en bouillie au préalable. Mais cela aussi était impossible puisqu'il n'y avait aucune ouverture pratiquée au niveau de l'abdomen.

Le Dr Hugues vérifia une nouvelle fois, incrédule, sans rien trouver.

Pour la première fois depuis des années, il se sentit mal à l'aise en présence d'un cadavre.

Il avait l'impression qu'on avait liquéfié les organes de cette femme avant de les aspirer.

Exactement comme le font les araignées sur leur proie.

En l'absence de ventilation, le silence devenait pesant, chaque fois qu'un instrument entrait en contact avec la chair, on pouvait entendre le gargouillis de la viande spongieuse. Le tube de prélèvement racla dans le fond de la cage thoracique, provoquant un son mat et un léger remous liquide.

L'autopsie touchait à sa fin, le Dr Hugues avait l'air consterné. Sa compétence médicale était dépassée pour le moment quant au mode opératoire du tueur, et son imagination n'était pas plus prolifique sur le sujet. Il fallait attendre les résultats toxicologiques.

Comme l'avait supposé l'inspecteur Meats la veille, Carol Peyton avait été vidée de sa substance. Tous ses organes, presque tout son sang et même son cerveau, on lui avait tout pris. Sans pratiquer la moindre incision.

Carol Peyton n'était plus qu'une cosse vide.

C'est ce qui dérangeait le plus Brolin. Les meurtres rituels, ou répondant à un mode opératoire complexe, aussi élaboré que celui-ci, n'étaient jamais le fruit d'un hasard et encore moins un acte isolé. Il y avait de la méthode, et une certaine logique dans ce crime, poussée jusqu'à utiliser deux cordes pour descendre le cadavre dans un arbre. La soie, la victime vidée – comme bue –, l'absence de toute trace humaine. Tout se rapportait à l'araignée.

Sauf le sperme dans la gorge.

C'était l'unique détail qui ne collait pas avec le reste. Se pouvait-il qu'il y ait une faille dans ce délire ? Était-ce finalement une mise en scène tordue pour faire croire à une démence ? Brolin l'ignorait, il lui fallait plus d'éléments.

Le lendemain il se renseignerait sur la soie d'araignée. *Après toute la nuit dans la forêt ? Avec une poignée d'heures volées cet après-midi en guise de sommeil pour trois jours ?* Il tiendrait bien, il trouverait un moyen…

Brolin vit du coin de l'œil Lloyd Meats sursauter quand la porte s'ouvrit en grand sur un flic en uniforme.

– Inspecteur !

Le Dr Hugues observa l'intrus avec circonspection.

– Deux voitures nous attendent derrière le bâtiment, s'exclama l'officier de police à l'attention de Meats. C'est l'empreinte du pouce trouvée chez les Peyton. On a une identification positive : Mark Suberton, un petit délinquant des quartiers nord, on a un mandat signé, on n'attend plus que vous pour foncer sur place.

19

Parallélépipèdes bruns, les barres d'immeubles se succédaient en une formation de blockhaus resserrés. La plupart des lampadaires ne fonctionnaient plus, ayant servi de cibles pour les jeunes possesseurs d'armes à feu du coin. Les détritus recouvraient les trottoirs comme si une marée les repoussait chaque matin un peu plus loin des quartiers limitrophes plus aisés. À peu près tous les cent mètres, s'étendait un terrain vague dédaigné par des promoteurs peu enclins à investir ici, désert d'urbanisme qui abritait des carcasses de voitures, brûlées ou non, des fûts chimiques « entreposés » par on ne savait qui, et toute sorte de déchets dangereux, seringues usagées et autres. Des enfants venaient jouer là quotidiennement jusqu'au crépuscule.

Derrière la vitre du véhicule, Lloyd Meats observait ce défilement de misère. *Derrière une vitre, à soixante kilomètres-heure.* Cette facette de l'existence, il ne l'avait jamais vécue lui-même, préservé de cette pauvreté-là. Et en dehors de ses visites en tant qu'inspecteur, il ne l'avait jamais côtoyée. Il l'ignorait, avec une neutralité bienveillante, se focalisant depuis toujours sur les douleurs et les problèmes qui se posaient à lui plus directement.

La vie dans les quartiers oubliés, les no man's land de la civilisation, le désespoir social, il n'avait jamais pu s'attaquer à ces questions autrement qu'en pensées. Il n'en avait pas le courage.

C'est parce que tous ceux qui pourraient changer quelque chose sont comme toi que ça ne bouge pas. Bougera *pas. Trop accaparé par des montagnes de tracas personnels, ensuite, dans les brèves failles où le calme surgit, ne subsistent que les reliquats du bonheur individuel. C'est tristement humain.* Et Meats s'incluait parmi ceux-là, avec une cruelle lucidité.

Il guetta Brolin du coin de l'œil. Celui-ci semblait imperméable au paysage, son regard ne traversait pas le quartier, il glissait dessus, une fois de plus sans manifester la moindre émotion. Que se passait-il à cet instant précis dans sa tête ? se demanda Meats. Avait-il assimilé la détresse de cette zone depuis longtemps, avec cynisme ? Ou bien cela faisait-il partie d'un tout, un savoir mélancolique sur ce que le monde était devenu à ses yeux ?

Meats laissa échapper un soupir.

Était-ce la fatigue qui le rendait si calme dans ces circonstances ? Ils étaient peut-être sur le point d'arrêter le meurtrier de Carol Peyton, et il n'était ni nerveux, ni excité. Les battements de son cœur s'accélérèrent néanmoins lorsque le conducteur indiqua qu'ils étaient presque arrivés.

Mark Suberton avait été condamné pour des délits mineurs, il n'en était pas moins considéré comme potentiellement dangereux puisqu'il était le suspect principal d'un meurtre. En théorie, Lloyd Meats devait attendre une équipe du SWAT pour intervenir, mais il ne voulait pas perdre de temps. Et puis ils agissaient en soirée, bénéficiant de l'effet de surprise. Il savait que la plupart des arrestations, même de grands criminels, se produisaient dans le calme.

Ils se garèrent à proximité de l'immeuble où vivait Suberton. La fraîcheur s'était abattue sur la région avec la nuit, une dépression inattendue balayant l'Oregon tout entier. Le vent était apparu d'un coup, déplaçant enfin ces nappes étouffantes qui stagnaient depuis plusieurs semaines. L'air était électrique, l'orage menaçant. La plupart des habitants étaient chez eux, les fenêtres grandes ouvertes pour laisser entrer un peu d'air frais au détriment de leur intimité.

Brolin emboîta le pas à Meats. Il pouvait encore sentir l'odeur écœurante de la mort sur son t-shirt. Par expérience, il savait que les autopsies imprégnaient les vêtements et même les cheveux d'une odeur fétide, que les personnes que l'on croisait ensuite trouvaient dérangeante, sans parvenir à s'en expliquer la raison. C'était ce genre de manifestation qui avait fait croire à Brolin, comme à beaucoup de flics, en l'existence d'un empire invisible de la mort. Un monde d'émanations, d'ombres et de souffles à la lisière de notre perception, profondément ancré en nous depuis la nuit des temps. Un langage occulte rappelant à l'homme et aux replis de son subconscient qu'il est bien mortel, et que le temps n'est pas qu'une notion abstraite propre à l'homme, mais la matérialisation concrète de ce qu'est la vie : un bouquet éphémère.

Lorsqu'ils traversèrent la rue, ces faisceaux d'existences se déversaient depuis des dizaines de fenêtres ouvertes, des voix, des cris, des pleurs, des rires, et – presque plus important encore – des émotions cathodiques distribuées par les télévisions ; tout cela tombait sur Brolin. Derrière chaque rectangle de lumière, une odyssée anonyme, une quête sans espoir. *La vie est un flash de conscience dans l'éternité. Une solitude réelle dans l'illusion des autres*, songea-t-il amèrement.

Meats le sortit de sa méditation en indiquant une volée de marches.

– C'est un appartement au rez-de-chaussée, lui signala-t-il. Tu restes en retrait sur ce coup, tu nous laisses agir, entendu ?

Brolin acquiesça. On repéra la porte de Suberton et deux officiers de police coururent se poster sous ses fenêtres aux volets tirés pendant que deux autres accompagnaient l'inspecteur Meats dans le couloir qui empestait le chien et l'urine. Les murs étaient recouverts d'inscriptions obscènes et de dessins à la bombe de peinture.

Meats frappa contre l'aggloméré.

– Mark Suberton, c'est la police, ouvrez ! s'écria-t-il.

Il insista une seconde fois, plus fort encore, en frappant violemment sur la porte. À la troisième fois, des voisins ouvrirent leur porte pour jeter un coup d'œil. Brolin, qui était en arrière, leur demanda de rentrer chez eux avec sa voix ferme et surtout un regard très sombre, trop sombre.

Meats rangea son arme dans son holster en jurant. Ils n'avaient pas de bélier et il allait enfoncer la porte avec les moyens du bord. Heureusement pour lui, elle ne semblait pas très solide, comme à peu près tout dans cet immeuble. Il prit appui sur l'un des deux officiers et donna un violent coup de talon au niveau de la serrure. Le bois craqua et la poignée s'enfonça. Il recommença deux fois jusqu'à ce qu'elle cède entièrement.

Les deux flics se ruèrent à l'intérieur en hurlant « POLICE », bientôt imités par Meats qui boitait un peu, l'arme au poing. Il tâtonna pour trouver un interrupteur qu'il actionna.

Une série de vieux néons clignotèrent avant de s'illuminer d'un blanc pâle, presque bleu.

Ils étaient dans une vaste pièce stockant un incroyable bric-à-brac. Des cartons s'entassaient partout, formant des canyons entre les meubles. Personne ne vivait ici, cet appartement servait d'entrepôt. Pourtant, il y avait bien une cuisine avec tout l'équipement nécessaire, même s'il n'était pas simple d'y accéder. Les deux policiers en uniforme sillonnèrent les trois salles, zigzaguant, non sans peine, entre les monticules d'affaires disparates.

Brolin entra à son tour, et lui aussi comprit au premier regard que Suberton n'était pas là. Il aurait pu se cacher facilement, mais la poussière était épaisse, ça sentait le renfermé et il était évident que personne n'avait vécu ici depuis plusieurs mois. Meats rappela les deux autres flics postés dehors et il leur ordonna de fouiller les lieux avec les autres. Brolin vint à sa rencontre après avoir sillonné brièvement le capharnaüm :

– Qu'est-ce que c'est que cet endroit ? fit-il. Il y a des zones qu'on ne peut rejoindre qu'en rampant entre des cartons et sous des meubles !

– Je sais. Suberton est tombé pour cambriolage la première fois. Je crois qu'il a recommencé depuis. Et pas qu'une fois on dirait.

– Lloyd, c'est pas tant le nombre d'objets qui m'impressionne, c'est leur agencement. Qui ferait un truc pareil ? Ce mec s'est fabriqué un labyrinthe chez lui !

Brolin secoua la tête, il n'en revenait pas.

– Est-ce que Suberton a un dossier psychiatrique ? demanda-t-il.

– Non, il a fait de la prison, pas d'internement ou d'acte nécessitant un traitement.

C'était une constatation facile. Mais Brolin prêtait une grande attention à l'habitation des criminels ou des suspects qu'il rencontrait. Bien souvent, elles reflétaient ce qu'ils étaient. Certains tueurs en série, contrôlés en apparence, tout en ayant une maison apparemment normale, s'aménageaient un grenier ou une cave en antre, où le chaos était à la mesure de leur pathologie. Et bien souvent, même dans ce petit ordre qu'ils édifiaient, des failles marbraient l'artifice, il suffisait de les discerner.

Ici, c'était un univers réaménagé selon une perception tout à fait atypique. On avait fait en sorte que tout l'appartement soit complexe, avec une circulation difficile, dissimulant le lit. Il y avait le désir de se protéger, et de perdre l'autre. Les néons étaient à moitié ensevelis derrière des objets ou des tentures, conservant de nombreuses zones dans l'obscurité.

– Alors ? Qu'en penses-tu ? On a tiré le jackpot ? interrogea Meats.

Brolin contempla de nouveau l'incroyable disposition des objets.

– Possible, avoua-t-il, c'est peut-être bien lui, Mark Suberton. Le meurtrier de Carol Peyton. Un homme déconstruit. Et c'est sûrement pour ça qu'il tue. Pour se retrouver, ou se refaire, autrement.

Meats glissa une main dans sa barbe.

– Se refaire ? En quoi ?

– C'est là qu'il faut creuser. J'imagine que les araignées ont une importance capitale là-dedans. À nous de trouver laquelle.

Dans leur dos, un officier pesta et appela Meats.

– J'ai quelque chose, inspecteur.

L'officier tenait un fil qui partait de la porte d'entrée et était relié à un petit boîtier posé sur le sol.

– Qu'est-ce que c'est ? voulut savoir Meats.

– J'ai déjà vu ça chez des particuliers. Un pseudo-système d'alarme. Branché sur les fenêtres ou sur les portes, dès qu'on en ouvre une le boîtier se connecte au réseau téléphonique et appelle un numéro qu'on lui a mis en mémoire. La police ou ce qu'on veut. Je viens juste de le débrancher, il était déjà en ligne.

Un autre officier s'approcha, attiré par la conversation.

– Ça veut dire que le cambrioleur avait peur d'être cambriolé ? railla-t-il.

Brolin secoua la tête.

– Non, ça veut dire qu'il est au courant que nous sommes là.

20

Ce fut la lune qui disparut en premier.

Puis ce fut au tour du relief, les ombres prirent de la densité avant que les nuages n'étalent leur couverture opaque sur toute la nuit.

Le vent apporta un peu de fraîcheur à la forêt, slalomant entre les troncs et les rochers, dansant sur les feuilles rendues ardentes par trop de soleil. Les gouttes tombèrent avec parcimonie au début, grosses, elles éclaboussaient à bonne distance en s'écrasant sur la terre sèche. La pluie se mit alors à jouer de sa mélodie liquide, *adagio* dans un premier temps puis *presto*. Le déferlement des eaux célestes devint déluge.

Le tonnerre hurla au-dessus des monts tandis qu'un éclair marbrait les nuages de traits lumineux, les faisant ressembler à de gigantesques balles déchirées de coton noir.

Annabel était recroquevillée dans son arbre, elle avait attaché tant bien que mal son duvet au-dessus d'elle pour se constituer un abri. Il fut vite imbibé et Annabel fut trempée en un rien de temps. L'orage se rapprochait, les éclairs fendaient l'horizon avec de plus en plus de force et de hauteur, le tonnerre roulait dans les vallées proches, il devenait dangereux de rester à son poste d'observation.

De toute manière personne ne s'aventurera dans la clairière maintenant, avec ce temps ! Elle prit sa décision et s'empara du canif qui était dans le sac à dos pour graver une flèche dans l'écorce de l'arbre. Elle indiquait la base militaire au nord-est. Si Brolin venait jusque-là pendant son absence il découvrirait l'indice et ne tarderait pas à comprendre, elle en était sûre.

Elle s'empara de ses maigres affaires et descendit du tronc glissant avec prudence. Sans lune et sous la frondaison des arbres il faisait presque parfaitement noir.

Le cône de lumière blanche ouvrit une brèche dans l'inconnu.

En contrepartie, les ombres alentour gagnèrent en puissance, tissant un réseau d'obscurité mouvante encore plus troublant. L'éclair qui suivit fut étouffé par la toison végétale, ne laissant jaillir qu'un trop bref instant de fines rigoles de clarté entre les feuilles. Annabel se mit en marche.

Le tonnerre l'accompagna. Lourd et inquiétant.

Pendant les premières minutes, la terre but tout ce qu'elle pouvait, avant de hoqueter et régurgiter le trop-plein, se transformant peu à peu en boue. Pour la jeune femme, ce qui était au début rafraîchissant devenait désagréable. Ses vêtements lui collaient au corps aussi sûrement qu'une seconde peau et elle avait de la terre jusqu'aux mollets. Elle essuya sa montre et vit qu'il n'était que minuit.

Il lui avait semblé attendre des heures et des heures dans cet arbre, contemplant le coucher de soleil et l'approche de la tempête.

De nouveau, un éclair illumina l'intérieur de la forêt, à la manière d'un négatif de photographie.

La profondeur des bois apparut subitement à Annabel.

La jeune femme s'immobilisa et braqua sa lampe vers les abysses de la forêt.

Tant de mystère. Ce qui ne rassurait pas Annabel c'était de *deviner* les présences, les mouvements dans les ombres. Cette forêt ressemblait plus à une mer inexplorée, avec ses milliers de kilomètres de longueur. Qui pouvait certifier qu'elle ne recelait pas maintes espèces inconnues, insectes terribles ou monstres humanoïdes, vestige des temps passés ?

Il y eut un long souffle, ample et lugubre, semblable au vent dans le conduit d'une grande cheminée.

Arrête ton délire ! Tu cherches quoi, à te faire peur ? C'est ça ? Il y a déjà tout ce qu'il faut, alors n'en rajoute pas. Elle hocha la tête, oui, elle délirait, il fallait se remettre en route, vers l'abri de la base.

Elle se tourna d'un coup et éclaira devant elle pour reprendre sa marche.

L'éclat de la lampe s'accrocha aussitôt dans la haute silhouette, juste devant elle.

Deux yeux immenses braqués sur elle.

Yeux jaunes. Grands ouverts, trop grands.

Annabel hurla.

La masse tressauta, brandissant ses longues armes crochues.

Et le cerf, apeuré, bondit en arrière pour s'enfuir en courant entre les troncs et les fougères.

Annabel se couvrit le visage d'une main, le temps de reprendre son souffle, que son cœur retrouve un rythme plus lent.

Elle atteignit le trou dans la clôture quelques minutes plus tard, trempée. La température était tombée de plusieurs degrés et Annabel commençait à grelotter. Elle se dirigea vers le bâtiment principal, celui qu'elle avait visité dans l'après-midi.

Dans le hall, elle trouva des lattes de bois sec, idéal pour allumer un feu. Sur le coup, l'idée lui parut stupide et peu prudente, mais à bien y réfléchir, personne ne la verrait. Même le tueur, si dingue fût-il, ne s'aventurerait pas dehors avec un temps pareil. Et puis elle devait se réchauffer et sécher ses vêtements.

Annabel ramassa toutes les lattes qu'elle put et s'installa dans un coin du hall, avec une fenêtre non loin pour assurer la ventilation. Elle trouva dans un couloir poussiéreux un vieux journal et s'en servit pour le départ du feu. En un quart d'heure, elle était en sous-vêtements, les mains au-dessus des flammes et sa tenue séchant tant bien que mal à proximité. La luminosité ambrée ne tarda pas à lui réchauffer l'âme également et elle en vint même à regretter l'absence de Marshmallows. À l'extérieur, le tonnerre grondait encore, et la pluie semblait ne pas vouloir s'arrêter.

Annabel entreprit de défaire ses tresses, l'une après l'autre, pour que ses cheveux sèchent plus vite tout autant que pour s'occuper. Ses mèches d'ébène luisaient au travers des flammes, trop longtemps tressées, elles ondulaient à la manière d'une calligraphie arabe, dessinant d'étranges motifs. Peu à peu ses cheveux prirent du volume.

Elle trouva un pan du duvet qui n'était pas trop humide et, après l'avoir réchauffé sur les flammes, elle s'en couvrit. Elle alimenta le foyer pendant un bon moment, se mit à fredonner pour se distraire avant de diluer sa concentration dans le songe. Elle créa des situations avec elle et Joshua, rêvant à leur manière d'aborder le quotidien, ensemble. Brady, son mari, s'immisça dans ces perspectives. Son mari absent. Une petite pique s'enfonça dans sa poitrine. Brady... lui qui avait disparu comme par magie, un beau jour comme les autres, sans avertissement, sans rien emporter, et que personne n'avait plus jamais revu. Brady le photographe, Brady son amour... Plus d'un an et demi qu'il s'était volatilisé, sans la moindre trace.

Et cette nouvelle vie, qu'elle devait se constituer, en acceptant progressivement qu'il ne reviendrait pas.

Annabel rêva beaucoup à tout cela, aux éclats du bonheur, et lentement, elle céda au sommeil...

Un raclement de gorge rauque, inhumain.

Annabel ouvrit les yeux. Il faisait jour. Avec cinq secondes de retard le raclement atteignit le champ de sa conscience. Elle perçut en même temps le froid. Son premier réflexe fut de se recroqueviller sous le duvet, ses jambes nues contre sa poitrine, enveloppée d'une fragile pellicule de chaleur.

La créature grogna de nouveau.

C'était à l'extérieur.

Cette fois, Annabel releva la tête.

L'air était frais, bien plus que ces derniers jours, et la luminosité beaucoup plus voilée, plus blanche. La jeune femme tendit le bras et s'empara de son débardeur et de son pantalon corsaire. Elle s'habilla sans bruit, enfila ses baskets et s'approcha de l'ouverture étroite dans la porte.

Une brume épaisse stagnait entre les bâtiments. Les arbres les plus proches n'étaient plus que de vagues silhouettes sombres, presque spectrales.

– Oh, c'est pas vrai, murmura-t-elle. J'avais bien besoin de ça !

Sa montre indiquait 7 h 11. Elle étira son corps.

Un mouvement sur sa droite lui fit tourner la tête brutalement.

La forme marchait paisiblement, sur ses quatre pattes. Avec la brume, Annabel ne pouvait discerner de quoi il s'agissait, cela ressemblait à un sanglier bien qu'elle ignorât s'il pouvait y en avoir dans cette région. Elle étouffa un rire en pensant qu'elle avait faim et qu'une tranche de bacon serait la bienvenue.

Son humeur joyeuse s'évapora lorsqu'elle réalisa qu'elle était sans nouvelles de Brolin. Pourquoi n'était-il pas venu cette nuit ? Avait-il trouvé l'arbre vide, sans découvrir la flèche ? Il n'était pas du genre à l'oublier là, il devait avoir une bonne raison.

Il a confiance en toi, et tant pis pour ta nuit, s'il avait plus important, il t'aura laissée ici en sachant que tu ferais convenablement ta part du job.

En allant dormir dans la base ? Hors de vue de la clairière ? Bravo !

De toute façon, personne n'est venu, pas avec cet orage...

Annabel fit demi-tour et retourna vers les cendres de son feu de camp.

Remballe tes affaires, il faut aller à l'arbre. Au cas où la brume se lèverait, ou si Brolin revient.

Son sac à dos sur l'épaule, elle fouilla les restes du feu du bout du pied pour s'assurer que tout était bien éteint. En se dandinant sur place elle se rendit compte qu'elle avait besoin d'aller aux toilettes. Elle se trouva tout d'un coup ridicule. *Qu'est-ce qui te prend ? Tu n'es plus une gamine ! Faire pipi dans la nature ne va pas te déranger !*

Elle était vraiment devenue snob, trouva-t-elle, et pendant un moment elle se détesta d'être aussi sophistiquée.

Elle sortit un peu à l'écart de la construction et s'accroupit dans les herbes.

Ne pense pas à ces histoires d'araignées, ça n'est pas le moment... C'était plus fort qu'elle. Avec leurs pattes velues, leurs corps flasques et leurs mandibules, elle les imagina courant vers ses jambes.

Annabel se releva et se rhabilla. Elle distingua la forme du sanglier, ou de ce qui y ressemblait, un peu plus loin. Il renifla le sol, enfouissant de temps à autre sa gueule dans la terre en grattant d'une patte.

Il redressa son museau d'un coup.

Puis détala à toute vitesse.

Annabel fronça les sourcils. Elle n'avait pas vraiment bougé et...

Tu es à contre-vent, il ne peut t'avoir flairée.

Elle n'avait pas fait de bruit, marchant sur une dalle de béton avant de se pencher au-dessus des herbes ; non, elle en était sûre, il ne l'avait ni vue, ni entendue.

Ses muscles se contractèrent doucement. Elle examina attentivement le paysage blanc qui l'entourait. Sa vision ne dépassait pas quelques mètres, et tout n'était qu'ombres noires.

Un craquement de branche.

Suivi d'un froissement de pas dans la végétation.

Il apparut dans la foulée. Une masse mobile se déplaçait sur la droite d'Annabel.

Un homme.

Pendant une demi-seconde Annabel se rassura à l'idée de la venue de Brolin ici, avant de distinguer avec certitude qu'il ne pouvait s'agir de sa silhouette. Les cheveux de la jeune femme se dressèrent sur sa nuque, la chair de poule couvrit sa peau et l'air devint plus difficile à respirer. La panique l'envahit comme une vague déferlante en pleine mer. Elle ne put en expliquer la raison, tout en elle lui hurlait qu'il y avait danger. L'intuition du flic. Il était trop tôt pour qu'un promeneur vienne si loin dans la forêt, et aucun garde forestier n'était autorisé à pénétrer ici : abandonnée ou non, cette base appartenait encore à l'armée.

Il se dirigeait vers elle.

D'un pas vif et assuré.

Les mots de Brolin lui revinrent en mémoire : « Je pense que celui qui s'est aménagé ce poste d'observation au milieu de la clairière est l'assassin de Fleitcher, il venait souvent ici, probablement à des heures inattendues, pour être tranquille, sans témoin. Pour passer du temps à guetter, à s'approprier le terrain peut-être… » C'était à peu près ce qu'il lui avait raconté de sa visite à Eagle Creek 7.

Et *il* était là. À moins de quinze mètres d'elle.

Annabel envisageait toutes les options possibles, elle revenait tout le temps à l'hypothèse la plus folle et pourtant probable : celui qui venait vers elle était le tueur. *Pas de panique, tu n'en sais absolument rien, c'est peut-être un randonneur très matinal…* Dans une base abandonnée de l'armée… Annabel ferma les yeux un court instant, le temps de vider son esprit. Elle les rouvrit, à peine plus sereine.

Il était tout proche.

Et à bien y regarder, il ne venait pas droit sur elle. En fait, il semblait ne pas l'avoir remarquée. *Ne bouge pas.*

Moins de dix mètres.

Il portait une parka d'un vert foncé, le col relevé sur le visage, une forme étrange lui masquait la tête… Une… C'était une casquette baissée devant ses yeux.

Six mètres.

Il portait des gants et tenait une petite valise en plastique dans une main, de la taille d'une boîte à chaussures.

Quatre mètres.

Le cœur d'Annabel battait si vite qu'il palpitait à ses tempes. Elle eut le sentiment qu'un martèlement de basses résonnait dans tout le bâtiment. Elle avait besoin de respirer, de beaucoup plus d'air que ça, néanmoins elle bloquait son souffle, de peur qu'il ne l'entende.

Il était là, tout près.

Elle perçut le frottement de la toile de son pantalon.

Il passa devant elle, à moins de cinq mètres, sans la voir.

Des taches de lumière blanche apparurent devant les yeux de la détective new-yorkaise.

Elle attendit qu'il soit presque entièrement avalé par les limbes de la brume pour ouvrir la bouche et aspirer goulûment tout l'oxygène possible.

Qu'est-ce qu'un homme pouvait bien faire ici à cette heure ? Avec une boîte comme la sienne à la main. Une boîte comme... comme pour transporter des insectes ? Des veuves noires ?

Il ne fallait pas le laisser filer. Brolin avait voulu surveiller cette clairière parce qu'il pensait que le tueur pouvait y revenir, elle revêtait à ses yeux une importance particulière. Annabel ne pouvait pas faire comme s'il s'était agi d'un passant quelconque.

Au pire, ce pauvre type n'a rien à voir dans cette histoire et tu te ridiculiseras... Hypothèse qui sonnait faux. Elle le savait. Elle le sentait. C'était lui.

Annabel se lança, elle avait trop tardé.

Après dix pas elle se figea. Elle n'avait pas son arme. Le Beretta était dans le sac à dos, près des cendres du feu.

Déjà la silhouette n'était plus visible. Si elle retournait dans le hall elle risquait de le perdre et elle ne pouvait se payer le luxe de courir dans la forêt, il l'entendrait à coup sûr.

– Fait chier, tonna-t-elle entre ses dents.

Elle se remit en marche. De toute évidence, il prenait la direction du trou dans la clôture. Il allait descendre vers Eagle Creek 7.

Annabel devait lui coller aux talons. Avec cette brume, elle pouvait le perdre facilement et la clairière était immense, elle ne le retrouverait pas avant qu'il ait quitté les lieux.

Chacun de ses pas lui coûtait un effort inhabituel pour faire le moins de bruit possible, évitant de poser le pied sur les branches mortes. Annabel filait dans le sillage de cet homme éthéré, l'ayant totalement perdu de vue, elle y allait au jugé. Elle distingua bientôt les mailles de la clôture militaire, sans voir le trou. Elle s'était déportée un peu trop sur la gauche.

De l'autre côté, à une vingtaine de mètres, une tache obscure se déplaça au travers de la brume. C'était lui, il avait franchi le passage et descendait dans la forêt.

Annabel longea la grille jusqu'à l'ouverture improvisée et se glissa à la suite de l'inconnu. Tout était curieusement silencieux. Était-ce l'orage violent de la nuit qui faisait taire tous les oiseaux ? Seul le bruissement de la végétation humide montait d'entre les arbres. *Fais attention à tes pas, regarde où tu marches, pas le droit à l'erreur cette fois...*

La brume s'étiolait en strates, non moins denses, mais plus espacées, en chapes de coton mitoyennes dans lesquelles disparaissait régulièrement l'individu mystérieux.

Le sol devint plus fourbe pour Annabel, jonché de brindilles cassantes, elle préféra laisser l'homme prendre de la distance plutôt que de se découvrir bêtement. Elle traversa cette sorte de taillis très lentement, pas après pas.

Il n'était plus là. Aspiré dans ces nuages presque posés, ce fragment de paradis écrasé. *S'il est aussi glauque et déstabilisant que ça le paradis, je préfère encore choisir le purgatoire !* Mais elle n'avait pas envie de rire au fond d'elle-même. Immobile, elle tendit l'oreille. Sans résultat.

Elle continua dans cette direction, prudemment, essayant de reporter sur l'ouïe ce que la vue ne pouvait déceler. Toujours rien. Annabel accéléra un peu. Les fougères caressaient ses avant-bras, la rosée du matin en coulant jusqu'à ses mains lui donnait la chair de poule.

Le bois grinça un peu fort juste au-dessus d'elle.

Un peu trop fort pour être naturel.

Annabel se figea. Tout son corps en alerte.

Lorsque le frottement synthétique du nylon résonna dans l'arbre, Annabel comprit qu'*il* était là, juste en surplomb, et qu'elle avait une seconde de retard.

21

Annabel leva la tête tandis que ses jambes commençaient déjà à pousser vers l'avant.

Tout alla très vite.

D'abord une silhouette floue dans les hauteurs de l'arbre, au-dessus d'elle. Puis des ombres tombant droit sur son visage.

Elle comprit au moment même où ces ombres la touchèrent.

Des veuves noires.

L'individu juché sur la branche venait d'ouvrir sa boîte et lâchait les araignées sur elle. Annabel perçut l'effleurement des créatures sur ses épaules, son front, ses seins. Six ou sept petits corps luisants s'effondrèrent, l'un heurta ses lèvres et rebondit vers le sol, un autre s'accrocha dans ses cheveux.

Elle se jeta dans les fougères en criant. Elle roula dans l'entrelacs de plantes, secouant la tête dans tous les sens.

Il venait de lui lancer une demi-douzaine d'araignées mortelles au visage, il suffisait qu'une seule d'entre elles ait glissé dans ses vêtements, sous son débardeur, et c'en était fini...

Annabel se redressa d'un bond, sur ses gardes. En premier lieu, elle se focalisa sur les perceptions les plus minimes de son corps. Aucun fourmillement, aucun chatouillement d'une créature se déplaçant à huit pattes sur elle. Elle eut soudain envie de se gratter, à trop penser à cela on finissait toujours par avoir l'impression qu'une bête rampait sur ses jambes, sa nuque ou ses flancs.

Puis le martèlement sourd de pas. L'homme s'enfuyait.

Annabel distingua un halo mouvant, plus sombre, dans le brouillard. Il remontait vers la base.

Dans la seconde suivante, les cuisses de la jeune femme se contractaient et poussaient en avant. Annabel agrippa l'air de ses mains et se propulsa de toutes ses forces à la suite de son agresseur. Elle n'avait plus qu'à espérer qu'aucune araignée n'était restée sur elle.

L'homme avait une bonne avance, l'effet de surprise lui avait fait gagner plus d'une centaine de mètres. *Il t'a repérée pendant la descente vers la clairière, certainement au bruit...* Annabel avait pourtant fait de son mieux, cela n'empêchait pas d'être découvert, dans une forêt la filature silencieuse relevait de l'impossible.

Cette brume devenait cauchemardesque. La détective ne discernait son agresseur que par intermittence, entre deux nappes cotonneuses, elle risquait de le perdre à chaque foulée. S'il gagnait un peu de terrain, il disparaîtrait entièrement.

Elle courait, contre la pente, essayant de réguler son souffle. *Comme pendant les entraînements, expire longuement, régulièrement, ça t'évitera le point de côté, contrôle ta respiration.* Annabel pratiquait la boxe thaïlandaise en club depuis plusieurs années, en plus des exercices réguliers de la police. Elle savait que l'endurance était son point fort, elle maîtrisait bien les courses fragmentées. *Le cardio c'est ton truc, allez, prouve-le, c'est pour de vrai cette fois-ci...*

Après deux minutes, son organisme prit un rythme de croisière, il fallait désormais monter peu à peu le régime. Gagner en puissance.

C'est à ce moment qu'elle le perdit totalement de vue.

À l'instant même où elle venait de le voir bifurquer sur la droite.

Annabel continua sur une petite distance avant de s'immobiliser. S'il était armé, poursuivre à l'aveugle sans savoir s'il n'attendait pas derrière un tronc devenait très dangereux.

Elle tendit l'oreille par-dessus le halètement de sa propre respiration, avant de retenir son souffle.

Les fougères claquèrent sur sa droite, il courait toujours. *Vers la base, il y retourne.*

Annabel jaillit à sa suite.

Quelque chose l'effleura entre les omoplates. *Une branche, c'est une branche.*

Mais cela s'accentua. Ça *bougeait*.

Déployant ses minuscules pattes noires, l'araignée, car Annabel était subitement sûre qu'il s'agissait d'une des veuves noires, remonta vers son cou, formant une bosse mouvante sous son débardeur. La jeune femme arracha au passage une tige verte, semi-rigide, ralentit sa cadence jusqu'à s'arrêter et la glissa sous l'étoffe. Elle se cambra en arrière et effectua de violents mouvements avec la tige contre sa peau.

Elle vit le corps recroquevillé tomber sur le sol. Elle n'avait pas rêvé.

Le silence alentour la saisit aussitôt. Son attention se reporta d'un danger à l'autre. *Il* ne courait plus.

Il devait être déjà arrivé à la base et marcher sur les dalles de bitume, ce qui expliquait cette discrétion. Annabel se remit en marche, essayant de ne pas faire trop de bruit, guettant le moindre mouvement. Le brouillard épurait le paysage, gommant tout relief, il transformait soudainement un lopin de terre en parcelle d'innocence, tout y était blanc, pur.

Et chaque arbre fendait les vapeurs blanches avec lenteur, la candeur apparaissait tavelée de souillures opaques.

Cette fois, Annabel le vit la première.

Il gicla depuis un massif vert, une branche à la main qu'il leva au-dessus de lui.

Annabel roula en diagonale, bras droit devant la tête pour prendre appui sur la terre. La branche fouetta les airs en sifflant.

Une roulade sur le côté et Annabel atterrit sur un genou. Elle ne chercha pas à armer son bras droit, elle frappa directement, avec moins d'impact, sur le flanc de son adversaire. Et enchaîna aussi vite avec le poing gauche, en crochet, pivotant du bassin en se redressant pour heurter le sternum avec le plus de dynamisme possible. La faible vitesse, le manque de préparation et le peu d'impact ne causèrent pas beaucoup de dégâts, là où Annabel avait espéré briser une ou deux côtes flottantes. Mais cela surprit son agresseur qui tituba en arrière.

La détective se dressa sur le côté, elle posa un pied à l'écart et enclencha le pivotement du bassin pour le *low-kick* dans les jambes.

Son tibia heurta un arbuste qu'il brisa en provoquant une décharge qui remonta jusqu'à la poitrine de la jeune femme.

L'autre n'en demandait pas tant, il frappa les deux poings joints sur l'épaule d'Annabel qui bascula la tête la première. Elle chuta.

L'esprit à peu près clair et ignorant ce qui se passait dans son dos, elle roula aussitôt dans les herbes pour se retrouver face à la silhouette bondissante, de nouveau la branche dans les mains et se jetant vers elle. Allongée sur le dos, Annabel imprima à ses reins un mouvement vers le haut, une violente secousse pour remonter ses jambes le plus haut possible. Ses pieds cueillirent son agresseur en plein abdomen au moment où il allait frapper. Le choc lui coupa la respiration et le propulsa en arrière. Il lâcha la branche qui heurta Annabel à la joue et à la tempe.

Une explosion de lumière l'aveugla. Sa tête se mit à tourner.

Elle serra les dents de toutes ses forces pour chasser l'étourdissement. Ses yeux refirent le point et elle retrouva ses repères.

Pendant encore une poignée de secondes elle eut l'impression d'être sur un bateau en plein tangage et tout se stabilisa. *CONCENTRE-TOI, OÙ EST-IL ?* hurla-t-elle dans son crâne.

Il s'enfuyait, comme une tornade miniature dans les bois, déchirant tout sur son passage. *Debout, tu peux y arriver, allez, relève-toi !* Elle se remit sur ses jambes tremblantes, et partit en courant. D'une démarche peu assurée, elle retrouva sa confiance et absorba la peur par l'adrénaline et l'effort. Bientôt ses foulées s'allongèrent et elle atteignit la clôture de la base. L'écho des pas du fuyard résonnait dans les entrepôts. Il les traversait pour rejoindre l'entrée principale.

Annabel se rappela ce qu'avait dit Frederick la veille quand elle l'avait arrêté dans la base.

Il y a une ouverture découpée dans la grille, c'est par là qu'il passe, à côté de l'entrée !

Le jeune fureteur avait également précisé que la route qui montait jusque-là était dans un tel état de délabrement qu'on ne pouvait y accéder en voiture. C'était un bon point. Au moins son agresseur n'allait pas lui filer entre les mains de cette manière. Ni en moto, elle l'aurait entendu approcher, même pendant qu'elle dormait.

Cela lui redonna espoir et elle accentua son rythme.

Elle traversa toute l'esplanade militaire, tentant de percevoir par-dessus son propre souffle les claquements de pas de l'autre, avec plus ou moins de réussite. Lorsqu'elle entendit les vibrations métalliques de la grille que l'on secouait, elle sut qu'elle pouvait l'avoir. Il était tout proche. À son tour, elle arriva devant la barrière et perdit de précieuses secondes à trouver l'ouverture, découpée à proximité du portail. Elle se glissa de l'autre côté.

Une ombre étrange surgit en dérapant à moins de cinq mètres. Sur une route au revêtement cahoteux.

Il est sur un vélo !

Annabel se projeta vers lui, cette fois, il ne fallait pas économiser ses réserves, la pointe de ses pieds fut bientôt l'unique partie de son corps à toucher le sol, ses bras battaient de part et d'autre de son buste, mains tendues, le dos droit. Elle se mit à sprinter.

Le vélo était juste devant elle. En se jetant en avant elle pouvait l'agripper.

Elle vit la casquette pivoter en arrière, dans sa direction, sans parvenir à distinguer les traits du visage, tout était flou, brouillé par l'effort et la vitesse.

Sauf un détail : un reflet rose entre le col et la casquette... *Il... Il est...*

L'individu se leva sur ses pédales et accéléra.

La route partait en descente. Annabel se rapprocha encore un peu. Elle allait pouvoir tendre le bras et accrocher sa parka.

Puis il prit de la vitesse.

Les sillons des roues se mirent à siffler.

Et il s'éloigna.

Jusqu'à disparaître dans le brouillard.

22

À huit heures du matin, la brume s'était en grande partie dissipée, laissant émerger les étendues sauvages, les collines, les monts déchiquetés de crêtes rocheuses et l'infini de la forêt.

Brolin était épuisé, il avait passé la nuit en compagnie de Lloyd Meats, à remonter une piste stérile. Celle du système d'alarme et du numéro de téléphone que la machine avait appelé lorsqu'ils avaient pénétré l'appartement de Mark Suberton. Après cinq heures de recherches, ils avaient découvert que ce numéro correspondait à un biper, lequel avait été individualisé grâce à un concours de circonstances favorables, pour finalement se révéler être enregistré au nom de Mark Suberton. Ce qui ne les avançait guère plus, Suberton pouvant être n'importe où. De toute manière, à peine prévenu de l'intrusion, il avait dû se débarrasser du biper.

Pendant tout le trajet qui l'avait conduit de Portland à la forêt du mont Hood, Brolin s'était maudit d'avoir perdu autant de temps là-dessus. Il avait d'abord songé qu'Annabel comprendrait, que le jeu en valait la chandelle, mais avec l'aube il réalisa qu'il l'avait abandonnée toute la nuit, quasiment vingt-quatre heures... La colère qu'il éprouvait envers lui-même se transforma en rage lorsqu'il retrouva la jeune femme dans la clairière et qu'elle lui raconta ce qui venait de se passer, moins d'une heure auparavant.

Il l'avait manqué de peu.

Pis, peut-être qu'il avait croisé le tueur sur la route ! Car s'il avait fui sur un vélo, nul doute que c'était pour rejoindre, quelque part sur un sentier plus éloigné et surtout plus praticable, un véhicule pour quitter la forêt.

Brolin appela Lloyd Meats dès que son téléphone capta un réseau. Il lui expliqua tout. Une heure plus tard un policier prenait la déposition d'Annabel pendant que trois autres inspectaient la zone de l'agression. Ils retrouvèrent la boîte en plastique dont l'individu s'était servi pour transporter les veuves noires. Brolin et Annabel savaient qu'il n'y aurait probablement aucune empreinte, il portait des gants et depuis le début s'était montré très prudent.

Une fois dans la voiture sur le chemin du retour, Brolin s'excusa auprès de la jeune femme. Il n'avait pas bien anticipé les événements.

Plus grave encore, il avait mis la vie d'Annabel en danger.

Celle-ci éluda ce point d'un geste de la main.

« Je ne suis pas sotte non plus, je savais à quoi je m'exposais quand je t'ai proposé de t'aider », conclut-elle.

Au-delà de ça, c'était de repartir bredouille qui la dérangeait. À aucun moment elle n'était parvenue à distinguer le visage de son agresseur.

Mais il y avait ce détail qu'elle avait aperçu dans sa fuite à vélo : la sueur sur la tête... Il était chauve.

– Tu es sûre de ça ? demanda Brolin.

– Certaine. Notre cavalcade le faisait transpirer, et j'ai vu son crâne. Peut-être a-t-il une couronne de cheveux, pas plus en tout cas. De taille moyenne, assez costaud.

Les yeux rougis par la fatigue, le détective privé conduisait doucement, en direction de son chalet.

– Annabel, vraiment, je suis sincèrement désolé pour cette nuit, c'est…

Elle le fit taire d'un geste de la main.

– Arrête avec ça, je t'ai dit ce que j'en pensais. Alors, et cet appartement, à quoi ressemble-t-il ?

Brolin inspecta la route, la luminosité gagnait en intensité à mesure que les nuages blancs se diluaient sur un fond d'azur.

– Incroyable, finit-il par répondre. Ce Mark Suberton a fait de son appartement un véritable casse-tête, il y a tellement de choses entreposées qu'il faut soit ramper, soit se glisser entre les meubles. J'avoue être un peu désemparé, si ce type vivait vraiment là c'est qu'il a un sacré problème. Besoin de se cacher ? De perdre l'autre ? Quoi qu'il en soit, c'est une piste froide, il y avait de la poussière partout, personne n'est venu là-bas depuis un bon moment. Et personne n'y retournera désormais. Où qu'il soit, ce Mark sait que nous avons découvert sa planque, son ingénieux petit système d'alarme nous a pris à revers.

– La fouille n'a rien donné ?

– Elle n'a pas eu lieu. Je te dis : c'est inimaginable ce chaos. Il va falloir cinq ou six hommes pour faire le tri, et encore ils mettront une semaine ou plus. La priorité est à toute piste encore tiède, pour le moment l'appartement est sous scellés, il peut attendre, on a fait un bref état des lieux hier, pour s'assurer qu'il n'y avait personne.

– Quelles sont les pistes tièdes, alors ? voulut savoir Annabel.

– Lloyd Meats va diriger une cellule spéciale, plusieurs inspecteurs. Ils vont se consacrer cet après-midi aux victimes. Trouver un lien, trouver comment le tueur les a choisis, et de quelle manière il s'y prend pour entrer en pleine nuit sans effraction, et pour neutraliser les maris pendant leur sommeil sans qu'ils ne sentent quoi que ce soit. D'autre part, ils vont tenter de fouiller dans le passé de Mark Suberton, interroger sa famille, ses proches, voir où il pourrait être.

– Vaste programme !

– Je ne te le fais pas dire. Ce matin, juste avant de venir ici, j'ai reçu un coup de téléphone de Meats. L'entomologiste a examiné la soie qui a servi pour faire le cocon dans lequel était Carol Peyton. Il est catégorique : c'est bien de la soie d'araignée et rien d'autre. Entièrement biologique et issue de glandes séricigènes. De mon côté, je vais tenter de débusquer un spécialiste des araignées. J'ai quelques questions à lui poser.

– De *ton* côté ?

Brolin profita d'une ligne droite pour jeter un coup d'œil à Annabel.

– Écoute, ce qui s'est passé ce matin n'aurait jamais dû arriver, expliqua-t-il. Tu as déjà été beaucoup trop loin dans cette affaire et je...

– Justement, tonna la jeune femme, le regard brillant d'une détermination farouche. Joshua, je suis venue ici pour passer du temps avec toi, les circonstances en ont décidé autrement, mais j'ai eu le choix de partir dès le début. Néanmoins je suis restée et nous voilà embarqués dans une histoire complètement dingue, j'ai passé deux heures dans un arbre avec un cadavre de femme emmailloté dans un cocon de soie, je sors de vingt-quatre heures dans une forêt où un homme a manqué de me tuer, et toi, tu me demandes maintenant de partir ? D'oublier tout ça, de te faire une bise et de rentrer chez moi ? Pas maintenant, Josh, je suis avec toi, et tu le sais. Alors une bonne fois pour toutes : ne me préserve pas, aide-moi à être là, avec toi, à cent pour cent.

Pendant une longue minute, Brolin ne dit rien, les mains posées sur le volant, écoutant le ronronnement du moteur de la Mustang. Puis il sourit, ce qui sidéra Annabel, c'était si rare chez lui, cet amusement sincère dépourvu de tout cynisme ou ironie.

– J'aurais dû y penser plus tôt, fit-il, tu es flic. Et têtue.

Ils rentrèrent au chalet, dans une demi-torpeur. Avec la nuit qu'elle avait passée, Annabel se sentait lourde et en décalage avec la réalité, elle aussi avait besoin de repos. Ils étaient convenus de se réveiller pour le déjeuner, juste ce qu'il fallait pour emmagasiner de quoi tenir jusqu'au soir.

Elle prit une douche à l'étage, qui lui réveilla les sens. Elle se sécha, enfila un peignoir et sortit sur la mezzanine. Elle entendit le fourmillement de l'eau par la porte entrou-verte de la salle de bains du bas. Le désir monta aussi intensément que l'eau coulait sous la douche de Brolin. Elle imagina son corps nu dans les vapeurs montantes, le ruissellement le long de son torse… Annabel fut envahie de frissons à peine déclarés, la chaleur irradia son ventre. Le frôlement du tissu éponge sur la pointe de ses seins accentua la bouffée d'envie. Elle se vit contre Brolin, leurs peaux se caressant, à échanger des baisers humides, sans prendre le temps de la sensualité, rien que la passion dévorante du plaisir. Jusqu'à le sentir en elle, ondulant…

Annabel réalisa qu'elle avait les doigts de pied contractés, elle secoua la tête.

Tu es crevée... Qu'est-ce qui te prend ? La fatigue... Je cède à un réconfort brut, c'est tout... Qu'y avait-il de mal à ça ? C'était humain, non ? Surtout pour une femme dont le mari avait disparu depuis un an et demi. *Je suis vannée oui ! Pauvre Josh, s'il savait ce que j'ai en tête... Va te coucher, Anna, vraiment, tu es pathétique lorsque tu laisses tes pulsions prendre le contrôle, tu ressembles à une actrice de mauvais film érotique !*

Elle haussa les épaules et regagna sa chambre. Le désir était bien présent, il l'habitait sans recul. Et c'est en essayant de se convaincre qu'il n'était que sexuel qu'elle trouva finalement le sommeil.

Pas un instant, elle n'envisagea que ce pouvait être un autre moyen pour fuir l'intensité de ce qui lui était arrivé le matin même, cette agression. L'issue aurait pu en être tout autre, bien plus dramatique.

Elle occultait cette possibilité, encore noyée par l'épuisement, et son esprit dérivait sur d'autres champs pour se rassurer, pour se raccrocher à la vie...

*
**

S'il fallait aujourd'hui lui donner un nom, c'était Ça. Une chose, une créature, humanoïde certes, mais guère plus. Voilà ce qu'elle était : une chose, *la* Chose. C'était de cette manière qu'elle se considérait. Tout le reste... On le lui avait pris. Il y avait longtemps.

La Chose ôta sa casquette et la posa sur le guéridon de l'entrée. Elle resta longuement ainsi, accoudée au mur, à respirer avec calme, et à réfléchir.

Cette... *femme* dans la clairière, qui était-elle ?

Elle n'avait pas agi comme une touriste ou une promeneuse. Et que faisait-elle si tôt dans cet endroit, *son* endroit ! Un flic ? Possible. Après tout, elle-même, la Chose, venait de se découvrir au grand public. Avec cette brume et la vitesse à laquelle tout s'était passé, il était difficile de discerner son visage, elle n'avait qu'une silhouette en mémoire. Qui lui rappelait quelqu'un. Pendant tout le trajet du retour, elle n'avait cessé d'y penser. Où avait-elle déjà vu cette femme ?

La Chose lança sa parka sur un des fauteuils en cuir de la pièce principale.

Il ne fallait pas tarder, son *autre* vie l'attendait. Celle des apparences. Si elle ne se dépêchait pas, elle se ferait remarquer. Oui, ne pas traîner.

Elle prit un torchon dans la cuisine et le posa sur son crâne comme une perruque rêche. Elle se massa la tête, en arpentant le salon. La débâcle approchait, bientôt on parlerait d'elle à la télévision. La police pouvait étouffer l'affaire pendant quelques jours, ça ne durerait pas éternellement. Il fallait encore investir quelques foyers, que *ses filles* attaquent quelques personnes, et toute la ville se mettrait à paniquer. Travailler dans ce climat de terreur deviendrait alors merveilleux.

On craindrait la Chose. Les gens en parleraient en murmurant, à la lumière uniquement ; peu à peu, elle deviendrait une référence dont on menacerait les enfants pas sages. La Chose glissera dans le mythe, elle sera un nouveau croque-mitaine...

Ces idées lui plaisaient bien, souvent elle les ressassait, assise dans son fauteuil.

La Chose cligna des yeux comme si elle se réveillait et observa autour d'elle. Cette maison qui sentait le vieux. Cette décoration qu'elle haïssait. Tous ces meubles qu'elle avait été chercher dans son ancienne vie. Combien de fois avait-elle tout jeté à terre, cassé des cadres, brûlé des souvenirs ? Pour en remettre le maximum en ordre ensuite, sauf les photos. Pour préserver les apparences. Parce qu'il le fallait. Pour pouvoir poursuivre. Pour ne pas qu'on la démasque et l'arrête, car les autres n'étaient pas comme elle, ils ne pouvaient comprendre. Pas encore…

La Chose se dirigea vers le bout du couloir, vers la porte beige qu'elle ouvrit avec joie. Elle tâtonna à la recherche de l'interrupteur, un gros boîtier gris. L'ampoule illumina un escalier en bois, s'enfonçant vers la cave. La première partie des caves.

Il y faisait humide. Il fallait beaucoup d'humidité, et il n'y avait que les caves pour ça.

La Chose descendit, dépassa la machine à laver qui ne servait plus depuis un mois. Depuis qu'un chien y avait séjourné.

Le résultat n'avait pas été encourageant à poursuivre avec plus gros. S'il en avait été autrement, la Chose aurait été prête à investir de l'argent dans un modèle industriel de machine à laver le linge, de celle dans lesquelles on pouvait sans peine faire entrer un homme ou une femme. Elle avait laissé tomber cette idée. L'état dans lequel était ressorti le chien dépassait ce qu'elle avait imaginé. Même pour elle, la Chose, ça avait été difficile à supporter.

À côté, trois baignoires étaient alignées. Toutes achetées d'occasion, calées avec des briquettes de bois, le siphon bouché avec du mastic. Là non plus, l'expérience n'avait pas été concluante. Pas assez pratique. N'offrant que peu de possibilité concrète, la mort survenant assez banalement finalement. Mais cette fois, elle n'avait pas utilisé un chien.

Elle dépassa un congélateur débranché, couvert de crasse et d'une longue tache sombre sur le couvercle. Suspendu au-dessus, un tuyau d'arrosage était lové à son dévidoir.

C'était après un évasement de la pièce que la Chose entreposait *ses filles*. Des casiers aménagés sur toute la longueur de deux murs. Des terrariums artisanaux, soixante-deux en tout. Et c'était sans compter sur l'autre réserve, à l'extérieur.

Toute la pièce était envahie par de fausses plantes vertes, du lierre en plastique descendait des murs, et de larges feuilles mangeaient l'espace en planant à différentes hauteurs à la manière de consoles écologiques ultra-design.

La Chose reporta son attention vers l'aquarium de deux cents litres qui reposait dans un coin à l'opposé. Pas d'eau à l'intérieur, rien qu'une colonie de grillons. Munie d'un petit filet à papillons, elle en captura un qu'elle saisit ensuite entre ses doigts.

Elle approcha le grillon d'une des cages de verre. Elle fit coulisser une plaque et plongea sa main à l'intérieur pour déposer l'insecte sur le sol.

La tarentule n'attendit pas plus.

Elle jaillit hors d'un trou dans l'angle.

Ses grosses pattes velues s'articulèrent et elle courut sur sa proie. Ses chélicères se levèrent et s'abattirent sur le grillon d'un seul coup, celui-ci se mit à trembler avant de ne plus bouger du tout. La tarentule était immobile, ses palpes tenant son repas. Bien souvent, les araignées dévoraient leur capture sans même que l'on s'en rende compte, aspirant tout doucement l'intérieur liquéfié.

Les petits globes noirs brillaient sur le dessus du céphalothorax de la tarentule. Puis elle recula, entraînant le grillon avec elle, son abdomen disparut dans son trou, et bientôt il n'y eut plus que le bout d'une patte qui dépassait avant qu'elle n'entre totalement dans son abri.

C'était fini.

C'était si rapide, si précis.

Si pur, songea la Chose.

Elle alla chercher un autre grillon et vint devant une autre cage de verre. L'araignée qui y attendait, une *Atrax robustus*, était originaire d'Australie. Il était très difficile de s'en procurer et encore plus d'en faire l'élevage. Elle était toute noire, d'un diamètre égal à celui d'une balle de base-ball, sa peau ressemblait à du vinyle, tendue et luisante sur ses articulations. Tous ceux qui la voyaient en frissonnaient tant elle était repoussante. Et ils avaient bien raison, car l'*Atrax robustus* est l'une des plus meurtrières au monde. Redoutable.

Parmi les espèces qu'elle abandonnait chez les gens, la Chose n'avait pas encore usé de l'*Atrax*. Elle ne voulait pas en gâcher tout le potentiel, mais ça n'allait plus tarder. Elle provoquerait un maximum de dégâts. Et bientôt, elle passerait à la classe supérieure. Elle sortirait *le* prédateur.

L'araignée nomade brésilienne, *Phoneutria fera*.

Le contenu de ses glandes à venin avait de quoi tuer plus de deux cents souris d'un coup.

Soudain, la Chose ouvrit en grand les yeux. L'illumination.

Comment n'y avait-elle pas pensé plus tôt ? Cette femme ce matin, cette petite *pute*, elle était sur les photos !!! Oui, sur les photos prises dans les bois, lorsque les flics avaient trouvé le cocon !

C'était une flic.

Sans lâcher le grillon qu'elle serrait dans une main, la Chose courut jusqu'à sa boîte en inox, elle l'ouvrit et en dégagea une série de clichés très nets. On pouvait y voir une chute d'eau de quelques mètres et un groupe d'individus à proximité, au pied d'un arbre. La Chose passa à la photo suivante, puis une autre encore. Elle était là. Cette femme avec ses longs cheveux noirs, sur la photo elle portait des tresses qu'elle n'avait pas ce matin, mais c'était bien elle.

Toi, je te garde un chien de ma chienne quand je saurai qui tu es...

Qui sait ? Peut-être venait-elle de trouver la destinataire de la *Phoneutria fera* ?

Et pour savoir ton nom, je n'ai pas besoin d'aller très loin.

Il suffisait d'envoyer anonymement les photos à la presse. Ils feraient tout le boulot pour elle, et l'imprimeraient en première page.

La Chose dévoila ses dents. Elle avait écrasé le grillon dans sa main, sans s'en rendre compte.

Un gémissement étouffé traversa la porte dans le fond de la pièce. Un gémissement humain.

Elle faisait bien de se manifester celle-là, songea la Chose. Il fallait s'en occuper, le reste pouvait bien attendre un peu.

Nourrir tout ce beau monde prenait du temps.

D'abord, c'était son tour à elle.

23

Nelson Henry reçut un coup de téléphone qui l'inquiéta grandement.

Un détective privé voulait le voir pour lui poser des questions sur les araignées. Il avait obtenu son nom par un réseau de connaissances de Portland.

Henry se servit une rasade de bourbon qu'il engloutit aussi vite. Que fallait-il faire ? Sa main gauche tenait le verre vide, la droite était posée sur le téléphone. Appeler ses amis ? Les prévenir ? Leur demander conseil ?

Non, bien sûr, si le privé avait des connaissances, c'était certainement dans la police, on pourrait retracer le coup de fil. Non, il fallait la jouer profil bas, répondre à toutes les questions, ne surtout pas se rendre suspect. Oui, mais allait-il pouvoir jouer la comédie ? Tout à fait ! Il le faisait en permanence avec ceux qu'il côtoyait, alors que l'autre soit détective privé ou pas ne changeait rien. Si personne ne l'avait jamais confondu ça n'était pas cet inconnu qui allait y parvenir !

– Nelson, respire. Il n'y verra que du feu, se dit-il.

Il se servit encore un peu de bourbon et attendit que le carillon sonne, une heure plus tard.

Ils étaient deux sur le gazon brûlé par le soleil du début d'après-midi. Un homme, ce Joshua Brolin, et une femme. Plutôt belle, bronzée, avec de longues boucles d'ébène couvrant le voile de sa chemise. Celle-ci était tellement transparente qu'on pouvait voir le petit débardeur qu'elle portait en dessous. Henry apprécia.

L'homme vint à sa rencontre, apparemment insensible à la chaleur malgré son jean et son t-shirt noir. *Ce type est taré*, songea Henry. Jusqu'à ce que Brolin soit assez près pour qu'ils puissent se voir dans les yeux. Nelson Henry se sentit alors obligé de détourner le regard, un instant. Il ne s'était pas attendu à une telle intensité.

– Monsieur Henry ?

Celui-ci redressa la tête et s'humecta les lèvres.

– Oui, moi-même. Vous êtes le détective privé, j'imagine…

– Oui, approuva Brolin en montrant sa carte. Et voici mon associée, Annabel.

– Entrez, venez, on ne va pas rester dehors avec un temps pareil.

Ils le suivirent dans la maison. Nelson Henry vivait à une quinzaine de kilomètres à l'ouest de Portland, à l'entrée des monts Tualatin, dans une bâtisse en bois à l'écart du village de Rock Creek. C'était un coin reposant, avec peu de voisins, de grandes étendues d'herbes et des bois pour toute clôture, Nelson Henry n'était importuné par personne. L'intérieur de sa demeure était comme on pouvait s'y attendre en la voyant de l'extérieur : sobre et commun. S'il n'y avait eu les cadres avec photos et quelques numéros d'une revue de pêche cela aurait pu être la maison de n'importe qui d'autre. Il n'y avait pas de souvenirs de voyage accrochés partout aux murs, ni la moindre marque d'excès, même

206

la télévision était banale au possible : un modèle vieux de quinze ans au moins.

– J'espère que nous ne vous dérangeons pas ? interrogea Brolin après avoir glissé son regard sur la bouteille de bourbon ouverte sur la table basse.

– Non, d'habitude le samedi après-midi je me promène, mais il fait si chaud en ce moment que je tourne en rond chez moi. Alors, que puis-je faire pour vous ? Je ne vous cacherai pas que c'est pas tous les jours que je reçois des détectives privés.

Il leur fit signe de s'asseoir dans le canapé en face de lui.

– On m'a dit que vous êtes un expert des araignées, vous travaillez avec le laboratoire du musée d'histoire naturelle de la ville, si mes sources sont bonnes.

– C'est exact. Quant à « expert », je dirais plutôt « passionné ». Qui vous a donné mon nom ?

C'était là le point sensible pour Henry.

– Une amie journaliste, spécialisée dans les articles scientifiques ayant un rapport avec Portland ou l'Oregon. Elle a un carnet d'adresses bien fourni, elle a passé un coup de téléphone au musée, et ils lui ont parlé de vous.

Henry se détendit un peu. Il aurait dû y penser, c'était le plus évident.

– Bien sûr… lâcha-t-il, se libérant en même temps d'une grande tension.

Il devait cependant se montrer prudent, tout danger n'était pas écarté.

Annabel scruta leur interlocuteur. Il devait avoir la cinquantaine, de taille moyenne, avec la bedaine propre à beaucoup d'hommes de son âge. Il était impeccablement rasé, même pour un samedi, et n'avait pas à proprement parler l'air commode. Ses rares cheveux étaient blancs et se dressaient en touffes clairsemées, détail qui aurait pu amuser la jeune femme s'il n'y avait eu les circonstances.

– Ma question va vous sembler étonnante j'imagine, prévint Brolin, en fait j'aimerais savoir comment on fait pour récolter de la soie d'araignée.

– En récolter ?

– Oui, en faire une provision en vue de tisser un cocon soi-même.

Henry se passa la main devant la bouche. Après un silence il secoua la tête.

– C'est impossible, se contenta-t-il de dire.

– Comment ça ? s'étonna Annabel.

– On ne peut pas « récolter » de la soie pour la bonne et simple raison qu'on ne peut pas faire d'élevage d'araignées dans ce but.

– Je croyais que certains amateurs se constituaient leur propre vivarium ? renchérit Brolin.

– Oh, ça oui, le problème n'est pas là. Il est dans l'idée même de faire de l'élevage en batterie pour récolter de la soie. Je vais être plus clair : la soie d'araignée fait le dixième du diamètre d'un cheveu humain, pour obtenir suffisamment de fil pour confectionner un t-shirt, il faudrait épuiser plusieurs centaines d'araignées quotidiennement. Vous imaginez le rendement ? Quand on ajoute à cela que les araignées sont très peu sociales et qu'elles ont l'instinct territorial, vous voyez ce que ça peut donner ! Laissez-les les unes à côté des autres et elles s'entre-dévoreront. Autant dire que la récolte de la soie d'araignée est un mythe, une utopie.

Brolin se rembrunit. Il devait pourtant y avoir une explication. Il décida de livrer une parcelle de vérité :

– Pour tout vous dire, nous avons trouvé un cocon, un cocon de très grande taille, plusieurs dizaines de centimètres. Un expert l'a authentifié comme étant en soie.

Nelson Henry remua dans son fauteuil. Il guetta ses deux vis-à-vis, cherchant à s'assurer qu'il ne s'agissait pas d'une blague. Ils avaient l'air tout à fait sérieux.

– Je… J'aimerais bien voir ça, souffla-t-il enfin. Qu'il s'agisse de soie d'araignée est tout simplement impossible, sans aucun doute. En revanche c'est peut-être de la soie de bombyx, le ver à soie. Ça serait très difficile à faire et d'un prix défiant l'imagination, mais là au moins ça ne tient pas du domaine de la science-fiction.

Brolin serra les dents. L'entomologiste de la police avait été catégorique sur ce point, c'était bien de la soie d'arachnides et pas de lépidoptères.

– Serait-il possible d'y jeter un coup d'œil ? demanda Henry.

– J'ai bien peur que non. Les autorités en gardent l'accès.

– Ah ? Les autorités. La… La police est mêlée à ça ?

– Plus ou moins, je ne peux pas en dire plus pour le moment, je suis navré.

– Mais, euh, où l'a-t-on trouvé, ce *cocon* ?

– Je ne sais pas, monsieur Henry, je travaille pour un particulier, c'est une affaire compliquée dont nous n'avons nous-mêmes pas tous les éléments.

Brolin préférait mentir et jouer sur l'ignorance. En revanche, sa propre curiosité était à son paroxysme, il revint à la charge :

– J'ai lu quelque part que les propriétés de cette soie d'araignée étaient incroyables, cela n'a-t-il jamais intéressé les laboratoires de recherche ? N'existe-t-il pas de production industrielle ?

Henry déglutit en cherchant sa bouteille de bourbon. Il la vit mais n'esquissa aucun geste en sa direction. *Pas maintenant, quand ils seront partis. Continue de parler.*

– Encore une fois, insista-t-il, à moins de disposer de millions d'araignées renouvelables en permanence, d'être au fait d'une technologie de pointe dans des laboratoires gigantesques, à un coût prohibitif, non, personne n'a jamais réussi à produire une telle soie en grande quantité, et ça n'est pas faute d'avoir essayé. L'armée a longtemps sué là-dessus avant d'abandonner. En revanche, si ce sont les propriétés de la soie qui vous intéressent, il y a bien quelques groupes d'industriels qui font des travaux là-dessus. Dont l'un se trouve ici, à Portland. NeoSeta. Ils travaillent sur des manipulations génétiques pour obtenir de la soie dans le lait des vaches.

Annabel écarquilla les yeux.

– Je vous assure que c'est vrai, insista Henry. Et le gouvernement prend très au sérieux ces recherches, à tel point qu'il en finance une partie.

Brolin nota le nom de NeoSeta sur son calepin.

– La communauté des mordus d'araignées, comment les appelle-t-on, les arachnophiles ? ne doit pas être très étendue, j'imagine. Vous discutez entre vous, vous vous rencontrez ? interrogea Annabel.

– Détrompez-vous, il y a énormément de gens que les araignées fascinent. Vous n'avez qu'à aller sur Internet, vous allez voir. Il y a beaucoup de sites consacrés à nos petites amies à huit pattes.

– Et dans la région, vous-même vous connaissez d'autres personnes qui s'y intéressent ?

Henry se gratta nerveusement l'avant-bras.

– Eh bien, euh, il y en a quelques-uns, comme partout, enfin pas que je connaisse personnellement. Vous savez, on vient me voir au musée de temps en temps, pour me demander mon avis. Tenez, la semaine dernière, un homme m'a apporté le cadavre d'une de ses mygales pour que je l'autopsie et lui confirme qu'elle n'avait pas un parasite. Il avait peur que tout son élevage soit contaminé.

– Vous vous rappelez son nom ? voulut savoir Annabel.

– Mademoiselle, si vous comptez interroger tous les amateurs d'araignées, vous allez y passer du temps, croyez-moi, même en vous focalisant uniquement sur Portland et sa banlieue. Rien qu'avec la présence de NeoSeta qui doit employer une quinzaine de spécialistes, vous avez de quoi faire. Ce sont des créatures à la mode depuis dix ans, les gens se prennent d'affection pour les serpents, les scorpions ou les araignées. Ça va bientôt devenir *chic* d'avoir un terrarium dans son salon.

Il soupira, les sourcils froncés. Puis il se leva et tira un stylo et un bloc de papier du tiroir d'un secrétaire. Il griffonna quelque chose sur une feuille qu'il arracha avant de la tendre à la jeune femme.

– Tenez, c'est l'adresse d'une boutique en ville, c'est là que la plupart des passionnés se fournissent, du moins les plus experts. C'est cher mais la propriétaire sait ce qu'elle fait. Pas comme toutes ces chaînes animalières où on vous vend des tarentules adultes, infestées de virus.

Annabel et Brolin échangèrent un coup d'œil rapide et se levèrent à leur tour. Ils le remercièrent vivement, et lorsqu'ils furent dehors, Henry s'appuya sur la porte et ferma les yeux, il suait.

Dieu, que c'était passé près.

Cette fois, il avait bien cru qu'il était fait.

24

Dans la Mustang, il faisait si chaud que le cuir des sièges était brûlant. Annabel et Brolin roulèrent vitres ouvertes pour se rafraîchir.

– Qu'est-ce que tu en penses ? s'écria le détective privé par-dessus le vacarme.

– Je ne sais pas, je n'arrive pas à comprendre. Tu as entendu ce qu'il a dit, c'est impossible qu'il s'agisse de soie d'araignée.

– C'est pourtant confirmé par l'entomologiste qui a examiné le cocon, il est formel, la provenance est arachnéenne, et c'est cent pour cent biologique.

– Ce qui exclut une fuite de chez NeoSeta.

– On ne sait jamais. J'aimerais rencontrer quelqu'un de chez eux.

– Josh, je ne saisis pas la démarche du… tueur. Je veux dire, il se donne un mal fou pour enfermer sa victime dans un cocon dont on ignore comment il le constitue. Il poursuit dans sa logique en suspendant le corps dans un arbre, et j'oublie de mentionner que la victime a été vidée, et que ça sentait, quoi – l'acide, non ? – à l'intérieur. Comme si on lui avait liquéfié les

organes avant de les aspirer, à la manière d'une araignée qui se nourrit ; c'est bien ça ?

Brolin lui avait fait un compte rendu de l'autopsie un
peu plus tôt. Il hocha la tête.

– Ce mec fait tout pour agir comme une araignée,
continua Annabel, il utilise des méthodes qui nous dépas-
sent jusqu'à présent. Et malgré ça, il laisse du sperme
dans la gorge de sa victime. C'est pas illogique ça ? Il
avait tout réussi pour se faire passer pour une… *araignée
géante*, et voilà que le « détail » du sperme dans la gorge
vient tout foutre en l'air. C'est complètement idiot.

– Pas tant que ça.

Brolin remonta sa vitre avant de poursuivre :

– Il peut y avoir d'un côté une part de lui qui se dés-
humanise, qui se transforme, du moins le croit-il, et de
l'autre le moteur de toute sa violence, une excitation
sans borne, dominée par une quête du bonheur, du
mieux-être ou tout simplement de la vraie jouissance,
celle qu'il n'atteint pas dans des circonstances normales.
Il peut venir un temps où les deux ne coïncideront plus,
alors les ennuis s'amplifieront pour lui. Ce paradoxe
deviendra une source de déchirement.

– Le genre de type à finir par se suicider, non ?

– Pourquoi pas. Mais ça n'est qu'une hypothèse, il
peut également être dans un délire symbolique, le
monde des araignées a une portée plus profonde, qui
s'adresse au monde, c'est un message, le sperme n'étant
que le résultat de l'acte lui-même.

« Ou peut-être que tout ça n'est qu'une vaste mise en
scène pour nous berner, ajouta-t-il sans y croire.

– Il se donne un sacré mal pour une mise en scène.

– Ce qui m'inquiète davantage, ce sont les petites
choses qu'il fait et qui n'ont aucune raison d'être. De
raser entièrement sa victime, ou de la parfumer

213

d'épices. Ça n'a rien à voir avec cette obsession arach-nophile ni avec une jouissance sexuelle ou de pouvoir, peu importe. Cela appartient à son univers, à un fantasme qu'il ne laisse pas transparaître, un besoin qu'il domine, qu'il maîtrise. Il sait parfaitement ce qu'il fait. C'est là qu'il me fait peur.

– Je me souviens avoir senti cette odeur d'épices sur le cadavre. J'ai eu du mal à le croire sur le coup...

– Quoi qu'il en soit, on sait une chose : il a une grande connaissance des araignées, reste à découvrir comment il procède pour obtenir cette soie. Pour fabriquer un cocon de cette taille, cela a dû lui prendre un sacré moment, il y a une raison derrière, il s'est donné autant de mal dans un but précis.

Annabel laissait aller son bras contre le vent à l'extérieur de la voiture, savourant cette sensation de vague soyeuse comme le font les enfants.

– C'est peut-être la bonne nouvelle, fit-elle après un silence. Quelle que soit la méthode qu'il utilise, ça doit lui prendre un temps fou pour amasser autant de soie, et il ne va peut-être pas tuer avant de pouvoir refaire un cocon.

– Espérons...

Annabel regarda sa montre. 15 h 15, il n'était pas tard.

– On peut aller rendre visite à... (Elle sortit la feuille de papier de sa poche.) *Bug'em all*, la boutique de ce cher monsieur Henry. D'ailleurs, tu l'as trouvé comment ce Nelson Henry ?

– Nerveux.

– Moi aussi. C'est les insectes qui font ça à la longue, tu crois ?

Annabel souriait et observa Brolin qui demeurait impassible, braqué sur la route. Elle haussa les sourcils.

– Gagnons du temps, lança-t-il, je te dépose à la boutique pendant que je vais faire un tour à NeoSeta.

– Un samedi après-midi ? Il n'y aura personne.

– Tant mieux, moins de barrière à franchir ainsi. Il y aura bien un employé zélé qui fait des heures supplémentaires, ou au moins un gardien qui me refilera quelques infos.

Brolin exhiba son téléphone portable hors de sa poche.

– Je vais arranger ça. Pour l'heure il faut amasser un maximum de données, si possible dresser une liste de tous ceux qui gravitent dans le monde des araignées. On part sur des bases très larges, on affinera avec un peu de temps. Et ce soir, on fait le point, avec Larry, pour le tenir au courant.

Annabel hoqueta de rire. Elle était de l'autre côté du pays, loin de chez elle et de son boulot, et voilà qu'elle avait l'impression de s'entendre elle-même lorsqu'elle dirigeait une enquête.

Brolin posa une main sur son bras.

– Promis, dès que nous aurons quelques heures je t'emmène loin de tout ça, au bord de mer.

Les cheveux virevoltant au vent, la jeune femme observa Brolin du coin des yeux, à travers le soleil éclatant. Elle n'en demandait pas tant, ils étaient ensemble, et à bien y réfléchir, elle n'avait jamais connu Brolin autrement que dans le vif d'une enquête, ils partageaient les accalmies en les savourant, et c'était ce qui lui plaisait depuis le début. Peu importaient les événements autour, ils n'étaient que prétextes…

*
* *

215

NeoSeta faisait partie de ces entreprises qui avaient choisi d'installer leur siège à Portland en grande partie grâce au dynamisme de la ville, comme l'avaient fait Adidas, Epson, Nike et bien d'autres. Mais si ces grands groupes avaient élu domicile dans le quartier des affaires ou dans les zones industrielles, NeoSeta se situait à l'écart, sur les abords de Willamette Heights.

À la grande surprise de Brolin, l'entreprise fonctionnait six jours sur sept en cette période ; la fin du semestre approchant, il leur fallait obtenir certains résultats en rapport avec leur budget. Brolin n'en apprit pas plus. En revanche, obtenir un rendez-vous releva de la gageure. Brolin insista, prétextant une enquête très importante, il expliqua qu'il était prêt à faire appel au bureau de l'attorney s'il le fallait, citant le nom de Bentley Cotland qu'il connaissait en personne, rien n'y fit. Il appela le Central de police, et parla au capitaine Chamberlin. Cela dura peu de temps, les deux hommes évitèrent la moindre allusion au passé. Un quart d'heure plus tard le téléphone portable de Brolin sonnait, c'était le responsable des relations publiques de l'entreprise. On l'attendait dans l'heure.

Brolin avait déposé Annabel dans le centre-ville en lui fixant un point de rencontre dans un Starbucks coffee, et avait pris la direction du nord-ouest, vers les hauteurs de la ville.

Il fallait prendre sur près d'un kilomètre une route goudronnée qui desservait uniquement l'entreprise avant d'atteindre une très grande construction blanche, au milieu d'une vaste prairie. NeoSeta ressemblait à une hacienda démesurée avec ses murs parfaitement blancs, ses galeries ouvertes à arcades et ses multiples toits de tuiles orange. Le tracé des murs laissait deviner plusieurs patios à l'abri des regards extérieurs. Le parking où fondaient au soleil plusieurs dizaines de véhicules contrastait avec cette apparente décontraction. Cent ou peut-être deux cents personnes devaient y travailler, en conclut Brolin. Il se gara, et remarqua la présence de trois longs hangars derrière le bâtiment principal, dont l'austérité détonnait également.

Brolin ne tarda pas à découvrir que NeoSeta n'avait d'une hacienda que l'apparence. Le hall d'accueil était ultramoderne, avec porte vitrée automatique, portique d'accès sécurisé et les ascenseurs s'ouvraient sur présentation d'un badge magnétique.

Une hôtesse au standard lui souhaita la bienvenue en lui demandant une pièce d'identité et sa licence de détective privé. On ne plaisantait pas avec la sécurité ici. Un homme en costume anthracite vint prendre les documents et disparut derrière une porte à peine visible, dont les interstices se confondaient au mur. Brolin eut envie de sourire en constatant que l'homme portait une petite oreillette. On se serait cru à Langley, le siège de la CIA. Après quelques minutes l'hôtesse décrocha un téléphone sans qu'il n'ait sonné et hocha la tête. Elle offrit à Brolin son plus beau sourire et lui tendit un badge d'accès, de couleur rouge et muni d'une énorme lettre V. On ne pouvait ainsi pas manquer de savoir qu'il était un visiteur, rien de plus.

– Vous devez le porter à tout moment, bien visible, lui expliqua-t-elle. M. Haggarth va venir.

– Qui est M. Haggarth ? demanda Brolin en s'approchant du comptoir.

– C'est le chef d'un groupe technique de nos laboratoires, il sera accompagné de notre responsable des relations publiques que vous avez eu au téléphone tout à l'heure.

Brolin prit le badge et la porte d'un des ascenseurs s'ouvrit sur deux individus en costume strict. L'un des deux portait par-dessus une blouse blanche ouverte. Brolin remarqua aussi que, malgré les fonctions apparemment importantes qu'ils occupaient, tous deux arboraient bien en évidence leur badge de couleur bleue.

On lui fit passer le portique qui se mit à sonner. Le chef de la sécurité se précipita pour fouiller Brolin mais Donovan Jackman, le responsable des relations publiques, intervint.

– Monsieur Brolin n'est pas un terroriste, je prends la responsabilité de l'accompagner avec son arme...

Il posa une main dans le dos de Brolin pour l'emmener vers l'ascenseur, un sourire plein d'afféterie plaqué aux lèvres. Une fois dans la cabine, il pressa le bouton « 2 », le dernier étage d'un affichage qui indiquait pas moins de trois sous-sols, et se tourna vers le détective privé. Donovan Jackman était l'archétype du cadre supérieur approchant la cinquantaine, et dont l'apparence devait être irréprochable. Son costume était impeccable, il était si bien rasé qu'on pouvait douter qu'il eût une pilosité quelconque sur les joues, il sentait l'after-shave de qualité et ses cheveux bruns – teintés ? – étaient parfaitement disposés selon une raie excentrée sur sa droite. À bien y regarder, il avait un petit air à la Pierce Brosnan.

– Je suis sincèrement navré que l'on vous ait éconduit lors de votre tentative d'obtenir un rendez-vous, s'excusa-t-il, c'est que nous sommes un peu pris par le temps, nous travaillons six jours sur sept pour combler le retard, nos équipes se relaient en fonction des jours de la semaine et aujourd'hui, nous sommes peu nombreux. Le capitaine Chamberlin de la police de Portland m'a expliqué qu'il s'agissait d'une affaire très importante dans laquelle NeoSeta pouvait peut-être vous apporter quelques éclaircissements, j'ai bien tout compris ?

– Exactement.

Devant la réponse laconique de Brolin, Jackman ne baissa pas le regard, il soutint cette force qui irradiait des deux prunelles de ténèbres.

– Le capitaine Chamberlin m'a brièvement relaté les circonstances, expliqua Jackman. Vous voudriez avoir un maximum de renseignements sur la soie d'araignée et sa fabrication. C'est pourquoi j'ai demandé à M. Haggarth de se joindre à nous. Il est le responsable d'une de nos équipes qui travaillent sur ce genre de matière.

Arrivé au deuxième étage Brolin put constater que les couloirs ressemblaient davantage à ceux d'une habitation qu'à une entreprise. Un carrelage mexicain couvrait le sol, les murs blancs étaient décorés de quelques tableaux – des copies insipides de Copley et Stuart – et des plinthes ciselées décoraient le couloir, lustrées avec soin. Jackman les fit entrer dans une pièce chaleureuse. Un bureau et des étagères en érable, un large tapis amérindien, des stores vénitiens en fines lattes de bois et un ventilateur sur pied derrière l'ordinateur constituaient l'essentiel du mobilier.

– Asseyez-vous, je vous en prie. Avant toute chose, je vais vous présenter brièvement notre société. Le principal objectif de NeoSeta est la production industrielle d'une soie ayant les mêmes propriétés que celle des araignées. Pour cela, nous avons lancé, il y a quatre ans, un programme de recherche très élaboré, faisant essentiellement appel aux travaux sur la génétique. Nos principaux financiers sont privés – NeoSeta est entrée en Bourse –, mais également publics puisque les gouvernements américain et canadien nous alimentent en crédits chaque année.

– Quel est l'intérêt de la soie d'araignée ? interrogea Brolin qui connaissait ses propriétés de résistance incroyables mais en ignorait les détails.

– Multiple. Déjà, elle est six fois plus résistante que le Kevlar et deux fois plus élastique que le nylon, elle est souple et légère, non toxique et biodégradable. C'est le matériau connu le plus robuste. Tenez, prenez ce crayon par exemple. (Il saisit un crayon à papier sur son bureau et l'agita doucement devant lui.) Un fil de ce diamètre-là pourrait arrêter un Boeing 747 en plein vol. Je vous assure que c'est vrai, vous n'avez qu'à pianoter sur Internet et vous trouverez toutes les formules précises de résistance de la soie d'araignée, c'est phénoménal.

Le soleil pénétrait dans la pièce au travers des stores baissés. Brolin était assis en face de Donovan Jackman, enfoncé dans un confortable fauteuil sur roulettes. Il fit signe qu'il le croyait, il avait déjà entendu parler de ça.

– Quels sont les marchés que vous visez ? voulut-il savoir.

– Deux énormes possibilités avant tout : les domaines médical et militaire. Dans un avenir proche nous serons à même de produire un nouveau type de fil de suture et des ligaments artificiels. D'autre part, les gilets pare-balles constitués de ce type de fil seront bientôt une révolution pour les soldats et les policiers : plus résistants, plus souples, et beaucoup plus légers. À tel point qu'il sera possible de faire des cagoules avec ce matériau. Et tout cela sans compter sur les marchés du câble de ponts suspendus, ou des lignes de pêche : ce dernier à lui seul représente un marché annuel de 500 millions de dollars, c'est dire !

– Je comprends mieux toutes ces mesures de sécurité en bas…

– C'est indispensable, d'abord en raison d'un espionnage industriel farouche mais aussi parce que nous travaillons pour l'armée, du moins avec ses financements. Monsieur Brolin, avant d'aller plus loin, je voudrais juste faire une… comment dire ? petite mise au point. Je m'explique : NeoSeta n'a pas besoin de publicité, nous préférons rester discrets pour le moment, nos travaux ne sont pas achevés, et la production de soie d'araignée « synthétique » n'est pas encore tout à fait au point. Lorsque nous serons prêts, nous nous exposerons au grand jour, avec une campagne d'information, pour faire connaître nos résultats. En attendant, ce secteur industriel est en effervescence, nous avons quelques rivaux dans le monde et tous jouent la carte du secret. Aussi, de près ou de loin, NeoSeta ne tient pas à être mêlée à votre enquête, dont j'ai cru comprendre qu'elle concernait une affaire très grave, bien que le capitaine Chamberlin ne soit pas entré dans les détails. Je ferai tout mon possible pour vous aider, en retour de quoi je vous demanderai la plus grande discrétion à votre tour.

Brolin hocha la tête. Jackman joignit les bouts de ses doigts devant sa bouche comme pour former un triangle.

– Bien, nous pouvons passer à vos questions dans ce cas. M. Haggarth sera notre… « complément technique », si vous m'autorisez l'expression, Newton ?

Newton Haggarth eut un ricanement nerveux. Il tira sur sa blouse en se penchant sur une fesse pour la défroisser. C'était un homme de petite taille, avec des lunettes en écaille et une couronne clairsemée de cheveux blancs.

Brolin sortit son calepin de sa poche arrière de jean, le posa sur sa cuisse et commença :

– J'ai rencontré un spécialiste des araignées avant de venir, il m'a affirmé qu'il était impossible de faire de l'élevage d'araignées pour obtenir de grandes quantités de soie. Est-ce aussi votre avis ?

Haggarth secoua le visage.

– Oui, c'est impossible, en tout cas pas facilement et surtout pas pour obtenir assez de soie pour faire quoi que ce soit.

– Personne n'y est jamais parvenu ?

– Non, je ne crois pas. Si vous le souhaitez, je vous présenterai notre chef de projet tout à l'heure, elle est plus pointue que moi sur les arachnides et leur histoire. Et même si on y était arrivé, cela ne serait pas rentable, il faudrait des hectares entiers d'exploitation pour obtenir une quantité substantielle de soie en vue de débouchés industriels. Non, c'est impensable.

Brolin souligna le terme « impossible » dans son calepin.

– Puisque les araignées sont si asociales et difficiles à maîtriser, contrairement aux vers à soie, pourquoi n'utilise-t-on pas cette soie-là ? Je n'y connais pas grand-chose, avoua Brolin, mais on parvient bien à les élever et à recueillir leur soie en très grande quantité puisqu'on s'en sert partout dans le monde pour les textiles, quelle différence y a-t-il ?

– L'araignée produit la soie dans les glandes situées à l'arrière de son abdomen et l'extrait par ses filières, expliqua Haggarth. Elle se jette du sommet de sa toile et utilise la vitesse constante de sa chute pour obtenir un fil d'une grande unité qui lui confère sa solidité. On appelle ça le fil de traîne ou de trame. En revanche, le ver à soie comme vous dites, la chenille de bombyx, se sert de sa tête en décrivant des millions de huit tout en exécrant une bave filamenteuse. En durcissant la bave devient une fibre qui permet d'obtenir le fil, le cocon qui se forme alors est composé d'une trentaine de couches de fil, un assemblage qui rend le cocon peu résistant. En fait, la soie de ver peut être soit élastique, soit résistante, mais pas les deux, contrairement à celle des araignées.

– Dans ce cas, peut-on reproduire les propriétés de la soie d'araignée de manière synthétique ? demanda Brolin.

Jackman, en bon médiateur, suivait le débit d'informations, pour le moment satisfait des questions et des réponses ; il veillait à ce qu'on n'en dise pas trop sur toutes les techniques utilisées par l'entreprise. Haggarth pinça ses lèvres avant de parler :

– Qui n'en a pas rêvé ? Non, impossible. Les qualités naturelles de cette soie, en particulier la soie de trame d'araignée, sont si singulières que personne n'est jamais parvenu à les recréer. D'où les millions de dollars dépensés dans la recherche sur cette petite bête à huit pattes.

– Comment faites-vous alors pour fabriquer votre soie chez NeoSeta ?

– Pour faire simple, disons que nous avons isolé le gène de l'araignée qui code la protéine de soie, avant de l'introduire dans des cellules embryonnaires de vache pour qu'il s'exprime dans les glandes mammaires. C'est un organisme qui peut lire les instructions génétiques et produire des protéines de soie. Il y a une grande ressemblance anatomique entre la glande sécrétant la soie chez l'araignée et les glandes mammaires, vous savez. Chez les deux, on trouve des cellules épithéliales fabriquant et sécrétant des protéines complexes hydrosolubles en grande quantité. Au final, nous obtenons des vaches « transgéniques » capables de produire du lait qui contient des protéines de soie d'araignée. Il nous faut alors les filtrer, environ 20 grammes par litre, s'assurer de leur isolement, les purifier. Les protéines sont ensuite filées selon une technique dont nous sommes les seuls détenteurs au monde. C'est un procédé ultrasecret, que très peu de gens connaissent ici.

Brolin marqua une pause après avoir noté quelques informations. Le procédé était complexe, et certainement coûteux. Il trouvait étrange, presque amusant, qu'on puisse se donner autant de mal pour obtenir un fil quasi invisible. « Dix fois plus fin qu'un cheveu », lui avait dit Neslon Henry, le passionné des araignées.

– Ça vous dépasse, hein ?

Haggarth avait dit cela avec une jubilation à peine contrôlée, tout ce domaine était pour lui une source d'émerveillement et de joie qu'il se plaisait à faire partager, juste pour voir les expressions dubitatives de ses interlocuteurs.

– Vous savez, poursuivit-il, à la base, la soie de l'araignée ne diffère pas de celles d'autres arthropodes tisseurs, des vers à soie, des coléoptères ou d'autres. Acides aminés simples, glycine et alanine essentiellement. C'est la manière dont elle file sa soie qui fait de l'araignée une créature différente de toutes les autres. Aucune autre espèce ne parvient à ce qu'elle fait, et ce depuis plus de quatre cents millions d'années. Elles peuvent transformer une solution protéique liquide en un fil plus résistant que tout ce que nous connaissons sur cette planète. Une conversion qui s'effectue sans matériel particulier, à pression et température ambiantes, sans ajout de produit chimique toxique, et tout ça dans un organisme pas plus grand qu'une phalange de votre doigt, voire plus petit encore !

Il était évident que Newton Haggarth était plus que fasciné, il vouait un culte sacré aux araignées.

– Et nous, continua-t-il, hommes à l'intelligence « supérieure », ne parvenons même pas à reproduire cela malgré tous nos laboratoires et nos savoirs savants…

– Oui, enfin « ne parvenaient pas », corrigea Jackman. Jusqu'à NeoSeta.

– Serait-il possible de visiter vos laboratoires ? interrogea Brolin.

Jackman croisa les bras sur sa poitrine.

– Je crains que non. Moi-même je n'y ai accès que très difficilement, et encore, pas dans tous. En revanche, je peux vous montrer les salles d'études de nos spécimens d'arachnides. Vous cherchez un renseignement en particulier ?

– Non, c'est simplement pour… m'imprégner de l'ambiance. C'est en voyant que les idées et les questions viennent.

Jackman approuva. Il se leva.

– Dans ce cas, nous pouvons descendre. Serait-il déplacé de vous demander de quel type d'enquête il s'agit ?

Jackman les accompagna jusqu'au couloir et referma la porte de son bureau avec soin.

– Je ne peux en dire davantage que ce que le capitaine Chamberlin vous a confié, l'informa Brolin avec un certain plaisir à l'idée de se montrer cachottier à son tour. Disons que nous avons trouvé une quantité de soie d'araignée et que nous aimerions en savoir plus pour remonter jusqu'à son *propriétaire*.

– Quelle quantité ? questionna Haggarth.

– Beaucoup. Un entomologiste est en ce moment en train de l'étudier pour en connaître l'exacte dimension. De quoi s'en servir comme d'une cape, je dirais, ou un minuscule duvet.

Haggarth ralentit aussitôt le rythme dans le couloir. Ses sourcils étaient si froncés qu'il avait l'air furieux.

Brolin s'approcha :

– Un problème ?

– Euh… C'est que… c'est impossible, autant de soie. Nous sommes à la pointe de la recherche dans le domaine, et nous en sommes incapables ; même l'armée après trente ans d'efforts a baissé les bras en laissant des entreprises privées faire le boulot à sa place, se contentant de le financer. Non, en fait, ce que vous dites n'est pas possible.

Brolin leva une main dans l'air, devant lui.

– Alors qu'est-ce que c'est ? Un expert l'a authentifié. De la soie d'araignée, naturelle.

Un tic nerveux secoua le haut de la joue d'Haggarth. Il esquissa un semblant de sourire avant de dire sombrement :

– C'est peut-être une araignée non répertoriée. Un spécimen géant…

Il gloussa stupidement en reprenant sa marche.

25

La foule du samedi après-midi sur Yamhill était compacte, le centre commercial de Pioneer Place attirant des hordes de promeneurs dans le centre-ville de Portland. Aux côtés d'Annabel, Larry Salhindro portait son embonpoint sous son uniforme de policier. Il n'avait pas été difficile de le trouver, un coup de téléphone au Central de police où il passait le plus clair de son temps avait suffi pour qu'il la rejoigne. Peut-être parce qu'elle se sentait incapable ici, sans le pouvoir que lui conférait sa plaque de flic, Annabel avait songé à le contacter dès que Brolin l'avait déposée. C'était un homme touchant, c'était grâce à son stratagème qu'elle était là, avec Joshua, et il émanait de lui une gentillesse communicative. Et puis il fallait reconnaître qu'il détenait toutes les informations nécessaires à l'enquête ; avec lui, Annabel savait qu'ils pourraient aller n'importe où et poser leurs questions.

Elle lui avait demandé s'il pouvait se procurer une des araignées trouvées chez les victimes d'agressions en ville et il avait fait tout son possible pour descendre du Central avec une petite fiole en plastique transparent contenant le corps recroquevillé d'un arachnide noir.

Larry commença par prendre des nouvelles de la jeune femme, il était au courant pour l'épisode du matin. Elle avait touché le tueur probable et en ressortait bredouille. Cette simple évocation la fit bouillir de rage.

Pour la détendre, Salhindro se mit à plaisanter. Une fois le sujet délicat écarté, il essaya de savoir pour quelle raison elle voulait le voir, avec un spécimen d'araignée de surcroît.

– Allez-vous enfin me dire où on va ? s'indigna-t-il sans véritable agacement.

– Si je vous le dis, vous allez refuser de m'accompagner.

– Si c'est illégal, c'est certain !

– C'est tout à fait légal, soyez sans crainte. En revanche, je ne suis pas sûre que ce soit exempt de tout danger, répondit-elle avec amusement.

La jovialité qui émanait de la jeune femme rassura Larry. C'était une façon de parler, elle n'aurait pas dit cela sur ce ton si c'était vraiment dangereux, pensa-t-il.

– Je voulais aussi vous dire merci, Larry. Pour m'avoir fait venir.

L'intéressé haussa ses épaules massives.

– Josh est un homme pas comme les autres.

Au fond de lui, Salhindro avait pensé « *plus* comme les autres ».

– On peut pas lui en vouloir, poursuivit-il, il est comme ça c'est tout, atypique. Des fois je me demande s'il vit avec nous, sur cette planète, ou s'il est seulement de passage.

Annabel rit à ces mots. Salhindro continua :

– Non, je vous jure. Il a quoi ? Trente-cinq ans ? On a l'impression qu'il en a le double, avec toute l'expérience d'une vie cynique. Vous imaginez ? Formé par le FBI au profiling, inspecteur promis à un grand avenir dans la police de Portland, et… Il quitte tout pour devenir détective privé, isolé du monde, reclus même. Par moments, il me fait penser à Hemingway, une certaine sagesse, l'observation, et le refus de vivre au bout du compte… C'est pour ça, comme il parle souvent de vous, je me suis dit que ça serait une bonne chose que vous soyez un peu ensemble. Vous savez, il est profondément seul.

Annabel acquiesça.

– Je comprends, Larry…

– Je sais. Je l'ai vu dans vos yeux la première fois que nous nous sommes vus, avant-hier. Il y a dans votre regard ce même voile d'ombre derrière lequel on peut, parfois, saisir les doutes de la solitude.

Elle frémit. Salhindro était décidément plein de surprises.

Désireuse d'arrêter là la conversation, la jeune femme se fraya un chemin sous les marquises, profitant d'un peu d'ombre. La brume humide du matin n'était plus qu'un souvenir désormais, presque un songe lui semblait-il sous ce ciel bleu et cette canicule. Elle avait l'impression que les briques rouges du trottoir emmagasinaient volontairement la chaleur pour faire fondre les semelles des chaussures. Elle vérifia le petit plan de la ville qu'elle gardait dans sa poche et tourna pour rejoindre Morrison street où elle ne tarda pas à repérer l'enseigne *Bug'em all*, Salhindro sur les talons.

C'était une minuscule boutique, tout en profondeur, dans laquelle s'empilaient face à face deux murs de cages en verre.

– Vous n'imaginez pas me faire pénétrer là-dedans, tout de même !

– Vous voyez, j'ai bien fait de ne pas vous le dire plus tôt.

En entrant, Annabel fut surprise par l'absence d'odeur. *C'est pas une animalerie*, corrigea-t-elle instantanément. En effet, en dehors d'une grande cage pleine de souris, tous les autres pensionnaires étaient des serpents, quelques scorpions et plusieurs espèces d'araignées. L'air était moite, et presque aussi chaud qu'à l'extérieur.

Salhindro referma la porte derrière lui, le visage congestionné par le dégoût.

– Bonjour, fit une femme assez ravissante.

Elle était vêtue d'un short qui laissait apparaître de longues jambes musclées, d'un t-shirt « Beaver Football Team » et d'une paire de baskets. Ses cheveux roux étaient noués en une longue queue de cheval et Annabel remarqua aussitôt le haut d'un tatouage sur la nuque, le tissu laissant apparaître seulement deux traits noirs.

– Je peux vous aider ? demanda-t-elle sans s'étonner de l'uniforme de Salhindro.

Celui-ci laissa échapper un profond soupir et exhiba le tube contenant l'araignée qui avait mordu une femme quelques jours plus tôt.

– Oui, nous travaillons sur une affaire où… cette créature pourrait avoir son importance, expliqua-t-il.

Annabel apprécia qu'il utilise le « nous », elle pouvait désormais poser les questions, passant pour une flic locale.

– Faites voir.

La vendeuse examina attentivement l'araignée avant de dévisser le capuchon.

– Hey ! Qu'est-ce qu…

Elle coupa Salhindro :

– Elle est morte, et si vous voulez mon aide il va falloir que je l'observe de plus près.

Elle alla jusqu'au comptoir et fit glisser le petit corps sur une feuille de papier. Puis elle disparut dans l'arrière-boutique. Sa voix s'éleva par la porte entrouverte :

– Je ne savais pas que la police enquêtait en cas de morsure d'araignée !

Elle réapparut, une loupe dans une main et un fascicule épais dans l'autre.

– Quel rapport entre la police et ça ? demanda-t-elle en désigna l'arachnide.

– Quelqu'un a été mordu, dit Salhindro, et les circonstances sont originales, nous aimerions avoir votre avis. Savoir si cette bestiole vit habituellement dans la région.

La propriétaire du magasin fit signe qu'elle comprenait.

– Je peux déjà vous dire qu'il s'agit d'une veuve noire. Enfin, il me semble.

– Il y en a dans l'Oregon ? interrogea Annabel.

– Oh, oui, on trouve beaucoup de choses dans l'Oregon !

– Y compris dans les maisons ?

– C'est courant. La veuve noire et la *Loxosceles reclusa* sont deux espèces dangereuses pour l'homme, que l'on peut trouver dans les champs mais aussi dans les habitations de l'État, elles aiment vivre près des humains. La première affectionne les dessous de meubles, table, bureau ou lit. Heureusement, elle est très nerveuse et se laisse en général tomber de sa toile pour aller se cacher. Par contre l'autre est nettement plus agressive. Quoi qu'il en soit, mieux vaut éviter la morsure.

– Mortelle ?

– Rarement, mais ça peut arriver. Surtout chez les personnes ayant une santé fragile.

Salhindro se tenait à bonne distance des terrariums, pas très rassuré. Il demanda :

– Madame, vous avez dit « il me semble » à propos de cette veuve noire, vous n'êtes pas sûre ?

– C'est-à-dire qu'elle est un peu particulière. C'est une variété peu courante, je vais vérifier. Ah, et ne m'appelez pas madame, vous voulez ? Je m'appelle Debbie.

Elle ouvrit son fascicule et entreprit de rapprocher l'arachnide qu'elle avait sous les yeux avec différentes planches en couleurs. Le résultat ne se fit pas attendre :

– Oui, c'est bien une veuve noire. Cela dit, je peux vous dire que celle-ci ne vient pas du coin. Cette morsure, elle est survenue chez un éleveur ?

– Un éleveur ? répéta Salhindro sans comprendre.

– Oui, d'araignées. Parce que cette variété de veuve ne vit pas chez nous. Je la trouvais bien grande pour une *Latrodectus mactans*. C'est une *Latrodectus menavodi*, une espèce qui vit à Madagascar, une immense île dans l'océan Indien.

Annabel hocha la tête.

– Mais cette espèce est importée, objecta la détective new-yorkaise, je veux dire : on peut la trouver dans des magasins comme le vôtre, n'est-ce pas ?

Debbie se mit à mâcher le chewing-gum qu'elle avait coincé entre sa gencive et l'intérieur de sa joue.

– Sur Portland ? Ça m'étonnerait ! Je suis la plus pointue en matière d'arachnide, et je me souviendrais si on m'avait commandé une variété comme celle-ci.

– Pourquoi, c'est une espère rare ?

– Rare, non, mais extrêmement dangereuse. La *menavodi* est l'une des veuves noires les plus toxiques, sinon la plus toxique. Celle-ci peut tuer un homme. Dites, vous seriez pas en train de me dire qu'un type est mort comme ça, non ?

Annabel guetta la réaction de Salhindro.

– Il y a eu un accident, en effet, admit-il.

– Non, me racontez pas de connerie, on envoie pas deux flics poser des questions pour un simple accident avec une araignée. Les pompiers ou les services d'hygiène de la ville, mais pas les flics. Merde, vous êtes là parce que vous pensez que c'est un meurtre, pas vrai ?

Salhindro se renfrogna.

– Pour le moment, on ne pense rien, on se renseigne. Alors, cette menavido-quelque chose, où peut-on se la procurer ?

Debbie se tourna pour jeter son chewing-gum et écarta délicatement les pattes de la veuve noire pour l'inspecter.

– Si vous voulez mon avis, fit-elle, cherchez du côté des éleveurs. Il faut un réseau de connaissances important pour faire venir des *menavodi* dans le pays.

Elle inclina la tête en repérant ce qu'elle cherchait sur le petit corps.

– Et je peux vous dire que, s'il a volontairement souhaité l'empoisonnement de quelqu'un, alors il est bien malin et retors.

– Pourquoi ? demanda Annabel.

– Parce que ce spécimen est une femelle. Et qu'un éleveur qui peut se procurer des *menavodi* sait assurément qu'en cas de très fortes températures comme celles que l'on a quotidiennement ces derniers jours, la veuve noire femelle devient extrêmement agressive, et son venin encore plus actif, imaginez les dégâts pour une *menavodi*, la pire des veuves.

Annabel et Salhindro échangèrent un bref regard.

– Et c'est pas tout, ajouta Debbie. La *menavodi* a une très mauvaise réputation, car en plus elle a le vilain défaut d'adorer se cacher dans les lits, les chaussures ou les vêtements.

– Vous plaisantez, là ? s'inquiéta Salhindro.

– Pas le moins du monde. Ces « bestioles » comme vous dites, figurez-vous que c'est ma passion, je ne suis pas mariée, je suis comme ces dames, je tisse ma toile, et personnellement, je ne plaisante jamais sur elles.

Annabel se pencha vers une plaque de verre qui fermait l'abri d'une mygale brune. Celle-ci était immobile, attendant une proie.

– Vous connaissez bien les passionnés de votre genre dans la région ? demanda-t-elle. Vous pourriez nous donner une liste de noms ?

– Les vrais arachnophiles viennent chez moi, pas dans ces grandes boutiques pour animaux. Je peux vous faire ça, mais aucun de ceux que je connais ne s'amuserait avec des *menavodi*, je peux vous le garantir.

Salhindro fit décrire à sa tête un mouvement vers l'avant, comme pour signifier qu'il était dépassé.

– Quelle différence cela peut-il bien faire ? Entre une tarentule et une veuve noire ?

– Beaucoup de choses, officier. Un passionné aime contempler son élevage, il passe son temps à les regarder vivre, se nourrir, se reproduire, muer… Il peut parfois les manipuler, il y en a un qui dispose d'une pièce uniquement dédiée à sa mygale, et il la laisse en liberté. J'en connais un autre qui adore les araignées sociales – elles sont si rares –, il dispose d'une colonie qu'il a laissée s'étaler sur le ficus de son salon. Près de cinquante petites araignées ont recouvert l'arbuste d'une toile fine sur laquelle elles vivent en communauté ; oh, ne vous en faites pas, elles sont minuscules et ne tissent que peu de toile, son salon ne craint rien… Chaque espèce dispose de sa particularité qui la rend fascinante. Mais la veuve noire *menavodi*, elle, tout ce qu'elle fait, c'est tuer.

Le silence tomba dans l'étroite boutique.

– Bien, nous vous remercions, annonça finalement Annabel. Si jamais nous avions une question, peut-être qu'on pourrait…

– Oui, n'hésitez pas. Attendez, je vais vous donner ma carte. Ah, et puis cette liste de noms que vous voulez. Mais pas de mauvais coup, hein ? Vous leur dites pas que c'est moi qui ai balancé leur nom, sinon je risque de perdre des clients.

Lorsque Annabel et Larry furent sur le seuil, prêts à s'engouffrer dans la chaleur suffocante de la rue, Debbie lança un dernier avertissement, celui qu'elle préférait, celui qu'elle réservait aux nouveaux venus dans son échoppe :

– Vous savez, l'homme a tendance à ne pas trop y songer, mais il aurait suffi qu'une infime portion de la population arachnéenne ait atteint à peine la taille d'un chat, pour que notre espèce tout entière ait disparu, entièrement dévorée par ces prédateurs parfaits.

26

Newton Haggarth avait insisté, il était aujourd'hui impossible de produire une grande quantité de soie d'araignée autrement que selon le procédé mis au point par NeoSeta. Pour lui, le cocon que la police avait trouvé ne pouvait qu'être constitué de soie de bombyx, pas d'araignée. Or, l'entomologiste de la police était catégorique, l'origine était arachnéenne.

Brolin décida de revenir une dernière fois à la charge, il lui fallait une explication :

– Pour revenir à cette soie que nous avons découverte, je me demandais s'il n'était pas possible qu'il y ait eu une fuite ici, un employé qui se serait procuré une partie de votre production et…

– Je vous coupe de suite, intervint Haggarth. Pour deux raisons. D'abord la soie que nous obtenons est assez particulière, une analyse très poussée permet de déceler des différences minimes avec la soie naturelle d'araignée, et d'autre part, nos résultats n'en sont pas encore là, nous ne disposons pas de « réserves » de soie si vous préférez. Les quantités que nous obtenons sont pour l'instant dérisoires, loin de ce que vous avez trouvé, semble-t-il…

– Je pense qu'il est inutile d'être plus précis sur l'avancée de nos recherches, l'interrompit Donovan Jackman. Vous avez votre réponse, monsieur Brolin, ça ne peut pas venir de chez NeoSeta.

Le privé acquiesça. Haggarth lui posa quelques questions pour en savoir davantage sur la provenance de cette soie, sur les circonstances, mais Brolin détourna le sujet le temps qu'ils rejoignent un ascenseur différent de celui qu'ils avaient emprunté à l'aller, pour descendre au rez-de-chaussée. Dans la cabine, le détective privé observa Donovan Jackman, le responsable des relations publiques. Ce qui captivait Brolin était la maîtrise qui émanait de lui. Rien ne lui échappait, aucun regard ne trahissait ses émotions, il évoluait dans son environnement sans y être attaché, la vie glissait sur lui. Oui c'était cela. En ce sens, il ressemblait énormément à Brolin.

Les portes s'ouvrirent en sonnant.

Newton Haggarth repoussa ses lunettes sur l'arête de son nez, se passa une main dans ses rares cheveux et se tourna vers Brolin.

– Je pense que vous n'avez plus besoin de moi, mes collègues pourront vous renseigner en cas de questions un peu techniques. Je vous souhaite bonne chance pour votre enquête.

Il lui tendit la main et baissa aussi vite le regard quand Brolin la lui serra.

Ensuite, Jackman entraîna le détective privé par un sas jusque dans un couloir bordé de grandes fenêtres donnant dans des laboratoires. Ils entrèrent dans le premier, une pièce blanche avec quelques paillasses et surtout de hautes cages en verre derrière lesquelles évoluaient plusieurs dizaines d'espèces d'araignées. Deux femmes en blouse s'affairaient devant une machine semblable à un mixer.

– Gloria, auriez-vous un instant à nous accorder ? demanda Jackman.

La plus mince des deux femmes se tourna. Elle avait une quarantaine d'années, des cheveux blonds coupés au carré et un air un peu strict que son sourire ne tarda pas à atténuer. Des cernes profonds dessinaient deux lunes noires jusque sur ses joues.

– Que puis-je faire pour vous ?

– Voici monsieur Brolin, c'est un détective privé, il travaille de concert avec la police sur une affaire concernant des araignées.

– Tiens donc, je serais curieuse d'entendre ça.

– Votre charme aura peut-être plus de succès que moi, je n'en ai rien tiré, dit-il jovialement.

Tout cela sonnait faux, Brolin avait le sentiment que tout le personnel susceptible de le rencontrer avait été briefé au préalable.

– Bienvenue dans notre labo, fit-elle. Je suis la chef de projet, Gloria Helskey.

Elle se tourna vers l'autre femme, dix ans de moins, mais vingt kilos de plus. Malgré son poids, son visage n'était pas trop poupon, mais son regard fuyant, ses boucles d'oreilles bon marché, son maquillage peu subtil et les vêtements vieillots qui dépassaient de la blouse ouverte laissaient deviner une femme solitaire, un peu coincée. Probablement issue d'un milieu rural, pensa Brolin, qui se sera défoncée pour rejoindre une université et qui ne se sera jamais adaptée pour autant à la grande ville.

– Voici Connie d'Eils, l'une de nos techniciennes.

Brolin les salua toutes les deux.

Connie tenait une seringue très fine dans une main.

– Rassurez-vous, ça n'est pas pour vous, plaisanta Gloria Helskey. C'est l'heure de la soupe.

Brolin fronça les sourcils. Il regarda Connie, la technicienne replète, ouvrir l'une des portes de verre et entrer dans cette haute cage pour attraper d'un geste sûr l'une des araignées qui stagnait dans sa toile. C'était une variété assez impressionnante, de l'envergure d'une soucoupe à café. Connie s'en empara sans aucun gant, comme s'il s'agissait d'un jouet. Elle la manipula avec précaution jusqu'à pouvoir lui injecter le contenu de la seringue.

– C'est une solution riche en amino-acides, proche de ce qu'elles absorbent dans leur milieu naturel, expliqua pendant ce temps la chef de projet à Brolin. N'ayez pas peur pour Connie, les *Nephila* ne mordent pas.

Connie ouvrit les yeux en grand et fixa sa supérieure.

– Oui, d'accord, concéda celle-ci, elles mordent… Mais rarement, et leur venin est tout à fait bénin.

– À quoi vous servent ces araignées ? s'informa Brolin.

– Oh, ce sont les pionnières de nos travaux. On peut tirer de cette variété un peu de soie tous les jours, pas de quoi fabriquer quoi que ce soit, mais cela nous permet d'étudier la soie elle-même.

Donovan Jackman intervint pour recentrer la discussion :

– Monsieur Brolin voulait vous poser quelques questions sur les araignées en général plus que sur NeoSeta.

Brolin sentait poindre l'énervement. Cet homme l'exaspérait, à défendre le secret de la moindre activité de sa chère et tendre société.

– En effet, fit-il. Savez-vous s'il y a déjà eu des élevages d'araignées en vue de récolter leur soie ?

Gloria Helskey confirma ce que tous lui avaient dit auparavant sur la sociabilité des araignées.

– Vous travaillez sur d'autres propriétés des araignées ?

– Non, la production industrielle de soie est notre unique but. Ce qui n'est pas le cas de certains grands groupes pharmaceutiques qui s'intéressent de près aux venins. Notamment celui des genres *Latrodectus*, la veuve noire, ou *Phoneutria* et *Atrax*, les araignées les plus dangereuses du monde. Leurs venins sont des sésames pour les médicaments de demain. Du moins est-ce là ce qu'on peut lire dans les revues spécialisées.

Brolin lui demanda également si elle avait une idée qui pouvait expliquer la recrudescence subite de veuves noires dans une clairière ; la scientifique ne trouva aucune réponse logique à cela. Il l'interrogea sur les espèces les plus dangereuses, celles qu'on pouvait trouver dans l'Oregon, sur leurs mœurs, et lorsqu'il n'eut plus d'autres questions en tête il la remercia sous le regard bienveillant et le sourire affable de Donovan Jackman. Pendant ce temps, Connie d'Eils avait nourri toutes les *Nephila* sans se faire mordre et était ressortie de la prison de verre avec sa démarche un peu claudicante.

Brolin laissa sa carte à la chef de projet, et insista pour avoir le numéro de sa ligne directe. Jackman n'eut pas l'air d'apprécier mais il ne fit aucune objection.

L'après-midi touchait à sa fin lorsque Brolin retrouva l'air saturé du parking. Il observa l'immense hacienda rétrécissant dans son rétroviseur avant de tourner sur la route et de traverser les bois en direction de Portland.

Il avait un message sur son téléphone portable. Larry Salhindro l'avait appelé un quart d'heure plus tôt. Il était avec Annabel et ils se dirigeaient vers le quartier d'Alameda dans le nord de la ville, chez M. et Mme Rice, une des familles qui avaient été attaquées par une araignée.

Il était presque dix-neuf heures lorsque la Mustang remonta Union avenue. L'asphalte semblait caoutchouteux tant le soleil avait surchauffé le pays. Le ciel était d'un bleu limpide et la chaleur cuisait le cuir des sièges.

Les Rice vivaient dans un pavillon modeste, avec un lambeau de terre desséchée en guise de jardin. Brolin frappa à la porte et une femme d'un âge respectable vint lui ouvrir. Salhindro apparut à sa suite.

– Madame Rice, c'est notre collaborateur dont je vous parlais, expliqua-t-il.

La vieille dame s'effaça pour laisser entrer Brolin.

– Soyez le bienvenu.

Elle le conduisit avec Larry jusque dans la cuisine où Annabel était assise à une table en compagnie d'un homme âgé.

– Vous voulez quelque chose à boire ? lui demanda Mme Rice.

Il la remercia avant d'observer Annabel. Elle le salua d'un lent clignement de paupières. Ses cheveux détachés dessinaient une multitude de traits d'encre de Chine sur sa chemise de flanelle.

– Qu'est-ce que vous faites ? murmura-t-il à l'attention de Salhindro.

– C'est une idée de ta camarade.

– Meats et ses inspecteurs ne sont pas censés se charger de cette partie de l'enquête ?

– Si, mais elle a insisté, pour gagner du temps. Hey, c'est toi qui la connais le mieux, alors tu sais comme elle peut se montrer persuasive !

Brolin grommela en se tournant vers Annabel et le couple Rice. La jeune femme avala la gorgée de jus d'orange qui restait dans le verre posé devant elle, avant de faire signe à Brolin :

– Joshua, M. et Mme Rice ont accepté de répondre à quelques-unes de nos questions. Leur petit-fils qu'ils avaient pour les vacances a été mordu par une araignée il y a cinq jours. Ici même, dans la cuisine, c'est ça ?

M. Rice acquiesça.

Salhindro déplia une feuille qu'il venait d'extraire d'une poche de sa chemise.

– On a retrouvé la bestiole en question, d'après l'entomologiste il s'agissait d'une *Loxosceles reclusa*, lut-il. Dangereuse mais rarement mortelle. Le problème c'est qu'on n'en trouve pratiquement jamais en pleine ville. Dans des fermes ou des maisons de petites communautés, mais pas au centre d'un quartier de plusieurs dizaines de milliers d'habitants.

– Comment va l'enfant ? se renseigna Brolin.

– Ça va. Il est à l'hôpital, la morsure provoque une… lésion nécrotique, lut Salhindro sur sa feuille. Les médecins ont eu peur sur le coup, le venin sur un enfant peut être fatal. Apparemment, le gamin va bien, ils l'ont traité à temps.

– M. et Mme Rice viennent de nous expliquer comment ça s'est passé, intervint Annabel. En plein après-midi, ils étaient tous les deux dans le salon lorsque Jonathan, l'enfant, s'est mis à crier. Il semblerait que l'araignée se trouvait sur le sol, Jonathan était pieds nus, il s'est fait mordre sur le côté du pied.

– Cette porte, fit Brolin en désignant une ouverture vitrée donnant dans le jardin, elle était ouverte lorsque c'est arrivé ?

M. Rice secoua la tête.

– Tout est fermé ici, nous avons l'air conditionné. Nous n'ouvrons les fenêtres que pour aérer, le soir.

– Vous n'avez reçu la visite de personne dans la journée ? Ou la veille ?

– Non, répondit Annabel pour le couple. Mme Rice est sortie faire quelques courses le matin même, c'est tout.

– Et vous n'avez vu personne rôder autour de chez vous ?

– Non, c'est un quartier tranquille ici, répondit le vieil homme, quoi qu'en disent les journaux. Cinq ou six blocs plus au nord c'est un peu plus « animé », mais ici il ne se passe jamais rien.

Brolin croisa les bras et posa son menton contre sa poitrine. Toutes ces attaques d'araignées inhabituelles en pleine ville n'étaient pas un hasard, il ne pouvait croire à cette hypothèse, pas après avoir trouvé le cadavre de Carol Peyton. Alors comment s'y prenait le… *tueur-araignée* pour faire entrer ses engins de mort chez les particuliers ?

– Vous ne vous êtes pas absentés dans la semaine ? demanda Salhindro.

– Non, je souffre de la hanche, je devrais me faire opérer à l'automne, je ne marche pas beaucoup et je ne quitte plus la maison depuis plusieurs semaines. Dites-moi, vous pensez que c'est un acte criminel ?

– Nous n'écartons aucune option.

Brolin passait en revue tous les moyens qu'il pouvait imaginer pour faire entrer une araignée dans une maison.

– On ne vous a rien livré ? voulut-il savoir.

M. Rice répondit par la négative. Puis sa femme leva la main :

– Maintenant que j'y pense, le matin de l'accident j'ai reçu un colis. Je m'en souviens parce que je n'attendais rien alors j'ai regardé d'où il provenait et il n'y avait rien dedans.

– Pas de nom d'expéditeur ?

– Non, ça venait de Portland, c'est tout. C'était pas très grand, oh, c'est dommage j'ai jeté la boîte.

– Qu'y avait-il dedans ?

– C'est ça qui est étrange, il n'y avait rien. C'était une mauvaise plaisanterie ou une erreur, je ne sais pas. C'était plein de flocons blancs, vous savez ces morceaux de mousse ou je ne sais quoi.

Brolin tiqua.

– Vous avez vidé cette boîte ?

– Elle était très légère, j'ai fouillé de ma main à l'intérieur, dans les copeaux de mousse, mais je vous le dis, il n'y avait rien.

– Qu'avez-vous fait du colis ensuite ?

– Oh… Eh bien je crois que je l'ai posé dans l'entrée, ici.

Elle se pencha pour désigner le couloir à quelques mètres de la cuisine.

– En attendant de sortir pour le mettre à la poubelle.

Brolin observa Annabel et Salhindro, tous les deux firent signe qu'ils étaient d'accord. C'était ainsi que l'araignée était entrée dans la maison, c'était plus que possible. Mme Rice avait eu beaucoup de chance de ne pas se faire mordre en fouillant dans la boîte, la *Loxosceles* devait s'y trouver, quelque part parmi les copeaux de mousse, soigneusement enfermée là par un dangereux individu. Ensuite, elle était sortie du carton, avait

244

marché jusque dans la cuisine avant de tomber sur l'enfant.

– Vous pensez qu'il pourrait y avoir un rapport ? demanda Mme Rice.

– Nous n'écartons aucune hypothèse, éluda Brolin.

– Bon, je crois que nous avons suffisamment de renseignements, conclut Salhindro. Je vous remercie de nous avoir consacré du temps. Il n'est pas impossible qu'un autre inspecteur vienne vous voir pour vous poser le même genre de question, répétez-lui tout ce que vous venez de nous dire, j'essaierai de le prévenir avant si possible.

Ils sortirent sur le perron.

– On va chez moi, faire le point sur tout ce qu'on a, proposa Brolin. Tu peux laisser Dolly toute seule pour la soirée ?

– Sa sœur est arrivée tout à l'heure, elles vont rester ensemble ce week-end. Mais je dois ramener la voiture au Central, s'excusa Salhindro, je t'appelle en soirée.

– On te suit, je t'emmène ensuite et je te servirai de chauffeur pour rentrer ce soir.

– Josh, c'est pas la peine, tu habites loin et ça va durer jusque tard dans la nuit, alors…

– Tu sais comme je suis noctambule. Viens, tu ne seras pas seul ce soir.

Il était hors de question qu'il laisse son vieil ami en tête à tête avec le fantôme de son frère mort. Annabel le regarda convaincre Salhindro avec une détermination infaillible.

Puis les deux véhicules partirent vers le centre-ville, sous le soleil moins violent. La nuit était déjà en train de tisser les premiers fils de ses étoiles.

27

Annabel contraignit Brolin à s'arrêter dans une supe-rette d'où elle ressortit avec des hamburgers, des épis de maïs et de la bière sous le regard incrédule de Salhindro. Il ne cessa de répéter pendant tout le voyage qu'elle était formidable.

Plus tard, lorsqu'ils furent tous les trois au chalet, que Brolin et Larry eurent pris une douche dans une vaine tentative de se rafraîchir, Annabel débusqua un vieux barbecue dans la remise de l'habitation. Elle traversa le salon et l'installa sur la haute terrasse sur pilotis, avec Saphir dans les jambes. Le bois prenait une teinte orangée avec les pétales amarante du soleil tombant sur la ligne d'horizon. Tout autour, les immenses pins et sapins constituant les barrières d'un sanctuaire. Elle n'était là que depuis trois jours et déjà Annabel commençait à comprendre pourquoi Brolin se sentait si bien ici, loin de tout.

Curieusement, elle ne ressentait aucune peur après son agression. Ça s'était passé si vite, avec toute cette brume et sa fatigue, à présent le souvenir lui parvenait comme un rêve incertain. Il y avait pourtant ces douleurs qui la gênaient dans ses déplacements, ces hématomes, qu'elle préférait cacher pour minimiser la situation. Et rien d'autre. Probablement trop de rage et de frustration de n'avoir rien tiré d'utilisable de cette confrontation, se fit-elle la remarque lorsqu'elle fut à son tour sous la douche.

Larry faisait cuire la viande et le maïs, une bière à la main, quand Annabel redescendit, les cheveux mouillés. Elle se mit à rire dès qu'elle aperçut Saphir qui quémandait un morceau de viande d'un air implorant. Il était beaucoup plus gras que lorsqu'elle l'avait vu pour la première fois, cet hiver, et il bavait de gourmandise.

– On dirait que le chien vous adore, commenta-t-elle.

– Il aime quiconque fait des hamburgers sous sa truffe, ce petit salaud-là.

– Où est Joshua ? demanda-t-elle.

Larry soupira.

– Dans son bureau, il rédige sur son ordinateur portable les notes de la journée. Il n'arrête jamais.

Ils eurent un air entendu, celui des causes perdues d'avance. Le gros flic lui tendit une bouteille de BridegePort Brewing.

– Buvez ça, d'aucuns considèrent que c'est de la pisse d'âne, pour moi c'est la meilleure bière locale.

Brolin se joignit à eux un peu plus tard, ils dînèrent sous le soleil couchant puis le privé alluma une antique lampe à pétrole qu'il suspendit à une patère au-dessus de la terrasse.

– Sans tout revoir depuis le début, juste les grandes lignes, que sait-on exactement ? interrogea-t-il.

Salhindro commença :

– On a un suspect, Mark Suberton et…

247

– Non, pas de suspect pour l'instant. Qu'a-t-on comme informations ?

– Un type passionné des araignées s'amuse à en semer chez les gens dans toute la ville, énonça Annabel. Des veuves noires d'une espèce très particulière, dites *menavodi*, très agressives et dangereuses en période de forte chaleur.

– Celui qui se cache derrière ça est un collectionneur, dit Brolin. Si ma mémoire est bonne, les veuves noires trouvées dans la clairière Eagle Creek 7 par l'EPA étaient communes dans l'Oregon, il a donc plusieurs « variétés » à sa disposition. Celles qu'il peut se permettre de lâcher en grande quantité dans la nature, et celles qui sont dangereuses chez ses victimes, pour obtenir un maximum de dégâts. Il se donne des priorités dans le mal qu'il veut faire. Bien, ensuite ?

Annabel reprit :

– On va devoir vérifier demain avec les autres victimes, mais il semblerait qu'il les envoie par colis, ses chères messagères de mort. Le problème, c'est qu'il ne se contente pas seulement de semer la mort à distance, il la donne aussi lui-même. Il a enlevé deux femmes en pleine nuit sans que les maris ne se rendent compte de rien, on a retrouvé le cadavre de la première dans une sorte de cocon…

– Au sujet des agressions qui ne réveillent pas les maris, interrompit Salhindro, les résultats des prises de sang des deux hommes devraient tomber en début ou milieu de semaine.

Brolin faisait tourner un stylo entre ses doigts, il prit la suite :

– Carol Peyton était nue, toute la pilosité rasée, entièrement vidée de son sang et de ses organes, cerveau compris, sans qu'on ait pratiqué la moindre incision. Le légiste n'a aucune idée du procédé utilisé.

– Elle sentait l'épice, ajouta Annabel en se souvenant de cette odeur qui l'avait surprise dans l'arbre.

Brolin désigna la jeune femme avec son stylo.

– Exact, et on avait pratiqué une ouverture dans la gorge pour la violer. Impossible en revanche que ce soit par là qu'on l'ait vidée. Il y avait une sorte de bulbe tout autour, comme si elle avait fait une réaction démesurée à une piqûre d'insecte.

Il repensa au cou de Fleitcher Salhindro, c'était la même excroissance. Et les mots de l'inspecteur Meats devant la gorge tuméfiée et ouverte de Carol Peyton : « C'est comme les araignées, elles injectent leur venin pour liquéfier l'intérieur avant de tout aspirer… »

– Le sperme a donné quelque chose au niveau de l'ADN ? lui demanda Annabel.

– Pas encore, ça va prendre plus de temps. Que sait-on d'autre sur ce tueur ?

– Il connaît parfaitement les araignées, notifia Annabel, il a sûrement un élevage à lui et est en contact avec du monde, il est capable d'importer des variétés rares, sûrement clandestinement, sans trace pour nous, donc.

Brolin alla chercher plusieurs grandes feuilles format A2 sur lesquelles il résuma ces informations. Il poursuivit :

– Le cocon qui enveloppait Carol Peyton est biologique, il provient d'araignées, or plusieurs experts en la matière m'ont certifié que c'était absolument impossible. Le problème se situe là.

Il ajouta quelques mots sur la feuille.

– Lloyd Meats et un analyste sont en train d'exploiter le message que le tueur avait laissé au capitaine, inter-

249

vint Salhindro. Mais ils sont assez pessimistes, au pire le tueur a fait parler un ado à sa place et on ne retrouvera jamais le môme, au mieux c'était bien lui et on sait qu'il a une voix de gamin, peut-être un problème de santé ou une malformation.

– OK, approuva Brolin, pour en revenir à notre suspect, que peut-on en dire ? Larry ?

– L'empreinte de son pouce se trouvait sur la pile d'une lampe dont le tueur s'est servi pour frapper Carol Peyton à la tête. Ce suspect s'appelle Mark Suberton, et il n'était pas chez lui lors de la descente effectuée hier soir. En fait, vu son appartement, on peut dire sans grand risque d'erreur qu'il ne vit plus là depuis un bon moment. On ne sait pas où il peut être, les recherches continuent, je pense qu'on en saura plus demain ou lundi. J'espère. Meats et ses hommes épluchent sa biographie, son compte bancaire et tout ce qui pourrait permettre de le localiser.

Un voile de lumière ambrée tremblait sur la grande feuille devant Brolin. Une série de questions y était entourée et soulignée deux fois :

« Comment fait-il pour entrer chez les Peyton et chez les Morgan sans effraction ? Comment fait-il pour se battre avec ses victimes, les frapper et les enlever sans réveiller les maris qui dorment dans la même pièce ?

« Comment procède-t-il pour vider ses victimes sans les ouvrir ? Pourquoi ?

« Cocon – comment se procure-t-il la soie ? »

Une dernière question était, celle-ci, soulignée trois fois, mais Brolin avait préféré l'écrire sans en parler, par égard pour Salhindro et le souvenir de son frère :

« Comment marque-t-il ses victimes d'une telle terreur avant de les tuer ? »

– À propos des araignées, ajouta Annabel en regardant Brolin, on t'a raconté dans la voiture ce qu'on nous avait dit, mais on pourrait peut-être se faire une grille avec tous les noms des experts ou au moins des amateurs qu'on a rencontrés. Ça pourrait s'ajouter à la liste de passionnés que Debbie de *Bug'em all* nous a donnée. Le grand répertoire des arachnomachins.

– Bien pensé, lança Brolin.

Il recopia les noms, les uns après les autres.

« NeoSeta :

« Professeur Haggarth – responsable technique ?

« Gloria Helskey – chef de projet.

« Connie d'Eils – technicienne ? »

Brolin hésita puis ajouta :

« Donovan Jackman – responsable relations publiques. »

– Qui d'autre ?

– Le scientifique nerveux, fit Annabel en cherchant son nom. Henry.

« Nelson Henry – musée d'histoire naturelle, arachnophile. »

– On peut mettre la femme que nous avons vue dans sa boutique tout à l'heure. Et qui vous renseigne sur le cocon, un scientifique de la police ? interrogea Annabel.

– Un entomologiste qui a l'habitude de travailler avec la police, un ami du légiste qui a pratiqué l'autopsie de Carol Peyton. Le type est parti en Guyane étudier les arachnides lorsqu'il était universitaire, il en connaît un bout.

– Tu ne veux pas l'ajouter à la liste ? insista Annabel en lui tendant la carte de la boutique d'arachnides pour qu'il recopie le nom.

Brolin haussa les épaules et compléta sa feuille :

« Dr Conelberg – entomologiste.

« Debbie Leigh – de la boutique *Bug'em all*, passionnée ? »

– Voilà, je crois qu'on a tout le monde. En plus des… combien ? Quinze ou vingt noms que cette Debbie vous a fournis.

Ils se turent tous. De leur silence monta le rythme nocturne des créatures de la nuit, dehors, tout autour du chalet. Stridulation des insectes, chuintement de la chouette et parfois même froissement de feuilles dû au passage d'un cerf.

Brolin écouta cette mélodie avant de reprendre la parole, sur un ton plus doux :

– Bien, pour demain je propose qu'on aille rendre visite à tous ceux dont le nom apparaît sur la liste de Debbie, qu'en pensez-vous ?

Annabel et Salhindro approuvèrent. Larry montra la feuille que Brolin avait couverte de petites notes :

– Tu as commencé à travailler sur un profil psychologique ?

Le détective privé posa son stylo et contempla ses notes.

– Non.

Après un long silence il ajouta :

– Ce type m'échappe, Larry. Son mode opératoire est impalpable, sans cesse changeant. J'ai besoin de temps et de plus d'éléments pour le distinguer. Pour le moment il m'échappe.

– Comme s'il n'était pas humain… murmura Salhindro.

Brolin allait le reprendre mais jugea bon de ne pas insister. Son ami avait le regard perdu, en compagnie de son frère, supposa-t-il.

– Tu veux dormir ici ? demanda-t-il.

Salhindro sembla s'éveiller d'un lointain rêve.

– Si ça ne te dérange pas. Demain je me joindrai à vous pour faire connaissance avec tout ce beau monde, ces passionnés d'araignées…

La lune apparut entre la cime des arbres.

Saphir vint poser son museau sur les genoux d'Annabel.

Ils ouvrirent tous une dernière bière qu'ils savourèrent en échangeant quelques mots. Sans se douter que leurs plans allaient se voir changés. Car au même instant, à moins de vingt kilomètres de là, en pleine forêt, une masse trapue déposait un cocon à proximité d'une chute d'eau vertigineuse.

Une légère brise fit onduler la toile d'araignée comme un frisson sur une peau spectrale.

Dessous apparut le visage de Lindsey Morgan, l'autre femme enlevée. Les yeux vitreux, le teint anormalement blafard.

Sa bouche hurlait en silence dans le fracas des eaux.

28

L'autoroute Columbia River ressemble davantage à un ruban de chanvre posé délicatement le long d'une contrée sauvage qu'aux serpents larges et imposants que sont habituellement ces types d'axes. Ici, nul parapet, pas de barrière antibruit – il n'y rien d'autre que la nature de part et d'autre – et pas d'infrastructure plombant la vue. Rien qu'un tapis anthracite avec sa double ligne jaune au milieu. D'aucuns appelleraient ça une route vers nulle part.

D'un côté s'étend la rivière Columbia, un fleuve plutôt, parfois large de deux kilomètres, voire plus, avec ses monts escarpés qui se penchent au-dessus – des pentes abruptes, couvertes de végétation dense, qui se déversent, parfois en falaise, dans le courant. Des îles semblent dériver à la surface de ces eaux noires, certaines minuscules, d'autres grandes comme des continents aux yeux des enfants qui les admirent depuis la voiture de leurs parents. De l'autre côté, dominant la route, d'autres massifs grimpent en altitude, immédiatement, sans préambule, noyés eux aussi sous une forêt sans fin. Seuls leurs sommets, loin au-dessus du fleuve, transpercent cette peau verte au moyen de crêtes acérées.

Unique poche de vie humaine sur plusieurs kilomètres, la Lodge de Multnomah Falls est un vieux manoir presque centenaire construit en renfoncement de la route. C'est une construction grise avec un toit pentu d'où surgissent des cheminées à la fumée apaisante en hiver. Les lecteurs de Tolkien comparent facilement cet endroit à Fondcombe, ces lieux cernés d'arbres et de couleurs végétales splendides recèlent une magie elfique. Il suffit de lever les yeux pour apercevoir l'étroit liseré des chutes de Multnomah. Un flot de pureté blanche jaillissant au sommet d'un mur de pierre fracasse le vide sur près de deux cents mètres de haut sans que l'on puisse en distinguer l'origine.

Lorsque la Mustang de Brolin atteignit la Lodge, six voitures et une camionnette de police étaient garées, leurs gyrophares tournoyant en silence sur ce décor de rêve. Le soleil n'était levé que depuis une demi-heure, et le ciel était encore blanc de ce réveil difficile, il nimbait la terre d'une luminosité douce et agréable.

Le planton qui gardait l'entrée laissa passer Brolin et Annabel en voyant l'uniforme de Salhindro. Le hall lambrissé de cèdres rouges était splendide avec ses tableaux et ses fleurs, mais la présence d'un brancard sur roulettes et d'un homme du bureau du légiste ternissait l'atmosphère. La pièce principale ressemblait à une salle de banquet médiéval, avec des murs en pierres apparentes aux jointures blanches, des poutres soutenant un plafond extrêmement haut et de longues tables couvertes de nappes brodées. Une succession de baies en arrondi offrait une vue imprenable sur la cascade et son écorce somptueuse de roche.

Devant l'une des immenses fenêtres, l'inspecteur Lloyd Meats parlait avec un homme en tenue de sécurité, le gardien des chutes. Une douzaine d'officiers de police, debout entre les tables, discutaient à voix basse dans l'attente d'un ordre. Meats aperçut le trio et posa une main sur l'épaule du gardien avant de le confier à un autre inspecteur en costume fripé.

– C'est encore lui, furent ses premiers mots. Notre tueur... araignée.

Meats décocha à Annabel un regard un peu plus long qu'aux autres.

Elle n'avait pas l'air d'être secouée par son agression de la veille. Et dire qu'elle avait été si proche du tueur qu'ils recherchaient partout... La présence de cette femme le dérangeait quelque peu. Légalement, il ne pouvait la justifier. *Seulement, elle a frôlé le tueur.* Et son aide avait été bienvenue avec le premier cadavre. Que pouvait-il lui dire ? En tant que détective, elle ne ferait aucune connerie, se dit-il. Oui, et au bout du compte, elle pouvait se montrer plus qu'efficace. De toute manière, Brolin ne discuterait pas là-dessus.

– On nous a dit au téléphone qu'il y avait peut-être un nouveau cadavre, enchaîna Salhindro. Qu'est-ce que c'est que cette connerie ?

Meats s'humecta les lèvres avant de poursuivre :

– C'est le gardien qui a trouvé le cocon ce matin, en faisant sa ronde très tôt. Il n'était pas sûr que c'était bien humain à l'intérieur, il est parti en courant. L'officier qui est arrivé sur les lieux en a fait presque autant, il a vu la forme transparente qui vibrait dans le vent et il s'est empressé d'appeler du renfort. Compte tenu du caractère singulier du corps et de son linceul, j'ai été rapidement prévenu.

– Où est-il ? demanda Brolin sur un ton froid.

– Toujours là-haut, on ne l'a pas déplacé. Le labo est en train de finir les prélèvements et la recherche de traces. On va pouvoir monter.

Meats tendit la main en direction des fenêtres et plus particulièrement vers un vieux pont au-dessus d'un torrent. La chute se décomposait en deux parties, la plus haute tombait du sommet d'une impressionnante falaise, jusqu'à former un petit lac qui dévalait vers une autre marche, bien plus modeste celle-ci. C'était au-dessus de cette deuxième cataracte qu'avait été bâti un pont à arc en bois, accroché dans les parois rocheuses ; d'en bas il semblait jaillir de la forêt pour s'enfoncer de l'autre côté, perdu dans un halo cotonneux.

Craig Nova, spécialement détaché sur cette affaire puisqu'il avait l'expérience de la scène de crime du premier cocon, ouvrit une porte latérale, et retira ses gants de latex. Il portait une combinaison spéciale, qui ne risquait de perdre aucune fibre qui puisse compromettre les indices découverts. Il fit descendre la fermeture et eut un signe de tête pour Lloyd Meats. Ce dernier le rejoignit, ils échangèrent quelques mots avant que Meats ne se tourne vers la douzaine de policiers en uniforme.

– Messieurs, puis-je avoir votre attention ?

Une femme parmi les officiers le remercia pour son sens de l'observation. Le silence se fit.

– Bon, on a le feu vert de l'unité scientifique, commença-t-il. Je vais donc vous demander de bien écouter ce que Craig Nova va vous dire sur les procédures de fouille. Il va falloir ratisser le périmètre des chutes en entier, méthodiquement. Craig va vous expliquer la procédure de la recherche en grille, vous devrez vous y tenir strictement. Le moindre élément suspect devra être localisé, mais vous ne toucherez à rien, c'est

Craig et son équipe qui effectueront les prélèvements, c'est compris ?

Une rumeur d'approbation monta dans la grande salle. Tandis que Craig Nova donnait ses instructions, Lloyd Meats invita Brolin et ses compagnons à le suivre.

Ils sortirent sur la terrasse d'observation. Les tonnes d'eau s'abattaient en mugissant.

– Les huiles nous ont donné les grands moyens sur ce coup, s'écria Meats pour couvrir le bruit. Bon, on va grimper là-haut par un sentier qui serpente dans les bois. Le cocon a été abandonné sur le pont Benson, enfin, *sous* le pont. Vous verrez.

Dès qu'ils s'enfoncèrent dans la forêt, le vacarme du déferlement s'atténua.

Brolin remarqua que Meats peinait un peu chaque fois qu'il devait s'appuyer sur sa jambe gauche.

– Un problème ? demanda-t-il.

– Oh, non, s'exclama Meats en se voulant rassurant, c'est rien. Je me suis fait mal au genou en défonçant la porte chez Mark Suberton. Je suis sûr que d'ici demain je n'aurai plus rien.

Ils suivirent le chemin tracé entre les troncs et les parterres de fougères. Annabel estima qu'ils étaient à bien quatre-vingts mètres au-dessus de la Lodge lorsqu'ils aperçurent le pont devant eux.

Avec toute cette bruine, la végétation était particulièrement luxuriante, les falaises étaient couvertes d'une mousse verte pelliculée de rosée et la forêt avait un petit air de jungle.

– C'est de l'autre côté, avertit Meats, il faut traverser.

Le pont en arc encastré enjambait un torrent, juste avant la deuxième chute, il ressemblait à un U inversé dont on aurait écourté les jambes. Dès les premiers pas,

Annabel s'étonna de la faible hauteur de la balustrade. Ils étaient tout de même à une certaine altitude... Elle vit sur sa droite la Lodge et ses toits pointus, moins impressionnante maintenant qu'elle était rétrécie par la distance. Une file d'officiers de police sortaient sur la terrasse d'observation, suivant Craig Nova vers le sentier. Annabel tourna la tête de l'autre côté.

Elle se sentit écrasée. Minuscule.

L'escarpement montait à bien plus de cent mètres, estima la jeune femme. D'un seul tenant, droit et massif. Tout en haut, les silhouettes des arbres se découpaient sur le ciel dont le bleu commençait à envahir le blanc de l'aube passée. Au-dessus s'étendait un plateau sauvage, fendu d'un jaillissement limpide bordé de son carcan de pierre violacée. À l'endroit où l'eau se précipitait dans le vide, elle prenait la perfection miroitante d'une gerbe cristalline avant de se transformer au gré de la vertigineuse descente en un tourbillon d'écume. Elle s'écrasait tout en bas, au pied d'Annabel, en fracassant la surface de l'étang, au cœur d'une brume humide. Ici les hommes avaient érigé une plate-forme pour admirer cette autorité, ils venaient nombreux en toute saison, comme pour prendre leur dose d'humilité.

Les pas du groupe émettaient de faibles claquements sur les planches du pont, aussitôt étouffés par la cascade. Pour parler, il fallait élever la voix et se pencher vers l'autre. Meats s'arrêta à côté d'un assistant de Craig Nova qui était en train de démonter un projecteur portatif recouvert d'une bâche en plastique pour le protéger des gouttelettes incessantes.

Meats se pencha sur la rambarde, il n'était qu'à deux mètres de l'extrémité du pont, et quelques rochers saillants se trouvaient juste en dessous. Ils l'imitèrent tous.

L'arc qui sourdait du sol pour soutenir le pont était formé d'un assemblage de bardeaux qui dessinait une sorte de casier géant, allant en diminuant à mesure qu'il s'éloignait de la terre ferme, jusqu'à se fondre avec le tablier. Dans les premières ombres de ce treillis, on pouvait distinguer la présence d'un renflement laiteux qui dépassait, battant dans le vent. Des centaines de perles d'eau s'étaient accrochées dans sa soie.

– Comment a-t-il fait pour déposer le corps ici ? s'étonna Salhindro.

Meats désigna le bord de la paroi, à quelques enjambées :

– En faisant attention, on peut descendre sous l'arche par là, la suite demande un minimum d'acrobatie pour se hisser dans la structure sous nos pieds, mais c'est tout à fait possible.

– Même avec un tel chargement sur les épaules ?

Meats et Brolin s'observèrent brièvement. Tous deux savaient que le premier corps avait été vidé, qu'il ne pesait pas très lourd, il y avait fort à parier qu'il en allait de même avec celui-ci. Ni l'un ni l'autre ne jugea opportun de rappeler ce point à Salhindro.

– Venez, vous allez vous rendre compte par vous-mêmes, lança Meats.

Il toisa Annabel avant d'ajouter :

– Il y a un risque, si jamais vous tombiez, légalement, je ne peux justifier votre présence ici et…

Brolin l'interrompit :

– Elle sait ce qu'elle fait, laisse tomber.

Le ton était impérieux, le regard aiguisé comme une lame de rasoir. Meats repensa à ce qu'il avait vu en Brolin trois jours auparavant, un fauve, un prédateur plausible, il était inutile d'insister face à une telle détermination. Il haussa les épaules, après tout c'était pour elle qu'il se montrait prudent, et il contourna le bout du pont, en écartant les branches basses des arbres.

En s'assurant des prises avec les racines et les pierres, ils descendirent sous le pont par une étroite corniche, rasant le bord du gouffre au fond duquel courait le torrent entre les deux cascades.

Le corps était là, presque à portée de doigt, enveloppé dans son cocon filandreux. Il reposait en équilibre sur des poutrelles légèrement arrondies qui s'étiraient jusqu'à gagner le centre de l'édifice.

– Homme ou femme ? interrogea Brolin.

– Femme, répondit Meats. Comme la précédente, entièrement rasée, et... elle semble anormalement légère.

Ils savaient ce que cela signifiait.

Elle était vide.

Ni sang, ni organes.

– Je l'ai examinée au travers du cocon avec un assistant du légiste. A priori, elle a une ouverture à la base de la gorge, et une sorte de... boursouflure tout autour, comme la première. Mais le cocon ne permet pas d'être plus précis.

Brolin dépassa tout le monde pour se placer sous la structure. Il se hissa sans mal à l'intérieur, sous les yeux d'Annabel qui l'aurait voulu plus prudent. On pouvait se cogner facilement là-dedans et se blesser, voire tomber, et là... pensa-t-elle tandis qu'il progressait dans ce canevas.

Le détective privé finit par atteindre le cocon.

Il s'assit à ses côtés, les jambes dans le vide.

Le cadavre était à moitié recroquevillé.

Brolin se pencha sur le visage.

Il hurlait de terreur.

Celui qui tuait avait une manière bien à lui de signer ses meurtres.

Ce fut Larry Salhindro qui fit remarquer le premier à voix haute ce qu'ils pensaient tous :

– En tout cas, il aime se donner du mal pour déposer ses proies, cet enfoiré.

Le choix du lieu revêtait une importance immense, semblait-il. Et par-dessus tout, ce qui était le plus flagrant, se dit Brolin, c'était l'importance de l'eau.

La présence d'une chute d'eau à proximité des deux cocons qu'ils avaient retrouvés.

Ils étaient les seuls dans la vaste salle de la Lodge, Meats, Salhindro, Brolin et Annabel. Plusieurs touristes s'étaient déjà vu refuser l'entrée depuis le matin.

Une des employées du restaurant, malgré la fermeture temporaire de l'établissement, avait choisi de rester et proposa un café brûlant aux policiers. Elle remplit la tasse de Meats et s'écarta.

– On va procéder à l'autopsie ce soir ou demain, je te ferai parvenir le rapport aussitôt, prévint celui-ci à l'attention de Brolin. Le capitaine Chamberlin aimerait avoir ton avis sur le profil psychologique du tueur.

Brolin acquiesça d'un infime mouvement de la tête.

– La cellule qui travaille sous mes ordres a déjà obtenu quelques résultats dans la journée d'hier. Concernant notre suspect numéro un, Mark Suberton, on est en train de reconstituer sa petite vie.

Il sortit son calepin de la poche intérieure de son costume. Une main fourrageait dans sa barbe pendant que l'autre tournait les pages.

– Suberton est célibataire, il a vingt-neuf ans, et euh…

Meats chercha dans les poches de sa veste et en tira une feuille qu'il déplia : la photocopie couleur d'une photo d'identité.

– Le voilà.

L'homme était brun, des cheveux en pagaille, avec des pattes jusqu'au milieu des joues, et ses yeux étaient bordés de noir, ce qui était accentué par la mauvaise qualité de l'impression. Il n'avait pas l'air particulièrement amical mais pas non plus effrayant.

Meats guetta la réaction d'Annabel, elle était la seule à avoir approché celui qu'ils pensaient être le tueur, même si elle n'en avait rien vu, en dehors d'une nuque chauve. Elle ne broncha pas.

– Peut-être s'est-il rasé les cheveux, insista l'inspecteur.

Elle leva les yeux vers lui.

– En ce qui me concerne, vous le savez, je ne sais rien de celui qui m'a attaquée dans les bois, donc : oui, ça pourrait être ce type sur la photo comme n'importe lequel d'entre vous…

Voyant qu'elle s'énervait un peu, Meats retourna à ses notes. Il ne devinait que trop bien son dépit de n'avoir pu glaner aucune information.

– Mark Suberton a fait quelques conneries et est tombé pour cambriolage, poursuivit-il. On vient de passer au crible les détenus qu'il a pu côtoyer, au cas où il vivrait chez l'un d'entre eux maintenant. Pour l'instant ça n'a rien donné. Niveau famille, c'est zéro, pupille de l'État, le garçon n'a pas connu son père et il a été enlevé à la garde de sa mère car celle-ci était en permanence en plein trip. Elle est morte d'overdose peu après. Côté positif, on sait que Suberton travaille chez un serrurier, enfin travaillait car il n'a plus été vu depuis trois mois.

– L'enfoiré a déserté son appart et son job dès qu'il a commencé à planifier ses crimes, tonna Salhindro.

– Il travaillait chez un serrurier ? répéta Brolin.

– C'est peut-être ça qui explique qu'il puisse entrer chez ses victimes sans effraction, on est en train de creuser la piste. Son patron, un certain… (Il lut parmi ses notes.) Blueton, collabore avec nos services, tout comme un autre employé, collègue de notre suspect, un Hamilton ou quelque chose comme ça.

– Et chez Suberton, la fouille de son appartement a commencé ? voulut savoir Salhindro.

– Pas encore, il faut mobiliser plusieurs personnes, c'est un tel bordel là-dedans. On se focalise sur les pistes prioritaires dans un premier temps. Notamment trouver ce qui relie Carol Peyton, notre première victime, et Lindsey Morgan qui a été enlevée de la même manière dans la nuit de mercredi à jeudi dernier.

– Vous allez vérifier avant l'autopsie pour l'identité ? fit Brolin en montrant du pouce le pont derrière lui, au travers des fenêtres.

– Oui, bien sûr. Je suis comme toi, j'ai bien peur qu'on ait retrouvé Lindsey Morgan…

– Ce qui voudrait dire que notre homme passe deux à trois jours avec sa victime.

Salhindro fit la grimace en se penchant vers Brolin.

– Qu'est-ce que ça veut dire ? Il peut l'avoir tuée le soir même !

– Ce que je vois, c'est qu'il abandonne le premier corps dans la nuit du mercredi au jeudi, il enlève la suivante le soir même, probablement avant, et l'abandonne à son tour le samedi soir, tout ça dans la même semaine. Si notre homme a un boulot je lui tire mon chapeau, parce que non seulement il travaille, mais en plus il a le temps de planifier ses crimes, de surveiller, de passer à l'acte, de rentrer chez lui – en admettant qu'il vive à proximité –, de vider ses victimes et tout ce qui va avec, et de rouler jusque dans des coins aussi paumés que celui-là pour abandonner les cadavres. Tout ça prend du temps, énormément de temps. Non, m'est avis que ça peut au contraire nous porter à envisager que le coupable de ces atrocités n'a pas d'emploi, ou bien qu'il est en vacances cette semaine. Rien de sûr, mais c'est à mettre dans un coin de nos cervelles pour plus tard, on ne sait jamais.

Salhindro se recula sur sa chaise.

– Ouais, en effet… Ou qu'ils sont deux.

– Je n'en suis pas convaincu. Le délire de ce tueur est très élaboré, très poussé, donc personnel. Tu ne peux pas le faire partager à quelqu'un, ça semble extrêmement difficile d'embrigader un individu dans son propre fantasme, de le lui faire partager, en tout cas pas lorsqu'il est aussi développé et singulier que celui-ci.

Lloyd Meats profita de cette brève incursion de Brolin dans le domaine de la psychologie criminelle pour lui demander :

– Qu'est-ce que tu penses de lui, Joshua ?

– Je me garderai de tout commentaire précis pour l'heure. On peut au moins parler de son rapport aux femmes.

– Son rapport aux femmes ? répéta Meats sans comprendre.

– Oui. Il entre chez des couples sans faire de bruit pour neutraliser le mari par un moyen que nous ne connaissons pas encore. Il pourrait le tuer, un coup de couteau pour lui trancher la gorge et il serait tranquille, mais non, il préfère se compliquer la vie. Tant mieux. Cela dit, il réveille la femme, en tout cas chez les Peyton les traces de sang étaient assez éloquentes. Elle s'est éveillée et a reçu un coup à la tête. Puis il l'a laissée ramper sur plusieurs mètres avant de la frapper à nouveau. Il n'a pas hésité à le faire, non ça n'est pas son genre. Il se contrôle beaucoup trop pour ça, j'en veux pour preuve son audace à entrer chez les couples en pleine nuit et toute cette maîtrise autour de ses cadavres-cocons. Il pourrait choisir d'enlever une femme seule, le soir sur un parking, ou une prostituée sur une aire d'autoroute comme il y en a beaucoup sur l'Interstate 5. Non, il préfère prendre des risques en allant *chez* les gens. Et pas chez des femmes vivant seules, non, chez des couples. Pendant leur sommeil. Je ne serais pas étonné qu'il reste là à les regarder dormir pendant de longues minutes.

Brolin laissa passer une courte pause.

– Il contrôle parfaitement la situation, reprit-il. Et s'il a laissé Carol Peyton ramper sur le sol dans sa chambre alors qu'elle saignait du crâne et peut-être qu'elle hurlait, c'est qu'il le souhaitait, c'est qu'il aimait ça. Je suis désolé de vous le dire, mais c'est encore un de ces micro-dieux en puissance, j'en ai peur. Ce qu'il fait, il le fait parce que ça lui permet de se sentir omnipotent, d'avoir le droit de vie et de mort sur ses victimes.

Annabel capta une lueur étrange dans les yeux de l'ancien profiler. Le doute. Oui, c'était ça, il doutait de ce qu'il disait.

– Tu es sûr ? demanda-t-elle.

Il inspira profondément.

– Eh bien ça y ressemble beaucoup.

– Mais ?

Un tout petit pincement secoua le bord de ses lèvres, presque une amorce de sourire.

– Mais tout ce qui suit me perturbe quant à ce qu'il est, au fond. Il tue pour se sentir puissant, d'accord, pourtant il n'y a pas que ça. Tout ce rituel avec les araignées, tout ça dépasse le cadre habituel de la lutte pour le pouvoir. C'est pour cette raison qu'avant de rédiger quelque chose je voudrais en savoir plus. Il faut que l'on trouve comment il choisit ses victimes – comment procède-t-il pour les enlever – et pourquoi les araignées ?

– C'est ce qu'on essaie de comprendre, tempéra Meats. On ne prend pas de repos, toute la cellule travaille aujourd'hui, dimanche ou pas, je peux t'assurer que dès qu'on aura du nouveau tu le sauras.

Après une courte hésitation, Meats ajouta à l'attention de Brolin et Annabel :

– Par contre, vous devriez souffler un peu tous les deux. Vous avez l'air crevés.

Lorsque Annabel tourna les yeux vers le détective privé, elle vit à son attitude qu'il avait quelques idées en réserve.

Elle sut immédiatement qu'il préparait un mauvais coup.

Dehors le soleil apparut au sommet de la falaise, ses pétales d'or firent s'élever des ponts multicolores de la bruine. Les hommes du légiste venaient d'ôter le corps de sa tanière.

La porte donnant sur la terrasse d'observation s'ouvrit à la volée.

Un policier en uniforme se tenait dans l'encadrement, il transpirait à grosses gouttes.

– Inspecteur Meats, s'écria-t-il. On vient de faire une découverte dans la forêt, juste au-dessus, faut que vous voyiez ça !

Il était si livide qu'Annabel se demanda s'il n'allait pas s'évanouir.

29

Meats en tête, ils montèrent tous dans la forêt, jusqu'à hauteur du pont Benson avec toujours le même refrain aquatique en fond sonore. Là, un autre officier de police les attendait, moins pâle que son collègue, mais tout aussi déconcerté. Du menton il leur indiqua un fourré.

Le chemin zigzaguait entre plusieurs grosses pierres, assez volumineuses pour servir de siège, et était bordé de fougères tellement denses qu'avec les arbres elles dissimulaient l'horizon. Filtrée par la frondaison, la luminosité était celle d'une fin de journée. La tache de sang sur un des rochers avait une teinte sombre dans ce clair-obscur. Tout comme celles qui maculaient les feuilles derrière un roc.

Elles s'éloignaient du sentier en formant une piste, de plus en plus nombreuses, de plus en plus larges.

Jusqu'à devenir une flaque sur la terre. Le bourdonnement d'une nuée d'insectes volants monta d'entre les plantes.

Meats écarta deux fougères et déboucha devant le tronc d'un pin. L'écorce n'était pas grise comme elle aurait dû l'être.

Mais d'un noir bordeaux.

La carcasse d'un cerf s'étalait à ses pieds. Ouvert de la gueule à l'anus. Les tripes alignées parmi les racines.

Les mouches étaient si nombreuses à arpenter le tronc ensanglanté qu'on aurait pu croire que l'arbre ondulait. Quelques-unes palpitaient sur les yeux de l'animal mort ; et dans ce chaos organique, on pouvait remarquer qu'aucun insecte ne s'aventurait parmi les organes exposés à l'air vif. Dans des circonstances ordinaires, ce détail aurait relevé de l'impossible.

Annabel l'avait remarqué aussitôt, comme tous les flics ici. Elle savait que les mouches venaient pondre leurs œufs dans n'importe quelle charogne, dans les blessures, les chairs ouvertes, les yeux, la bouche, tout était un réceptacle valable pour elles. Sauf lorsqu'il y avait du poison, se souvint Annabel. Elle l'avait expérimenté : le cadavre d'un homme dévoré par les larves, à l'exception de plusieurs parties dont la bouche qui sentait l'amande amère, odeur caractéristique du cyanure.

Les mouches ne pondent pas là où il y a du poison.
Ou du venin.

C'était ça. Les entrailles de ce cerf étaient toutes imbibées de venin. D'une quantité incroyable de venin. Comme si la bête qui l'avait injecté était énorme. Une araignée de la taille d'un poney…

– C'est dégueulasse, grogna Salhindro. Pourquoi il a fait ça ? La rage ?

Lloyd Meats contourna l'arbre et secoua la tête en revenant vers le petit groupe. Il n'y avait rien d'autre.

– Ça n'a aucun intérêt à moins de servir de message, exposa Brolin. Je crois que c'est un avertissement. Toutes ces gouttes de sang, les unes derrière les autres pour nous conduire jusqu'ici, il faut suivre un chemin, suivre les pas du tueur. C'est un avertissement.

Salhindro se racla la gorge, il guetta les lèvres de Brolin dans l'attente de la suite, le visage congestionné par le dégoût. Brolin enchaîna :

– Je crois qu'il veut nous montrer ce qui nous attend si on décide de le suivre ou de remonter jusqu'à lui.

*
* *

Une fois dans la Mustang, Larry Salhindro expira longuement, le front collé contre la vitre. Il vit défiler le paysage sans parvenir à dire un mot. Brolin, qui conduisait, posa une main sur l'épaule de son ami, en guise de maigre réconfort. Cette matinée leur avait fait côtoyer l'univers délirant de l'assassin, et par là même rappelait à Larry que son frère était très probablement mort dans des circonstances atroces.

Annabel non plus ne trouva pas les mots, ou plutôt ne jugea pas opportun d'en avoir, Larry n'avait besoin que de temps, et le voyage se fit en silence jusqu'aux abords de Latourell, carrefour entre la direction de Portland et le chalet de Brolin. Le détective privé s'arrêta sur le parking d'un Holiday Inn en laissant le moteur tourner.

– Il faut décider de ce que l'on fait, déclara-t-il. Larry, si tu veux rentrer chez toi, te reposer ou…

– Oublie ça. Je sais que tu as toujours une idée en tête, et je veux en être.

– Rien de précis pour le moment, désolé de te décevoir. En revanche je crois qu'il serait intéressant de continuer à interroger toutes les familles attaquées par des araignées. Il faut trouver comment notre homme s'y prend pour faire entrer ses créatures chez ses victimes.

– Par courrier semble-t-il, intervint Annabel, du moins est-ce là ce qui apparaissait hier ; cette boîte que Mme Rice a reçue…

– Peut-être, ça mérite qu'on approfondisse avec les autres.

– On pourrait se séparer pour aller plus vite, pas la peine d'être trois à chaque fois, proposa Salhindro.

– Tu vas avec Annabel, ton badge de flic rassurera les personnes. De mon côté j'aimerais faire quelques recherches en bibliothèque.

– Quel genre de recherches ?

– On fera le point ce soir. Je vous dépose en ville. Annabel ? Tu m'appelles sur mon portable lorsque vous êtes prêts, en fin d'après-midi ou début de soirée, ça vous va ?

Ni Annabel, ni Salhindro ne protestèrent, ils n'en sauraient pas plus sur ce qu'il comptait faire.

Peu avant midi, la Mustang déposait le gros flic et la détective new-yorkaise devant le Central de police où Salhindro prit une voiture pour la journée.

Ils sillonnèrent la ville, dans un premier temps ils dérangeaient systématiquement leurs « témoins » pendant leur déjeuner. Après le troisième couple, Annabel et Larry avaient mis au point une batterie de questions adéquates. Larry avait la liste des victimes avec quelques renseignements sur chacune d'elles, le nom de la personne mordue était souligné en rouge, et parfois il disposait même du nom de l'espèce d'araignée qui avait été retrouvée, quand elle l'avait été. Il y avait deux espèces : *Latrodectus* ou veuve noire, et *Loxosceles reclusa*. Toutes deux dangereuses pour l'homme.

La plupart des victimes de morsure n'étaient plus à l'hôpital, sauf pour les plus récentes, mais bien chez elles. Dans l'ensemble elles n'avaient eu besoin que d'une perfusion contenant du gluconate de calcium et de vingt-quatre heures d'observation, plus de peur que de mal. La liste s'était encore allongée depuis trois jours. Onze personnes avaient été mordues par une araignée venimeuse. On comptait trois décès. Un vieil homme avait succombé à sa peur plus qu'aux toxines de l'arachnide, en revanche une adolescente était morte suite à une réaction violente de son organisme, et un nouveau-né était décédé immédiatement.

Ce qui était encore plus curieux, c'est que les araignées se trouvaient toujours chez des couples, et dans deux cas, c'était un visiteur qui avait été mordu : l'adolescente décédée – petite voisine des propriétaires de la maison – et le petit-fils des Rice en visite chez ses grands-parents – lui s'en était tiré.

C'était le sixième couple qu'ils visitaient lorsque Annabel prit Larry par le bras dès qu'ils eurent mis les pieds dehors. Ce qui lui était apparu comme une facétie du destin dans un premier temps s'était étoffé au fil des « interrogatoires » pour devenir un point intéressant.

– Larry, je peux voir la liste que vous avez ?

Sur le coup, Salhindro fut plus décontenancé par le geste amical de la jeune femme que par autre chose. Il cligna des yeux bêtement en la lui tendant. Elle l'inspecta en hochant la tête.

– Je me demande si le taré qui s'amuse avec ses araignées ne serait pas en train de chercher à tuer l'amour.

– Quoi ? s'exclama Salhindro.

– Enfin, c'est une image. Votre liste confirme ce qu'on voit depuis ce matin : tous les couples attaqués par une araignée sont soit de jeunes couples, soit des couples d'un âge avancé. Regardez les dates de naissance.

– Oui, j'ai bien vu, des jeunes et des vieux. Je me suis posé la question, est-ce une coïncidence ? Après tout, la majeure partie des gens de cette ville vivent à deux. Statistiquement, ça n'a rien d'étrange.

– Larry, il ne s'agit pas de célibataires, ni de veufs, ni d'une araignée dans une école, à chaque fois c'est identique : un couple, rien qu'un couple, comme si ce qui les liait tous était leur amour.

– C'est pour ça que vous leur demandez à tous s'ils sont mariés depuis longtemps ?

– Et vous remarquerez que six des onze couples ont moins de trente ans et qu'ils sont tous mariés depuis moins de six mois. Je suis désolée, mais en ce qui me concerne je ne crois plus à la coïncidence.

– Alors quoi ? Il tue ceux qui s'aiment ? Ce serait débile !

– Pourquoi pas ? Je suis certaine que s'il était là, Joshua nous dirait que le tueur est l'enfant d'un couple divorcé, ou qu'il a été repoussé par celle qu'il aimait, un peu comme Ted Bundy.

Annabel s'emballait, ils avaient une hypothèse valable.

– On va un peu vite, là, contra Salhindro.

– Non ! Regardez ! Sur les onze couples, tous sont de jeunes mariés ou mariés depuis très longtemps.

Une idée appelant la suivante, Annabel fit un autre rapprochement.

– Et ça correspond à ce que Joshua a dit tout à l'heure, ajouta-t-elle. Le tueur ne s'en prend pas à des femmes isolées comme il pourrait le faire pour se simplifier la vie, non, il attaque des couples ! Carol Peyton et Lindsey Morgan ont toutes les deux été enlevées pendant le sommeil de leur mari. On tient quelque chose, Larry.

– Très bien, calmez-vous, on va essayer de voir les autres familles, leur poser des questions en gardant cela à l'esprit. D'accord ? On doit découvrir comment ce type s'y prend pour faire entrer ses araignées chez les particuliers...

Annabel se montra prolifique en hypothèses pendant tout le chemin qui les menait au couple suivant sur la liste. Ils poursuivirent ainsi jusqu'à l'heure du dîner, surpris de n'avoir eu aucune nouvelle de Brolin. Annabel essaya d'appeler son portable, elle tomba sur la messagerie.

Pour patienter, Larry l'invita à manger une pizza dans ce qu'il jugea être le meilleur restaurant à pizzas de Portland : *Escape from New York*. Il jura, non sans humour, que ça n'avait rien d'un clin d'œil à l'attention de la jeune femme new-yorkaise. Ils se régalèrent et purent mettre au clair leurs découvertes du jour.

Ils n'en avaient pas l'absolue certitude, mais le recoupement des témoignages semblait converger vers le même schéma : le tueur envoyait à ses victimes un petit paquet ne contenant que des flocons de mousse... et une araignée particulièrement redoutable.

Il était temps de prévenir l'opinion publique. Il était possible que certaines personnes aient aperçu l'araignée et l'aient écrasée sans en référer à la police. Pis, d'autres colis pouvaient être en chemin pour leurs futures victimes.

Et, Annabel avait insisté là-dessus, tous les foyers touchés entraient dans la même catégorie : un couple marié soit depuis peu, soit depuis très longtemps.

Un peu avant minuit et demi, Annabel était passée de l'inquiétude au stress. Elle essaya de joindre Brolin pour la quatrième fois.

La voix du détective privé envahit l'écouteur :

– Joshua Brolin, laissez un message, merci.

« BIP »

30

Portland est plus réputée pour sa pluie rituelle, ses magnifiques orages sur la silhouette du mont Hood, que pour la chaleur étouffante de ses étés. Pourtant, en ce dimanche de la mi-juin, la plupart des rues étaient désertes. Le soleil claquait si violemment sur l'asphalte que les routes prenaient l'apparence d'une gomme malléable.

Par moments, Brolin avait le sentiment d'être le dernier survivant de son espèce. L'unique source de mouvement à des kilomètres à la ronde. Même les animaux avaient déserté l'espace. Ni chat, ni chien, ni oiseau. Lui seul dans cette lumière argentée qui plaquait la vie au sol dans une vaine et ultime recherche de fraîcheur, à l'abri de tout regard.

Il commença par *Powell's City of Books*, sur Burnside[1] avenue. En lisant le nom de l'avenue sur son panneau vert, il se demanda ironiquement s'il fallait y voir un signe.

---

1. *Burnside* : la face brûlée.

Powell's occupait tout un quartier et c'était à peine suffisant pour contenir tous les ouvrages neufs et d'occasion qui s'y amassaient. Plus d'un million de références, mentionnait la publicité.

Le libraire auquel s'adressa Brolin fit preuve d'une formidable célérité, il rassembla pour lui une pile d'ouvrages traitant des araignées. Il connaissait Brolin, qui venait de temps à autre faire appel au savoir de toute l'équipe, toujours sur des thèmes complètement différents ; il était devenu pour eux un sujet de plaisanterie même si aucun n'osait s'y risquer en sa présence. « Des fois, quand il vous regarde, c'est comme s'il vous fouillait l'âme », avait dit une des libraires à ses collègues, et la plupart avaient approuvé.

Brolin trouva plusieurs passages sur la sériciculture en général, la culture de la soie, mais rien de précis, en tout cas pas en rapport avec les araignées. À chaque fois, on la rapportait aux vers à soie, jamais à cette créature à huit pattes.

Vers quinze heures, Brolin quitta la grande boutique pour s'acheter un sandwich qu'il dévora en conduisant, une main sur le volant brûlant. En désespoir de cause, le libraire lui avait conseillé le département scientifique de la bibliothèque universitaire de Portland. Sa carte de détective privé fut suffisante pour lui garantir l'accès à tout l'immeuble, et ce jusqu'à la fermeture : vingt-deux heures le dimanche en période d'été. Il n'en demandait pas plus.

Il consulta la base de données informatisée, incluant les thèses. La recherche thématique proposa plusieurs titres. Brolin demanda une impression de la liste et fila avec ses trois feuilles vers un des postes à connexion Internet. Avant de se lancer dans de plus amples et longues fouilles, il était peut-être utile de voir ce que le web proposait. Sur des sujets aussi pointus que celui qui l'intéressait, Brolin douta qu'il pût trouver quelque chose d'intéressant, néanmoins cela méritait qu'on y passe un peu de temps.

Il utilisa un moteur de recherche simple mais universel : *Google*. Il essaya d'abord avec « Araignée » et « soie », puis affina en ajoutant le terme « culture ». Les résultats s'affichèrent en « 0,23 seconde », indiquait la barre de synthèse. Il fallait au moins reconnaître ce progrès à l'homme.

Brolin passa une demi-heure à faire le tri parmi les informations qu'il débusquait, dans l'ensemble inutiles, il devait bien l'avouer. Il répéta l'opération depuis un autre moteur de recherche : *AltaVista*. Les résultats furent tout aussi peu conséquents. La culture de soie d'araignée n'était pas un sujet répandu sur Internet. Il surfa sur *Furty.com*, moteur de recherche animalier, et enfin sur le site de l'American Arachnology Society sans plus de succès. Il revint finalement aux pages qu'il avait mises de côté, celles où le nom de NeoSeta était apparu. Les informations étaient succinctes, on parlait de travaux en laboratoire sur la soie d'araignée, de vaches génétiquement modifiées et du lait qui était supposé contenir la fameuse protéine de soie. Rien qu'il ne sût déjà. NeoSeta ne laissait filtrer aucun détail.

Une autre page intéressa le détective privé. Elle mentionnait l'intérêt de l'armée dans tout ce qui touchait la production de soie d'araignée à grande échelle. L'article était tiré des archives du *New York Times*, il expliquait que l'United States Army Soldier and Biological Chemical Command à Natick dans le Massachusetts venait d'abandonner ses recherches sur la soie d'araignée, jugeant le domaine infructueux, et surtout beaucoup trop cher.

Brolin se remémora les propos de Donovan Jackman chez NeoSeta, selon lesquels l'armée injectait une partie de l'argent nécessaire aux recherches.

Bien sûr, railla Brolin intérieurement, ils vont laisser NeoSeta prendre le coût des travaux à son compte, en participant au tiers de ceux-ci avec l'armée canadienne, minimisant ainsi les pertes s'il n'y a finalement aucun résultat. Et si par miracle le projet aboutissait, en faisant partie des financeurs, l'armée serait prioritaire pour les premières commandes.

Brolin mit l'ordinateur en veille et s'enfonça entre les longues étagères en quête des titres proposés par sa liste thématique.

Il passa cinq heures enfoui dans les pages à l'odeur de renfermé, il apprit comment les araignées de la famille des *Araneidae* tissaient leur toile, comment certaines espèces chassaient, il découvrit qu'il n'était pas rare de trouver des toiles de sept ou huit mètres de diamètre dans les forêts tropicales. Ce dernier point lui arracha un bref frisson. Et s'il en allait désormais de même dans les forêts américaines ? Dans l'Oregon, pour être plus précis…

Rien en revanche sur l'élevage d'araignées en vue d'en extirper la soie en grande quantité. À plusieurs reprises, le sujet avait été abordé, pour être clos d'un tranchant : « C'est impossible. »

Il était vingt-deux heures, à travers les fenêtres de la bibliothèque, le crépuscule rampait jusqu'aux lampes de la grande salle. Une femme s'approcha de Brolin pour lui indiquer qu'ils allaient fermer.

De toute façon, il avait épuisé toutes ses pistes ici.

De son siège, il étira ses membres engourdis, puis croisa ses mains derrière sa tête.

Il repensa à la découverte faite le matin, au cadavre dans le cocon.

Dire qu'ils avaient l'identité probable du coupable… Mark Suberton.

Il avait fait de la prison pour cambriolage, ce qui était caractéristique des tueurs de cet acabit. Ils aiment entrer chez les gens, s'approprier des vies en flânant dans leur maison, en lisant leurs journaux intimes, en reniflant leurs vêtements, avant de passer à l'acte. Ici ou ailleurs. Mais ce qui le faisait vibrer c'était la mise à mort. La possession de l'autre.

Brolin enfonça ses ongles dans ses paumes. C'était rageant de savoir qui était l'homme qu'ils recherchaient sans savoir où l'attraper. Ils avaient eu beaucoup de chance pour l'empreinte, Suberton avait pensé à tout, sauf à ça. La pile *dans* la lampe. Et il n'avait certainement pas prévu de laisser sa lampe sur place…

Brolin fronça les sourcils.

Tout d'un coup, il comprenait le problème que cela posait.

Si Suberton avait perdu sa lampe torche dans la chambre, comment était-il redescendu ensuite ? Dans le noir ? Avec Carol Peyton sur les épaules ?

Il pouvait tout à fait allumer les lumières de la maison.

Mais quel tueur ferait une chose pareille ? En pleine nuit ? C'était peu prudent, il était toujours préférable d'être le plus discret possible, le moins éclairé pour qu'on ne puisse voir ni silhouette ni visage.

Et puis, même s'il était descendu dans le noir, ou qu'il ait allumé la lumière, il avait bien dû se rendre compte qu'il n'avait plus sa lampe pour s'éclairer ? Carol était inconsciente, et le mari aussi, pour une autre raison, encore inconnue celle-ci. Donc il avait le temps de remonter chercher sa lampe, pourquoi ne pas l'avoir fait ? Ne l'avait-il pas trouvée parce qu'elle avait glissé sous cette armoire ?

Brolin sentait qu'il pouvait passer une heure en conjectures, il ne trouverait pas de réponse. Néanmoins le problème le titillait.

Il sortit son téléphone portable et le ralluma, il ne risquait plus de déranger qui que ce soit, la bibliothèque était déserte.

Au Central, on l'informa que Lloyd Meats était rentré chez lui en fin d'après-midi. Brolin composa le numéro privé de l'inspecteur. Sa femme décrocha, elle manifesta une sincère émotion de l'entendre à nouveau, elle lui proposa de venir dîner un soir prochain avant de s'effacer pour laisser Meats prendre le téléphone. Celui-ci enjoignit à Brolin de rentrer souffler quelques heures mais le privé enchaîna :

– Où en est l'enquête ? Des nouvelles concernant le cadavre trouvé ce matin ?

– Oui, il s'agit bien de Lindsey Morgan, celle qui a été enlevée mercredi. L'autopsie sera réalisée demain probablement. (Meats se mit à parler à voix basse, pour que sa femme n'entende pas.) On peut déjà dire que c'est le même cirque, cadavre trop léger, donc vidé, pourtant il n'y a aucune incision, hormis à la gorge où ce taré a éjaculé.

– Le légiste s'est-il prononcé sur la date de la mort ? Dès qu'on le saura cela nous indiquera au moins combien de temps il les garde avec lui, vivantes ou mortes.

– Josh.

– Et que le légiste vérifie si cette fois encore, il n'y a aucune trace sur le corps, ni sous les ongles. Ce qui voudra dire que le tueur les lave et ensuite leur viole la gorge, ce qui est peu probable. En revanche, on peut penser qu'il les lave en prenant soin de ne pas nettoyer la gorge, il veut être sûr qu'on trouvera le sperme, c'est un élément important. Il veut communiquer, nous montrer qu'il est mature, qu'il est capable.

– Josh.

– Quoi ?

– Tu as quitté la police, tu te rappelles ? Je sais tout ça, ce que je voudrais dans l'immédiat, c'est que tu rentres chez toi et que tu te reposes.

– Je ne suis pas fatigué.

Meats allait contre-attaquer, Brolin fusa :

– Lloyd, je voudrais aller chez Suberton.

– Oh, merde, qu'est-ce que tu vas faire là-bas, tu as vu le foutoir que c'est !

La responsable de la bibliothèque revint pour lui demander de sortir. Brolin se tourna vers elle et planta ses prunelles noires dans celles de la femme. Il la vit déglutir. Il lui fit signe qu'il avait compris et lui tourna le dos pour poursuivre sa conversation :

– Je voudrais simplement jeter un coup d'œil. Fureter un peu dans les pièces, pour cerner le genre d'homme qu'il est.

Meats soupira dans le combiné.

– C'est important, insista Brolin. C'est toi qui m'as demandé mon aide pour faire un profil du tueur. On ne sait jamais, ça peut nous aider à le comprendre, à ne plus être une longueur derrière lui.

– Et ça ne peut pas attendre demain, j'imagine ?

– Je suis prêt, ce soir.

– OK, OK… On se rejoint dans…

– Seul. J'ai besoin d'être seul pour ça.

– Josh, je ne peux pas te laisser y aller seul, il y a les scellés et puis ce mec sait qu'on a trouvé son repaire, rappelle-toi le stratagème de l'alarme reliée à la ligne téléphonique. Cet enfoiré est assez malin pour ne plus vivre dans son taudis mais il continue de payer ses factures de téléphone pour alimenter son petit système.

Brolin se souvenait de cet aspect de l'enquête. Le soir même de la découverte de l'appartement, ils avaient minutieusement décortiqué la vie de Suberton, jusqu'à découvrir un compte en banque sur lequel étaient prélevées les factures pour la ligne téléphonique, l'électricité et le loyer. Depuis trois mois il n'y avait eu aucune rentrée d'argent ni aucun débit en dehors des prélèvements automatiques. À ce rythme il restait à peine de quoi tenir jusqu'à l'automne. Le compte était à présent sous surveillance, dans l'espoir que Suberton retire du liquide, quelque part, pour la première fois depuis trois mois.

– On ne sait jamais, il pourrait...

– Ne me raconte pas de conneries, l'interrompit Brolin. Tu ne crois pas une seconde qu'il pourrait revenir, sinon tu ferais surveiller l'appartement. Laisse-moi y aller, tu pourras envoyer un agent demain matin pour reposer les scellés.

Lloyd Meats capitula en demandant à Brolin de ne rien toucher et raccrocha.

Brolin se rendit compte qu'il était tard et qu'Annabel l'attendait sûrement. Il allait l'appeler lorsqu'il retint son geste en constatant qu'il n'avait presque plus de batterie, à peine de quoi passer un dernier coup de fil. Elle était en compagnie de Larry ; quoi qu'ils fassent, elle était entre de bonnes mains. Il coupa son téléphone, il la joindrait en sortant de chez Suberton, dans moins d'une heure. Vers vingt-trois heures.

À vingt-trois heures trente au plus tard.

31

Quartiers nord de Portland. L'alignement des immeubles bruns d'où pendent des pièces de linge par milliers aux fenêtres. Les détritus cuits par la chaleur du jour qui collent aux rues, le squelette d'un vélo accroché à un lampadaire, et des groupes de jeunes qui sortent enfin, maintenant que la nuit enserre la ville au point de faire tomber la température d'une poignée de degrés.

Brolin entra dans le bâtiment où avait vécu Mark Suberton. Le détective privé vérifia que personne ne le guettait et força la boîte aux lettres du suspect. Elle était pleine de publicités et de quelques enveloppes.

Lloyd, tu n'as même pas ordonné qu'on la vide…

Son ancien collègue ramollissait, certes l'appartement n'était plus une priorité, cependant il ne coûtait rien d'inspecter son courrier.

Au vu des en-têtes, il n'y avait que des documents administratifs, venant essentiellement de la banque. Sauf une carte. Très simple, c'était une vue d'Orlando en Floride. Au dos une écriture grossière disait : « C'est chau à Orlando ! Si tu savai se que tu rate ! Sor de ton trou, donne-nous des nouvelles. Amitiée, Earl. » Brolin lut les dates sur les cachets de l'U.S. Mail, remit la pile de lettres sous les publicités et referma la boîte. Au moins il savait que Suberton n'avait pas fait semblant d'abandonner les lieux, certains courriers remontaient à la mi-mars. Ça coïncidait. Trois mois qu'il n'était plus revenu travailler, trois mois que son compte en banque ne bougeait plus hormis les prélèvements automatiques, et trois mois sans ramasser son courrier. Et la poussière de l'appartement venait le confirmer.

Brolin ne comprenait pas cette logique, et c'était pour cela qu'il était venu ce soir. Pour ça et pour cerner un peu mieux ce Mark Suberton. Pourquoi avait-il planifié son départ tout en gardant son appartement ? Il n'était pas riche et la raison aurait voulu qu'il soit parti avec l'argent qu'il avait sur son compte en banque… N'était-il pas plus évident, s'il avait peur d'être identifié un jour, de déménager sous une autre identité ? Au vu de ce dont il était capable avec ses victimes, Suberton était débrouillard, se procurer un faux nom n'était pas du domaine de l'impossible… Comme tout être humain, les tueurs ont chacun leur logique, avait appris Brolin, si tordue soit-elle dans certains cas. C'était à lui de comprendre celle de Mark Suberton.

Le couloir du rez-de-chaussée était désert, Brolin enclencha la minuterie et une lumière orange illumina la longue enfilade de portes. Les murs étaient couverts de graffitis, d'entailles gratuites ou d'initiales gravées. Le sol était crasseux, les taches incrustées dans le lino – lorsque celui-ci n'était tout bonnement pas arraché – dessinaient une mosaïque du temps et de la misère.

La porte de chez Suberton avait été bricolée après l'intervention de la police pour pouvoir fermer, essentiellement à l'aide des scellés : de longs rubans jaunes collés aux jointures. Quelqu'un aurait dû être affecté à la surveillance de l'appartement, dans un quartier comme celui-ci, il ne se passerait pas longtemps avant qu'on déchire le Scotch officiel pour piller les lieux. Là encore Lloyd Meats était à côté de ses pompes, remarqua Brolin. En fait, il ne savait que trop bien ce que vivait Meats. Une pression énorme, tout penser, tout faire, avec des budgets minimes et des effectifs restreints. Il fallait enquêter chez les Morgan et chez les Peyton pour les disparitions des deux femmes, conduire l'enquête de voisinage, en faire autant pour chacune des familles attaquées par une araignée en ville, retrouver la trace de Mark Suberton en interrogeant ses proches et ses compagnons de travail une fois identifiés, gérer les résultats scientifiques de l'enquête, chercher d'autres pistes… Et tant d'autres choses encore.

Brolin sortit sa trousse de travail enfouie dans la poche arrière de son jean. Elle contenait le nécessaire pour ce genre de situation : sachets plastique, crayon lumineux, pince à épiler… Et surtout : un petit canif multifonction dont il se servit pour déchirer les scellés.

Il entra en vitesse et referma derrière lui. Il poussa sur la porte pour qu'elle s'enfonce dans son chambranle en grinçant. Dans le noir absolu des lieux, l'odeur de renfermé assaillit Brolin, celle de la poussière, du plâtre effrité, ou du carton moisi. Son premier réflexe fut de poser sa main sur l'interrupteur mais il se garda de l'actionner. Si le petit système d'alarme relié de la porte à la ligne téléphonique était désactivé, rien cependant ne prouvait que Suberton n'avait pas mis au point un autre piège quelque part, l'homme était ingénieux. Et paranoïaque, pouvait-on dire à en voir son appartement. Comme l'avait déjà remarqué Brolin, tout ici était fait pour qu'un intrus se sente désemparé et perdu. Tout était inaccessible, pour aller dans la cuisine il fallait ramper entre des cartons, passer sous une table ou se tortiller entre deux meubles de haute taille.

Par excès de prudence et de discrétion, Brolin décida qu'il n'utiliserait que son crayon lumineux. Il le sortit et l'alluma. Le cône blanc fendit l'obscurité à ses pieds, amenant à la vie les cohortes de poussière qui flottaient dans l'air, comme une neige de cendre légère.

Le détective privé disposait du vestibule pour se mouvoir normalement, ensuite il faudrait s'adapter à la topographie délirante de l'aménagement. L'appartement consistait en une enfilade de trois pièces de taille moyenne, mais le labyrinthe que Suberton avait installé avec toutes ses affaires multipliait par quatre ou cinq le chemin à parcourir. À n'en pas douter, Suberton le cambrioleur n'avait pas raccroché en sortant de prison. Il y avait là de quoi équiper au moins cinq habitations : cuisinières, vaisseliers, tables et chaises, téléviseurs. Sans compter les nombreux cartons, et ce qu'ils devaient contenir en CD volés, argenterie et bibelots divers. Des draps en recouvraient une partie. C'était le paradis des souris.

Brolin hésita sur la méthode à employer pour se déplacer. En équilibre d'un meuble à l'autre comme l'avaient fait les policiers l'autre soir pour vérifier que Suberton n'était pas là ? Ou en utilisant les voies que celui-ci avait tracées ?

Il opta pour la deuxième solution, c'était encore ce qu'il y avait de mieux pour faire connaissance avec l'esprit torturé du fuyard.

Sur le seuil de la première pièce, Brolin se glissa entre deux armoires qui faisaient office de cerbères. Il passait tout juste, mieux valait ne pas être trop gros. L'ampleur du délire apparut à Brolin juste ensuite. C'était l'entrée du labyrinthe de cartons. Ces derniers étaient empilés les uns à côté des autres en une longue procession, pour former des murets dont la hauteur ne dépassait jamais le niveau des hanches. Depuis le vestibule et dans cette obscurité, Brolin avait d'abord pensé que tous les tissus qu'il apercevait recouvraient des meubles, en fait ils étaient tendus sur les cartons pour servir de toit. Il n'avait pas prêté attention à cela le vendredi soir lors de sa première visite, trop absorbé qu'il était par la déception de ne pas trouver Suberton en personne.

– Bien, puisque c'est ce que tu veux… murmura-t-il.

Brolin s'agenouilla et entra dans le labyrinthe.

Sa lampe éclairait devant lui, les éclats blancs rebondissant sur les murs de cartons, avant de se perdre après moins de deux mètres. Il faisait sombre, et chaque frottement était étouffé par l'étroitesse du passage. Il ne fallait pas être claustrophobe, car l'amplitude de mouvement était réduite. Après quelques reptations, Brolin dut s'arrêter pour vider son esprit. Il devait se débarrasser de ce sentiment enfantin d'évoluer dans une cabane géante. L'oppressante obscurité des lieux ne tarda pas à l'y aider.

Brolin reprit sa progression, jusqu'à une bifurcation. D'après la configuration des lieux, il prit sur la gauche. Le coude qui suivait était si étroit qu'il se demanda s'il pouvait passer. Brolin essaya de pousser sur une pile de cartons pour élargir le chemin. Il s'assit, la tête déformant le drap au-dessus et assura sa prise avant de pousser. Quelque chose de lourd bougea en hauteur. Il s'immobilisa.

C'est pas une bonne idée.

Si Suberton avait disposé des objets en équilibre sur le sommet des cartons, cela pouvait lui tomber dessus. *Un fer à repasser, une batterie de couteaux de cuisine, va savoir de quoi est capable l'esprit de ce type ?* Il se souvenait que les flics avaient fait tomber bon nombre d'ustensiles en arpentant les lieux.

Brolin cala sa lampe entre ses dents, s'allongea sur le côté et entreprit de se faire glisser petit à petit pour franchir le coude serré.

Il y eut alors un grincement, un peu plus loin dans la galerie.

Le privé tendit l'oreille. Le bois craqua de nouveau.

C'est l'appartement, rien d'anormal, focalise-toi davantage sur la compréhension de Suberton.

Brolin déboucha sur un évasement. Il se trouvait sous une table. Trois autres galeries en partaient entre chaque pied, le reste étant parfaitement bouché à l'aide de planches, d'une table basse relevée et d'une pile d'albums photos.

Tu n'avais que ça à faire, Mark ? le maudit-il.

Heureusement, l'appartement n'était pas immense, il n'était pas difficile, avec un minimum de sens de l'orientation, de se repérer, même en étant allongé sous des draps. Brolin avait de plus en plus le sentiment d'évoluer parmi les tranchées qu'on dépeignait dans les livres sur la Première Guerre mondiale, sauf que celles-ci n'étaient pas à ciel ouvert et qu'elles étaient si basses qu'on ne pouvait presque pas tenir assis. Il longea le bas d'un meuble avant de tourner sur un passage qui filait entre deux plaques noires réfléchissantes.

Brolin se dressa sur les coudes, la lampe en mouvement.

Il ne comprenait pas ce qui constituait les murs à cet endroit. Qu'était-ce ? Deux miroirs d'ébène de trois mètres de long ?

L'explication jaillit d'un coup. Des aquariums.

Avec cette nuit aveuglant l'appartement, les deux aquariums ressemblaient à des cercueils. Les vitres opaques renvoyaient le soleil dérisoire de la lampe. Le toit de toile semblait avoir été agrafé sur le dessus des deux bacs.

Brolin les dépassa. Il devait être dans la seconde pièce désormais.

Ce fut dans le virage suivant qu'il posa sa main sur ce qui lui insuffla une réelle bouffée de peur.

Une substance filandreuse et collante, tendue sur le sol entre deux cartons. Brolin retira aussitôt sa main.

Une toile d'araignée.

Et pas de celles, minuscules, qu'on ne remarque qu'à peine en les traversant. Celle-ci était épaisse et consistante.

Merde, merde, merde... Relaxe-toi, pas de geste vif.

Il fit une reptation en arrière et avança la main qui tenait la lampe pour éclairer l'angle en question.

La lumière se prit dans le tapis grisâtre de la toile. Celle-ci couvrait tout l'accès sur une trentaine de centimètres.

Très bien, maintenant tu sais. Tu ne vas pas t'arrêter pour ça, non ?

Il inspecta attentivement le piège de soie à la recherche d'un petit corps arachnéen. Il n'y avait rien. La saloperie devait se planquer dans les trous sur les côtés, songea Brolin. Tant pis, il devait passer. De toute manière, s'il n'allait pas fourrer son doigt dans la tanière du monstre, elle ne se ruerait pas sur lui pour le mordre, non ?

Il s'assura qu'aucun bouton de sa chemise n'était ouvert – maigre précaution – et s'enfonça à contrecœur plus en avant.

Il arracha une partie de la toile en passant, et il dut s'arrêter de nouveau pour nettoyer un minimum ses bras et ses genoux.

En tournant la tête, il s'aperçut alors qu'il venait de rejoindre la cuisine de Suberton ; sa lampe – trop petite – découpait les ténèbres du réduit en lames étriquées. Il rampa sur deux mètres supplémentaires et put se lever. L'espace était restreint, mais c'était un tel bonheur après cette exploration au ras du sol qu'il avala de grandes goulées d'oxygène moins saturé de poussière.

Un frigo de modeste taille faisait face à une cuisinière avec four. Une boîte contenant des assiettes, quelques verres et des couverts était l'unique mobilier de l'espace repas. Brolin ouvrit le frigo.

L'ampoule s'alluma à l'intérieur, bien plus puissante que son maigre crayon lumineux. Il cligna des paupières avant de s'y habituer. Une odeur de champignon en sortit. Il y avait quelques restes de nourriture, entièrement moisis.

Suberton était-il parti dans l'urgence, ou n'avait-il que faire de son appartement à ce point ?

Qui es-tu, Mark ? Qui se cache derrière ce regard bas et cette obsession du cambriolage ? Montre-moi ce que tu dissimules chez toi, laisse-moi t'approcher, t'appréhender.

Brolin contempla le dédale de cartons qui l'avait conduit jusqu'ici.

Dis-moi pourquoi ce besoin d'abandonner tes cadavres près d'une chute d'eau, hein ? C'est quoi ton truc ? Les araignées, ça je sais, dis-moi plutôt ce que je ne sais pas, ce que je ne vois pas. Pourquoi tu les violes par la gorge par exemple ?

Brolin pivota vers la cuisinière. Des taches de graisse en maculaient le pourtour et des traînées noires s'échappaient de la porte du four. Le hublot était opaque.

Il ouvrit le four. Un nuage de suie s'en échappa. Brolin toussa avant d'orienter sa lumière vers l'intérieur.

Il y avait sous le gril un tas de cendre, et les parois du four étaient couvertes de suie. *Tu fous le feu à ton four, Mark ?*

De nouveau, l'appartement émit un long craquement.

Brolin secoua la tête. Il allait refermer la porte lorsqu'une matière plus blanche attira son regard. Il fouilla les cendres de l'index, pour en sortir une forme ratatinée dont l'un des coins n'avait pas brûlé. C'était un carnet.

Brolin l'ouvrit tout doucement, et des particules carbonisées tombèrent dans un craquement. Une grande partie du carnet n'était qu'un charbon friable, mais il subsistait quelques pages brunies. En collant son nez dessus, Brolin tenta de discerner des mots au travers du voile marron. C'était impossible. Il soupira.

Cependant, les dernières pages présentaient un coin supérieur intact. Des bouts de phrases étaient lisibles.

*a la télé disan que c'est la
qu'il emmerde cet enfoi-
la plupar du temp j'ai
baisé dans un motel sur la*

Un mot sur l'une des pages interpella Brolin :

parle d'araignées tout le

Le privé examina les pages suivantes et précédentes, elles étaient un peu moins abîmées, visiblement il y était question d'un homme proche de Suberton.

*il m'a mordu se crétin, c'est la deu
T. dort ici ce soir, j'aimerai qu'il
je carresse T. et il me mord cet abrut
pas avec ses araignées ici, c'est*

La mention des araignées semblait briller dans le noir. Brolin emballa le carnet dans un vieux torchon, il n'allait pas abandonner un indice comme celui-ci. Il vit alors un paquet de biscuits posé à côté, qui lui rappela comme son estomac était vide. *Tu ne vas pas toucher à ça, c'est là depuis des mois !* Il saisit le paquet mais s'aperçut que les souris avaient fait le boulot pour lui. *Tant mieux...*

Brolin grimaça à l'idée de devoir retourner là-dessous, dans cet enchevêtrement de galeries obscures, malodorantes, et pleines de sour... À dire vrai, il n'avait pas rencontré la moindre trace de souris depuis qu'il était là. Pas même les tapotements de leurs pas fuyants. Il secoua la tête, qu'est-ce que ça pouvait bien lui faire, après tout.

Brolin s'agenouilla et retourna dans le réseau étrange.

Il s'abîma les genoux à ramper pendant plusieurs minutes, bientôt les draps qui servaient de plafond furent remplacés par des couvertures tendues de chaque côté, encore plus étouffantes. Brolin évoluait dans un « corridor » de soixante-dix centimètres de large pour à peine quatre-vingt-dix de haut, pour un peu, il se serait cru dans *La Grande Évasion*. Il trouva enfin ce qui servait de chambre à Suberton : un matelas, une lampe de chevet et quelques magazines pornographiques. Brolin chercha sous le matelas, entre les deux télévisions, parmi les DVD que Suberton avait amassés, sans rien trouver d'intéressant. Et par-dessus tout, rien qui pût expliquer son comportement. Son attrait pour les araignées, son besoin de violer ses victimes par la gorge, ou une quelconque référence à l'eau omniprésente sur ses scènes de crime. Il n'y avait que l'agencement des meubles, et ce labyrinthe, tous ces cartons et ces meubles pour... Tous ces *meubles...*

Brolin tiqua. Il se redressa en repensant aux aquariums.

Sur le coup il n'avait pas fait le rapprochement, mais il s'agissait bien d'eau. Et si au lieu de poissons, ces aquariums géants avaient recueilli des araignées ?

Brolin se jeta dans l'entrée des galeries et alla le plus rapidement possible vers les deux blocs de verre noir. Il se « perdit » à une intersection, et il fit un détour.

Puis il fut dans le goulet des aquariums.

Ils étaient tous deux là, de part et d'autre du passage, deux rectangles de ténèbres.

Brolin avança, sa main effleura la surface froide d'une des vitres.

Malgré ses efforts pour rester serein, il pouvait sentir les battements de son cœur qui accéléraient.

Il plaqua sa lampe contre la vitre. Sans résultat concluant, il n'y avait qu'un halo verdâtre dû à la teinte du verre.

Brolin tâtonna à la recherche d'un interrupteur. Après tout il y avait encore l'électricité, peut-être que les aquariums étaient reliés à une prise. En cherchant, le coude du détective privé heurta l'autre cuve, celle qui était dans son dos. Il y eut un bruit sourd.

Il fronça les sourcils. Comme s'il y avait quelque chose de l'autre côté de la paroi. Aussitôt son imaginaire d'ex-flic travailla, mais non, ça ne pouvait pas être ça, pas un cadavre. L'odeur l'aurait alerté depuis longtemps. Il fallait qu'il arrête d'imaginer toujours le pire. L'aquarium devait être plein, c'était possible après tout. Il délaissa celui qui l'avait intéressé pour se concentrer sur celui-là. Le faible rayon de sa lampe lui indiqua qu'il y avait un espace sur le côté de l'immense bac. Il éclaira sans parvenir à en discerner grand-chose. Il glissa sa main et ses doigts palpèrent à la recherche d'un bouton.

Son pouce rencontra quelque chose de mou sur le sol.

Il tâta la chose en question, c'était…

Oh merde !

Une souris morte, devina-t-il. Rien de plus.

Soudain il trouva un petit boîtier avec un interrupteur au milieu. Il l'actionna.

Les néons dans l'aquarium palpitèrent à l'instar d'éclairs dans un ciel vert émeraude. Car pour le peu qu'il put en voir, l'intérieur était tout vert.

D'un coup, l'ersatz de souterrain fut nimbé d'une lueur poisseuse.

Brolin avait le visage à moins de dix centimètres de la paroi de verre, il ne pouvait reculer davantage.

L'horreur surgit violemment.

Les yeux délavés plaqués contre la vitre, juste en face de Brolin.

Ce faciès de terreur était presque collé au sien, à peine séparé par un centimètre de verre.

Un homme flottait dans l'eau putride de l'aquarium.

Son séjour dans l'eau avait rendu sa peau plus fripée qu'une toile au sortir du sèche-linge, elle semblait sur le point de se décoller de la chair. Et toute la tête était enflée, déformée, les lèvres prêtes à éclater, les yeux pendant, les joues s'affaissant.

Mais Brolin le reconnut instantanément.

Il serra le poing et se tourna pour sortir au plus vite d'ici.

Il rampa sur à peine cinquante centimètres.

C'est alors qu'il comprit pourquoi il n'avait entendu aucune souris depuis le début.

La raison en était simple. Tout autant que terrible.

Elle était là, devant lui, et lui barrait le chemin.

32

En dernier recours, Annabel avait accepté la proposition de Salhindro de la ramener au chalet de Brolin. Elle trouva la clé à l'endroit que le détective privé lui avait montré, et remercia Salhindro qui lui promit de la tenir au courant s'il avait la moindre nouvelle. Il avait essayé de la rassurer en insistant sur l'imprévisibilité qui caractérisait si bien le privé, lui qui se laissait toujours guider par son instinct vers des pistes folles, lui le solitaire.

Pourtant, Annabel avait le sentiment qu'il lui était arrivé quelque chose. Il ne l'aurait pas laissée tomber ainsi, sans prévenir. Il aurait au moins appelé. Pendant tout le trajet, elle s'était dit qu'il n'avait plus de batterie et que, ne pouvant la joindre, il était rentré et l'attendrait dans le salon, un mug de thé fumant à la main.

Mais le chalet était désert, seul Saphir vint à sa rencontre, plonger sa truffe mouillée dans son cou.

Il était une heure du matin.

Annabel se servit un whisky et sans allumer les lumières, elle s'installa dans le sofa, la lune s'invitait dans la pièce au travers de la grande baie vitrée, c'était suffisant pour y voir clair.

Elle resta là, à réfléchir, pendant dix minutes.

À cette enquête dans laquelle elle s'immergeait. À la mort qui aurait pu s'abattre sur elle la veille lors de son affrontement avec le tueur. À l'absence définitive de son mari. À la mort de son ancien équipier dans la police, Jack Thayer, l'hiver dernier. Elle n'était plus dans le chalet, elle voyageait loin au-delà.

Annabel sursauta. Le téléphone sonnait.

Elle n'hésita pas longtemps avant de bondir sur le combiné et de décrocher.

– Annabel ?

Son cœur cogna avec force contre sa poitrine.

– Joshua !

– Je n'ai pas réussi à te joindre plus tôt, je n'ai plus de batterie. Écoute, il s'est passé quelque chose ici.

L'inquiétude refit surface, la voix du privé n'était pas comme d'habitude. Il paraissait... *secoué* ! Lui...

– Je suis chez Suberton. Lloyd Meats vient de me rejoindre, ainsi que toute l'unité de scène de crime.

Annabel attendait, elle appréhendait ce qui allait suivre.

– J'ai trouvé un cadavre, poursuivit Brolin. Plongé dans l'eau d'un aquarium depuis un bon moment, plusieurs semaines voire plusieurs mois. Celui de Mark Suberton.

– Quoi ? Mais...

– Oui, c'est... machiavélique. Personne ne l'a vu vendredi soir lors de notre visite ici, il était planqué sous des draps au milieu de tous les autres meubles. Et avec l'eau et l'aquarium fermé, il n'y avait pas d'odeur, pas assez puissante en tout cas pour s'imposer par-dessus celle des lieux. Apparemment on s'est fait leurrer. Tout était prévu, la lampe trouvée sous l'armoire chez les Peyton, l'empreinte sur la pile, tout ça n'était qu'un plan tordu pour nous amener ici.

– Pour quelle raison ?

– On ne sait pas, pour jouer je présume, c'est la seule raison plausible. Celui qui est derrière tout ça nous nargue, il vient juste de nous prouver qu'il tient les rênes.

Annabel s'enfonça dans le sofa. Ils revenaient au point de départ.

– J'ai trouvé un carnet, ça en revanche je ne pense pas que c'était prévu par le tueur, vu l'état dans lequel il est. Craig va voir ce qu'il peut en faire au labo.

Après un silence, Brolin ajouta :

– Il y a autre chose.

De nouveau ce timbre dans la voix qu'Annabel ne lui connaissait pas.

– Ce salaud nous avait laissé une surprise avant de quitter l'appartement. Une de ses araignées. Un spécimen de très grande taille, pas loin d'une trentaine de centimètres. Je pense qu'elle a survécu ici grâce aux souris qu'elle a traquées.

– Tu as été mordu ? s'empressa de demander la jeune femme.

– Non, j'ai été piqué par des… « poils urticants », a dit l'entomologiste qui vient de nous rejoindre, et je suis parvenu à sortir avant de me faire mordre.

En fait, en découvrant le monstre qui occupait quasiment toute la largueur du passage, Brolin avait fait un bond en arrière. L'araignée levait ses pattes avant dans une attitude menaçante, lorsque le privé avait eu le réflexe d'empoigner son canif pour déchirer le drap au-dessus de lui. Il s'était extrait du labyrinthe au moment où une étrange stridulation était montée de sous le tissu. De plus en plus bruyamment, comme si elle se rapprochait de ses mollets. Brolin avait enjambé les meubles, faisant s'effondrer des piles de cartons sur son passage, jusqu'à rejoindre le vestibule. Il lui restait à peine assez d'énergie sur son portable pour joindre Lloyd Meats qui était accouru avec quelques hommes.

L'entomologiste, le Dr Conelberg, avait parlé d'une mygale, la plus grande au monde : *Theraphosa blondi*. Une espèce très agressive, qui n'hésite pas à bombarder un intrus de ses poils urticants avant de le mordre. Heureusement, son venin n'était pas dangereux. Le spécialiste semblait fasciné qu'une variété pareille ait pu survivre ici pendant plusieurs semaines. C'était la chaleur et l'humidité qui l'avaient permis, mais elle n'aurait pas passé l'automne, affirmait-il.

– Je rentre, prévint Brolin, je serai là dans moins d'une demi-heure.

Annabel ne fut pleinement rassurée qu'en entendant la voiture se garer devant le chalet. Elle ne laissa pas à Brolin le temps de parler, elle l'attrapa doucement et le serra contre elle. Celui-ci resta immobile un instant avant de passer ses bras autour de la jeune femme.

– Je vais bien, fit-il. Je vais bien.

Elle se dégagea en hochant la tête.

– Excuse-moi, j'ai… je me suis inquiétée.

Elle parvint à arracher un sourire à Brolin.

Il se servit un grand verre de thé glacé et s'installa dans le sofa à l'endroit exact où l'avait attendu Annabel. Elle vint s'asseoir à ses côtés.

– C'est retour à la case départ, n'est-ce pas ? murmura-t-elle.

– Je ne sais pas. Pour moi c'est la confirmation d'une logique. Une fois encore, un cadavre était associé à l'eau.

– Sauf pour le premier, si ma mémoire est bonne. Fleitcher, le frère de Salhindro, a été retrouvé dans la clairière où j'étais hier, et il n'y a pas d'eau.

– Il y a une cascade à moins d'un kilomètre, mais je ne crois pas qu'il y ait un rapport. Je crois que le meurtre de Fleitcher n'avait rien à voir avec le reste, il s'est trouvé au mauvais endroit au mauvais moment. Il n'était pas emballé dans de la soie, il n'était pas vidé. Il n'y avait pas de cérémonial.

– La victime n'est-elle pas avant tout un objet de plaisir, ou un véhicule nécessaire pour atteindre un état ?

– C'est également ça, mais dans ce cas, j'ai peine à croire que l'omniprésence de l'eau soit un hasard. La symbolique de l'eau est souvent rattachée à la femme, à la procréation. Et dans toutes les civilisations ou les religions, l'eau est associée à la purification, à la régénérescence également.

– Il serait en train de nous dire qu'il va renaître ou se laver de quelque chose ? s'étonna Annabel.

– Possible. Ce type est… différent des autres.

Annabel vit l'énervement poindre sur le faciès de Brolin, ses mâchoires se contractaient.

– Il inverse les schémas habituels, pesta Brolin, on dit que les tueurs en série sont souvent fascinés par le feu, qu'ils étaient pyromanes étant adolescents, lui c'est l'eau. Une forme d'ondinisme.

– Qu'est-ce que c'est ?

– Une fascination, en général d'ordre sexuel, pour l'eau.

– Et pourquoi pas ?

Brolin posa son verre de thé.

– Pourquoi pas… C'est plus fréquent chez les femmes, et pour tout te dire, je n'ai jamais lu la moindre ligne sur un tueur en série qui aurait cette déviance.

– Disons que celui-ci innove…

Brolin n'ajouta rien, il sentait que la substance même de cette histoire lui échappait, il était incapable de cerner la personnalité de cet individu.

Annabel l'interrompit dans ses pensées :

– Je pensais à un truc, à propos de l'eau. Le jugement par l'ordalie. Tu sais, je crois que c'était au Moyen Âge, cela consistait en une épreuve par les éléments naturels, le jugement de Dieu par le feu ou l'eau. Cela était censé définir si une personne était coupable ou innocente.

– Si telle était l'idée du tueur, il noierait ses victimes ou les immergerait au moins, non je ne crois pas. L'eau est en fond, un environnement pour nous montrer les victimes mortes, c'est dans ce contexte qu'il veut qu'on les découvre. C'est ça qui est important.

Brolin posa ses coudes sur ses genoux et se massa les joues et les yeux.

Annabel le regarda faire avec une tendresse maternelle. Elle posa une main sur son bras.

– Ces derniers jours ont été rudes, n'est-ce pas ?

Il acquiesça avant de reculer dans le sofa, il renversa la tête en arrière, paupières closes.

Saphir monta sur les coussins et s'allongea, du côté opposé à la jeune femme, le museau appuyé sur la cuisse de son maître. Brolin le caressa d'une main, lentement.

L'absence de tout fond sonore détendit Annabel. Elle médita sur cette tranquillité en contemplant la cime des arbres, confortablement assise.

Lorsqu'elle tourna la tête vers Brolin et Saphir, la main était immobile sur le poil devenu gris sous l'éclat de la lune. Tous deux dormaient, la respiration lente. Les lèvres d'Annabel s'entrouvrirent en une esquisse de joie.

Elle les considéra pendant de longues minutes.

Puis elle posa tout doucement sa tête contre le torse de Brolin.

Elle l'écouta vivre avant de s'endormir à son tour.

33

La manchette de l'*Oregonian* était tranchante :
« L'HORREUR DANS LA FORÊT »

Dessous, la photo à la une couvrait la moitié de la page. On y voyait plusieurs personnes sous un arbre avec une silhouette dans les branches, juste à côté d'une longue tache blanche. La légende titrait : « La police découvre un cadavre (sous le linge) dans l'arbre où il a été abandonné. »

Il y avait eu une fuite au sein même de la police, la rédaction savait qu'un corps avait été retrouvé dans des circonstances mystérieuses et s'apprêtait à en faire sa deuxième page lorsqu'elle avait reçu les photos envoyées par un anonyme. Ça tenait du miracle, des documents de ce genre se monnayaient assez cher, celui qui leur avait posté ces six photos avait assurément un compte à régler avec les forces de l'ordre. Peu importait, cela tombait comme un cadeau du ciel et l'affaire se retrouva propulsée en une.

L'un des journalistes présents au moment de l'ouverture de l'enveloppe fit remarquer que sur l'une des photos, deux silhouettes étaient entourées au marqueur rouge avec un point d'interrogation. L'expéditeur ne manquait pas d'acharnement. La première personne fut reconnue aussitôt, on avait beaucoup parlé de lui dans les médias de l'État et même du pays tout entier, presque trois ans auparavant : Joshua Brolin. Par déduction, on ne tarda pas à identifier la seconde : Annabel O'Donnel.

L'article ne manquait pas de souligner, en insistant même sournoisement, leur identité et leur rapport avec cette macabre découverte.

« ... Plus surprenant encore : la présence sur les lieux du détective privé Joshua Brolin et de la détective new-yorkaise Annabel O'Donnel. On ne présente plus Joshua Brolin depuis l'horrible drame de l'automne 1999 et l'arrestation du Fantôme de Portland *(voir entrefilet ci-contre)*. Et l'on sait qu'il fut mêlé de près au démantèlement, cet hiver, de la secte de Caliban à New York, enquête conduite par cette même Annabel O'Donnel. Que viennent faire ici un détective privé et un flic de New York ? On peut supposer que tout cela n'a rien de bon, et de là à présager qu'un *nouveau tueur en série rôde dans le pays...* »

Lloyd Meats jeta le journal dans la corbeille à papier.

– Les enfoirés... Ils ne nous ont même pas prévenus !

– Ils n'arrêtent pas d'appeler depuis ce matin, lança le capitaine Chamberlin, ils veulent une déclaration pour l'édition de demain.

– Qu'ils aillent au diable ! tonna Meats.

– Il faut voir le bon côté, la presse n'est pas au courant pour les araignées, ils ont pris le cocon pour un linge recouvrant le cadavre, tant qu'on peut éviter qu'ils fassent dans le sensationnel... Je vais faire un communiqué public tout à l'heure, expliquer que l'enquête avance, les faire patienter.

Voyant que Meats enfilait sa veste, le capitaine s'enquit :

– Où vas-tu ?

– Au labo, Craig Nova m'attend pour éplucher le carnet brûlé que Joshua a retrouvé chez notre ex-suspect numéro un.

– Bien, tiens-moi au courant. Et concernant Brolin, je vais annoncer officiellement que nous avons fait appel à ses connaissances en matière de psychologie criminelle, rien de plus. Ça te va ?

– Pourquoi ça ne m'irait pas ?

Chamberlin se massa la mâchoire avant de parler, comme pour chercher le meilleur moyen de s'exprimer :

– Toi et moi savons qu'il est un peu plus que cela. Sans lui nous n'aurions pas trouvé le cadavre de Suberton avant plusieurs jours…

Le regard de Meats était plongé dans la poussière sous le bureau.

– Je vois ce que tu veux dire. C'est son choix. Il ne pouvait plus rester dans la police. Je crois qu'on peut le comprendre. Je file.

Craig Nova trépignait d'impatience, il tournait autour du morceau de cuir rongé par les flammes, ce petit rectangle fait d'un assemblage de feuilles de papier. Il se sentait comme Howard Carter sur le point de franchir le seuil de la tombe de Toutankhamon. C'était possible, il le savait, il pouvait pénétrer la morsure du feu pour faire parler le carnet, il avait déjà des idées pour cela.

Craig marchait les mains dans le dos, tournant autour de la table carrelée sans quitter des yeux la tache obscure posée sous une cloche de verre.

Il allait tout d'abord utiliser un mélange d'éther, de glycérine et de pétrole pour rendre un peu de cohésion au papier et assouplir les pages friables. Ensuite il se servirait de radiations ultraviolettes ou infrarouges pour révéler l'encre. Celle-ci réfléchirait une longueur d'onde particulière par rapport au papier brûlé, une longueur d'onde propre à sa texture et à sa composition, différente de celle du papier, ainsi les lettres et les mots apparaîtraient en relief et ce, malgré la tache calcinée qui recouvrait tout le document.

Craig claqua ses mains l'une contre l'autre et prépara son matériel.

Lorsque Lloyd Meats apparut de l'autre côté de la grande vitre du laboratoire, Craig leva vers lui un poing ganté de latex, le pouce dressé vers le plafond en signe de victoire.

Il avait trouvé quelque chose.

34

Dans la matinée du lundi, Brolin accompagna Annabel dans la boutique *Bug'em all* pour rencontrer à son tour Debbie Leigh afin de lui poser quelques questions, toujours les mêmes, sur les araignées. Elle se montra très amicale, mais les réponses qu'il obtint ne lui apprirent rien qu'il ne sût déjà.

Annabel suivait la conversation un peu à l'écart, le nez rivé au terrarium d'une grosse tarentule poilue. Elle avait été surprise de s'éveiller le matin pelotonnée contre Brolin, toujours sur le sofa, avec une couverture sur les épaules. Cela signifiait qu'il avait ouvert les yeux dans la nuit, qu'il s'était rendu compte qu'ils dormaient l'un contre l'autre et avait été chercher la couverture pour se recoucher contre elle. Cette pensée avait suffi à mettre Annabel de bonne humeur malgré la tension nerveuse et la fatigue accumulées depuis quelques jours.

À midi, Brolin l'invita à déjeuner dans un restaurant du centre-ville, un restaurant mexicain. À la fin du repas, il déplia une feuille de papier qu'il gardait dans l'une des poches arrière de son jean.

Il s'agissait d'une liste d'une vingtaine de noms dont les sept premiers étaient ceux sur lesquels il pouvait coller un visage.

« NeoSeta :

« Professeur Haggarth – responsable technique ?

« Gloria Helskey – chef de projet.

« Connie d'Eils – technicienne ?

« Donovan Jackman – responsable relations publiques.

« Particuliers :

« Nelson Henry – musée d'histoire naturelle, arachnophile.

« Docteur Conelberg – entomologiste.

« Debbie Leigh – de la boutique *Bug'em all*, passionnée ?… »

Elle se poursuivait sur une page et demie.

– Pourquoi se fixer absolument sur tout ces noms ? demanda Annabel.

– La communauté des arachnophiles n'est pas infinie sur Portland et sa région, et celui qui se cache derrière les meurtres doit en faire partie. Il a une grande connaissance des arachnides, il dispose d'un réseau de connaissances pour s'approvisionner en espèces exotiques, c'est forcément un de ceux-là ou peut-être quelqu'un dans leur entourage.

– Donovan Jackman à NeoSeta n'est pas un passionné d'araignées, c'est le responsable des relations publiques, pourquoi le laisses-tu sur la liste ?

– En fait, c'est tout le personnel de NeoSeta que j'aimerais mettre sur cette liste, ils ont tous accès à des bases de données importantes sur les arachnides, il ne faut écarter personne. Et, leur ayant rendu une petite visite un samedi, je n'ai vu qu'une partie de l'équipe.

Annabel approuva au moment où le téléphone portable de Brolin se mit à sonner.

– Joshua, c'est Lloyd Meats. L'enquête repart. Craig Nova a réussi à déchiffrer quelques pages du carnet que tu as trouvé hier soir.

– Vous avez identifié son auteur avec certitude ?

– En passant par la banque de Suberton, on a eu accès à sa signature. Notre expert en documents, qui est aussi graphologue, l'a comparée à des échantillons de texte prélevés dans le carnet brûlé, échantillons rendus lisibles par différents procédés infrarouges et tout le bazar, tu connais… L'expert est certain qu'il s'agit de l'écriture de Mark Suberton. Mais c'est pas pour ça que je t'appelle. La plupart des pages étaient trop abîmées pour être récupérables, la plupart mais pas toutes. Écoute, apparemment Suberton avait une relation avec un autre homme, il ne fait mention à aucun moment de son nom autrement que par T. Il raconte comment ils se voyaient de temps en temps ; d'après ses notes, Suberton trouvait T. un peu bizarre, cependant il l'aimait bien. Sauf que T. était parfois un peu trop bizarre, T. a mordu Suberton de nombreuses fois et Suberton s'est foutu en rogne. J'ai même un passage où Suberton avoue que T. lui fait un peu peur. Mais la cerise sur le gâteau, c'est que T. n'arrête pas de parler d'araignées. D'après Suberton, T. est obsédé par les petites bêtes à huit pattes, il se demande même si T. n'en élève pas chez lui.

– Une idée de qui pourrait être ce T. ? interrogea Brolin.

– C'est là que c'est bon, d'après le légiste, Suberton est mort depuis plus d'un mois au moins, voire beaucoup plus, ce qui colle avec sa disparition il y a trois mois. Il ne peut donc pas être celui qui a enlevé Carol Peyton et Lindsey Morgan, dommage parce que son boulot de serrurier pouvait expliquer qu'il soit entré chez elles sans effraction. En revanche, Suberton travaillait avec un collègue, un dénommé Trevor Hamilton, tu vois ce que je veux dire ?

– Oui, T comme Trevor, un serrurier capable de pénétrer chez les gens sans avoir à casser les fenêtres.

– Bingo. Le hic c'est que rien de concret ne l'accuse directement, néanmoins je viens de discuter avec le Dr Folstom, elle a une idée qui pourrait tout résoudre. Tu peux nous rejoindre à la morgue ?

– Je suis avec Annabel, nous arriverons bientôt. Lloyd, ce carnet, tu l'as trouvé comment au niveau du contenu ? Je veux dire, ça avait l'air vraisemblable ce qui était écrit à l'intérieur ? Je suis un peu méfiant.

– Je crois que je te suis : un type qui a fait de la prison, on s'imagine pas qu'il puisse tenir un journal intime, c'est ça ? Pourtant c'est sacrément crédible à la lecture, c'est pas bien écrit et truffé de fautes d'orthographe, mais j'y crois. L'essentiel de ce que j'ai pu lire n'était pas intéressant pour l'enquête, ça parlait de préoccupations existentielles ponctuées de mauvaise philosophie ; pour le reste, tu sais tout.

– Bien, c'était par sûreté, on s'est déjà fait balader une fois avec l'empreinte sur la pile… On arrive.

– Josh, une dernière chose.

Le ton de Meats était tout d'un coup moins passionné, plus inquiet.

– Qu'y a-t-il ?

– Tu as lu la presse ce matin ? demanda Meats. Non ? Eh bien tu devrais jeter un coup d'œil à l'*Oregonian*, l'enquête est publique désormais.

– Ça devait arriver, il va falloir filtrer les informations maintenant.

Meats eut l'air gêné d'apprendre la nouvelle à Brolin :

– Josh, il y a une photo de nous tous en une. Le photographe est un anonyme qui a envoyé les clichés à la rédaction du journal. Ton nom et celui d'Annabel sont inscrits noir sur blanc dans l'article. Je suis désolé.

Brolin se contracta.

Lui aussi savait ce que cela signifiait.

Le tueur connaissait son identité, et surtout, celle d'Annabel.

*
* *

– Il y a très peu de chances que ça soit un promeneur qui ait pris cette photo, déclara Meats. Non, je suis certain que c'était lui. Cet enfoiré était là, à nous attendre sur la scène de crime. Il a pris ses photos et s'est barré discrètement avant qu'on ne le repère. Josh, je t'assure qu'on va mettre le paquet.

Brolin ne répondit pas, il se contenta de marcher avec Annabel dans le couloir de la morgue. Le capitaine Chamberlin s'était engagé à couvrir sa participation à l'enquête, les motifs ne manquaient pas. En fait, Chamberlin était même prêt à couvrir celle d'Annabel, il trouverait bien un prétexte, à commencer par sa profession et en brodant autour de sa présence amicale au côté de Brolin. C'était déjà ça.

Ils franchirent une porte, descendirent une volée de marches avant de se retrouver dans une longue pièce froide entièrement tapissée de carreaux, du sol au plafond. Sur une table en inox un peu incurvée pour permettre l'écoulement des liquides organiques, le cadavre déformé de Mark Suberton attendait sous la lumière crue.

Il ressemblait au résultat d'une expérience génétique manquée. Sa peau était cireuse, jaunie par le séjour dans l'eau de l'aquarium, et elle suintait. Mark Suberton n'était plus qu'une boursouflure fripée, aux yeux presque détachés tant ils pendaient, aux lèvres éclatant en une fleur violette, il était une parodie monstrueuse de film d'horreur.

Brolin remarqua que le pouce droit avait été tranché. La partie prélevée par le meurtrier pour apposer l'empreinte sur la lampe. Le tueur avait espéré que la police la trouverait, et remonterait jusqu'à Suberton, persuadée de tenir son coupable. Le petit système d'alarme bricolé à l'entrée de l'appartement devait avoir prévenu le vrai tueur de l'arrivée de la police. Cet instant avait dû être un réel bonheur pour lui, il bernait la police, et par là même la société tout entière. Il jouait. Tout ça n'avait été qu'un stratagème pour perdre la police, et pour bien leur montrer qui conduisait cette sordide histoire.

Le Dr Sydney Folstom attendait au-dessus du corps de Suberton, elle examinait les plaies béantes qui s'ouvraient sur son torse.

– Vous savez comment il est mort ? demanda Brolin.

Surprise de l'entendre, elle leva la tête vers lui et le privé y lut une certaine joie.

– Même lorsque je serai à la retraite, vous viendrez encore me harceler, j'en suis sûre… lui confia-t-elle.

– C'est moi qui suis étonné de vous voir au sous-sol, je m'étais laissé dire que vous ne pratiquiez plus d'autopsie depuis un an.

Elle parut gênée à cette mention, et un peu blessée, songea Brolin.

– Je ne vais pas faire l'autopsie, je suis simplement descendue pour aider l'inspecteur Meats dans son enquête.

Sydney Folstom haussa un sourcil en regardant par-dessus l'épaule de Brolin, en direction d'Annabel.

– Qui est-ce ?

Annabel lui tendit la main.

– Annabel O'Donnel du NYPD, j'accompagne Joshua. La directrice de la morgue serra la main et se tourna vers Lloyd Meats qui fit signe qu'il approuvait la présence de la jeune femme.

– Passons aux choses sérieuses, conclut le Dr Folstom. Inspecteur Meats, vous m'avez raconté votre histoire de morsure et comme je vous l'ai dit après examen, je n'ai vu aucune trace de morsure sur ce cadavre. Mais ça ne veut pas dire qu'il n'y en ait pas.

Meats se pencha vers Brolin pour lui chuchoter :

– Dans son carnet, Suberton répète plusieurs fois que T. le mordait…

Le Dr Folstom s'empara d'un appareil photo et revint près du cadavre.

– Tandis que la trace de morsure disparaît en surface assez rapidement, les ecchymoses infligées aux tissus sous-cutanés peuvent marquer pendant longtemps, environ six mois. Il suffit pour les voir de prendre des photos aux ultraviolets.

Annabel se souvint du procédé. Elle savait que les UV pénètrent la peau plus profondément que toute autre lumière, illuminant par là même les dommages invisibles à l'œil nu. Dans plusieurs affaires de violences conjugales elle y avait eu recours, et une fois dans un cas d'agression sexuelle à répétition sur une fillette de cinq ans. Les photos UV avaient mis en évidence plusieurs mois de maltraitance alors que la fillette n'avait pas le moindre bleu apparent, le père s'étant arrêté depuis plusieurs semaines parce qu'il savait que les services sociaux l'avaient à l'œil. Les clichés avaient parlé, là où la fillette n'avait pu décrocher un mot.

Sydney Folstom prit les photos d'abord sans le filtre, pour la comparaison, puis avec, pour les UV, en se servant d'un flash mobile.

– Voilà. Inspecteur Meats, je vais faire développer les clichés, ça ne sera pas long. Dans le cas où vous auriez vu juste et où cet homme serait couvert de traces de morsures sous-cutanées, il nous faudra les fichiers dentaires de votre suspect, je pourrais demander à un odontologiste d'effectuer la comparaison. Vous pouvez l'obtenir rapidement ?

– Je dois passer un coup de téléphone au bureau, normalement nous devrions déjà disposer des informations de base concernant le suspect, s'il s'avère qu'il vit dans les environs depuis un petit moment, ça devrait être possible.

Et les informations rassemblées par les inspecteurs affectés à la cellule d'enquête se révélèrent intéressantes. Trevor Hamilton était originaire de la banlieue de Portland, il avait vingt et un ans seulement et habitait dans le quartier de Northeast, un petit appartement. Il travaillait chez le serrurier depuis un an, d'abord comme apprenti, et maintenant comme employé à part entière. Avant ça, il avait fait quelques séjours en hôpital psychiatrique. Ce dernier élément méritait l'attention, même si pour l'heure on ignorait les causes exactes de ces internements. Enfin, sa mère était décédée en 1997 et il n'avait jamais connu son père, et c'était peut-être là le point commun qui l'avait rapproché de Suberton puisque ce dernier était orphelin.

Meats donna l'ordre d'appeler tous les dentistes de Northeast Portland, en commençant par ceux des hôpitaux et des centres d'assistance sociale qui prodiguaient des soins de ce type, à la recherche d'un patient du nom de Trevor Hamilton, et de se procurer une copie de son fichier dentaire.

Les photos UV développées confirmèrent ce qu'ils avaient tous espéré : sur les images en noir et blanc apparaissait le corps déformé de Suberton et sur ses épaules, ses bras et ses fesses des auréoles plus sombres, semblables à des baisers de requin.

Sydney Folstom se repéra avec les photos pour cibler exactement les zones de morsure et elle refit des clichés de beaucoup plus près cette fois.

Vers dix-sept heures, un officier en uniforme apporta une enveloppe à Lloyd Meats. On avait trouvé le fichier dentaire de Trevor Hamilton. Tout ça n'avait finalement pas pris beaucoup de temps.

L'odontologiste vint comparer le fichier de Trevor aux nouvelles photos en gros plan qui montraient clairement des ecchymoses laissées par chacune des dents.

Après une heure d'analyse et de vérification, la conclusion tomba.

L'homme dont parlait Suberton dans son carnet, le fameux T., celui qui lui faisait un peu peur par son comportement, et qui ne parlait que d'araignées, celui-là même qui le mordait de plus en plus fréquemment lors de leurs ébats amoureux, n'était autre que Trevor Hamilton.

Sa dentition l'identifiait avec certitude.

35

Trevor Hamilton claqua la porte de sa Volkswagen et démarra. Une journée de plus qui s'achevait.

Il conduisit pour sortir du parking de Lloyd Center Mall, un immense centre commercial où il travaillait, et s'engagea sur Halsey. Tout en tenant le volant d'une main, il se pencha pour ouvrir le vide-poche. Il attrapa un des flacons orange avec une étiquette portant son nom et son adresse. Il le secoua. Vide. Il se pencha à nouveau et en trouva un autre, plein cette fois-ci. Trevor hésita.

Il avait besoin de ces pilules quand il était au boulot, ça le calmait, et ça le rendait beaucoup plus mou aussi. Presque apathique. Heureusement que M. Blueton, son patron, était un homme bon, sinon il n'aurait jamais été engagé. M. Blueton employait des garçons comme lui, *à problème*, des hommes qui sortaient de prison ou qui n'étaient pas... comme les autres.

Trevor jeta le flacon par terre. Il rentrait, il n'avait pas besoin d'être plus calme, il voulait être un peu lui-même, pour un moment au moins.

Il sentit sa poitrine se creuser.

Pour de vrai.

Une parcelle de lui se liquéfiait dangereusement. Un vide se matérialisait entre ses poumons, prenant forme en même temps qu'il devenait douleur.

Trevor se mit à fredonner en secouant la tête.

Au bout d'un moment, concentré sur la route et sur la chanson, il sentit se dissiper le sentiment de dislocation.

Voilà ce qui arrivait lorsqu'il ne prenait pas ses pilules pendant longtemps ! Il regarda sa montre. Dix-huit heures passées. Il n'avait rien pris depuis le matin, sautant la dose du midi parce qu'il les avait oubliées dans la voiture et qu'il avait eu la flemme d'aller les chercher.

Trevor faisait coulisser d'avant en arrière sa mâchoire inférieure, ses mandibules roulaient sous ses joues, pendant que ses yeux se focalisaient sur la route.

Il avait envie d'autre chose. S'il rentrait maintenant chez lui, il allumerait la télé pour se détendre, mangerait devant sans la quitter des yeux avant d'aller se coucher, et il se réveillerait en pleine nuit pour l'éteindre.

De belles flammes rougeoyantes apparurent dans son esprit. Un beau brasier comme ceux qu'il pouvait contempler des heures durant lorsqu'il était petit.

Son sang se mit à le chauffer. Il se passait quelque chose en lui.

Son sexe s'éveillait.

Une bouffée de panique s'empara de lui, il s'empressa d'appuyer avec sa main libre sur cette pro-éminence qui naissait. Il se frappa le sexe et bientôt se mit à contenir à grand-peine ses larmes.

Voilà ce qui se passe quand tu ne prends pas tes médicaments ! hurla la voix du docteur.

– Non, murmura-t-il…

C'était déjà en lui depuis plusieurs jours, il n'arrêtait pas d'y penser. Il en avait envie. Encore une fois. Son sexe palpitait, malgré les coups, sous la toile de son pantalon. Ça faisait longtemps qu'il n'avait pas…

Soudain il se mit à se secouer d'avant en arrière, sans lâcher le volant. Il expirait par le nez en petits sifflements.

Et puis pourquoi pas ? C'était pas si mal que ça après tout…

Alors qu'il devait tourner sur la 22e rue, Trevor se ravisa et poursuivit tout droit.

Non, il n'allait pas rentrer chez lui, pas tout de suite.

Après tout, lui aussi avait droit au repos et au plaisir. Comme tous ces gens qui rentraient du travail pour se détendre, en famille, en jouant au billard entre copains dans un bar ou en allant au bowling.

Il s'arrêta pour acheter une bouteille d'eau, 500 grammes de viande, un bidon d'alcool à brûler et des allumettes en prenant bien soin que personne ne le touche. Il ne supportait pas qu'on le touche. Si cela arrivait, il faisait un bond et se mettait à hurler en vérifiant que tout son corps allait bien, et il devait attendre quelques minutes que rien d'anormal ne se passe à l'intérieur, en lui. Rares étaient les personnes qui pouvaient le toucher. Mark en était. Avec lui c'était différent. Mark ne lui prenait rien, il lui donnait. Il lui offrait sa substance, ainsi Trevor pouvait se reconstruire. Peu à peu. Sauf que Mark n'aimait plus Trevor. Il l'avait longtemps autorisé à venir chez lui, et même à réordonner l'intérieur de son appartement, pour qu'ils soient plus protégés, à l'abri. Mark criait souvent après lui, surtout quand Trevor le mordait. C'était pourtant agréable. Et puis Mark avait disparu, sans laisser de trace. Trevor l'avait oublié.

Il ne se souvenait pas très bien en fait, Mark l'avait aidé en lui offrant sa substance, oui, c'était cela, et... et Mark avait disparu.

Trevor ne remarqua pas le regard outré d'une femme qui venait de surprendre l'excroissance qui tendait encore mollement la toile du pantalon. Une fois équipé, Trevor se remit en route, direction plein est. À mesure que les kilomètres défilaient, l'excitation se faisait plus grandissante. Et la culpabilité aussi.

Il ne cessa alors de répéter qu'il allait simplement se reposer, allumer un feu et le regarder, il dînerait devant et pourrait rentrer, après une bonne soirée. Mais une part de son esprit ne parvenait pas à occulter complètement le réel usage de la viande et des flammes.

Après s'être enfoncé dans la forêt par des chemins plus cahoteux et déserts, Trevor se gara sur le bas-côté et sortit. Il faisait encore très chaud et il transpirait à grosses gouttes. Trevor ne supportait pas de sortir sans son t-shirt noir, celui qu'il aimait le plus, il lui fallait le couvrir d'un autre t-shirt, plus large, et d'une chemise. En temps normal cela suffisait pour le rassurer, ainsi vêtu il pouvait sortir de chez lui, son corps était à l'abri. Il devait en plus porter la combinaison du magasin, Trevor l'aimait beaucoup, c'était un des éléments qui comptaient le plus pour lui dans ce métier, cette combinaison. Il pouvait y enfiler ses jambes, son torse et même ses bras et remonter la fermeture à glissière jusqu'au cou.

Les autres ne comprenaient pas pourquoi il transpirait autant, ils croyaient qu'il avait une maladie de peau, les idiots.

La lumière était encore trop forte, le feu ne serait beau qu'avec l'obscurité de la nuit, il devait attendre, ce qui le mit en colère.

Pour se calmer, il entreprit de trouver une clairière qu'il repéra rapidement. Elle était petite, tout à fait ce qu'il lui fallait. Il partit chercher du bois sec et se constitua un foyer avec des morceaux de pierre. Même après tout cela, il faisait encore parfaitement jour.

Il songea un instant à dormir un peu, tout contre son feu, et balaya cette idée aussitôt. Il se réveillerait groggy, et toute son excitation serait retombée, il serait venu jusqu'ici pour rien, non il ne pouvait pas dormir.

Trevor décida de se promener un peu, il ramassa un bâton et lui fit décrire des mouvements sifflants dans l'air. Il repéra un écureuil qui plantait ses yeux tout noirs sur lui. Trevor s'immobilisa avant de contracter ses cuisses et de se lancer sur le minuscule rongeur qui, d'un bond, grimpa dans un arbre.

Trevor se redressa, furieux, et martela le tronc à l'aide de son bâton. Les coups tonnèrent contre l'écorce.

Trevor Hamilton était très mince, maigre même, cependant il avait une force hors du commun. Rien que sa poigne était phénoménale. Il lui arrivait parfois de desserrer un boulon d'une machine sans se servir d'un outil. Et plusieurs fois, ses collègues avaient plaisanté en affirmant qu'il ne valait mieux pas qu'une femme l'agace et se retrouve sous l'étau de ses mains.

Le bâton vola en éclats malgré son épaisseur.

Trevor s'en alla, furibond.

Lorsque le soleil fut couché, Trevor imbiba son tas de bois de l'alcool à brûler qu'il avait acheté et lança une allumette. La créature apparut brusquement, surgissant en émettant un léger souffle.

Tout à coup, il se remémora Smokey Bear[1], l'ours qui lui faisait peur lorsqu'il était petit.

Les tentacules de flammes montèrent vers le ciel étoilé.

Trevor avait les yeux grands ouverts, comme un enfant fasciné. Il était tout sourire.

Il vit le feu ronger les brindilles, sucer les tiges, et bientôt tout cet ensemble se mit à rougir sous sa magnificence.

Il y eut des éclats, des craquements, des sifflements, autant de suppliques vaines.

Trevor était nu devant les flammes.

Ses vêtements entassés sur un rocher à proximité, avec la viande qu'il avait achetée sur le chemin.

Il se tenait le sexe tout gonflé dans une main, sans s'en rendre compte. Son cœur tambourinait au milieu de tous ses organes humides, il le sentait jusque sous son crâne.

Il tourna longuement autour du cercle qui formait la base du foyer. Puis il prit son élan et se jeta au travers du feu, le plus vite possible. Il réapparut de l'autre côté en hurlant de joie. Il huma ses avant-bras. Ils sentaient le poil brûlé, et de fait, ils ne portaient plus que de dérisoires fils recroquevillés ou tout simplement calcinés.

Bientôt, il se retrouva avec une des pièces de viande dans une main, se caressant le corps de cette chair froide. Il planta ses dents dedans et déchira une lamelle qu'il avala, crue. Il adorait mordre dans la viande. Trevor dansait autour du brasier, tandis que des flammèches grimpaient dans l'air en hurlant, lui semblait-il.

---

1. Symbole de la prévention antifeu aux USA.

Il plaqua un autre bout de viande sur son sexe dressé et, tout en se déhanchant dans la chaleur étouffante de l'incendie, il se masturba.

Longtemps.

Des râles sortirent de sa gorge tandis que son cœur s'agrandissait de plus en plus, il avait l'impression d'être au milieu du feu.

Puis, au comble de l'excitation, le sang blanc gicla dans l'air chauffé, au creux de la nuit, de longs traits laiteux partirent féconder les créatures ondulantes de ses fantasmes brûlants.

Trevor était épuisé quand il atteignit son appartement.

Il ne remarqua rien.

L'ascenseur s'ouvrit au quatrième étage, il remonta tout le couloir jusqu'à la dernière porte, celle juste avant la sortie de secours.

Il enfonça la clé dans la serrure et la porte s'ouvrit.

Toute seule.

Trevor n'eut pas le temps de comprendre, il fut plaqué si violemment contre le mur que son nez éclata comme une tomate trop mûre. Ses bras furent arrachés vers l'arrière et il reçut un coup si puissant sur les mollets que ses jambes s'écartèrent douloureusement.

Il comprit qu'il était menotté lorsqu'on le tourna. Deux silhouettes surgirent devant lui, deux hommes habillés en noir, avec un casque à visière et un gilet pare-balles. Ils tenaient des fusils d'assaut.

Un autre groupe d'hommes, pareillement équipé, arrivait par l'escalier à côté de l'ascenseur.

« Police ! » hurla-t-on. *« Ne bougez plus, vous êtes en état d'arrestation ! »*

Un homme apparut enfin, le seul en costume dans ce commando urbain.

– Je voulais pas ! s'écria Trevor. Je voulais pas le faire mais c'était trop fort…

Il pleurait presque.

Lloyd Meats ferma les yeux un court instant. C'était terminé.

Il venait de reconnaître cette voix, celle de Trevor, aussi fluette que celle d'un adolescent. La voix qui expliquait sur le répondeur du capitaine Chamberlin comment aller jusqu'au premier cadavre.

Meats s'approcha du chef du groupe d'intervention.

– Emmenez-le au Central, je voudrais qu'on termine la fouille de l'appartement avant de l'interroger.

Deux hommes poussèrent Trevor Hamilton vers la sortie. Meats les arrêta.

– Pas par là, il peut y avoir des habitants de l'immeuble, prenez l'escalier extérieur, vous ne croiserez personne.

Le trio s'éloigna, suivi d'un autre homme qui brandit une carte sous le nez de Trevor.

Il lui lut ses droits « *Miranda* » et lui demanda s'il avait bien compris au moment où ils poussaient la porte pour se retrouver au grand air, sur un palier en acier. Ils dévalèrent la première série de marches en faisant sonner leurs talons contre l'acier. En bas, sur le boulevard, des voitures passaient sans rien remarquer.

Les enseignes lumineuses irradiaient tout le quartier.

Soudain, Trevor profita d'une nouvelle volée de marches pour se jeter en avant, de toutes ses forces.

Il échappa à la poigne de ses gardes et dut jeter une jambe en avant pour attraper une marche dans sa folle prise de vitesse. Il retoucha le sol deux mètres plus loin, sur un autre palier intermédiaire, et son bassin vint s'encastrer contre le garde-fou qui le séparait du vide.

De plus de trois étages.

Il se balança ainsi pendant une demi-seconde.

La main gantée d'un des hommes de la police fraya l'air pour s'ouvrir au-dessus du col de Trevor.

Puis celui-ci fit l'infime mouvement qu'il manquait.

Et il bascula de l'autre côté.

Six mètres plus bas, sa clavicule se démonta en heurtant un container de poubelle, la tête de Trevor vint rebondir contre la paroi métallique avec une fraction d'avance sur tout le reste du corps qui se fracassa sur le bitume encore chaud.

36

Joshua Brolin et Annabel attendaient dans un couloir de l'hôpital, devant une fenêtre ouverte. La cigarette de Brolin les enveloppait d'une brume dansante. Salhindro était présent également.

Il attendait de savoir.

Savoir s'il apprendrait un jour la vérité. Pourquoi Trevor Hamilton avait tué son frère.

Brolin alla chercher du café pour Annabel et Larry, il tendit le gobelet à son ami et planta son regard droit dans celui du gros flic.

– Larry, c'est fini, le meurtre de ton frère ne restera pas impuni.

– Sauf si cet enfoiré crève. Tu sais bien qu'il n'y aura pas de procès s'il meurt.

Le détective privé posa sa main sur l'épaule de Larry.

Les nouvelles tardant à arriver, il se leva et pour s'occuper, il consulta sa messagerie sur son téléphone portable.

Le message datait du début de la soirée, c'était une voix hésitante, très timide :

« Bonsoir… euh, j'ai eu votre numéro dans l'annuaire, je me souvenais que vous étiez détective privé… Ah, oui, c'est Connie d'Eils à l'appareil, je travaille chez NeoSeta, j'espère que vous vous souviendrez, je suis technicienne de laboratoire. Alors voilà : je sais pas trop comment vous dire ça, c'est que… En fait, l'autre jour je vous ai entendu demander à Gloria, notre chef de projet, s'il y avait déjà eu des élevages d'araignées en vue de récolter leur soie, elle a répondu que non, que c'était impossible… Eh bien, c'est pas tout à fait vrai, je sais que ça a déjà existé, mais euh, enfin c'est un peu long à expliquer au téléphone, alors si vous voulez vous pouvez me rappeler, je vais vous laisser mon numéro. C'est peut-être pas très utile comme information, je ne sais pas, peut-être que ça ne vous intéressera plus, mais je voulais vous le dire, j'ai pas osé l'autre jour, mais voilà, je le fais. Donc, vous pouvez me rappeler. Ah, oui, mon numéro, c'est le… »

Brolin raccrocha. Il se souvenait très bien d'elle, boulotte, une personnalité très effacée, elle se maquillait beaucoup trop, s'était-il fait comme remarque. Elle avait un petit côté fille de la profonde campagne. Le tuyau venait un peu tard, cependant, il serait bon de garder contact avec cette Connie, elle pourrait peut-être éclaircir des zones d'ombre sur les méthodes de Trevor Hamilton quant à ses araignées chéries.

Brolin vit Lloyd Meats s'approcher. Il l'interrogea du regard.

– Il est dans le coma, commenta Meats. Les médecins ne veulent pas se prononcer pour l'instant. Ils n'ont pas l'air optimistes.

Brolin attrapa le bras de Larry pour le réconforter. Ce dernier baissa la tête et fit signe qu'il sortait un moment.

– La fouille chez lui, ça a donné quelque chose ? s'enquit le privé en regardant son ami s'éloigner.

– Quelques livres sur les araignées. Rien d'anormal en fait. Sauf le mur au-dessus de son lit. Il l'avait couvert de photographies découpées un peu partout, il y en avait une bonne centaine.

– Que représentent-elles ? demanda Annabel depuis son fauteuil.

Meats lui accorda un rapide coup d'œil.

– Des flammes. Des feux en tout genre…

– Des feux ? s'étonna Brolin.

Il s'était attendu à tout sauf à ça. Cette fascination n'était pas rare chez les tueurs de ce type, en fait c'était même récurrent. Mais dans ce cas en particulier, il s'attendait à un rapport avec l'eau. L'ondinisme devait ici remplacer la pyromanie, c'était une évidence pour Brolin. Le tueur l'avait beaucoup trop souligné depuis le début pour que ça soit une coïncidence.

– Rien en rapport avec les meurtres ?

Meats secoua la tête.

– Je pense qu'il a une cachette quelque part. Là où il amenait ses victimes pour les vider… sans les ouvrir ; quelle que soit la méthode. Là où il doit élever ses araignées.

– Trevor Hamilton a des revenus modestes, notifia Brolin, il ne se paye donc pas un deuxième loyer, a-t-on fouillé parmi ses proches ?

– Il n'a pas de famille, on va éplucher sa bio pour voir s'il a des amis. Peut-être un complice.

Brolin grimaça.

– Je peux me tromper, mais celui qui a fait cela à ces femmes agit seul. Encore une fois, je le répète : c'est un fantasme particulièrement développé, et bien trop personnel pour être partagé. Ce délire autour des araignées et de l'eau, tout ça c'est le résultat d'un esprit qui a sa logique, ça n'est pas quelque chose que l'on peut partager.

– Et pourquoi pas un mordu d'araignée – Trevor – et un autre qui aurait cette obsession de l'eau ?

Brolin fit signe que non.

– Tout est trop homogène, fit-il, il y a une continuité dans l'ensemble : les corps vidés de leur liquide et la présence de l'eau à proximité, de chute d'eau, le cadavre dans l'aquarium. Le sperme dans la gorge appartient à une seule personne, il n'y pas marque d'autres sévices, non, j'en suis sûr, c'est une seule et même personnalité qui a mûri ce fantasme.

– Quoi qu'il en soit, conclut Meats, j'ai reconnu la voix de Trevor Hamilton. Il a la force nécessaire pour terrasser ses victimes, il est serrurier et peut donc s'introduire chez elles sans trace. Et il a un lien direct avec Mark Suberton dont l'empreinte a été retrouvée chez une des victimes, c'est donc Trevor qui s'est débarrassé de Suberton pour jouer avec nous, pour brouiller les pistes. À cela on peut ajouter les livres sur les araignées retrouvés chez lui, sans compter qu'il a à moitié avoué quand on l'a arrêté !

– Qu'a-t-il dit exactement ?

– Je ne sais plus, quelque chose comme « Je ne voulais pas le faire, mais c'était plus fort que moi », un truc dans le genre.

Ça ne voulait pas dire grand-chose, il pouvait parler de n'importe quoi, se dit Brolin.

Le privé finit néanmoins par acquiescer. Accumulé au reste, ça faisait beaucoup, en effet.

– Et il a tenté de fuir et même de se tuer… Josh, je suis navré, je comprends ton interprétation des faits, mais tu ne peux pas voir juste à tous les coups, regarde les profilers du FBI, ils n'arrêtent pas de se planter depuis quelque temps… De toute manière, on vient de faire les prélèvements, on va comparer son ADN avec celui du sperme trouvé dans la gorge des deux victimes.

Brolin passa sa main dans ses cheveux et approuva d'un bref mouvement du visage. Meats lui rendit un clin d'œil.

– Allez, rentre chez toi. (Il désigna Annabel du menton.) Rentrez tous les deux, et décompressez. Je m'occupe de Larry. Demain tu passeras au Central, on remplira une déclaration concernant ton implication dans cette enquête, je veux que tout soit réglo, notamment lorsque tu as trouvé le carnet de Suberton. Ah, et n'oublie pas, demain c'est l'enterrement du frère de Larry. La famille a souhaité que ça se fasse dans l'intimité, juste entre eux. Mais je pense que Larry aura besoin de soutien…

Brolin fit signe qu'il savait. Il fit un pas sur le côté et guetta le fond du couloir, la porte derrière laquelle reposait le corps inerte de Trevor Hamilton.

Puis il se tourna, prit la main d'Annabel et ils disparurent dans l'ascenseur. La porte se referma en projetant une ombre difforme sur le sol du couloir.

Celle de deux amants maudits, songea Lloyd Meats.

*
* *

Annabel s'éveilla en entendant le picotement sec contre la fenêtre.

Elle mit une dizaine de secondes avant de tout se remémorer. Sa présence dans l'Oregon, chez Brolin, les meurtres… Il y eut un flottement dans son esprit, le temps de démêler le rêve du cauchemar et de ce qui était vrai. Il y avait de tout. Cette chaleur réconfortante d'être avec Joshua, ses très brefs coups d'œil, fugitifs,

327

qu'elle captait, et de l'autre côté ces faciès de terreur momifiés par la toile d'araignée.

Toc-toc-toc-toc-toc...

Depuis son lit, Annabel se tourna vers la fenêtre.

Un pivert se tenait sur le rebord. Sa tête bougeait par saccades rapides, ses petites billes noires lorgnant au travers de la vitre. Il se pencha et planta son bec cuivré dans le bois.

Toc-toc-toc-toc-toc...

Elle s'étira en bâillant et se leva. Elle trouva un t-shirt ample et long pour couvrir sa poitrine nue et descendit dans le grand salon. Fidèle à ses habitudes, Brolin était déjà levé. Assis dans un transat sur la terrasse, il contemplait le paysage forestier.

– Bonjour, lança Annabel en prenant place à ses côtés sur une autre chaise.

Il se fendit d'un sourire pour elle.

– Tu as l'air bien songeur, fit-elle remarquer. Tu es encore dans cette affaire, pas vrai ?

– Je n'aime pas les zones d'ombre, concéda-t-il enfin, j'aime avoir la certitude, savoir. Mais comme l'a dit Lloyd : on ne peut pas voir juste à tous les coups... Oh, excuse-moi, je suis en train de te parler de tout ça alors que tu viens de te lever.

Annabel savait à quel point il voulait toujours être le plus irréprochable possible dans ses déductions.

– Aujourd'hui je dois aller au Central remplir des déclarations, ajouta-t-il, et demain matin nous partons pour Astoria. Je vais te montrer où j'allais passer mes vacances étant gamin, ça te va ?

Annabel hocha la tête avec entrain, c'était elle la gamine, se dit-elle.

Dans la matinée, Annabel chaussa ses baskets et accompagna Brolin pour aller courir dans les bois. Ils rentrèrent après sept kilomètres, dégoulinants et à bout de souffle, l'air commençait à brûler sous le soleil. Ils déjeunèrent sous une parcelle d'ombre sur la terrasse, des produits frais, salade, tomate, maïs et mozzarella. Brolin partit en début d'après-midi pour filer sur Portland.

Dans un premier temps, Annabel voulut lire un roman, confortablement installée dans un fauteuil. Elle ne parvint pas à entrer dans le récit. Régulièrement, des éléments de l'enquête venaient la perturber. Elle revoyait ce corps sous son cocon de toile. La présence de Brolin au Central de police pour mettre un point final à cette sordide aventure la renvoyait à ce qu'elle avait vécu elle-même.

Elle avait voulu minimiser les faits ces deux derniers jours, bien qu'en réalité elle fût tout autant absorbée que Brolin par cette folle histoire. Sa nature de flic.

Comment s'y prenait Trevor pour infliger une telle terreur à ses victimes au moment de les tuer ? Et pour les vider sans les ouvrir ?

Il y avait encore bien des questions auxquelles il faudrait chercher une réponse, à l'instar de cette fameuse toile d'araignée, comment se la procurait-il ? Et c'était sans compter l'aspect purement psychologique de l'investigation : comment choisissait-il ses victimes, et pourquoi faisait-il tout cela ?

C'était à la police de trouver les réponses, à Lloyd Meats et ses hommes. D'un coup, elle repensa à Jack Thayer, son ancien équipier décédé. Elle réprima une boule de peine qui montait dans sa gorge et bondit pour marcher dans le chalet.

Elle longea les rayonnages de livres.

Il y en avait partout, sur les murs du salon, le long de l'escalier, et même en haut, sur la mezzanine. Joshua vivait en ermite. Elle savait que depuis presque trois ans il n'était plus le même. Il avait aimé une femme et se sentait responsable de sa mort. Il avait quitté la police pour voyager longuement, en Europe et au Moyen-Orient. À son retour au pays, il avait redécouvert les centres-villes américains avec leur froide architecture méticuleuse et leurs surfaces polyréfléchissantes désincarnées. Son besoin d'âme l'avait conduit à déserter son appartement urbain pour cette maison dominant la forêt. Ici, il était loin des hommes, sans l'abri fallacieux que procure la proximité des grandes villes, et cette vulnérabilité lui avait plu.

Pendant un instant, Annabel se demanda si Brolin et elle se seraient entendus de la même manière s'ils s'étaient rencontrés avant qu'il ne change, qu'il devienne cette espèce de fantôme.

Annabel s'approcha du piano laqué. Elle fit glisser ses doigts sur les touches, doucement. Elle aurait adoré savoir jouer de la musique. Était-il trop tard ? Pas tout à fait. Il est quelques magies qu'on ne peut saisir avec la même intensité une fois devenu adulte, pensa-t-elle, mais avec beaucoup d'efforts…

Elle se tourna et découvrit Saphir qui l'observait, curieux.

– Tu te demandes ce que je fais, hein ? murmura-t-elle à son attention.

Elle contempla l'étendue forestière aux nuances bigarrées. La baie vitrée laissait entrer ce qu'il fallait de souffle chaud pour renouveler l'air du salon.

– Et si on allait se promener ? Qu'en penses-tu ?

Saphir haussa un sourcil.

Annabel quitta le sentier principal pour s'engager dans un corridor végétal, les hauts sapins bordaient étroitement le serpentin de terre battue. Elle ne choisissait pas son chemin. Dès le début, c'était le chien qui avait pris les commandes, prenant dix mètres d'avance, il gambadait la truffe rivée aux herbes sur les côtés, remuant joyeusement la queue. À chaque carrefour, il s'engageait dans une direction et s'arrêtait pour vérifier qu'Annabel suivait bien. Cette dernière fut stupéfaite par son comportement. Il était aussi sûr et prévenant qu'un guide de montagne.

La jeune femme se mit bientôt à chercher la lisière des arbres pour profiter de l'ombre. Elle portait un pantalon bouffant resserré à la taille et aux chevilles et un haut ample qui pourtant étaient de trop avec cette chaleur.

Ils gravirent la colline jusqu'à son sommet, qu'Annabel rejoignit en tirant la langue. Elle se considérait comme sportive, avec la boxe thaïlandaise et l'entraînement hebdomadaire du NYPD, mais c'était des contextes nettement moins éprouvants pour le corps. Avec cette canicule, elle était folle de sortir.

Elle se mit à rire aussitôt, elle venait d'apercevoir le chien.

Saphir l'attendait déjà, assis sur une petite pierre plate de laquelle on dominait toute la région. Il avait ses habitudes.

Annabel vint s'installer avec lui.

La vue était splendide. Une mer d'arbres bosselés au gré des collines courait à perte de vue.

À n'en pas douter, c'était ici que Joshua venait souvent. Le soir, Annabel en aurait mis sa main à couper. Elle éprouva un sentiment de malaise en s'appropriant ce lieu sans lui.

L'idée disparut bientôt. Au contraire, il serait content de savoir qu'elle découvrait « son territoire ». Saphir tourna sa gueule poilue vers elle et sa langue lapa la joue de la jeune femme qui se mit à rire de plus belle.

37

Dianne Rosamund salua son voisin d'une main et
ferma la voiture à clé. Le voisin, Jimmy Beahm, lui
rendit mollement son salut.

– Pas encore ivre, un miracle… murmura Dianne
entre ses dents.

Elle entra dans la maison, déposa son sac de provisions sur un plan de travail de la cuisine, jeta ses
chaussures, sans se pencher, dans le bas du placard
avant d'en refermer la porte, et monta prendre une
douche. Avec ce temps, elle y passait ses journées.

Elle en sortit avec une serviette sur les cheveux, le
corps nu. À vingt-sept ans, Dianne se considérait
comme une belle femme. Et le regard des hommes le
lui confirmait bien souvent.

Heureusement ! Avec l'énergie que je dépense pour ça !

Elle fit claquer sa main sur sa cuisse ferme. Pas
comme la plupart de ses copines.

Dianne allongea le cou pour guetter l'heure. Pas
encore dix-neuf heures, Chris n'allait plus tarder. Elle
devait se décider en vitesse. Tanga rouge ou dentelle
noire ? Elle opta pour la couleur. Chris adorait le rouge.

Elle enfila sa jupe à carreaux, celle-là aussi il l'adorait, peut-être le côté « lycéenne pas sage »… avec un chemisier blanc. Parfait.

Par la fenêtre de sa chambre, Dianne aperçut Jimmy Beahm dans son jardin. Le voisin tourna la tête à droite et à gauche pour s'assurer que personne ne l'observait, et il ouvrit la trappe extérieure qui descendait au sous-sol.

Même lorsqu'il est sobre, il se conduit bizarrement ce mec.

Depuis un an qu'il était au chômage, Jimmy Beahm passait son temps dans sa cave ou bien à boire et à s'asseoir devant chez lui pour regarder les passants. Dans ce quartier résidentiel, en pleine journée, les passants étaient essentiellement des femmes.

Jimmy disparut dans son sous-sol et la trappe se referma sur lui.

– C'est ça… Va causer aux cafards… vicelard !

Dianne se mira une dernière fois dans la glace, ajusta les plis de sa jupe et descendit préparer un cocktail de jus de fruit.

Chris rentra peu après, l'air fatigué. Il retira sa veste et s'affala dans son fauteuil.

– Dure journée ? demanda Dianne.

Il haussa les sourcils en guise de réponse.

– Tiens, tu devrais essayer ça, c'est frais.

Elle lui tendit un verre de cocktail.

– Charmante attention.

En voyant qu'il scrutait ses jambes et sa tenue, Dianne se demanda s'il parlait bien du rafraîchissement. Elle s'assit en face de lui.

– Tu devrais prendre une bonne douche, ça te détendra. Ensuite je nous ferai une grande salade avec des lardons, qu'en dis-tu ?

Il approuva d'un hochement de tête et Dianne vint se placer juste en face de lui. Elle lui prit la main et la posa sur ses fesses.

– Et peut-être qu'après dîner on jouera aux cartes…

Cette fois Chris se mit à rire. Un rire agréable.

– Je sais pas si je vais attendre d'avoir mangé, fit-il en voulant attraper sa femme.

Dianne fit un pas de côté et désigna l'étage de l'index.

– Hop ! Sous la douche !

Chris ne se le fit pas redire deux fois, il grimpa les marches quatre à quatre sous le regard amusé et satisfait de Dianne. Dire que ses amies lui répétaient tout le temps que le mariage c'était la mort sexuelle du couple ! Elles avaient vraiment faux sur toute la ligne.

La soirée tint ses promesses et ils finirent tous les deux dans le lit, à regarder un film sur le câble.

Dianne se leva pendant les publicités et alla dans les toilettes. Comme à son habitude, elle laissa la porte ouverte.

– J'ai encore vu Jimmy tout à l'heure, lança-t-elle assez fort pour que son mari l'entende. Tu sais, c'est vrai qu'il passe son temps dans sa cave. Je me demande ce qu'il peut bien y faire.

– Chercher un peu de fraîcheur…

– Non, sérieusement, des fois il me fait peur.

– Jimmy ? Il a une gueule d'ange ! Certes c'est un alcoolo, mais c'est pas un type dangereux ! contra Chris.

La chasse d'eau retentit dans le couloir et Dianne réapparut.

– Va dire ça à sa femme, je suis certaine qu'il la frappe quand il est bourré.

334

Chris éluda en remettant le son de la télé, le film reprenait.

Dianne s'allongea sur le lit. Après deux minutes, elle se redressa et se pencha vers la fenêtre dont elle écarta le rideau du doigt.

La nuit ensevelissait tout le quartier, avec ici et là, des trous de lumière pour laisser passer la vie.

Et là, sous ses yeux, la maison des Beahm.

Que pouvait-il bien se passer dans cette fichue baraque ? Et dans cette cave ?

Soudain, la porte arrière de la maison s'ouvrit et Jimmy sortit dans le jardin. Une bouteille à la main.

Non, pas une bouteille…

À bien y regarder, ça ressemblait davantage à un gros couteau ou… peut-être un de ces outils pour le jardinage, un… un transplantoir.

Jimmy s'assura une fois de plus qu'on ne l'épiait pas et ouvrit la trappe de son sous-sol. Il avait l'air sobre, en fait, il avait même l'air d'être tout à fait en forme, et pendant un instant, Dianne eut le désagréable pressentiment qu'il préparait quelque chose.

Et une fois encore, il descendit dans son obscure retraite.

38

Quand Annabel raconta à Brolin sa promenade avec Saphir, le détective privé eut l'air de trouver cet épisode amusant. C'était en effet un endroit qu'il aimait visiter.

– Cela dit, tu ne l'as pas vu comme tu aurais dû, lança-t-il, énigmatique.

Il n'en dit pas plus et ils passèrent à table. Brolin ouvrit une bouteille de vin local et en servit un grand verre à Annabel. Le téléphone les interrompit et Brolin décrocha. Il acquiesça gravement et raccrocha aussitôt.

Il se réinstalla à table.

– C'était Lloyd Meats. Le labo vient de confirmer l'analyse ADN. Le sperme retrouvé dans les gorges de Carol Peyton et Lindsey Morgan appartient au même homme. Trevor Hamilton.

Plus aucun doute ne subsistait.

– Dans quel état est-il ? voulut savoir Annabel.

– Toujours dans le coma. Les médecins n'envisagent pas d'opération neurochirurgicale pour le moment, ça serait trop risqué.

Ils gardèrent le silence un long moment.

Brolin eut une pensée pour Larry qui avait enterré son frère le jour même. Il l'avait appelé, pour essayer de le voir, mais le gros flic préférait rester avec sa belle-sœur et les enfants, répétant plusieurs fois qu'il tenait le coup. Il l'avait dit un peu trop souvent, mais Brolin n'insista pas, il respecta la décision de son ami.

Lorsque la lune fut avancée, les étoiles palpitantes comme des veilleuses sur le dôme du sommeil, Brolin fit signe à Annabel de le suivre. Il attrapa la bouteille de vin ouverte, deux verres, et sortit par la porte du chalet. La jeune femme chaussa ses mocassins et s'engagea à sa suite.

Ils montèrent jusqu'au sommet de la colline, la fraîcheur de la nuit rendant l'ascension agréable, et ils s'assirent sur la pierre plate. Brolin servit le vin et trinqua avec son amie.

Annabel le considéra discrètement, le vin en bouche. Les yeux du privé brillaient dans le lointain. Ses mains étaient si proches et pourtant si éloignées. Il semblait inaccessible. Elle étouffa un soupir. Parfois elle croyait le comprendre, et puis une heure après il était à nouveau indiscernable.

Lorsqu'elle serra ses genoux contre son torse à cause de la fraîcheur encore plus prononcée, il posa une main chaude dans son dos et fit de lents va-et-vient de haut en bas.

Annabel posa son menton sur ses bras.

Ce n'était pas grand-chose, pourtant elle trouva que c'était déjà bien.

Elle s'endormit une heure plus tard, dans sa chambre, avec l'empreinte tiède d'une main caressant son dos...

Elle rêva.

Elle était dans une pièce sordide. Des canalisations fuyantes recouvraient le plafond, il faisait moite et le bruit des gouttes tombant dans une mare martelait l'endroit.

La lumière était jaune, celle d'une lampe de service à moitié dissimulée derrière une grille.

À genoux au milieu de la salle : Trevor Hamilton. Du moins était-ce là la représentation que son inconscient en faisait. Il était jeune, il transpirait beaucoup.

Brolin se tenait debout au-dessus du tueur, le faciès fermé.

Il tenait son arme dans la main, le long de sa jambe.

Annabel voulut s'approcher mais le privé leva le bras dans sa direction. Il lui fit signe de reculer, et de se tourner.

Annabel baissa la tête. Lorsqu'elle releva les yeux, ce fut pour voir Brolin, parfaitement impassible, qui posait le canon du Glock sur le front de Trevor Hamilton. Le menton de ce dernier tremblait de peur.

Sans aucune hésitation, sans même l'ombre d'un doute ou d'une incertitude, Annabel vit Joshua Brolin contracter le bras.

Et presser la détente.

Elle ouvrit les yeux difficilement. La bouche pâteuse à cause du vin. Des cheveux lui couvraient le visage. Ses paupières papillotèrent.

Il faisait encore noir.

Que… Elle avait rêvé. Non, elle avait fait un cauchemar.

Elle ferma le poing. À mesure que les images du songe lui revenaient à l'esprit, elle les haïssait. Elle devait se rendormir tout de suite, partir vers d'autres contrées, d'autres rêves.

Elle entendit du bruit provenant du rez-de-chaussée. Saphir.

Était-ce lui qui l'avait réveillée ? Ou était-ce le cauchemar ?

Annabel tendit la main vers l'horloge digitale posée sur la table de chevet.

1 : 34.

Elle grommela.

Puis elle réalisa qu'il y avait une drôle d'odeur dans la pièce. Un peu musqué… ou, non, plutôt…

Celle… celle de, de l'épice.

L'épice !

Cette fois Annabel ouvrit grands les yeux, et au moment même où elle allait se redresser dans le lit, elle comprit que l'odeur ne venait pas de la pièce.

Mais des cheveux sur son visage.

Ce n'étaient pas les siens.

39

Annabel bondit en arrière.

Elle se propulsa hors du lit, le plus loin possible de ces cheveux qui ne lui appartenaient pas.

Son cœur cognait à présent dans sa poitrine.

De longues mèches sombres étaient étalées sur l'oreiller. Annabel comprit alors ce qu'elles étaient vraiment.

Les cheveux d'une des victimes au crâne rasé.

C'est impossible, Trevor est dans le coma à l'hôpital !

Pourtant, il n'y avait aucun doute possible, ce n'était pas une plaisanterie de Brolin. Le bois du chalet craqua de manière assez prononcée, ça venait d'en bas.

Annabel se jeta sur son sac, elle en sortit son holster et s'empara de son Beretta. Elle l'arma et ôta le cran de sécurité.

La violence du réveil lui tournait la tête. Elle devait se concentrer, retrouver tous ses moyens. *Tout de suite*.

Elle réalisa qu'elle ne portait qu'une petite culotte et jura intérieurement.

Doucement, elle s'approcha de ses vêtements sans quitter des yeux la porte entrouverte de sa chambre.

Le bois grinça de nouveau. Il y avait quelqu'un.

Les marches, ça vient de l'escalier !

Au diable sa pudeur, celui qui avait déposé les cheveux sur son visage se tenait de l'autre côté de ce mur, en train de monter ou descendre les marches, elle n'allait pas risquer qu'il la surprenne en équilibre en train de se vêtir. Elle bondit souplement vers la porte.

Du bout du pied, elle poussa le battant qui s'ouvrit en silence.

Elle devait calmer sa respiration, elle ne parviendrait pas à la contenir ainsi pendant longtemps et elle ne pouvait pas se permettre d'être haletante, donc bruyante.

Mouvement éclair.

Balayage droite.

Rien.

Puis gauche.

Le couloir dans la pénombre de la nuit.

L'arme solidement cramponnée dans les deux mains, bras tendus bien que souples.

Tu sais faire... C'est ton job... Comme à l'entraînement...

Sauf qu'à l'entraînement, elle n'avait jamais les jambes remplies d'ouate et les bras tremblants.

L'escalier était après le coude, un peu plus loin sur la gauche.

Elle en prit la direction, sur la pointe des pieds, en longeant le mur opposé à l'angle, pour ne pas offrir une cible de choix au rôdeur et surtout pour qu'il ne puisse pas surgir d'un coup devant elle pour tenter de la désarmer.

Elle arrivait au fameux coude.

341

Annabel expira longuement. Elle devait réguler son souffle, c'était important.

Deux pas chassés, le dos plaqué au mur.

Elle était face à l'escalier. Sur sa droite se trouvait la rambarde de la mezzanine, elle dominait tout le salon.

Sauf ce qui est sous toi.

Avec une attention portée sur le moindre détail, elle entreprit de descendre.

Ce fut au milieu des marches qu'elle comprit à quel point la situation était grave.

En voyant l'éclat fugitif de la lumière sous la porte du bureau de Brolin. Celui d'une lampe torche. Le type était encore là, son faisceau lumineux se promenait, il cherchait quelque chose.

La porte n'était pas complètement fermée, elle ne devait pas émettre le moindre son.

Pas à pas, elle commença à traverser le salon.

En direction de la chambre de Joshua. En chuchotant, elle pourrait appeler la police de là-bas et le réveiller.

Son pied se posa sur une latte de plancher qui s'enfonça à peine.

Suffisamment pour couiner dans toute la pièce. Annabel s'immobilisa.

La lampe sous la porte du bureau s'immobilisa.

La jeune femme leva avec prudence son bras, pointant la gueule de son arme en direction de l'inconnu.

Elle tremblait. *Merde ! C'est pas le moment de flancher...*

L'extrémité du canon ne parvenait pas à se fixer correctement sur un point.

Il faisait très noir, même dans un espace si réduit, elle n'était pas sûre de faire mouche. S'il surgissait d'un coup et se jetait d'un côté avant de lui rouler dans les jambes, c'était foutu.

La lampe reprit son balayage.

Annabel ferma les yeux un court instant pour souffler.

Elle leva le pied avec d'infinies précautions.

Il y avait une tache opaque dans le couloir principal, une masse inerte sur le sol.

Les sourcils d'Annabel se plissèrent en même temps que ses mâchoires. Une grimace de douleur, de chagrin.

C'était Saphir.

Le poing de la jeune femme se contracta autour de la crosse de son arme. Mieux valait que l'intrus n'apparaisse pas maintenant, dans la colère elle se savait capable de tirer jusqu'à vider son chargeur, légalité ou pas.

En vingt secondes, elle atteignit la chambre de Brolin. Elle poussa la porte et vint s'accroupir à son chevet.

D'une main elle lui remua l'épaule. Il ne réagit pas.

Elle y alla avec plus de force. Tant pis pour la brutalité du réveil.

Son cœur éclata.

Il ne bougeait pas. Non qu'il semblât trop profondément endormi, non, il n'y avait pas l'ombre d'une réaction.

Annabel posa le Beretta sur les draps et prit Brolin par les deux épaules pour le secouer violemment.

Absolument rien.

Dans la panique, elle palpa son cou, les mains horriblement moites. Elle attendit plusieurs secondes avant d'être certaine de son verdict.

Les larmes inondèrent ses yeux.

Il n'y avait pas de pouls.

40

Réprimant les sanglots qui l'envahissaient, Annabel serra le corps de Brolin contre elle. La rage se propageait en elle plus vite encore que la peine.

Une fureur ravageante, appelant la violence. Seuls des flots de sang pourraient l'étancher.

Un raclement fit réagir Annabel. Semblable à un reniflement de gorge. Derrière elle, sur le seuil de la chambre. C'était en partie humain, en partie seulement.

Annabel fit volte-face, dans la pénombre elle mit une seconde à repérer son arme sur les draps du lit. Sa main se posa dessus.

Quelque chose siffla dans l'air.

Une batte de base-ball s'abattit sur ses doigts.

Elle hurla.

La Chose fut sur elle dans l'instant suivant, prête à frapper à nouveau.

La fureur…

Annabel se déplia tel un ressort, son poing gauche fusa avec une célérité déconcertante.

Il s'écrasa à l'intérieur du bras de son agresseur, avec une telle puissance qu'il en lâcha sa batte. Le coude droit d'Annabel remonta aussitôt vers l'épaule, les côtes n'étant pas sur sa trajectoire. Puis son genou manqua de peu l'entrejambe pour se planter dans la hanche. L'autre vacilla sous cette déferlante de coups.

Annabel se pencha pour attraper la batte de base-ball. Elle ne réfléchissait plus. Ses bras savaient déjà qu'ils allaient frapper à pleine force en visant la tête si possible.

Elle tournoya sur elle-même en fouettant l'air. Elle voulait entrer en contact avec cette chair et la pulvériser. Elle voulait voir son sang.

Elle ne percuta rien et manqua de tomber. Son attention se fixa dans la seconde.

L'autre reprenait ses esprits contre le chambranle de la porte. Sa cagoule noire se redressa aussitôt et il vit Annabel qui armait un nouveau coup. Il plongea dans le couloir.

Dans le dos de la Chose, l'un des montants d'une étagère explosa littéralement sous le choc et de nombreux objets se brisèrent.

Annabel lâcha la batte pour reprendre son Beretta. Elle hurla de douleur en voulant serrer ses doigts brisés autour de la crosse. Elle changea de main.

Elle se précipita dans le couloir. L'intrus n'avait pas pu fuir par la porte d'entrée qui était de son côté, il était donc parti vers le salon. Elle entendit ses pas lourds qui montaient les marches quatre à quatre. En un rien de temps, Annabel fut sous la mezzanine. Son agresseur disparut aussitôt dans le couloir, à l'étage. Elle grimpa l'escalier à toute vitesse. La porte de sa chambre était la seule à être ouverte. Elle entra, l'index crispé sur la gâchette.

Elle vit la fenêtre béante.

Elle perçut le choc sourd d'un poids qui tombe.

Il venait de sauter.

La jeune femme fut dans la foulée devant la fenêtre qui s'ouvrait sur les ténèbres. Occultée à cette heure par les collines, la lune ne prodiguait pas assez de lumière pour qu'on y distingue clairement une silhouette.

La fureur aveugla Annabel.

Elle visa au hasard et appuya sur la détente. Elle ne relâcha la pression qu'après avoir entendu dix-huit fracas de tonnerre.

Alors la rage s'effondra.

La seule chose qu'elle remarqua fut l'odeur piquante de la poudre et le sifflement à ses tympans.

41

La Chose courut jusqu'à son véhicule. Une voiture de location qu'elle louait sous un faux nom, au cas où.

Elle grimpa dedans, démarra et écrasa l'accélérateur.

Ce ne fut qu'après plusieurs kilomètres qu'elle se rendit compte de son imprudence et ralentit pour ne pas attirer l'attention.

Plusieurs parties de son corps étaient douloureuses.

Cette putain de salope l'avait bien amochée.

Elle se regarda dans le rétroviseur pour s'assurer que son visage n'était pas touché. Elle portait encore sa cagoule.

Qu'est-ce que tu fais ? Tu paniques ? Retire-moi ça immédiatement !

La Chose ôta le masque de tissu et fut rassurée de n'avoir aucune mauvaise surprise en s'inspectant dans la glace. À peine sa peau examinée, elle eut un mouvement de dégoût pour son reflet. Elle se cambra et grogna. Elle en était quitte pour un bel hématome sur la hanche.

Cette fois, elle avait un compte personnel à régler avec cette salope. Elle la ferait morfler. Les pires châtiments possibles. Elle allait étudier la question.

En roulant, la Chose conclut que l'opération n'était finalement pas si catastrophique que ça. Elle avait pu fouiner dans les documents du privé pour s'assurer qu'il n'avait rien de déterminant sur elle. D'après ses notes, il avait compris que la clairière était un élément crucial, et par là même que la base abandonnée était le point de départ de tout, du moins qu'elle avait une certaine importance aux yeux du coupable. Qu'il le sache n'était pas très alarmant. Elle pourrait s'en servir en temps voulu. La seule chose qui l'embarrassait était la mention « chauve ? » qu'elle avait trouvée à côté de quelques notes détaillant ce que pouvait être le tueur. Là, il fallait reconnaître qu'ils détenaient une information capitale. Cependant, c'était encore un point qu'elle pourrait utiliser à son avantage, il suffisait de bien y réfléchir.

Il y avait aussi le mot « vélo » souligné sur une autre feuille. Apparemment, ce Joshua Brolin avait compris comment elle avait fait pour transporter le premier cadavre aussi loin dans la forêt. La Chose avait parcouru la distance à bicyclette.

Comment pouvait-il le savoir ? Il faisait si sec que les roues n'avaient laissé aucune trace dans la terre !

Ah, oui… Encore cette petite salope… Quand elle l'avait poursuivie dans *sa* clairière… La Chose avait utilisé son vélo pour lui échapper. La petite pute l'avait raconté au privé qui en avait fait une déduction… astucieuse. Et juste.

Il faudrait vraiment qu'elle souffre…

Entrer dans la maison avait été plus facile qu'elle ne l'avait craint. Le chien qu'elle avait repéré en début de soirée en espionnant le chalet était en fait un bâtard tellement docile qu'il n'aboyait jamais. Il avait suffi d'un peu de Scotch sur un carreau, le briser en silence, ouvrir la fenêtre, s'occuper du chien pour que toute la maison fût à elle.

La Chose s'était d'abord chargée du privé. Il n'avait fallu qu'une piqûre. Rien qu'une ridicule petite piqûre. Et sa méthode était imparable. C'était un dentiste qui la lui avait apprise.

Poser l'aiguille sur la peau, l'effleurer pour que le patient ne sente rien. Y déposer une infime goutte d'anesthésiant local. Il était relativement aisé de s'en procurer en étant débrouillard. Puis enfoncer l'aiguille, de quasiment rien, juste là où la peau est anesthésiée. Injecter encore un peu de produit, attendre une seconde qu'il fasse effet et enfoncer encore un peu l'aiguille. Il suffisait de répéter l'opération plusieurs fois pour que l'aiguille soit bien plantée dans la peau sans que le patient ait ressenti quoi que ce soit.

C'était pareil avec les maris de ses proies.

Tellement efficace qu'elles ne sentaient rien, ça ne les réveillait même pas.

La piqûre d'anesthésiant d'abord, c'était le plus long. Puis l'injection du produit miracle.

Ensuite la Chose était montée dans la chambre de la salope pour s'occuper des cheveux. Sagement disposés sur son visage, comme si c'étaient les siens. Puis la Chose s'était promenée dans la maison, à la recherche d'un bureau, ou n'importe quoi où le détective privé pouvait laisser ses notes sur l'enquête.

Bien sûr, elle n'avait pas prévu que la salope se réveillerait avant qu'elle-même ne s'en charge personnellement. Elle avait été présomptueuse. C'était même une grossière erreur. Une fois dans la chambre de la salope, elle aurait dû en finir immédiatement, comme avec les autres. Ça lui servirait de leçon.

Pour les prochains.

Oh, oui, les prochains, vite, très vite.

La Chose avala un cachet supplémentaire. Elle devait éliminer la fatigue, le manque de sommeil ne pouvait la ralentir dans sa course.

Elle avait un message à délivrer au monde.

Sa bouche s'étira en songeant à ce qu'elle venait de faire.

Tout de même, c'était pas mal, elle devait bien se l'accorder.

Et avec la dose qu'elle avait mise au privé, il était fort possible qu'il soit hors jeu pour un bon moment.

Une idée délectable lui vint soudain à l'esprit. Et s'il passait pour mort pendant suffisamment longtemps pour qu'on l'autopsie ?

La Chose éclata de rire.

Comment n'y avait-elle pas pensé plus tôt ?

Provoquer l'autopsie d'un homme vivant.

Elle allait choyer cette idée. En rêvant qu'il ouvre les yeux lorsque toutes ses tripes seraient à l'air.

Si seulement ça pouvait se passer ainsi…

42

Emmitouflée dans une couverture, Annabel lut les mots sur les lèvres de l'infirmier qui sortait de la chambre de Brolin :

« Pas de pouls, et aucun réflexe de la pupille. »

Il secoua la tête pour dire que c'était fini.

Un gémissement monta de la gorge d'Annabel tandis que son visage se déformait sous les larmes.

Larry Salhindro l'attrapa et la serra dans ses bras.

L'infirmier se dirigea vers eux avec cette expression résignée des médecins qui doivent annoncer la mauvaise nouvelle à la famille. Par-dessus l'épaule d'Annabel, Larry lui fit signe qu'il avait compris.

Devinant une présence, Annabel se redressa. Elle vit le messager de la mort.

– Co… Comment est-ce arrivé ? demanda-t-elle.

L'autre avala sa salive.

– Hey bien, on ne peut pas le dire maintenant, on va faire une autopsie. J'ai relevé une trace de piqûre sur le bras, ça pourrait être une injection de poison. Dites, il faudrait faire quelque chose pour votre main…

Il indiqua de l'index la main droite de la jeune femme qui dépassait de sa couverture. L'annulaire et le petit doigt étaient tordus et déboîtés, du sang séché les maculait.

Annabel ne répondit pas et l'infirmier haussa les épaules avant de s'éloigner.

Elle n'arrivait pas à le croire. Pourtant, chaque fois qu'elle niait la vérité, le poids de Brolin alors qu'elle le secouait lui revenait en mémoire. Ses yeux fixes, contemplant à jamais le néant, quand elle était redescendue après la fuite du tueur et qu'elle avait soulevé ses paupières.

Pourquoi ? Jusqu'à présent, le tueur avait toujours épargné les maris, il s'en prenait aux femmes uniquement, pourquoi tuer Brolin ?

Tout au fond d'elle, elle connaissait la réponse. Parce que Brolin marchait sur ses traces, il le traquait et l'autre ne pouvait le tolérer. Et s'il l'avait pu, toi aussi, Anna, tu aurais souffert sa colère. C'était son message avec le cerf éviscéré, ainsi que Brolin l'avait fait remarquer. *Si vous cherchez à me suivre, à remonter jusqu'à moi, voilà ce qui vous attend*, disait le message.

Ses mâchoires se pressèrent si puissamment qu'elle manqua de peu de se casser une dent lorsqu'elle vit qu'on tirait le cadavre de Saphir pour le mettre dans un grand sac-poubelle doublé.

Elle bondit sur ses jambes :

– Vous pourriez au moins le mettre dans une housse ! fulmina-t-elle.

Et la colère qui transpirait de son regard fit baisser plus d'une paire d'épaules. Un infirmier apporta finalement une housse blanche, habituellement destinée aux cadavres humains.

Lloyd Meats débarqua bien après tout le monde, il était décomposé. Il rejoignit Annabel et Larry et s'effondra sur le sofa sans dire un mot. Peu à peu, toutes les personnalités de Portland étaient réveillées pour apprendre la nouvelle. On murmura plus tard que l'information s'était propagée jusque chez le maire, malgré l'heure tardive, tant en raison de l'horreur du crime que de la notoriété de l'ancien flic qui avait fait coffrer le tueur en série le plus recherché de l'Oregon, trois ans plus tôt. Les monstres pouvaient gagner finalement, même les héros finissaient par tomber un jour.

L'éclat des gyrophares silencieux entrait par la porte ouverte et venait se prendre dans les attrapes-rêves.

Un officier de police s'approcha timidement de Meats, ne sachant s'il pouvait lui parler, professionnellement. Au bout d'un temps, Meats sembla le repérer et redressa la tête. Il la hocha sombrement puis finit par se lever pour se joindre aux policiers.

Salhindro posa sa grosse main sur celle d'Annabel.

– Je sais que c'est pas le moment pour toi, mais c'est important, tant que ta mémoire est encore vive sur ce qui vient de se passer. As-tu vu quelque chose, un détail de son visage ou dans sa démarche, dans sa façon de bouger ?

Annabel secoua la tête.

– Ses yeux. Tu as vu ses yeux ?

Annabel dut s'y reprendre à trois fois avant de pouvoir articuler des mots compréhensibles :

– Ça s'est passé si vite… Il faisait noir. Je me souviens qu'il portait une cagoule, je crois qu'il est de taille moyenne, ma taille environ… Assez costaud. Je… Je pense que c'est lui qui m'avait déjà attaquée dans les bois samedi matin, la même silhouette.

Toutes ses impressions lui revenaient, voilées par la rage. La fureur... Elle n'était plus elle-même et... *Si, c'était toi, cette pulsion meurtrière, c'était toi ! Je n'ai rien fait pour l'étouffer, c'est...* En fait, elle l'avait même souhaitée, elle l'avait alimentée...

– Qu'est-ce que j'ai fait ? demanda-t-elle, pour elle-même.

Salhindro masqua tant bien que mal son étonnement.

– Mon Dieu, Larry, si tu m'avais vue... Je n'étais plus une femme, j'étais une bête ! Je... Une vraie machine à détruire, à briser, je crois que... Non, je *sais* que je ne voulais plus qu'une seule chose : pulvériser l'autre. Je... Mais je... Je ne peux même pas dire que je n'étais plus moi, parce que au fond, je savais ce que je faisais, et je crois que j'en étais presque contente... Non, je crois que... je le veux encore... Je veux tuer cette ordure !

Elle dissimula ses yeux trempés derrière ses doigts.

Salhindro posa sur elle un regard doux. Il observa ensuite les murs du salon, l'univers de Brolin. Un rictus apparut sur sa bouche.

– Annabel... murmura-t-il. Tu ne dois pas te haïr pour ça. Elle planta ses prunelles de feu dans celles du gros flic.

– Tu ne comprends pas, s'écria-t-elle. C'est pas de vouloir le tuer qui m'est intolérable, parce que si je l'ai devant moi maintenant je le ferai sans hésitation. C'est cette soif de violence que j'ai ressentie, je l'avais *en moi* !

Salhindro hocha la tête, entièrement d'accord et visiblement satisfait.

– Ce soir tu viens d'expérimenter un sentiment vieux de plusieurs millénaires, rétorqua-t-il. Des dizaines de millénaires pour l'homme. Nous avons tous oublié ce que nous sommes à la base, un prédateur, *le* prédateur, celui qui par sa violence et ses ruses destructrices est parvenu à se hisser au sommet de la chaîne alimentaire. Et crois-moi, ça n'était pas gagné d'avance.

Il contempla la forêt par la baie vitrée avant de reprendre sur un ton plus posé, plus cynique :

– Sommes-nous aveugles et hypocrites pour oublier que l'essence même de ce que nous sommes tous est bestiale ? Manger, dormir, se reproduire... et tuer pour survivre, s'il le faut. Pour protéger ses petits. L'aurait-on oublié ? La société nous a appris à cacher cet aspect primaire sous des couches de vernis, mais au fond, tout au fond, nous sommes encore ces mêmes bêtes, comme toutes celles qui arpentent cette foutue planète, peut-être que ce qui nous différencie d'elles, c'est notre capacité à nous fabriquer ces vernis.

Il se pencha en avant, les yeux dardés sur la jeune femme.

– C'est cette bestialité, cette part d'ombre que nous véhiculons tous, qui que nous soyons, que tu as expérimentée cette nuit. Contrairement à la majorité des êtres humains qui l'ignoreront, la tairont toute leur vie, toi tu l'as aperçue. Maintenant je voudrais te poser une question : pourquoi crois-tu que Brolin fait si peur aux gens ? Tu ne vois pas, hein ? Parce que lui, cette part d'ombre, il l'a déterrée de profond, et aujourd'hui il vit avec. Elle ne surgit pas dans sa conscience une fois de temps à autre, rarement, non ! Il la vit au quotidien. C'est ça que les gens captent dans son regard, c'est ça qui les met mal à l'aise, inconsciemment, ils savent ce que c'est, et ils ont peur. Lui, il vit ainsi depuis bientôt trois ans, il a appris à vivre avec cette fureur animale à ses côtés, son instinct de prédateur s'est réveillé et a fait de lui un homme différent.

Il se tut pendant une longue minute, avant d'ajouter :

– Quoi qu'il se passe dans les jours à venir, laisse la bête retourner dans les profondeurs, Annabel, laisse-la disparaître, peu importe ce que tu ressens, chasse-la pendant qu'il en est encore temps. Sinon, toi aussi tu deviendras un fantôme aux yeux des autres. Ils n'auront pas d'autre choix pour se protéger.

Annabel voulut parler. Ses mots moururent lorsqu'elle aperçut la housse en chlorure de polyvinyle qu'on apportait dans la chambre de Brolin.

Elle serra le poing.

Cinq minutes plus tard, un brancard sortait de la pièce, avec son sinistre chargement. Ainsi il ressemblait ironiquement à ces cocons de soie qu'ils avaient découverts presque une semaine plus tôt.

– Mademoiselle ?

Annabel fit face à l'infirmier.

– Il faut que vous veniez à l'hôpital… euh, pour votre main.

Elle demeura ainsi, incapable de bouger.

Dehors, le ronflement d'une voiture puissante gonfla jusqu'à ce qu'elle s'arrête en crissant des pneus. Une portière claqua aussitôt.

Sydney Folstom, la directrice de la morgue, entra à grandes enjambées.

– Où est-il ? demanda-t-elle avec un tel aplomb que l'un des officiers lui montra l'ambulance à l'extérieur sans ouvrir la bouche.

Le Dr Folstom se précipita sur le brancard. Elle fit descendre la fermeture de la housse et écarta les pans pour laisser apparaître le visage de Brolin. Des pétales transparents de myosotis et de coquelicot venaient le couvrir en alternance, à mesure que les gyrophares tournoyaient. La légiste prit une petite lampe et leva une des paupières pour éclairer l'œil.

Un des hommes s'approcha.

– Madame, vous…

Son collègue, qui avait reconnu la directrice de la morgue, l'empêcha de poursuivre. Annabel et Larry Salhindro se postèrent sur le seuil du chalet, attirés par l'activité de la chef des légistes de Portland. Cette dernière se redressa brusquement et marcha à toute vitesse vers sa voiture d'où elle tira une trousse en cuir. Formé à l'observation depuis des années, l'esprit d'Annabel quitta un court instant sa détresse pour se préoccuper de ce qui l'entourait. La jeune femme remarqua que le Dr Folstom était mal coiffée, et qu'elle ne portait pas de soutien-gorge sous son chemisier. Elle avait été réveillée en pleine nuit et avait couru jusqu'ici.

Sydney Folstom sortit un stéthoscope de sa trousse et posa l'embout sur la poitrine de Brolin.

L'infirmier revint à la charge, sur un ton conciliant :

– Madame, c'est inutile, nous avons déjà vérif…

Elle claqua des doigts sans même un regard pour lui et brandit un index sous son nez pour lui imposer le silence. Après un long moment à ausculter le mort, Sydney Folstom jeta son stéthoscope dans sa trousse et se mordit nerveusement la lèvre inférieure.

Annabel s'approcha d'elle.

– Que faites-vous ? lui demanda-t-elle d'une voix qu'elle aurait souhaitée moins fébrile.

Folstom oscilla un peu, comme pour approuver une décision qu'elle venait de prendre. Elle se pencha et s'empara cette fois d'un petit pot en verre. Elle prit une paire de gants en latex, se tourna vers Annabel et lui tendit une seconde paire.

– Mettez ça.

– Pour qu…

– Ne discutez pas et aidez-moi.

Annabel secoua la tête et se surprit à enfiler les gants sans plus d'explication. Le Dr Folstom était déjà en train de dévisser le pot, qui contenait une crème jaunâtre tirant sur le vert.

Brolin était torse nu dans la housse blanche. Folstom lui appliqua une infime quantité de baume sur la poitrine.

– Faites-en autant sur ses bras, ordonna-t-elle à Annabel. Uniquement de minuscules doses, et surtout étalez bien. Il faut que ce soit homogène.

– Qu'est-ce que c'est ?

– Le principal composé de ce baume est le *Datura stramonium*, une plante qui contient de l'atropine et de la scopolamine, entre autres.

Annabel ne comprenait pas, pourtant elle obtempéra. Elle avait *envie* de le faire, dans ces gestes absurdes sur un cadavre, il y avait une particule d'espoir, Annabel le savait, elle ignorait tout de ce qu'elle était en train d'accomplir, mais s'il y avait dans ce rituel la moindre chance de ramener Brolin à la vie, alors elle obéirait, jusqu'au bout. Dût-elle danser nue sous les flammes.

Sous le latex des gants, elle perçut la chaleur de Brolin. Une chaleur tiède. Dans très peu de temps, il commencerait à se raidir. Elle vit ses yeux fixes, d'où toute vie était absente, la mort ayant chassé la moindre parcelle de conscience dans ces iris sombres.

Aussi vite que l'espoir était venu, Annabel se sentit pathétique.

La réalité n'était pas ainsi faite, aussi fort que l'on puisse souhaiter quelque chose, cela ne se produisait pas, jamais.

– Appliquez-le bien, insista Sydney Folstom.

Cette fois c'était trop.

Annabel fit claquer ses gants en les retirant et s'engouffra à toute vitesse dans la maison. Le Dr Folstom n'y prêta pas attention et lorsqu'elle jugea l'application correcte, elle tira encore plus sur la housse.

– Retirez-moi ça ! commanda-t-elle aux membres du personnel médical.

Un représentant du bureau du légiste était également présent, il s'approcha d'elle.

– Docteur, je ne sais pas si…

– Taisez-vous. Vous ne savez pas ce qui se passe.

Elle interpella le chef de l'équipe médicale :

– Emmenez cet homme à l'hôpital, mettez-le sous assistance respiratoire, je veux que vous le traitiez comme s'il était dans le coma.

– Mais, vous voyez bien qu'il est…

– La ferme ! Faites ce que je dis. Si un médecin vous donne un contrordre, n'obéissez pas et dites-lui de m'appeler immédiatement.

Elle lui tendit sa carte avant d'ajouter :

– Il s'agit de la vie de cet homme, quoi que vous en pensiez, quoi que vous inspire votre science, faites ce que je viens de dire. Dans le cas contraire, je ferai en sorte que vous soyez tous virés sur-le-champ, et poursuivis pour faute professionnelle grave, compris ?

Il émanait d'elle une telle prestance, une impérativité si fulgurante, que personne n'osa rien dire. Faisant face à son assistant, elle lui indiqua l'ambulance du pouce.

– Et vous, vérifiez que tout ça est bien fait.

Il voulut protester mais elle était déjà partie vers l'entrée du chalet. Elle dépassa Lloyd Meats.

– Si vous m'expliquiez ce que signifie cette mascarade ? réclama-t-il.

Elle lui fit signe de la suivre. Dans le salon, Annabel avait la tête dissimulée derrière ses mains tandis que Salhindro la tenait contre lui. Le flash d'un des techniciens de scène de crime illumina la pièce d'un coup. Le Dr Folstom invita Meats à s'asseoir avec ses acolytes. Sans autre préambule, elle commença :

– Il se peut que je me sois trompée sur toute la ligne, ce qui veut dire qu'on va veiller un cadavre dans une chambre d'hôpital pendant quelques heures, mais c'est un risque que je suis prête à prendre sans l'once d'une hésitation.

Meats leva les mains au ciel.

– Qu'est-ce que ça signifie ? Vous faites irruption ici sans prévenir et vous demandez qu'on traite un… un mort comme s'il était simplement inconscient ? Enfin, vous l'avez bien vu, non ? Pas de pouls, pas de réflexe de la pupille, respiration nulle, et il a même commencé à refroidir, bordel ! Il est mort, docteur, aussi dur que ce soit à encaisser, Joshua Brolin est mort cette nuit.

Sydney Folstom croisa les bras sur sa poitrine. Elle inspecta les visages des trois personnes assises devant elle puis soupira. Un soupir difficile.

Après un long silence pesant, elle demanda sur un ton plus adouci qu'auparavant :

– Vous croyez aux zombis, inspecteur ?

43

Le Dr Sydney Folstom faisait d'incessants va-et-vient, incapable qu'elle était de rester en place.

– Laissez-moi tout vous expliquer, fit-elle avant que Lloyd Meats n'ouvre la bouche. C'est… une histoire de fou. Mais, hum… il y a des informations que je vais vous transmettre ici, qui seront susceptibles de vous conduire à ouvrir une enquête.

– Nous sommes en plein milieu d'une enquête ! s'exclama Meats qui s'impatientait.

– Ouvrir une enquête contre moi, et mon service, conclut-elle.

Meats et Salhindro restèrent bouche bée. Intriguée, Annabel leva le nez vers cette femme sèche et autoritaire qui semblait tout d'un coup aussi fragile qu'un château de cartes dans la brise naissante.

– Et pas seulement mon service, j'ai bien peur que le bureau de l'attorney ne soit aussi éclaboussé, le substitut en particulier, Bentley Cotland.

– Cotland ? s'étonna Salhindro. Mais ce demeuré n'est pas foutu de suivre une enquête convenablement, qu'est-ce qu'il vient foutre là ?

– Ça remonte à l'année dernière, un an tout juste. Vous souvenez-vous de l'affaire Jeremiah Fischer ?

– Il avait été empoisonné par sa femme, récita Meats. Celle-ci s'est d'ailleurs suicidée juste après, on a retrouvé son cadavre pendu dans leur chalet à la montagne. Elle avait découvert qu'il la trompait, suppose-t-on, puisque c'était le cas au dire de ses collègues de travail.

Le regard de Sydney Folstom se voila, les mots sortirent de sa bouche lentement :

– Je ne suis, aujourd'hui, plus du tout sûre que Mme Fischer soit la meurtrière de son mari, ni qu'elle se soit suicidée d'ailleurs.

Meats ne voyait pas où cela les menait, qu'elle remette son avis de praticienne en question était une chose, mais quel lien avec ce qui s'était passé ce soir ?

Le Dr Folstom reprit :

– Ce jour-là, quelque chose d'atroce est arrivé. L'autopsie de Jeremiah Fischer ne s'est pas du tout passée comme c'est écrit. En fait, ce fut un véritable cauchemar.

Annabel remarqua la chair de poule sur les avant-bras de la légiste.

– Jeremiah Fischer n'était pas mort lorsque je l'ai ouvert.

La phrase resta en suspens dans l'air du salon.

Ce fut Annabel qui réagit la première :

– C'est impossible, il y a de multiples vérifications avant de considérer un individu comme mort !

– En pratique oui, répondit Folstom. Mais l'histoire est jalonnée d'exceptions dont la mort fait partie. Vous savez, la mort en soi est un vrai problème. La plupart des gens pensent que c'est un stade parfaitement délimité, sans flou ni demi-mesure, ce qui est absolument faux. La mort elle-même est sans ambiguïté, mais savoir la reconnaître à tous les coups, voilà qui peut poser problème. La définition de la mort a toujours été nébuleuse, dans toutes les civilisations. Quand doit-on considérer comme morte une personne ? Lorsque son cœur a cessé de battre ? Lorsque son cerveau a cessé toute activité électrique ? Lorsqu'il n'y a absolument plus aucun réflexe des pupilles ? Dans tous ces cas de figure, la mort n'est pas absolue. Combien de fois a-t-on observé tous ces signes, tous, sur une personne, et que celle-ci n'était pas morte finalement ! C'est hélas arrivé, souvent…

Salhindro s'indigna :

– Qu'est-ce que vous racontez ? Ça fait des siècles que l'on n'enterre plus personne vivant, enfin !

– Des siècles ? ricana Folstom. Pour Pétrarque qui faillit bien l'être, je suis d'accord, mais il n'est hélas pas une exception. Régulièrement, mes confrères du monde entier rapportent des cas similaires de mort apparente mais non effective. À la fin des années 1960 à Sheffield, des médecins anglais décidèrent d'expérimenter un cardiographe portatif, ils descendirent à la morgue et là, quelle ne fut pas leur stupeur de découvrir les signes d'une activité cardiaque sur une femme supposée morte d'overdose. Sans leur intervention, elle aurait été enterrée vivante.

« Un médecin anglais a fait une étude là-dessus en 1905, et il a retrouvé deux cent dix-neuf cas avérés où on avait évité de justesse l'enterrement d'une personne encore vivante malgré les apparences. On ne peut qu'imaginer le nombre de fois où on ne se rendit compte de rien. Certes c'était il y a un siècle, les choses ont évolué depuis, en science du moins, mais la mort et ses mystères sont les mêmes. Et ce type d'exemple pullule, il faut bien l'admettre, encore aujourd'hui. On évite d'en parler pour ne pas terroriser les gens, c'est tout.

– Je ne comprends pas, n'est-ce pas vous qui répétiez tout le temps : « La mort est la cessation de *toute* activité dans le corps » ? fit remarquer Meats qui pendant un instant ne songeait plus au meurtre de Brolin.

– Et c'est vrai. Le personnel médical se base sur trois éléments clés pour statuer sur la mort d'un patient. Enfin, plutôt sur deux en général, car on sait désormais que l'activité des iris peut se poursuivre longtemps après la mort. Il reste la respiration et les battements du cœur.

« Parfois la respiration est si faible qu'elle est indiscernable, parfois même elle est suspendue pour un temps, avant de reprendre. D'autre part, il y a des cas fréquents d'hypotension qui peuvent rendre, dans les cas les plus extrêmes, le pouls indécelable. Parfois, il suffit d'un bête accident cardio-vasculaire pour plonger une personne dans une profonde narcose qui conjugue tous ces symptômes de mort apparente, et elle est enterrée vivante. Bien qu'il n'y ait pas d'étude précise sur ce phénomène, on peut imaginer que la plupart meurent rapidement en l'absence de soins, mais que d'autres, parce que l'organisme se bat et retrouve son fonctionnement, reprennent conscience quelques jours après, une fois dans leur tombe.

– Je ne comprends pas, fit Annabel, vous êtes légiste et vous êtes en train de nous dire que vous savez, vous et vos collègues, qu'on ensevelit régulièrement des gens en vie ? Vous le savez et vous ne…

– Ne me faites pas passer pour un docteur Mengele, ce que je vous dis là, la plupart des légistes du monde vous le confirmeront, c'est rare, très rare même, mais ça arrive, hélas. Aujourd'hui il n'y a qu'un moyen d'être sûr de la mort d'une personne, c'est de vérifier l'activité cérébrale et cardiaque, et en dehors du fait que cela nécessite du matériel et du temps, donc de l'argent, ça n'est pas fiable à cent pour cent, une infime marge d'erreur est possible, infime mais réelle.

– La putréfaction est aussi un signe implacable de la mort, ajouta Salhindro avec cynisme.

– En effet, mais cela demande du temps, on ne veille pas un corps jusqu'à distinguer ce stade.

Lloyd Meats se leva.

– Très bien docteur, vous êtes en train de nous expliquer que Jeremiah Fischer n'était en fait pas mort lorsque vous l'avez autopsié, c'est ça ? Il souffrait d'une narcose et…

Sydney Folstom fit un énorme effort pour se calmer et articuler :

– Inspecteur, je crois que vous ne réalisez pas ce que je suis en train de vous dire. Jeremiah Fischer a ouvert les yeux alors que ses entrailles étaient à l'air libre, vous saisissez ? Oui, il est bien mort ce jour-là, mais pas d'empoisonnement. Il est mort parce que l'autopsie a provoqué une réaction violente qui l'a ramené à la conscience. Le choc physiologique a été d'une violence inouïe. Son métabolisme qui était proche de la stase, de l'hibernation, s'est remis à fonctionner presque normalement en quelques minutes, alors qu'il était ouvert de partout. Jeremiah Fischer a été pris de convulsions, il a tenté de bouger. J'avais déjà disséqué plusieurs de ses organes, *in situ*, dans le corps. Je vous laisse imaginer ce qui a suivi.

Sydney Folstom obtint un silence total après avoir ajouté :

– Jeremiah Fischer est mort en six minutes sur ma table de dissection.

Lloyd Meats comprit alors pourquoi elle n'avait plus pratiqué d'autopsie depuis un an. Il imagina la scène sans peine, et plutôt que d'éprouver du dégoût, il se sentit peiné pour elle, pour ce poids qu'elle avait porté pendant ces douze mois. Il se laissa retomber dans le sofa.

– Le substitut de l'attorney, Bentley Cotland, était présent, il m'a demandé la plus grande discrétion après ça, il ne voulait pas que la ville entière apprenne cette horreur. Quelques heures plus tard, vous nous avez annoncé avoir retrouvé le corps de Mme Fischer, qu'elle s'était pendue. Votre enquête a révélé que M. Fischer avait une maîtresse et que sa femme le savait. De notre côté, au labo, nous avons détecté plusieurs substances toxiques dans le sang de Jeremiah Fischer qui venaient corroborer l'hypothèse de l'empoisonnement. M. Cotland et moi avons alors décidé ensemble de taire ce qui s'était passé ce jour-là. Cela n'aurait servi à rien si ce n'est terroriser l'opinion publique et engendrer la paranoïa envers les médecins et leur diagnostic de mort, qui sont heureusement fiables dans 99,99 % des cas.

Lloyd Meats se tenait le menton dans les mains, accablé, il secouait la tête.

– J'imagine qu'il y a un rapport avec ce soir, avec Brolin, mais je ne le vois toujours pas, fit remarquer Annabel.

Sydney Folstom approuva.

– Après ça, j'ai voulu comprendre. Je me suis demandé si ce cauchemar était le résultat du poison – un calcul machiavélique de la part de Mme Fischer – ou si c'était une coïncidence. J'ai fait analyser le sang de la victime. Le spectromètre de masse couplé à un chromatographe en phase liquide a révélé la présence de plusieurs substances exogènes en quantité minime et d'une beaucoup plus répandue : la tétrodotoxine.

– J'ai déjà entendu ce nom quelque part, signala Salhindro.

– C'est une toxine, une neurotoxine, extrêmement puissante. En me documentant, j'ai découvert que ce poison était déjà identifié il y a presque cinq mille ans ! Dans le *Pentsao Chin*, la pharmacopée la plus ancienne au monde, d'origine chinoise. Et on retrouve des allusions de tout temps, à travers le monde, en Égypte antique, parmi les hiéroglyphes sur les tombeaux, et même dans la Bible, dans le Deutéronome où il est stipulé qu'il est défendu de manger du poisson sans écailles. Interdiction due à la présence de poisson-globe dans la mer Rouge. Car la tétrodotoxine se trouve dans les poissons. Ceux de la variété des tétrodons, d'où le nom de la toxine, aussi appelés les poissons-globes.

– Le *fugu* japonais en fait partie, non ? demanda Salhindro qui se souvenait d'un coup où il avait entendu le nom de cette toxine.

– Exact. Manger du fugu est autant un plaisir qu'une philosophie au pays du soleil levant. La tétrodotoxine est cent soixante mille fois plus puissante que la cocaïne, et elle n'est pas affectée par la cuisson ou la congélation. Aussi, il faut un savoir-faire extrêmement pointu pour préparer le fugu. L'art est de préparer le poisson de telle sorte que la concentration des toxines soit réduite pour ne pas être mortelle mais pas éliminée, afin que subsiste un effet physiologique important, une sorte de stimuli des sens. Malgré tout, plusieurs décès surviennent tous les ans au Japon. Et c'est en étudiant ces décès que j'ai bien cru que j'allais tout abandonner, à commencer par mon travail.

« Chaque année, des médecins japonais relatent comment des patients intoxiqués à la tétrodotoxine suite à l'ingestion de poisson, meurent, et comment d'autres, considérés dans un premier temps comme morts, reviennent à la vie. Aussi il est aujourd'hui convenu d'attendre trois jours entre le décès déclaré et la mise en bière lorsqu'il s'agit d'une mort causée par empoisonnement par le poisson-globe.

Devant les regards incrédules, elle s'empressa d'ajouter :

– Je vous assure que c'est tout ce qu'il y a de plus sérieux. Renseignez-vous, vous verrez. Quoi qu'il en soit, c'est en étudiant les récits de ces empoisonnements que j'ai découvert le pire.

« La tétrodotoxine a pour principal effet de paralyser sa victime, jusqu'à bloquer sa respiration et diminuer son rythme cardiaque qui devient imperceptible. Cliniquement, l'individu est en général considéré comme mort à ce stade. La victime est en fait à la lisière de la mort. Certains meurent réellement peu après, mais pas tous. Il arrive que des victimes d'intoxication reviennent à elles après plusieurs heures, voire plusieurs jours selon des témoignages. Leur organisme se remet tout seul, sans aide médicale, et le rythme cardiaque remonte en même temps que la respiration. En fait, cet état proche de l'hibernation est tel qu'il est tout à fait possible que des personnes aient survécu même en ayant transité pendant quelques heures dans des pièces froides, à quatre degrés, la température de conservation des cadavres.

– D'accord, cela dit je ne vois pas quel rapport avec…

Sydney Folstom coupa Meats :

– Ceux qui ont survécu à cette expérience racontent la même chose : pendant tout le procédé de la paralysie, ils étaient conscients, y compris lorsqu'on les déclarait morts. Dans un cas, le supposé défunt est parvenu à reprendre le contrôle de son corps juste avant d'être incinéré…

Tous réalisèrent alors ce que cela impliquait.

Jeremiah Fischer était parfaitement conscient de ce qui lui arrivait lorsqu'on le déclara mort, qu'on l'enferma dans une housse pour l'en sortir quelques heures plus tard. Son métabolisme était tellement ralenti qu'il n'avait eu qu'un besoin limité en oxygène et avait ainsi « survécu » dans l'attente d'être amené en salle d'autopsie. Où il avait tout subi jusqu'à ce que son corps se manifeste. Il était alors trop tard.

– C'est en bloquant les transmissions nerveuses que la tétrodotoxine agit. Le Japon, principal consommateur de fugu, ne dresse pas de statistique, on sait seulement qu'une centaine de personnes décèdent tous les ans suite à l'ingestion de poisson-globe. Combien reviennent finalement à elles parmi ces cent ? Je ne le sais pas, mais quelques-uns, chaque année.

– Vous pensez que Brolin pourrait avoir été drogué à la tétrodotoxine ? s'enquit Annabel avec une énergie dont elle ne savait pas s'il valait mieux la refouler ou l'encourager.

Sydney Folstom ne répondit pas tout de suite, elle poursuivit :

– Après ces découvertes, j'ai continué mon exploration de la tétrodotoxine. C'est alors que j'ai appris quel était le principal ingrédient de la confection des zombis à Haïti. La poudre à zombis propre au vaudou. Les houngans, les sorciers vaudous, se débrouillent pour faire respirer cette poudre à leur victime qui tombe alors dans un état que tous considèrent comme celui de la mort. Le malheureux est ensuite enterré, et le houngan n'a plus qu'à revenir dans la nuit pour déterrer sa victime qui dès lors sera considérée comme un zombi par le reste de la population. Surtout après que le houngan aura fait absorber plusieurs psychotropes puissants à sa victime pour annihiler toute volonté chez elle et en faire une sorte d'esclave. C'est également là que j'ai appris l'usage d'un baume ou d'une pâte comme antidote à cette poudre à zombis. Pour être plus précise, il s'agit pour le houngan de faire avaler à sa victime une substance puissante qui va diminuer les effets de la tétrodotoxine. Le principal composé de cet antidote est la datura, une plante contenant de l'atropine et de la scopolamine, des agents efficaces pour neutraliser les effets de la tétrodotoxine.

– Ce que vous avez appliqué sur le torse de Brolin, conclut Annabel avec un entrain qui cette fois n'était plus comprimé. Qu'est-ce qui vous fait penser que Brolin pourrait être drogué à cette toxine ?

L'espoir renaissait en elle, comme une fleur en train d'éclore dans sa poitrine, à vitesse accélérée. Une petite voix lui chuchotait de ne pas écouter cette folle histoire, pourtant Annabel sentait ses défenses sauter les unes après les autres, elle se jetait de toute son âme dans cette lueur. Sans se préoccuper des conséquences si Sydney Folstom se trompait.

– Ma présence ici n'a rien à voir avec une coïncidence, vous vous en doutez. Hier, l'inspecteur Meats m'a expliqué dans les grandes lignes l'enquête qu'il conduisait, rapporta la légiste. Cette histoire de maris aux sommeils profonds est revenue à mes oreilles dans la même journée, lorsque le directeur du laboratoire de toxicologie est venu m'en parler. C'est à lui que je dois la majeure partie des renseignements sur la tétrodo-toxine, j'étais venu le voir l'été dernier pour qu'il m'aide.

Meats hocha la tête, la suite défilait devant ses yeux, en toute logique. Il compléta :

– Hier, en découvrant le rapport des prises de sang effectuées sur ces deux maris, il a constaté la présence dans leur sang de tétrodotoxine, substance très rare, et se souvenant que vous aviez un intérêt pour le sujet, il est venu vous en parler.

– Vous y êtes. De toute sa carrière de toxicologue, il n'a détecté cette toxine que deux fois. Chez ces deux maris drogués et dans le sang de Jeremiah Fischer. La quantité de toxine était infime, et pour cause, il semblait qu'elle soit injectée directement dans le sang, ce qui la rend extrêmement dangereuse. J'ai passé ensuite toute la soirée à y penser, à me demander s'il ne pouvait y avoir un lien entre ces maris drogués et Jeremiah Fis-cher. En fait, je n'en sais toujours rien. Tout à l'heure, lorsque le téléphone m'a réveillée pour m'annoncer que Brolin avait été attaqué pendant la nuit et tué, probable-ment par empoisonnement, tout ça a éclaté dans ma tête. Ce que je veux dire c'est qu'il serait cohérent que le tueur sur lequel vous enquêtez agisse toujours selon la même méthode, injection de drogue au mari pour s'en prendre à la femme. Soudain, je me suis rendu compte qu'injectée en quantité suffisante, la tétrodotoxine pouvait très bien laisser Brolin pour mort alors qu'il n'en est peut-être rien, pour le moment, le temps que son organisme se batte pour surmonter les effets ou y succomber.

– Et ce baume que vous avez appliqué, cet *antidote*, qu'en est-il ? voulut savoir Salhindro.

371

– Il a été confectionné conjointement avec mon collègue toxicologue, un ethnobotaniste, et moi-même à l'automne dernier, selon les « recettes » haïtiennes, afin d'en étudier les propriétés sur la tétrodotoxine. Par manque de temps, nous n'avons pas poussé les expériences très loin, il semble néanmoins qu'il possède des vertus curatives importantes. Cette « crème » date de plusieurs mois, j'espère que cela ne l'aura pas altérée. Il faut qu'elle filtre au travers de la peau pour passer dans le sang et l'organisme.

Annabel voulut se lever pour agir. Faire n'importe quoi, mais agir, courir au chevet de Brolin, activer le personnel soignant, faire quelque chose. Sydney Folstom le comprit et posa une main sur son épaule.

– D'ici quelques minutes l'ambulance arrivera à l'hôpital, je vais les appeler pour qu'ils fassent une prise de sang. Je peux m'être plantée, et ne vous donner que des faux espoirs. On en saura plus d'ici une heure environ. D'ici là il va falloir se montrer patients.

44

Le jour lança son avant-garde dans la traîne étoilée de l'est, soufflant son aube blanchâtre sur les firmaments, avant de délier les nœuds qui retenaient la nuit sur la ville.

Joshua Brolin était étendu sur un lit d'hôpital, sans réaction.

Larry et Annabel somnolaient difficilement dans un coin de la chambre pendant que le Dr Sydney Folstom faisait les cent pas dans le couloir en attendant les nouveaux résultats sanguins.

Lloyd Meats supervisait les dernières recherches au chalet de Brolin, désormais certain qu'ils ne trouveraient rien d'utile. Il avait un moment espéré découvrir des traces de pneus sur le chemin, mais les véhicules de police avaient tout recouvert à leur arrivée.

Dans le sous-sol de l'hôpital, posé sur un brancard, un sac mortuaire. Ce qui est dedans n'est pas de dimension humaine, plus petit. Un infirmier passe devant, poussant un chariot garni de plateaux pour le petit déjeuner. Il trouve étonnant que, comme dans beaucoup d'hôpitaux, la morgue soit à côté des cuisines, une question d'odeur et de viande froide, songe-t-il en riant. Du coin de l'œil il aperçoit la forme recroquevillée, qui ne remplit pas la moitié du sac. Ses sourcils se haussent. *Un enfant.* À coup sûr. C'est un malheureux gamin qui attend là-dedans qu'un garçon de morgue l'emmène vers les tiroirs réfrigérés. Au petit matin, c'est toujours un peu le bordel dans ce couloir. Il faut trier les cadavres de la nuit, les enregistrer, et leur faire une place au frais. Surtout avant que la chaleur se lève.

L'infirmier passe.

Brusquement, le sac bouge. Un coup violent de l'intérieur.

L'infirmier sursaute en portant une main à son cœur. *Oh, putain !* Mais ça n'est rien, non, c'est un réflexe *post mortem*, oui c'est ça, un putain de réflexe… Oh, la vache, quelle frayeur…

Et la toile se tend à nouveau. Ça bouge là-dedans.

L'infirmier se décompose, la bouche grande ouverte.

Il comprend tout d'un coup. C'est une blague. Encore un tour de Jonesy ou de Franck, oui c'est encore une de leurs conneries. Putain, les mecs, y en a marre ! L'infirmier se tourne, les cherchant du regard. Rien derrière. Il décompresse. Il se demande alors comment ils ont fait leur coup. Il lâche son chariot et s'approche du sac mortuaire pour faire glisser la fermeture.

Une patte surgit par l'ouverture.

Suit un jappement aigu.

L'infirmier ouvre tout le sac et découvre, ébahi, un chien au poil humide. Un croisement étrange entre chien-loup et labrador, il peine à garder les yeux ouverts et tente de lever sa tête.

– Qu'est-ce que tu fous là, toi ? Merde, mais…

Cette fois c'est pas une blague, ou alors ils ont été trop loin. Il va en référer à ses supérieurs, ce pauvre chien est à moitié mourant.

Il ne peut se douter que c'est tout le contraire, il est à moitié vivant.

L'infirmier appelle un collègue à l'aide pour vérifier si l'étiquette identifiant le contenu correspond bien aux registres de l'hôpital.

Saphir émet un faible couinement et tente de se mettre debout sur ses pattes.

Il est en vie.

Joshua Brolin ouvrit les yeux vers neuf heures du matin. Sa tête était lourde et il ne parvint pas à percer le brouillard qui s'étalait devant ses yeux. Ses membres étaient engourdis, sa gorge brûlante. Il revint à lui un quart d'heure plus tard, et lentement se réacclimata à ses sensations. Son corps était douloureux, il venait de passer huit heures dans un état proche de l'hibernation. Sa tête surtout, elle pulsait avec violence, il lui semblait que tout son cerveau venait s'écraser au rythme d'horribles palpitations contre sa boîte crânienne. Et il avait du mal à fixer son esprit. Tout était confus, ses souvenirs, son orientation, jusqu'à ses tentatives de mouvements sur le lit.

Il distingua le visage d'Annabel au-dessus de lui, les traits nimbés de brume. Elle ressemblait à un ange.

Il perçut ses mots comme murmurés à l'autre bout d'un long tuyau :

– Je suis désolée, il va falloir attendre encore pour les anges…

Brolin eut l'impression qu'elle pleurait.

*
* *

En début d'après-midi, Brolin mangeait, allongé sur son lit d'hôpital. Plusieurs médecins s'étaient succédé dans sa chambre, sidérés de le voir dans une si bonne forme. Seul un fort mal de crâne persistait et une impression générale d'engourdissement, pour le reste il se sentait parfaitement bien. Douze heures plus tôt il avait été déclaré mort.

La tétrodotoxine n'agissait plus, en partie dissoute dans son organisme, et d'autre part annihilée par les effets du baume au datura.

Annabel n'en revenait pas.

Le tueur avait suivi son mode opératoire à la lettre. Injection de tétrodotoxine pour le mâle de la maison avant de s'en prendre à la femelle. On paralyse le danger éventuel, le témoin, et on peut s'en prendre en toute tranquillité à sa proie. Cette fois, il avait forcé la dose pour Brolin, peut-être en espérant le tuer lentement, ou pour le faire enterrer vivant... Et comme les maris, Brolin n'avait aucun souvenir. Il dormait lors de l'injection, la drogue n'avait fait que prolonger ce sommeil, de plus en plus profondément, d'où l'absence de conscience.

Sydney Folstom effectua elle-même la prise de sang supplémentaire, elle suivait l'état de Brolin sans rien négliger. Elle avait étudié les effets de la tétrodotoxine et du datura assez brièvement et ne prenait aucun risque inutile.

Annabel et Larry expliquèrent tout ce qui venait de se passer au détective privé. Il écouta sans rien dire, pourtant Annabel crut déceler dans son œil un éclat inquiétant. Une colère froide.

– Et toi, tu vas comment ? finit-il par demander en frôlant du bout des doigts l'attelle qui retenait l'auriculaire et l'annulaire brisés d'Annabel.

Elle hocha la tête, dissimulant ses terreurs passées derrière un sourire.

Elle aborda enfin l'étrange épisode du chien.

– Le type qui est entré chez toi cette nuit n'a pas tué Saphir, il lui a fait la même injection qu'à toi, en nettement moins fort apparemment.

– Comment va-t-il ? demanda Brolin.

Sa voix n'était même pas râpeuse, à mesure que les heures passaient, il semblait ne conserver aucune séquelle.

– Bien, il se remet. Je rentre au chalet avec lui ce soir.

Voyant qu'il allait protester, Annabel le contra aussitôt.

– Ne t'en fais pas, il y aura un officier de police devant chez toi toute la journée et toute la nuit. Lloyd Meats a insisté. Quant à toi, ils vont te garder en observation jusqu'à demain matin, par prudence.

Annabel aperçut justement Lloyd Meats derrière la porte. D'un signe discret il l'invita à le rejoindre. Elle fit un clin d'œil à Brolin et se leva.

Dans le couloir, Meats se caressait nerveusement la barbe. Il saisit Annabel par le bras et la tira doucement à l'écart.

– Le médecin m'a dit qu'il se remettait bien. Cela étant, j'aimerais ne pas trop le pousser dès maintenant, il a besoin de souffler un peu.

Pressentant un problème, Annabel demanda :

– Qu'y a-t-il ? Vous avez trouvé autre chose ?

– Presque rien. On a une empreinte de pas. Du 40. Petits pieds mais poids assez lourd.

– Comme je l'ai déjà dit, il m'a semblé que l'individu était assez costaud en effet.

Ce n'était pas cela qui préoccupait Meats, Annabel pouvait le sentir.

– Dites-moi ce qui ne va pas.

Meats ricana nerveusement.

– Flic, hein ? On sent ces choses-là… J'aimerais savoir, vous et Joshua étiez sur une piste en particulier ? N'importe quoi, une piste qui aurait pu provoquer la colère de ce taré.

Annabel s'accota au mur. Elle ne voyait pas.

– Non, pas à ce qu'il me semble. Notre seule investigation de terrain a été chez toutes les familles victimes d'une attaque d'araignée et dans le milieu des arachnophiles, tous ces mordus de petites bêtes à huit pattes.

– Si je vous demande ça, c'est parce qu'on a trouvé un autre morceau d'empreinte de semelle dans le bureau de Brolin. Et un peu de verre, qui provenait du carreau brisé, parmi les documents posés sur le bureau. Apparemment, celui qui est venu vous agresser cherchait quelque chose, ou tout du moins à vérifier si vous saviez quelque chose.

Annabel se redressa.

Au milieu de toute cette agitation et de ces émotions, elle ne s'était pas encore posé la question essentielle.

Pourquoi le tueur s'en était-il pris à eux ?

Le nom de Lloyd Meats était également dans les journaux, il ne pouvait l'ignorer. S'il avait simplement voulu mettre son avertissement à exécution, il s'en serait plutôt pris à Meats, le représentant de la loi, c'est là que ça aurait été plus symbolique. Alors pourquoi cibler le détective privé et son amie ?

Parce qu'ils avaient fureté là où il ne fallait pas, tout simplement

Annabel expira fortement.

Ils avaient frôlé la clé de l'énigme sans l'apercevoir.

Elle devait retourner immédiatement au chalet.

La solution était là, sous leurs yeux.

Si le tueur avait pris le risque de les éliminer c'est qu'ils étaient passés tout près de lui.

Peut-être l'avaient-ils déjà croisé…

45

La question était simple : qui avaient-ils rencontré jusqu'à présent ?

Annabel se tenait dans le bureau de Brolin, l'attrape-rêve tournoyait doucement au-dessus d'elle, dans l'air chaud du chalet.

Le tueur avait frappé ici. Il était venu dans *cette pièce-là*, il avait fouillé les documents, pour s'assurer de ce qu'on savait de lui. Annabel se permit à son tour de trier les différents papiers qui étaient empilés sous ses yeux. Y avait-il quelque chose qui manquait ? Comment savoir ? Que savait-elle concernant les informations amassées par Brolin ?

La carte.

Annabel se tourna vers le mur où était accroché le plan de la ville. Pour chaque attaque d'araignée, Brolin avait disposé une épingle sur le lieu de l'incident. Il avait ajouté le nom de la victime sur un rectangle de papier collé à même la carte. Tout semblait intact.

La liste des noms.

Oui, la liste ! Annabel la trouva sur le dessus d'une pile. Plus de vingt noms de spécialistes ou de passionnés de la question arachnéenne dont sept étaient soulignés en rouge, ceux des personnes déjà rencontrées :

« NeoSeta :

« Professeur Haggarth – responsable technique ?

« Gloria Helskey – chef de projet.

« Connie d'Eils – technicienne ?

« Donovan Jackman – responsable relations publiques.

« Particuliers :

« Nelson Henry – musée d'histoire naturelle, arachnophile.

« Docteur Conelberg – entomologiste.

« Debbie Leigh – de la boutique *Bug'em all*, passionnée ? »

Se pouvait-il que le tueur fût l'un d'entre eux ? Qu'il se fût senti menacé et eût décidé de passer à l'acte, en guise d'avertissement à l'intention de la police et pour s'assurer que Brolin et elle n'avaient pas trop d'informations compromettantes à son sujet ?

Il avait lu leurs noms dans la presse, comme tout le monde, et il n'avait pas été difficile de trouver l'adresse de Brolin : en tant que détective privé, il figurait dans l'annuaire.

Annabel se concentra sur ce qu'elle savait.

L'individu qui l'avait attaquée dans les bois était de taille moyenne, ce qui correspondait à peu près à tout le monde, assez costaud, et surtout il avait semblé à Annabel qu'il était chauve, ou tout du moins largement dégarni. Sauf qu'il pouvait porter une perruque au quotidien. Détails de peu d'utilité.

Qui avaient-ils rencontré d'autre ?

Les victimes mordues par une araignée à leur domicile ? Impossible qu'il en fasse partie, il s'agissait de couples… *Et alors ? Les tueurs sont-ils des créatures à ce point hideuses qu'ils doivent se terrer loin des autres ?* Non, bien sûr. Annabel le savait, même les tueurs en série fondaient parfois des familles, tel ce Tchikatilo, marié, père de deux enfants, professeur d'université et meurtrier sanguinaire de cinquante-deux personnes, ou Jerry Brudos qui massacrait ses victimes dans sa cave pendant que sa femme et ses enfants étaient en train de manger dans la cuisine sans se douter de rien.

C'était un raisonnement tordu. Le tueur n'aurait pas pris le risque d'attirer les flics à lui en se faisant passer pour une victime…

Il restait les maris des deux victimes. M. Peyton et M. Morgan. Il en allait de même. C'était trop machiavélique pour être probable, Annabel pouvait les exclure de la liste des suspects.

Curieusement, elle n'en fit rien.

L'instinct de flic, supposa-t-elle. L'homme peut se montrer plus cruel et fourbe que l'imaginaire d'un enquêteur… Ne jamais éliminer définitivement un suspect. Annabel inscrivit au crayon sur son carnet les deux maris avec tous les noms de la liste d'arachnophiles. Puis elle se tourna vers le plan accroché au mur et recopia aussi les noms des familles attaquées par une araignée.

Elle allait reposer la liste sur le bureau lorsque sa main s'immobilisa.

Il y en avait encore un autre.

Dès le début, Brolin avait considéré la clairière Eagle Creek 7 comme à part. C'était là que pullulaient les veuves noires, et c'était là qu'on avait tué Fleitcher Salhindro. Le point d'origine de toute l'affaire.

La clairière, et au-delà, la base militaire… Et la rencontre qu'Annabel y avait faite, pas avec le tueur, non,

avec ce jeune fureteur. Comment s'appelait-il déjà ?
Annabel s'appuya sur une fesse pour extraire un tas de
papiers pliés de sa poche arrière de pantalon. Elle
tourna les feuilles pour trouver le nom.

Frederick McIntyre.

Devait-elle ajouter le nom sur la liste ?

Il n'avait strictement rien à voir avec cette affaire,
c'était juste un squatteur à la recherche d'objets origi-
naux... Pourtant il était présent sur les lieux. *Dans la
base ! Pas dans la clairière... C'est différent.* Non,
c'était une fausse piste, une perte de temps.

Annabel contempla les deux pages de noms sur son
carnet. Quelque part parmi ces trente et quelques identités se cachait peut-être la clé de toute cette horreur.

Les araignées... Les victimes vidées comme par
magie, emballées dans du cocon. Comme si elles
avaient été dévorées par une araignée géante... Quel
esprit malade pouvait engendrer pareilles idées ? Qui
était-il, et pourquoi faisait-il tout cela ? Au-delà d'une
prétendue folie qui rassurait l'opinion publique. Une
telle méthodologie, un sadisme si méticuleux, si orga-
nisé, ne pouvait être tissé par la démence. C'était un
esprit parfaitement construit qui était aux commandes...
C'était ça le pire.

Annabel se leva.

Elle déambula dans le grand salon, ouvrit la baie
vitrée pour s'installer sur la terrasse afin de réfléchir
tranquillement mais la chaleur était telle à l'extérieur
qu'elle referma aussitôt la longue porte coulissante. La
détective new-yorkaise marcha sans but, d'un pas lent,
promenant son regard sur les murs de lambris. Elle
entra dans la cuisine, se servit un verre de lait frais pour
se rafraîchir.

Elle aperçut la calandre d'une voiture de police garée devant le chalet. La surveillance. Un homme relayé régulièrement pour ne pas cuire dans cette canicule.

Il devait s'emmerder à mourir, pensa Annabel. Elle connaissait ce genre de mission, les pires. Dans la plupart des cas il ne se passait rien et vous vous endormiez à force d'inactivité. Mais s'il fallait intervenir…

Elle prit un grand verre et le remplit d'eau. Un peu de compagnie et des rafraîchissements seraient les bienvenus. Ensuite elle retournerait à l'hôpital voir Brolin.

Un carreau de contre-plaqué était cloué sur le coin inférieur droit d'une des fenêtres.

Le tueur était entré par ici. Scotch large sur le verre pour ne pas faire de bruit en le brisant. Il avait introduit sa main à l'intérieur pour ouvrir la fenêtre et avait pénétré dans la maison. Saphir avait dû venir à sa rencontre, curieux de cette intrusion. C'était un chien si bon qu'il était incapable de montrer la moindre suspicion à l'égard d'un être humain. Le tueur avait alors sorti sa seringue pour piquer aussitôt le chien, avant qu'il ne fasse du bruit. La suite était connue.

Il savait par où entrer et il savait qu'il n'y avait pas de système d'alarme.

Il avait observé la maison dans la soirée. À coup sûr, il avait épié Joshua et elle, leur petit manège. Il… Où était-il pour guetter ?

Annabel posa les deux verres qu'elle tenait, traversa le salon à toute vitesse et sortit sur la terrasse. Elle ignora la brûlure du bois sur ses pieds nus et s'arrêta au milieu pour faire un tour sur elle-même.

La colline.

Au sommet de la colline, on avait une vue imprenable sur le chalet, et sur la terrasse. C'était là-haut qu'il s'était installé.

Exactement là où nous sommes montés dans la soirée ! Là où Josh et moi avons contemplé la vue !

La chair de poule envahit ses bras.

Il était avec eux la veille au soir, à quelques mètres, dissimulé dans les fourrés. Il les avait vus sortir et grimper en plaisantant, dans sa direction. C'est là qu'il avait découvert le chien. Oui, il ne pouvait pas savoir – en fait, il avait eu un vrai coup de chance, que Saphir soit un chien discret et affectueux. À présent qu'elle se remémorait la soirée, Annabel réalisait qu'une fois installés sur leur rocher, Joshua et elle n'avaient plus prêté attention au chien, et pour cause ! Il devait être en train de fureter autour, jusqu'à tomber sur *lui*. Le tueur.

Et ce dernier avait constaté que le chien n'était pas agressif.

Il était là ! Juste derrière nous !

Le hasard lui avait offert une occasion inespérée de frapper et il n'en avait rien fait. Ça n'était pas sa méthode. Il attaquait une seule personne à la fois, ne prenant aucun risque. Un homme pas assez sûr de ses capacités, il fond sur sa proie pendant son sommeil, il évite à tout prix l'affrontement. Il ne sait pas se battre, ou c'est un lâche... *Tous les tueurs en série sont des lâches*, admit-elle.

Annabel rentra dans la fraîcheur de l'habitation, chaussa une paire de baskets, prit le verre d'eau pour l'officier en faction et se jeta à nouveau dans la fournaise extérieure.

Elle offrit l'eau au policier, et lui expliqua qu'elle montait au sommet de la colline, que tout allait bien. Elle souleva le bas de son t-shirt pour qu'il puisse apercevoir le Beretta qu'elle transportait.

– Mon partenaire veille sur moi, je suis de la maison...

– On m'a expliqué. Merci pour l'eau.

Un peu plus tard, Annabel essuyait la sueur piquante qui irritait ses yeux pendant que des gouttes dévalaient le long de sa colonne vertébrale.

Tout en haut, le paysage n'était plus aussi splendide maintenant. L'aura du meurtrier était encore présente. Pour Annabel, chaque ombre recelait une part de sa présence, un vestige de sa monstruosité. Et le soleil éclatant dans ce ciel azuréen n'arrangeait rien.

Le sol était trop sec et trop granuleux, il n'y avait aucune empreinte de pas. En revanche, le tueur n'avait pu se cacher que dans les fourrés pour les espionner, et ces buissons accrochaient tout ce qui passait à leur portée.

Annabel quadrilla le secteur en le découpant en carrés. Elle fouillerait la zone comme une grille, tant pis pour le temps que ça prendrait. Elle débuta avec le point le plus éloigné du petit « sentier » qui l'avait conduite jusqu'ici.

Après une heure, elle regretta de n'avoir pas pris de casquette.

Elle s'assura que personne ne se trouvait alentour et retira son t-shirt pour le nouer comme un turban sur sa tête. C'était mieux que rien, et au diable son look. Elle tira sur son soutien-gorge pour le réajuster et continua sa recherche.

Elle avait inspecté plus d'un tiers du secteur lorsqu'elle trouva quelque chose d'intéressant.

Les herbes – jaunies par trop de soleil – étaient écrasées entre deux buissons volumineux. Annabel s'agenouilla.

Elle riva son nez au sol et détailla l'endroit du regard avant de répéter l'opération du bout de l'index, soulevant doucement quelques brins aléatoires, dans l'espoir fou qu'ils puissent dissimuler un trésor pour l'enquête. Rien par terre. Sinon la certitude que quelque chose de lourd s'était installé ici récemment pendant plusieurs heures.

Annabel contourna la zone. Ce fut en détaillant les branchettes des buissons qu'elle eut la confirmation que sa théorie était juste.

Elle trouva des poils courts et raides, de la même couleur que ceux de Saphir. Le chien s'était promené et avait senti le tueur, il était venu jusqu'à lui, se faufilant entre les épineux et y abandonnant des poils.

Et, si improbable que cela pût sembler, Saphir, en bon chien amical, était resté là pour se faire caresser.

Annabel en était sûre. *Cet enfoiré s'est installé là et lorsqu'il s'est aperçu que le chien ne lui ferait pas de mal, il l'a caressé pour l'occuper. Le temps que Joshua et moi repartions…*

Annabel se redressa pour évaluer la distance depuis le rocher où ils s'étaient assis la veille.

Le tueur avait été à moins de vingt mètres d'eux.

46

Allongée dans une chaise longue, Dianne Rosamund posa son livre sur son ventre et contempla le ciel. Elle était complètement larguée dans cette histoire et se demandait où l'auteur voulait en venir. Elle avait quelques pistes, une petite idée sur l'identité du coupable mais qui ne reposait sur rien de bien tangible, plutôt une impression.

Un raclement de gorge la sortit de sa réflexion.

Cela provenait du jardin mitoyen, de l'autre côté des thuyas, chez Jimmy Beahm. Il y eut un autre raclement glaireux.

Oh, c'est dégueulasse ! Jimmy, t'es vraiment dégueu...

Du coup, l'orangeade qu'elle s'était préparée ne l'attirait plus du tout. Dianne corna la page de son roman et se leva en tirant sur l'élastique de son maillot de bain qui lui rentrait dans les fesses. Elle avait besoin d'un peu d'ombre. Elle eut un regard pour la haie touffue qui séparait son jardin de celui de Jimmy. On ne voyait rien au travers mais elle était sûre que ce pauvre bougre était avachi sur sa terrasse avec une bouteille devant lui. Ça ne serait pas la première fois.

Elle entendit un claquement sec. Jimmy venait d'ouvrir la trappe conduisant à sa cave. Ce fameux sous-sol où il passait tellement de temps. Dianne l'épiait de plus en plus depuis quelques jours, espérant discerner un détail qui lui permettrait de comprendre pourquoi il y descendait si souvent. Quel secret pouvait bien dissimuler son voisin ?

Chris, son mari, lui avait dit d'arrêter, qu'elle se transformait en caricature de femme au foyer avec toute sa batterie de curiosité déplacée et de commérage, mais c'était plus fort qu'elle.

Le pas lourd de Jimmy descendant les marches en bois traversa l'épaisseur des thuyas.

Cette fois c'en était trop. Dianne fila sur le gazon, pieds nus, en prenant soin de ne faire aucun bruit. Elle s'accroupit et écarta les branches des arbustes pour voir de l'autre côté. La trappe était ouverte, les deux pans rabattus, et un sac à dos était posé dans l'herbe.

Dianne était tout excitée par ce mouvement d'espionnage, qui donnait subitement une tout autre tournure à son quotidien. Cela dépassait le petit « film » que se joue la femme qui s'ennuie à la maison. Elle n'était pas en train de chercher à pimenter sa journée, elle *sentait*, instinctivement, une anormalité chez son voisin. Jimmy Beahm avait toujours été un homme discret, de ceux qu'on ne remarque pas dans la rue. Sa femme et lui formaient un couple dont personne ne parlait, qu'on ne voyait jamais aux barbecues de quartier, à tel point qu'ils n'avaient pas été conviés à la fête de mariage des Rosamund. Dianne et Chris n'étaient installés dans cette maison que depuis un an et demi, et c'était seulement depuis le début de l'été qu'elle se rendait compte du manège étrange de son voisin.

Un horrible grincement monta de la trappe ouverte, Dianne en tressaillit. Elle ne supportait pas ces sons stridulents.

Tout d'un coup, la tête de Jimmy dépassa du trou, et il sortit aussitôt en glissant rapidement un petit paquet dans le sac à dos.

Le geste avait été vif, et Dianne n'avait pas bien vu ce dont il s'agissait, c'était petit et blanchâtre. En y repensant, ça ressemblait un peu à un rouleau de printemps comme ceux qu'on pouvait manger au restaurant chinois où Chris l'emmenait dîner de temps à autre.

Jimmy releva aussitôt la tête et jeta un bref regard sur les fenêtres du premier étage de ses voisins. Chez *elle* !

Il avait remarqué ! Il savait qu'elle l'épiait souvent depuis l'étage.

Oh ma fille, dans quoi t'es-tu encore fourrée ? C'est pas normal, cette fois c'est vraiment pas normal ! Il a planqué ce qu'il remontait de sa cave comme s'il s'agissait d'un crime ! Ce type est bizarre, il est véritablement bizarre !

Pour la première fois depuis qu'elle le connaissait, Dianne ne vit pas Jimmy Beahm comme un gentil petit homme de quarante ans, un peu ventripotent, avec une calvitie qu'elle trouvait ridicule. Pour la première fois en un an et demi, il lui faisait peur.

Jimmy prit son sac à dos, d'un pied il rabattit les trappes du sous-sol et disparut du champ de vision de Dianne. Il n'avait pas remis le cadenas.

Aussitôt une portière de voiture claqua et le moteur gronda.

C'était lui, Dianne reconnaissait le ronflement de la vieille Honda. Le moteur accéléra avant de s'éloigner dans la rue.

Il n'avait pas remis le cadenas.

Était-ce dans ses habitudes ? Dianne n'aurait pu le dire, elle n'en était tout de même pas à tout surveiller, tout noter. Il fermait le soir avant de rentrer, ça elle en était certaine, elle l'avait souvent vu faire, mais dans la journée…

Son regard se reporta sur la trappe.

À cinq ou six mètres d'elle.

C'était affreusement tentant.

Si Chris l'apprend, il va hurler.

Sauf si cela lui permettait de se rassurer et qu'elle cesse d'espionner leur voisin.

Et si ce que tu trouves en bas est pire que ce que tu imagines ?

Après tout, on ne savait rien de lui.

Peut-être que tout ce temps qu'il passe hors de chez lui, dans sa voiture, c'est pour prendre des auto-stoppeurs, les ramener ici pour… les découper et les brûler dans une chaudière installée au sous-sol !

Il était grand temps qu'elle lise moins de romans policiers…

Dianne allait relâcher les branches et faire demi-tour, rentrer dans la fraîcheur de son living lorsqu'elle se redressa et se surprit à se faufiler dans la haie pour passer chez son voisin.

Je suis dingue de faire une chose pareille.

Oui, mais c'était terriblement excitant !

Elle fit trois bonds pour rejoindre la trappe en toute discrétion.

Merde, Dianne, tu as un problème ! Regarde ce que tu fais ! En maillot de bain en plus ! Chez ton voisin, tu t'introduis illégalement chez ton voisin !

Elle s'agenouilla et prit un des battants d'une main, délicatement, comme si elle avait peur de l'abîmer. Il s'ouvrit sans résistance.

Une odeur de menthe remonta les marches en bois pour se perdre dans le jardin.

Et de terre, d'humus... ou d'humidité plutôt, comme dans ces vieilles caves creusées à même la terre.

Dianne ouvrit l'autre battant.

Il fallait dévaler une douzaine de marches pour atteindre le sous-sol. Dianne passa une jambe dans l'ouverture et posa le pied sur le bois.

Ça y est... c'est parti.

Tout son corps suivit bientôt et en un rien de temps, elle se découvrit en bas. Le sol était froid, en béton. Il faisait noir.

L'odeur de menthe et d'humidité était encore plus forte.

Dianne fit deux pas vers les ténèbres. Il y avait des casiers en acier, remplis de bric-à-brac, et deux bouteilles de gaz étaient alignées contre le mur. Dianne se tint à une étagère pour avancer tout doucement.

Dans l'obscurité, elle crut distinguer une porte à moins de deux mètres. L'odeur était encore plus puissante, elle provenait de l'autre côté, de cette porte.

Dianne n'osait allumer la lumière.

Brusquement, elle réalisa ce qu'elle était en train de faire.

Elle pénétrait chez des gens, en leur absence.

Qu'est-ce qui lui arrivait ? C'était le soleil qui lui avait à ce point tapé sur le crâne, ou plutôt ses lectures retorses ?

– Pauvre idiote, tire-toi d'ici, murmura-t-elle pour elle-même.

Elle fit volte-face.

Ses yeux voulurent jaillir hors de leurs orbites.

Une ombre massive et longue se dessinait au milieu des marches pour se prolonger jusqu'à ses pieds.

Une ombre qui n'était pas là trois secondes auparavant. Une ombre humaine qui se rétrécit d'un coup, tandis que l'individu se penchait pour voir tout en bas.

Une voix rauque, mucilagineuse, descendit :

– Tiens, tiens…

Suivie d'un ricanement sec.

– J'en étais sûr.

47

Annabel passa les heures suivantes en compagnie de Brolin, à l'hôpital. Elle lui fit part de ses dernières constatations.

En guise de réponse, Brolin lui ordonna de ne prendre aucun risque désormais, et de ne plus quitter son arme. La jeune femme ne fut pas dupe de son autorité, Brolin était tout simplement irrité de devoir passer la nuit en observation.

Annabel passa prendre Saphir, avec la consigne de bien le faire boire, et elle rentra au chalet au volant de la Mustang que Brolin lui avait confiée, s'habituant au passage des vitesses un peu particulier, d'autant plus malaisé que son attelle était à la main droite.

Son téléphone portable sonna sur la route.

C'était Woodbine, son supérieur direct à New York.

– Je viens d'apprendre ce qui s'est passé la nuit dernière. Comment allez-vous ? demanda-t-il.

– Comme quelqu'un qui s'est fait agresser.

Un temps. Le silence gêné de Woodbine, ce géant noir qui dirigeait son service d'enquête d'une main de fer.

– Y a-t-il quelque chose qu'on puisse faire ?

– Je ne pense pas, merci tout de même. Capitaine, je suis censée rentrer samedi, mais…

– C'est bon, ne vous emmerdez pas à m'expliquer que vous ne rentrerez que la semaine prochaine. On s'arrangera. Tout le monde s'est inquiété ici.

Annabel devinait qu'il cherchait ses mots. La savoir en compagnie de Joshua Brolin, le privé qui avait aidé à résoudre l'affaire Caliban, devait l'étonner. Tout le monde à Brooklyn demandait de ses nouvelles et depuis plusieurs mois, Annabel répondait invariablement qu'elle n'en avait pas.

– Annabel, il semblerait que vous soyez mêlée à une enquête locale… J'imagine que c'est Brolin qui vous a embarquée là-dedans, alors tâchez de ne pas vous faire remarquer. Je me fous de votre vie privée, mais politiquement, ça fait désordre qu'une détective du NYPD soit impliquée dans une affaire à Portland sans que ses supérieurs directs soient au courant, vous voyez où je veux en venir ?

– Capitaine…

– Oui ?

– Finalement, il y a peut-être quelque chose que vous pourriez faire pour moi. Si vous avez l'occasion de vous renseigner sur… un dénommé Nelson Henry, vivant à Rock Creek dans l'Oregon.

– Vous m'avez écouté à l'instant ? Anna, je vous couvre à 100 % dans tout ce que vous faites, mais ne vous mêlez pas de cette histoire. Que vous passiez quelques jours avec Joshua Brolin je trouve ça plutôt bien, voilà c'est dit, en revanche, restez à l'écart de l'enquête. Les flics de Portland sont aussi bons que vous, ils n'ont pas besoin d'aide. En toute franchise, je n'ai pas aimé entendre votre nom lié à une enquête criminelle à l'autre bout du pays.

– Capitaine, c'est juste pour filer un coup de main. Je vous le demande à ti…

– … à titre personnel. (Il soupira.) Je verrai ce qu'on peut faire, n'attendez rien de précis. Vous avez le bonjour de toute l'équipe. Bon, démerdez-vous pour qu'on n'entende plus parler de vous dans la presse, c'est clair ? Et tenez-moi au courant de votre retour.

Annabel le remercia et retourna au bourdonnement de la Mustang.

Dans la liste des arachnophiles, Annabel n'avait rencontré que deux personnes, Debbie Leigh et Nelson Henry. Autant la première lui avait fait bonne impression, une femme un peu originale qui gérait sa petite boutique d'insectes, autant Nelson Henry lui avait semblé tendu, nerveux à la moindre question. Ça n'était pas grand-chose, sûrement une fausse piste, et ça ne valait pas le coup de mettre l'inspecteur Lloyd Meats dessus. Cependant, en bon détective qu'elle était, elle se devait de ne négliger aucune possibilité. Elle allait creuser le sillon « Nelson Henry » de son côté, à tout hasard.

Dans le rétroviseur intérieur, elle vit Saphir qui dormait sur la banquette arrière.

En arrivant, ils trouvèrent un nouveau policier en faction devant le chalet, pour toute la nuit. Il lisait un magazine à la lumière du plafonnier. Annabel le salua et lui proposa de lui apporter un sandwich ou deux, et quelques revues pour l'occuper s'il avait un coup de fatigue. Il la remercia en lui montrant la nourriture et les différentes lectures qu'il avait entassées sur le fauteuil passager.

Puis elle dîna sur la terrasse, avec Saphir allongé à ses pieds.

C'était tout de même surprenant qu'il s'en soit sorti. Le tueur lui avait injecté le même produit qu'à Brolin, une dose infime pour l'endormir. Il avait dû se retrouver nez à nez avec Saphir en entrant dans la maison, et ne sachant que faire, il avait pris sa seringue pour se débarrasser du chien.

Et s'il n'avait pas d'autre arme ? Il était alors logique qu'il utilise son produit miracle.

Conjecture stérile, trancha la jeune femme. Il aurait pu prendre n'importe quel couteau en entrant dans la cuisine.

Annabel se pencha pour caresser la tête du chien de sa main blessée.

Ils avaient tous eu beaucoup de chance. Les dégâts étaient minimes.

Le meurtrier avait commis une grosse erreur avec les cheveux.

Il avait privilégié l'effet que cela provoquerait à toute notion de prudence. Il aurait dû faire avec Annabel ce qu'il avait fait avec ses deux victimes précédentes, rester à ses côtés jusqu'à ce qu'elle se réveille. Et la frapper avant qu'elle ne reprenne ses esprits.

Il avait péché par trop d'assurance, l'accumulation de ses crimes lui avait fait gagner une confiance nouvelle.

Cet enfoiré a pris tout son temps pour s'occuper du chien, de Brolin, monter faire sa petite mise en scène avec les cheveux, supposant que je ne m'éveillerais pas pour autant, avant de redescendre fouiller le bureau. En fait, non seulement il est devenu sûr de lui, mais il a témoigné d'une maladresse assez étonnante. Il a opéré dans le désordre, certainement en fonction de son envie, de ce qui lui venait à l'esprit... Ce qui ne sem-

blait pas être le cas avec ses autres victimes. Pourquoi ?

Annabel essaya de gratter l'intérieur de son attelle.

Parce qu'il n'avait pas planifié son attaque ici ! Il a improvisé ! Il n'avait pas aussi bien préparé son coup qu'auparavant...

Oui, c'était ça, il n'avait pas l'expérience du cambrioleur, de celui qui a l'habitude de pénétrer chez les gens. Il n'était pas coordonné.

Il était néanmoins intelligent et retiendrait la leçon.

En fait, il allait probablement être encore plus féroce.

Cette grossière erreur avait dû le mettre en rage, et lorsqu'il allait repasser à l'acte, il serait non seulement méticuleux, mais surtout dévastateur.

Annabel contempla l'immense forêt qui s'assombrissait autour d'elle, et elle rentra dans le salon.

Elle ferma la baie vitrée et tira les stores.

Tout d'un coup, la présence du policier devant le chalet et son Beretta posé sur la table ne lui semblaient plus aussi réconfortants.

La nuit ne faisait que commencer.

48

Chez les Rosamund, la tension était croissante autour de la table du dîner. Jimmy Beahm, le voisin étrange, en était la cause.

Dianne croisa les bras sur sa poitrine.

– Tu te rends compte ? insista-t-elle. Il m'a sermonnée pendant une demi-heure, et je peux te dire qu'il était peut-être furieux mais il ne s'est pas privé pour mater mes seins !

– Écoute, tu n'avais rien à faire chez lui, rétorqua Chris en reposant son verre. Tu ferais bien de lui être reconnaissante de ne pas avoir appelé les flics.

– Tu parles ! Ça m'étonnerait bien qu'il souhaite voir les flics débarquer chez lui.

– Ne remets pas ça, Dianne. Cette histoire devrait te servir de leçon. Jimmy est un mec qui a perdu son boulot et qui tourne en rond chez lui depuis un an, il n'a rien à se reprocher, fous-lui la paix.

Dianne recula sur sa chaise et se mit à se balancer sur les pieds arrière. Chris l'énervait.

Il refusait de voir son point de vue à elle, ne serait-ce qu'une minute. Jimmy Beahm était bizarre, et c'était un homme fourbe. Il s'était senti observé par sa voisine et lui avait tendu un piège. Et elle, comme une gourde, elle avait mordu à l'hameçon. En entendant le moteur démarrer et s'éloigner, elle avait foncé tête baissée pour voir ce qu'il y avait derrière cette fichue trappe. C'était sa femme qui avait pris la voiture, pas lui.

Est-ce qu'un homme respectable monterait un coup aussi tordu ? Dianne en doutait. Jimmy l'avait attirée dans son sous-sol pour lui faire peur. Pour lui faire la leçon. Avec ses airs de voisin outré, d'homme en colère. Il avait juré que s'il la revoyait chez lui il ferait en sorte qu'elle passe la nuit au poste. Dianne n'en croyait pas un mot.

Elle ne savait pas ce que c'était, mais Jimmy Beahm cachait quelque chose derrière cette porte.

Et elle trouverait quoi.

Ils se couchèrent assez tôt, après le film, et Dianne ne décolérait pas. Elle tourna le dos à son mari pour s'endormir, « à l'hôtel des culs tournés », comme il se plaisait à dire pour plaisanter.

Elle ne tarda pas à retirer sa nuisette et la lancer par-dessus le montant du lit, la chaleur n'avait pas diminué. Puis elle repoussa les draps bien qu'elle n'aimât pas dormir sans rien sur elle.

À force de tourner, elle finit tout de même par s'endormir d'un sommeil léger, inconfortable. De ces sommeils fatigants, qui épuisent l'âme plus qu'ils ne la lavent, et qui font se réveiller exténué, presque courbatu.

Elle ouvrit les yeux une première fois aux alentours de minuit. Elle ne devait dormir que depuis vingt minutes. C'était curieux, en une dizaine de secondes elle se sentit parfaitement lucide, comme si elle ne s'était jamais endormie. Elle observa Chris qui ronflait tout doucement, semblable à un nourrisson.

On brisa un objet en verre dehors. Violemment.

Le son montait par la fenêtre de la chambre. Dianne n'aimait pas dormir la fenêtre ouverte, elle trouvait cela imprudent, mais il faisait tellement chaud, et puis ils étaient au premier étage, dans un quartier tranquille… Il ne fallait pas non plus vivre dans la paranoïa.

Un autre objet fut brisé, suivi d'un choc sourd.

Ça provenait de chez les Beahm.

Une dispute.

C'était probablement ce qui l'avait réveillée.

Un autre choc. Dianne songea à un meuble que l'on cogne contre le mur.

C'était sacrément virulent. Que devait-elle faire ? Elle hésita à appeler la police. Il n'y avait pas de cris, aucune injure. Alors que faisaient-ils ? Elle aurait l'air fin si les flics venaient pour rien. Et Jimmy ne la raterait pas.

Elle tira l'oreille mais c'était fini.

Un profond soupir lui échappa. Dianne resta ainsi de longues minutes, sans plus rien entendre. Enfin, elle se tourna, chercha un coin à peu près frais sur l'oreiller et tenta de retrouver le sommeil.

Elle ouvrit à nouveau les yeux. Elle s'était endormie.

Il faisait toujours nuit, et le silence était absolu, y compris dehors.

Qu'est-ce qui l'avait réveillée ce coup-ci ?

Elle avala difficilement sa salive, sa gorge était sèche.

Non, ça ne devait pas être un bruit cette fois, mais tout simplement la chaleur. Une pellicule de sueur recouvrait l'intérieur de ses cuisses et son dos.

Son regard remonta paresseusement vers l'horloge digitale qui indiquait une heure et demie du matin.

Dianne changea de position et referma les yeux.

Elle avait soif à présent.

Elle jura intérieurement et se hissa sur un bras. En trois mouvements laborieux, elle parvint à se lever. Elle était lessivée.

Elle manqua s'effondrer en se prenant les pieds dans sa nuisette qui traînait par terre, et quitta la chambre.

Dianne ne remarqua pas la silhouette qui reculait dans le couloir pour entrer en silence dans la salle de bains. Elle ne soupçonna pas que ce qui l'avait réveillée, c'était le claquement cristallin d'un verre se brisant sur le sol de la cuisine.

Des gorgées d'eau fraîche. Dianne ne pensait qu'à ça. Et à se rendormir en vitesse.

Elle longea le mur, dépassa l'escalier et s'arrêta devant la salle de bains. Sa main se posa sur la poignée.

Ce dont elle avait besoin c'était de fraîcheur. De froid.

Sa main lâcha la poignée.

Elle fit demi-tour et descendit au rez-de-chaussée.

Dans son dos, la porte s'ouvrit et la silhouette traversa les ténèbres pour la suivre du regard. Lorsque Dianne entra dans la cuisine, la silhouette se glissa sans bruit dans la chambre.

Dianne posa son pied à cinq centimètres d'un petit bout de verre.

Un éclat plus gros encore se trouvait sous la table.

Elle ouvrit le frigo qui creusa un corridor de lumière jaunâtre dans la pièce. La jeune femme cligna des paupières et attrapa la bouteille de jus d'orange. Elle referma la porte et s'adossa dessus.

Le liquide dévala dans sa gorge en cascades glaciales. Elle eut l'impression de pouvoir suivre tout son trajet dans son organisme.

Elle resta là pendant une minute, à boire et à reprendre son souffle entre chaque gorgée.

Puis elle posa la bouteille en plastique sur la table et se dirigea vers les toilettes, dans le hall. Elle pourrait tirer la chasse sans réveiller Chris.

Elle laissa la porte entrouverte pour bénéficier de la pénombre du salon. La lumière était agressive à cette heure de la nuit. Dianne se soulagea, à moitié assoupie.

Lorsqu'elle repassa dans la cuisine, elle s'arrêta pour voir que les lumières étaient éteintes chez les Beahm. Tout le monde dormait.

Dans le dos de Dianne, venant dans sa direction, la silhouette descendait les marches. Lentement.

Dianne s'étira, croisant les bras au-dessus de sa tête.

La silhouette était en bas.

Se rappelant qu'elle n'avait pas rangé la bouteille de jus d'orange, Dianne ouvrit le frigo en plissant les yeux et la remit au frais.

Elle referma la porte du frigo.

La silhouette n'était plus là.

Dianne s'humecta les lèvres, cette fois elle pouvait retourner au lit. Son pied dérapa sur le morceau de verre, et la jeune femme ne put étouffer un cri de surprise et de douleur quand sa chair se déchira. Elle se saisit le pied immédiatement en pestant. Il ne faisait pas assez clair pour voir ce que c'était, en revanche, une tache sombre s'élargit et le sang goutta sur le carrelage. Avec cette luminosité, le sang était noir.

Du bout des doigts, Dianne trouva le petit morceau de verre incrusté dans sa plante. Elle tira dessus en grimaçant.

– Fait chier, souffla-t-elle.

D'où est-ce que ça venait ? Elle n'avait pas souvenir d'avoir cassé quoi que ce soit dernièrement.

Il fallait désinfecter ça.

Maintenant au moins elle était réveillée.

Elle enroula son pied avec de l'essuie-tout pour ne pas mettre de sang partout et sortit de la cuisine.

C'est alors qu'elle marcha sur une substance humide et chaude. Elle se raidit. Il faisait particulièrement sombre ici, en bas de l'escalier. C'était… Elle ne comprit pas tout de suite de quoi il s'agissait. Il y avait plusieurs taches noires, y compris sur les marches.

Du sang.

Elle secoua la tête, complètement déroutée.

Puis son oreille gauche capta un sifflement.

Et tout son corps se contracta.

Dianne perçut la vraie peur qui jaillissait des ténèbres pour se jeter sur elle et s'emparer de son corps. En une seconde, son esprit fut emprisonné dans une coquille incontrôlable.

Tout son intérieur se liquéfia.

Quelqu'un était juste à côté d'elle, dans le noir.

Le cuir ne fut même pas froid lorsque la main jaillit devant son visage.

Dianne ne bougea pas d'un centimètre alors que la lame s'enfonçait dans sa gorge avec une fureur inouïe.

Son univers n'était plus que terreur et douleur.

49

Lloyd Meats envoya une voiture prendre Brolin à sa sortie de l'hôpital. L'agression du privé et d'Annabel relançait l'affaire.

D'autant plus qu'il venait de recevoir le fax du laboratoire : les cheveux trouvés sur le lit d'Annabel appartenaient à Lindsey Morgan, la dernière victime, celle qu'on avait retrouvée sous le pont des chutes de Multnomah.

Trevor Hamilton était jusqu'à présent le coupable idéal.

Il fallait tout revoir depuis le début.

Meats s'arrêta à la machine à café pour en prendre un gobelet. Il remarqua Larry Salhindro assis dans la salle de pause. Meats poussa la porte du bout du pied.

– Larry ? Ça va ?

Salhindro n'était pas rasé, les yeux cernés, il contemplait le sol.

Il cligna des paupières et releva la tête.

– Hein ? Ah, oui, oui…

C'était dur pour lui. Larry avait enterré son frère moins de deux jours plus tôt, et il n'en parlait pas. Il avait certainement passé la soirée avec la jeune veuve et ses enfants pour les soutenir.

Meats prit un café et le lui tendit.

– Larry, ce matin j'organise une réunion sur l'enquête, une sorte de brainstorming. Je sens qu'on patauge un peu, on a besoin d'idées nouvelles. Si tu veux venir…

– Josh sera là ?

– Pas *officiellement*.

Larry se redressa pour voir son collègue dans les yeux. Il eut un sourire à son attention. Un de ces sourires las qui font plus de mal que de bien au destinataire.

– Tu sais, je commence à me demander si on l'attrapera jamais…

– On va *les* pincer, Larry, c'est une question de temps.

Salhindro eut un air entendu, une approbation pour la forme, mais au fond, il n'en était plus tout à fait sûr.

Meats rejoignit la grande salle qui lui servait de bureau ainsi qu'aux inspecteurs affectés à cette cellule d'investigation. Il fit un peu de rangement, le temps que ses hommes arrivent. Brolin fut le dernier à entrer, accompagné d'Annabel. Meats l'avait prévenue aussi. Après tout ce qui s'était passé, elle avait son mot à dire.

Avec Salhindro, ils étaient huit. Ils se trouvèrent des chaises et s'installèrent entre les bureaux et les piles de dossiers, tous tournés vers Lloyd Meats.

– Vous connaissez l'affaire, exposa celui-ci, je ne vais pas entrer dans les détails. Vous savez aussi ce qui s'est passé avant-hier chez Brolin… Pour résumer, disons qu'il y a à Portland un malade qui sème des araignées dangereuses chez les gens. Dans le même temps, il s'amuse à enlever des femmes qu'il vide et emballe dans des cocons de soie avant de les abandonner. Notre enquête a débouché sur l'arrestation de Trevor Hamilton dont l'ADN a confirmé qu'il était bien l'assassin : c'est son sperme qu'on a trouvé dans les gorges des deux victimes. Victimes entièrement rasées, cheveux compris, ce qui a son importance. Or, comme vous pouvez le constater, on a un petit problème puisqu'il y a eu une autre agression depuis. Et il ne s'agit pas d'un copieur, les cheveux déposés au chalet de Brolin sont ceux de Lindsey Morgan, la deuxième victime. De plus, on sait désormais comment le tueur s'y prenait pour intervenir en pleine nuit, sous le nez des maris sans qu'ils se réveillent.

– Il les droguait, c'est bien ça ? interrogea un des inspecteurs.

– Oui, il leur injecte un produit essentiellement à base de… de tétrodotoxine. Très peu, juste ce qu'il faut pour prolonger le sommeil du mari. Ce dernier se réveille quelques heures plus tard, avec un léger mal de crâne.

– Ils revenaient à eux comme ça, sans intervention ? s'étonna Balenger, un autre inspecteur.

– Oui, selon mes informations, c'est possible. D'après le légiste et le toxicologue, tout est question de dosage. Apparemment notre homme s'y connaît, en fait on pense qu'il a effectué plusieurs tests, depuis un an.

– Des tests ? Comment sait-on ça ?

Meats parut embarrassé.

– Ce que je vais vous dire ne doit pas sortir de cette pièce. Il y a eu un drame l'année dernière à la morgue, provoqué par la tétrodotoxine. Je pense que notre tueur était en train de tester la quantité de toxine à injecter pour obtenir les effets parfaits, ce jour-là il a un peu trop chargé et les effets ont perduré longtemps. La personne a réagi comme si elle était morte, avec tous les signes cliniques habituels. Pour se réveiller pendant l'autopsie, probablement à cause du choc physiologique.

Des murmures de dégoût et d'incrédulité s'élevèrent.

– Ce dernier point doit rester entre nous pour le moment, en aucun cas vous n'êtes autorisés à évoquer le sujet. Je serai intransigeant là-dessus. Bon, revenons à aujourd'hui. Trevor Hamilton dans le coma, ça ne peut pas être lui qui était il y a trente-six heures chez Joshua Brolin, et pourtant c'est le même mode opératoire singulier, jusque dans les indices : toxine employée et surtout cheveux d'une victime précédente.

Après un temps, Meats ajouta en regardant Brolin :

– Je sais que tu ne crois pas à cette théorie, mais c'est à présent une évidence : ils sont deux. Trevor Hamilton et un autre. Qu'en penses-tu ?

– Les faits parlent. Je ne peux que m'être trompé, avoua Brolin. Depuis le début, je trouve le tueur flou, indiscernable. Je ne vois pas où il veut en venir, avec cette obsession pour les araignées, et cette récurrence de l'eau. Je me suis planté. Je m'étais attendu à ce qu'il communique avec vous, qu'il vous envoie des lettres, tout ce qu'il a fait c'est faire passer un coup de fil pour qu'on trouve sa première victime. Celle-là, il ne voulait pas qu'on la rate. Il nous a mis sur la piste et maintenant il nous abandonne.

– Pour nous juger ? intervint un inspecteur répondant au nom de Kiewtz. Pour s'assurer qu'on est capables de le suivre ?

– Probable, répondit Brolin. Je me demande si en fait ça ne lui est pas égal, il voulait juste nous dire qu'il avait commencé, et désormais il est sur sa lancée, et plus rien d'autre ne l'intéresse. D'un côté il cherche à toucher le plus grand nombre en semant ses araignées aux quatre coins de la ville, et de l'autre il frappe une personne précise, qu'il tue personnellement et selon un rituel compliqué, et toujours en rapport avec les araignées. Il donne à la fois dans le spectaculaire et dans l'intimiste.

– On doit donc chercher un homme qui collectionne les araignées, un spécialiste ou un passionné, un… comment appelle-t-on ça ?

– Un arachnophile, compléta Brolin. En effet, c'est dans cette direction qu'il faut chercher. Parce qu'il ne peut faire tout cela sans une bonne connaissance dans ce domaine.

– Et s'il y avait là aussi une portée symbolique ? fit remarquer Meats. Quelqu'un sait ce que l'araignée représente ?

Tout le monde s'observa sans vraiment savoir.

– La peur ? proposa Tim Alsting, un des inspecteurs.

– À l'origine des araignées il y a une femme, elle s'appelle Arachné dans la mythologie gréco-latine, expliqua Annabel. Je ne me souviens plus de toute l'histoire, mais je crois que c'était une paysanne extrêmement habile en tissage, et qu'elle a affronté Athéna, déesse des tisseuses, et l'a vaincue. Ce qui lui valut d'être transformée en araignée, condamnée à tisser pour l'éternité.

– Le tueur lance la vengeance d'Arachné sur les mortelles, alors ? fit remarquer quelqu'un sur un ton narquois.

– Peut-être se considère-t-il comme injustement condamné, comme Arachné, répondit Brolin en agitant son index.

– Tu penses qu'il pourrait s'agir d'un ex-prisonnier ? demanda Lloyd Meats en prenant quelques notes.

– C'est une possibilité. Il faudra se documenter sur la légende avec plus de précision. Lloyd, vous avez trouvé un lien entre les victimes ? Quelque chose qui explique comment il les choisit ?

– Rien, *nada*. On en est à penser que c'est du hasard.

– Peut-être. Cela dit, je serais vous, je n'abandonnerais pas, on ne sait jamais. Et lorsqu'on trouve pourquoi, on trouve qui.

Meats vit un de ses inspecteurs hausser les sourcils, d'un air blasé. Meats allait le moucher et s'en abstint au dernier moment. Ça n'était ni le moment, ni le lieu.

– Il y a la répartition géographique des victimes, mentionna Tom Alsting. D'un côté les victimes de morsure d'araignée, celles-ci se trouvent partout en ville, d'autre part les deux couples dont la femme a été enlevée et assassinée. Les Peyton et les Morgan. Dans les deux cas, ils vivent dans le nord-est de la ville, assez loin les uns des autres, mais c'est le même coin de Portland.

Meats pointa Alsting du doigt :

– Bien vu ! Qu'est-ce qu'on a dans ce quartier ? Quoi que ce soit en rapport avec…

Le téléphone se mit à sonner sur son bureau. Meats hésita avant de répondre, puis il décrocha.

Son visage se ferma très vite.

Tout le monde comprit lorsqu'il passa une main sur ses yeux.

– J'arrive tout de suite, se contenta-t-il de dire, et il raccrocha.

Il scruta brièvement chaque personne présente.

– On a une nouvelle victime, semble-t-il. Probablement deux, même.

Il inspira fortement, comme pour se redonner des forces.

– Alsting et Cooper, vous allez me débusquer toutes les informations possibles sur Trevor Hamilton, ordonna-t-il, je veux tout savoir sur lui, même le nom

410

de ses camarades de maternelle. Kiewtz, vous écumez la ville et toute la région s'il le faut, je veux savoir où on peut se procurer ce produit que le tueur emploie, le… la… la tétrodotoxine. Quant à toi, Balenger, tu retournes chez Hamilton, emmène deux officiers avec toi, et videz-moi son appartement. S'il planque quelque chose, je veux que vous mettiez la main dessus.

– Vous laissez tomber le lien entre les victimes ? interrogea Annabel.

– Pour le moment, pas le temps.

– Vous permettez que je jette un coup d'œil ?

Meats frotta sa barbe en s'agitant. Après une courte réflexion, il leva le menton vers Salhindro :

– Larry, tu veux bien accompagner mademoiselle O'Donnel ?

– Si elle n'y voit pas d'inconvénient.

Annabel secoua la tête.

Chacun bondit pour s'emparer de son calepin, de son téléphone, ou pour se connecter à l'Internet.

Meats s'approcha de Brolin.

– J'aimerais que tu viennes avec moi là-bas. D'après ce qu'on vient de me dire, le tueur a changé du tout au tout.

– Comment sait-on que c'est bien lui ? demanda posément le privé.

– Oh, c'est signé, crois-moi. Là-dessus, il n'y a aucun doute.

Lloyd Meats était anormalement pâle.

– Josh, les types sur place n'en reviennent pas. Apparemment notre tueur vient de passer à la vitesse supérieure.

50

Deux vans de la télévision étaient garés dans la rue, derrière des voitures de police. Les journalistes tentaient d'obtenir l'autorisation de franchir le cordon jaune, le ruban de scène de crime qui interdisait l'accès à un pavillon. Depuis que la police avait publiquement annoncé qu'un individu envoyait des colis contenant une araignée venimeuse un peu au hasard – demandant à la population de Portland la plus grande méfiance en ouvrant les paquets –, les médias s'étaient emballés et ne parlaient plus que de cette affaire. Leur présence en nombre ici témoignait d'une fuite dans les effectifs de la police ou d'un officier un peu trop enclin aux détails sur sa radio, celles-ci étant largement écoutées par la presse via les scanners.

L'un des journalistes reconnut Lloyd Meats et il colla un nom sur le visage étonnamment fermé de l'homme qui l'accompagnait : Joshua Brolin. Il sortit de la foule de badauds et bondit sur eux.

– Inspecteur Meats, s'écria-t-il, on parle de meurtre en rapport avec des araignées, vous confirmez ?

Meats l'ignora, du coup le journaliste revint à la charge :

– Vous enquêtez déjà sur le cadavre de la forêt et des rumeurs disent que vous étiez présent à Multnomah Falls où un autre corps a été retrouvé. Y a-t-il un rapport avec cette histoire de colis piégés avec des araignées ? Y a-t-il un tueur en série qui sévit à Portland ?

Le journaliste lui barra la route.

– Il y a eu un communiqué de presse officiel, répéta machinalement Meats, rompu à cet exercice. Portland est une grande ville, et comme dans toutes les grandes villes, il y a hélas des meurtres.

– Oui mais vous êtes régulièrement vu sur les lieux des crimes, dirigez-vous une nouvelle chasse à l'homme ?

– Je suis inspecteur, il n'y a rien d'anormal à ce que j'aille là où on découvre des corps, c'est mon boulot. Maintenant, si vous voulez bien me laisser faire mon travail…

– On dit qu'il y avait une araignée dans cette maison, inspecteur, et qu'il y a eu un meurtre, alors…

Meats l'écarta d'un bras, repoussant le journaliste sans ménagement. Il passa sous le cordon du périmètre de sécurité, suivi de Brolin, tous deux mitraillés par les flashs et bombardés de questions. Meats fit signe à un officier d'approcher.

– Faites ratisser le sol sur cinq mètres, ordonna-t-il, jusqu'à l'entrée du jardin, puis dressez un autre cordon. Et faites-moi venir les journalistes dans cette zone intermédiaire avant qu'ils ne deviennent furieux. Ça les calmera pendant un moment.

L'officier acquiesça et il allait repartir lorsque Meats l'arrêta d'une main sur l'épaule :

– Vous avez une caméra ?

– L'équipe technique en apporte une.

– Très bien, dès qu'elle sera là, débrouillez-vous pour me faire un panoramique sur les gens qui regardent, mais agissez discrètement.

Meats adressa un clin d'œil à Brolin.

– Tu vois, j'ai pas oublié, lança-t-il.

Du temps où il était inspecteur, Brolin demandait régulièrement qu'on filme la foule présente autour d'une scène de crime. Souvent, le tueur se trouvait parmi ces observateurs. Par curiosité, pour s'assurer que la police ne trouvait rien, par voyeurisme ou tout simplement parce qu'il faisait partie du voisinage ou n'avait pas eu le temps de fuir bien loin.

En approchant de l'entrée de la maison, Brolin remarqua qu'une bâche avait été tendue devant le perron. Deux policiers attendaient en silence, l'air assommé. Ceux qui étaient entrés les premiers, se douta-t-il.

Meats et Brolin les saluèrent et contournèrent la bâche. Ils comprirent tout de suite la raison de sa présence.

Une tarentule était à côté de la sonnette. Clouée dans le chambranle de la porte d'entrée.

– C'est le facteur qui l'a trouvée. Il avait un paquet à remettre et il a découvert l'araignée… fixée comme ça. La porte était ouverte alors il a senti que quelque chose n'allait pas.

– Il est entré ?

L'officier de police blêmit.

– Il a poussé la porte et s'est arrêté aussitôt. Il a couru pour nous appeler.

Meats échangea un regard soucieux avec Brolin.

– Vous êtes entrés, vous ? La zone est sécurisée ? demanda l'inspecteur.

– Euh… Pas parfaitement, je veux dire qu'on s'est assurés que la victime était morte, qu'on ne pouvait plus rien faire et on est ressortis aussi sec pour prévenir le Central. Une circulaire demande qu'on vous prévienne pour toute affaire ayant de près ou de loin un rapport avec des araignées. Mais tout le périmètre de la maison est bouclé, alors…

– C'est très bien, vous avez bien fait.

Meats se tourna vers l'entrée et sortit son arme.

– On ne sait jamais, souffla-t-il.

Brolin fit de même.

Au premier étage de la maison d'à côté, le rideau d'une fenêtre se remit en place.

L'ombre qui se cachait derrière en avait assez vu.

L'inspecteur Meats et Joshua Brolin entrèrent dans la maison de Dianne et Christopher Rosamund.

Meats réalisa alors qu'il avait les pieds dans l'eau.

51

Larry Salhindro disposait d'un bureau, ou plutôt d'un débarras, dans lequel s'empilaient une centaine de dossiers. Toutes les affaires, criminelles, des stups, de la brigade des mœurs et autres, avaient un double qui transitait par le bureau de Salhindro, « prérogative » d'officier de liaison – ou de coordinateur, selon le langage utilisé.

Annabel avait tiré un tabouret de l'autre côté d'une table pour faire face au gros policier. Il avait sous les yeux une fine pochette en carton contenant les renseignements sur chaque famille attaquée par une araignée. Une autre rassemblait les données essentielles sur les Morgan et les Peyton, en particulier sur les deux femmes retrouvées mortes, Lindsey et Carol.

Annabel s'empara d'un questionnaire d'une quarantaine de points. Elle le lut, curieuse et surprise. Celui-ci concernait la famille Peyton, c'était le mari, Michael, qui avait répondu à des interrogations aussi éclectiques que « Quel(s) sport(s) pratiquez-vous ? Votre conjoint(e) ? Où ? Quand ? ». Il semblait s'être prêté au jeu, répondant toujours, aussi précisément que possible.

– Brolin a contribué à mettre au point ce questionnaire, fit remarquer Salhindro. Quand il bossait ici, sur chaque affaire criminelle, il passait la famille à l'interrogatoire, s'ils acceptaient. Ça lui permettait les recoupements, disait-il. Il n'est pas resté longtemps parmi nous, mais il a apporté sa petite touche personnelle.

Sa personnalité un peu décalée et sa formation au FBI avaient fait de Brolin un inspecteur atypique, avec cependant des résultats éludant toute remise en question.

– On commence par les deux victimes ? proposa Annabel. Carol et Lindsey. Bien, la première a été enlevée dans la nuit du 10 au 11 juin et retrouvée dans la forêt du mont Hood le jeudi 13 juin. La seconde, enlevée dans la nuit du 12 au 13 juin et retrouvée aux chutes de Multnomah le dimanche 16 juin. Il les garde donc de deux à trois jours. On peut même supposer qu'il avait déjà « préparé » Carol Peyton lorsqu'il a été enlever Lindsey puisqu'on a découvert le cadavre le lendemain. Il a probablement tout fait dans la même nuit, sa mise en scène avec le cocon dans les arbres en soirée, puis sur le chemin du retour à la civilisation, il s'arrête pour s'occuper de la famille Morgan.

– Il ne dort pas beaucoup. Un insomniaque ? Il faudrait se renseigner sur les types de pathologie qui rendent insomniaque…

– Ça ou tout simplement qu'il n'a pas de travail, émit Annabel. Il peut se permettre de consacrer sa nuit à ses macabres passions et récupérer la journée. Ou peut-être qu'il est en vacances…

Salhindro approuva.

– OK, quoi d'autre ?

Annabel parcourut les différentes notes sur les deux familles.

– Ils sont jeunes, répondit-elle. Moins de trente ans. Des jeunes mariés. Sans enfants dans les deux cas. En fait, ils sont en tous points similaires.

– Attends, attends…

Salhindro prit la pochette des victimes de morsures qu'il lut en diagonale à la recherche d'informations précises.

– Voilà… Il n'y a que des couples dans les foyers attaqués par des araignées

Larry attrapa son téléphone pour appeler Meats et Brolin.

Il raccrocha après dix minutes et recomposa un autre numéro. Pendant la sonnerie, il cala le combiné entre son épaule et sa joue et se tourna vers Annabel :

– C'est aussi un couple, Dianne et Christopher Rosamund, je vais essayer de rassembler deux-trois infos sur eux. Voir si ça se recoupe avec ce qu'on a déjà.

Annabel profita de ce temps pour lire à plusieurs reprises le dossier qu'elle avait sous les yeux, pour mémoriser un maximum de renseignements sur ces deux couples victimes d'un psychopathe.

Larry jonglait avec son téléphone et son ordinateur, consultant les fichiers de la police.

– J'ai leurs dates et lieux de naissance, profession, et quelques éléments de base, comme l'immatriculation de leur voiture, annonça-t-il.

Il tendit une feuille de papier vers Annabel, son écriture y était minuscule et difficile à déchiffrer.

– Christopher Rosamund travaillait dans une… banque, c'est ça que tu as écrit ?

– Oui, et sa femme restait à la maison. Elle était assez impliquée dans une association caritative, et faisait beaucoup de sport. Aucun casier judiciaire, pour l'un comme pour l'autre.

– Moins de trente ans tous les deux, et jeunes mariés…

Annabel étala les trois feuilles de renseignements côte à côte.

– Très bien, deux fois ça peut être une coïncidence, trois fois c'est un recoupement, assura-t-elle. Les trois couples, les Peyton, les Morgan et maintenant les Rosamund, tous moins de trente ans, et surtout : mariés récemment.

– Donc, le tueur s'en prendrait aux jeunes mariés ?

– C'est exactement ce qui apparaît, attesta Annabel. Il recherche des jeunes couples mariés. Et sans enfants. Pour être plus tranquille lorsqu'il passe à l'acte, probablement.

– Admettons. Et comment les trouve-t-il ? Il écume les bâtiments administratifs et les églises ?

– Ou tout simplement les journaux locaux ? J'imagine qu'à Portland la plupart des quartiers disposent de leur propre périodique, avec une rubrique naissances/ mariages et une nécrologie. Pourquoi pas ? Où vivaient-ils, tous ?

– Euh… Les Peyton…

Salhindro chercha une carte de la ville dans son amas de documents, il la trouva sous une pile d'annuaires.

– Voilà, les Peyton vivaient ici, dans le quartier nord-est, sur la 17e rue. Les Morgan dans… le quartier nord-est aussi, mais de l'autre côté du centre commercial. Et les Rosamund… ils étaient…

Son visage se décontracta tout d'un coup.

– Ils sont aussi dans le nord-est de la ville, fit remarquer Annabel. Bingo !

Salhindro hocha la tête lentement.

– Oui, mais il y a plus important encore. Je crois que je viens de comprendre comment le tueur sélectionne les couples.

Il posa une main sur son front.

– Et c'est… déconcertant.

52

Sur le coup, Lloyd Meats pensa qu'il avait marché dans une flaque de sang, il s'écarta et reposa le pied sur un sol liquide.

– Qu'est-ce que c'est que cette merde ?

Cinq centimètres d'eau inondaient tout le hall.

Meats leva un peu plus le canon de son arme.

– C'est le déluge, commença-t-il, il fau…

Brolin l'interrompit :

– Écoute.

Les canalisations d'eau fonctionnaient à plein régime, elles vibraient un peu et le son limpide de l'eau qui se déversait en cascade provenait du salon.

– Les robinets, fit remarquer Brolin, ils sont tous ouverts je parie.

Ils pataugèrent jusqu'à la pièce principale.

L'eau ruisselait depuis la cuisine et le lavabo des toilettes.

Et surtout, elle dégoulinait du premier étage, dévalant les marches en dessinant des courbes de brillance, telle une folle sculpture de cristal.

– Je m'occupe du premier étage, prévint Brolin en s'approchant de l'escalier.

Meats l'encouragea d'un signe du menton avant de se diriger lui-même vers la cuisine.

Des vaguelettes apparaissaient par intermittence sur la surface de l'inondation. Meats se pencha en avant pour découvrir une large cuisine moderne, dont le double évier était noyé sous la puissance du jet. Il coinça son arme sous son bras, attrapa un gant en latex dans sa poche de veste et l'enfila pour fermer le robinet.

Le surplus de liquide glissa vers le carrelage avec le clapotis d'une vaguelette refluant contre la jetée.

Meats était furieux. Subitement, il réalisait que le coup de l'eau était génial. Il nettoyait toute la maison de la moindre empreinte de pas, fibres ou tache de boue que le tueur avait pu laisser en pénétrant dans la maison. Voire des gouttelettes de sang.

S'il portait des gants, alors les flics pourraient chercher autant qu'ils voulaient, ils ne trouveraient rien.

Absolument rien.

Joshua Brolin monta les marches en prenant soin de ne pas toucher la rambarde pour préserver d'éventuelles empreintes, bien qu'il n'y crût pas, le tueur était bien trop malin.

Il atteignit le palier du premier étage, au milieu de ce courant miniature qui filait entre ses jambes. Brolin entra tout de suite dans la salle de bains pour couper l'eau de la baignoire et des deux lavabos.

Le malaise se diffusa en lui. Marcher sur cette moquette imbibée, dans cette gigantesque mare qui lentement se déversait dans l'escalier, ça ne lui plaisait pas. Il ne savait l'expliquer, peut-être parce qu'il avait l'impression d'errer dans le monde du tueur, dans ce qui caractérisait chacune de ses scènes de crime. L'eau, encore une fois. Omniprésente.

Toujours sous forme intense, en chute d'eau si possible, naturelle ou non.

Le tueur recherchait cette caractéristique, quitte à la créer si nécessaire, ce qu'il avait fait ici. Pourquoi ? Qu'est-ce que l'eau lui apportait, de quoi était-elle le symbole pour lui ?

Brolin avança dans le couloir, émettant des bruits de pas spongieux. Il tenait son arme dans la main quand il passa dans la chambre principale.

L'air pulsait par une fenêtre entrouverte. D'un coup d'œil, Brolin écarta l'hypothèse que le tueur soit entré par là, la fenêtre n'était pas assez ouverte ; en outre elle donnait sur une commode couverte de figurines en verre, très délicates, qui se seraient renversées au moindre choc.

Le lit capta aussitôt son attention.

Une immense tache bordeaux s'étendait sur les draps blancs. Une main en dépassait, pendue dans l'air, avec un filet de sang séché sur le poignet. La tête de la victime était visible sous les draps rabattus. *Les flics qui se sont assurés qu'on ne pouvait plus rien pour lui*.

La gorge de l'homme était ouverte sur six ou sept centimètres à peine. La peau s'enroulait au-dedans de la plaie, comme du plastique brûlé qui se rétracte, elle ne parvenait néanmoins pas à masquer la matière visqueuse, mi-rouge, mi-rose, qui constituait l'intérieur.

Tout le pourtour était maculé de pourpre. La blessure avait été mortelle.

Quelque chose de mou et souple effleura les chevilles du privé.

Il fit un pas en arrière, brusquement.

Ça n'était qu'un vêtement flottant. Une nuisette en satin.

Brolin remarqua la présence des mouches sur le lit. Depuis plusieurs heures déjà, elles s'étaient jetées sur la victime, à la recherche de lieux de ponte. Avec une telle chaleur, les vers grouilleraient sur le cadavre dès le lendemain. Brolin entendit la voix de Lloyd Meats au rez-de-chaussée qui criait :

– C'est bon en bas, tout est inspecté.

Brolin rangea son arme et prit son stylo en approchant du corps. Il s'en servit pour soulever un peu les draps.

Les mouches couraient sur l'abdomen suintant de sang.

Plusieurs plaies s'ouvraient sur le ventre, des trous béants sur les tubes luisants des intestins. À l'endroit des coupures, la peau avait été déchirée « proprement », à l'aide d'un couteau très certainement.

Une minuscule flaque noire de sang s'était constituée sur le sternum, juste sous le trou qui transperçait le pectoral gauche. Plusieurs traînées vermillon en partaient, toutes sèches, elles mettaient en évidence les imperfections de la peau, soulignant les microsillons et donnant plus d'épaisseur aux petits poils qui s'étaient englués de sang caillé.

Ce fut l'amas humide qui s'étalait entre les jambes du mort qui surprit le plus Brolin.

Les organes génitaux de l'homme étaient réduits en une bouillie grumeleuse, et plusieurs lacérations sur les faces internes des cuisses témoignaient de la rage des coups qui avaient parfois un peu dérapé.

Le drap-housse aussi semblait souillé de sang. Brolin souleva à peine une épaule de la victime pour constater qu'il y avait plusieurs blessures au dos également. D'autres coups de couteau.

La voix de Meats parvint depuis l'escalier :

– Quelque chose au premier ?

– Le tueur a changé, répondit Brolin tout en examinant superficiellement les plaies.

Meats entra dans la pièce, et bien qu'il ne le regardât pas, Brolin entendit son pas qui tout d'un coup ralentissait à mesure que l'inspecteur découvrait le carnage.

– Oh ! merde… lança Meats.

Il expulsa longuement l'air de ses poumons.

– Merde, répéta-t-il avant de s'approcher à son tour. Qu'est-ce qui s'est passé ici ?

Brolin désigna la blessure à la gorge.

– Je pense qu'il dormait quand on l'a frappé. Une attaque éclair pendant son sommeil. Il faudra demander au légiste, mais à mon avis il dormait sur le ventre, regarde l'inclinaison de la plaie à la gorge, on a planté le couteau à la jugulaire et on a tiré, probablement en lui enfonçant la tête dans l'oreiller. Et on l'a poignardé à de multiples reprises dans le dos, pour l'achever. Ensuite on l'a retourné, pour lui enfoncer la lame dans le cœur, ou à peu près, et dans le ventre avant de lui… passer au mixer les parties génitales. Enfin, c'est une hypothèse.

– Pourquoi crois-tu qu'on lui a tranché la gorge en premier ?

Brolin, qui était dans la pièce depuis quelques minutes et qui avait pu en faire une brève inspection, montra un jet de sang sur le mur et sur la table de chevet à l'opposé du trou dans la gorge.

– À cet endroit, si près de la tête, ça ne peut provenir que de la gorge, lorsqu'il était de l'autre côté, sur le ventre, et il y avait une sacrée pression pour aller aussi

425

loin, le cœur battait correctement à ce moment. Cela dit, je ne suis pas légiste.

– Non, non, tu as raison, ça colle parfaitement.

– Aucune trace de la femme en bas ?

Meats secoua la tête.

Le tueur était parti avec elle.

Ce qui signifiait qu'ils ne la retrouveraient que d'ici deux jours, vidée et emballée dans de la soie d'araignée.

– Tu as une bonne équipe scientifique pour la fouille de la maison ? demanda Brolin.

– J'ai fait venir Craig Nova, il était en repos mais on l'a bipé tout de même, lui et son équipe. Il connaît l'affaire et c'est le meilleur dans son genre.

Brolin se retourna pour contempler l'ordre parfait dans la chambre. Aucun signe de lutte dans toute la maison, un sol si inondé qu'il en était lavé de tout indice. S'ils trouvaient quelque chose, ça serait un miracle. À présent, ils ne pouvaient compter que sur le génie de Craig Nova et son unité de scène de crime.

– Je vais les faire entrer, prévint Meats.

53

Larry Salhindro était tout excité. Il était sûr d'avoir vu juste.

Il plaqua la carte de Portland sur son bureau en la lissant de ses grosses mains. Annabel l'observait, à la fois amusée par son attitude et en même temps impatiente de voir où il voulait en venir, elle n'en avait aucune idée. Ils avaient remarqué que les trois couples attaqués par le tueur vivaient tous dans le nord-est de la ville. Annabel l'avait souligné : deux fois ça pouvait être une coïncidence, trois fois ça devenait un indice.

– Regarde, fit-il comme si c'était évident, les Peyton habitent là, les Morgan ici, et les Rosamund, en supposant qu'on ait bien confirmation qu'ils sont les victimes du même tueur, vivent ici.

Il marqua au feutre rouge un point sur la carte pour chacune des trois familles.

– Et que trouve-t-on à proximité de chez chacun ?

Il pointa son feutre sur un grand rectangle portant la mention : « *Centre commercial Lloyd* ».

Annabel fronça les sourcils, ce nom lui disait quelque chose mais elle ne savait pas quoi exactement. Larry fit glisser un document vers elle. Il posa son index sous une ligne en particulier.

« … *le suspect Trevor Hamilton travaille pour un serrurier au centre commercial Lloyd, au nord-est de la ville.* »

Annabel se prit la tête entre les mains.

– Houla ! Attends un peu, je ne comprends pas. Il est dans le coma, donc…

– Je sais, l'interrompit Salhindro. Pourtant, l'empreinte que le tueur avait laissée chez les Peyton conduisait tout droit à la piste Mark Suberton, une fausse piste pour se jouer de nous. Cela dit, il fallait bien que le tueur connaisse Suberton pour savoir qu'il était fiché dans nos archives et que son empreinte sortirait. Et ce lien, c'est Trevor Hamilton, un des collègues de travail de Suberton. C'est bien le sperme de Hamilton qu'on a retrouvé dans les gorges des victimes. De plus, Hamilton bosse à proximité de chacune de ses victimes, et on sait qu'il est entré à chaque fois chez elles sans le moindre signe d'effraction. Comme s'il avait la clé.

Annabel recula dans son siège.

– Il a les doubles, conclut-elle. Merde, cet enfoiré a les doubles de ses victimes, parce qu'elles viennent les faire faire au magasin et qu'il s'en fait une copie pour lui… Oui, Trevor Hamilton fa…

– Vous pouvez le rayer de la case des suspects, lança une voix sur le seuil de la pièce.

L'inspecteur Tom Alsting secoua une feuille.

– On vient d'avoir confirmation. La nuit du 12 au 13 juin, quand Lindsey Morgan a été enlevée, Hamilton a passé la nuit dans un night-club des bords de la rivière, j'ai plusieurs témoins, des amis et de vagues connaissances qui affirment avec certitude qu'il ne les a pas quittés de toute la nuit. Il est un peu « spécial » m'a-t-on dit, et il ne passe pas inaperçu, semble-t-il. Il porte en permanence plusieurs couches de vêtements, transpire énormément, et ne danse jamais, il reste dans un coin du bar pour que personne ne vienne trop près de lui, sauf ses « amis ». Il est retourné à son boulot au petit matin, crevé et avec les mêmes fringues. Son patron confirme que le jeudi, Trevor était dans les vapes. Il ne peut pas avoir enlevé Lindsey Morgan et déposé dans le même temps le cadavre de Carol Peyton dans les bois pour qu'on le retrouve dans la journée : il était dans une boîte de nuit...

Annabel croisa les bras sur sa poitrine. Trevor avait un complice, c'était une évidence compte tenu de ce qui s'était passé depuis quarante-huit heures. Mais là, Trevor devenait tout d'un coup un second rôle.

– Pourtant, on est quasi certains que c'est lui qui a laissé le message le jeudi matin, s'étonna Salhindro, pour nous indiquer où se trouvait le cadavre dans la forêt.

– Et c'est bien lui, confirma Alsting. On sait que le message provenait d'une cabine de la gare routière, or nos témoins confirment qu'en sortant du night-club, Trevor a voulu faire un crochet par la gare routière pour avoir des horaires, c'est ce qu'il leur a dit. Il a prétexté un voyage imminent pour Salem. Il en a profité pour passer le fameux coup de téléphone.

Alsting entra et déposa son rapport fraîchement imprimé sur le bureau de Salhindro. Ce dernier observa Annabel.

– Je voyais pas Trevor Hamilton avoir des amis et passer ses nuits à danser, rétorqua Larry.

– Apparemment, c'est pas non plus de grands camarades, souligna Alsting. Ils étaient quatre, des types qu'il a rencontrés dans son club de danse.

– Un club de danse ? s'écria Annabel.

– Ouais, Hamilton prenait des cours depuis cinq mois. On m'a parlé de lui comme d'un mec particulièrement renfermé, tellement introverti qu'il a fallu cinq cours pour qu'il daigne se joindre aux autres. D'après ses « camarades » de danse, il ne voyait personne, ils étaient ses seuls amis. C'est pourquoi ils le tannaient régulièrement pour qu'il vienne avec eux en soirée. Ces derniers temps il acceptait de temps à autre, il paraît qu'il se décoinçait de plus en plus.

Annabel essaya de s'imaginer Trevor dans un night-club. Il devait s'enfoncer dans un divan, dans l'ombre, prendre quelques consommations et passer sa nuit à observer les autres. Elle pivota vers Salhindro.

– Ça ne change rien à ce que tu as découvert, fit-elle après un temps. Que Trevor Hamilton ne soit qu'un second rôle ou non dans cette affaire, c'est bien par lui que la sélection des victimes s'opère.

Voyant où elle voulait en venir, Larry se leva.

– Et on peut peut-être se servir de ça pour court-circuiter le tueur, compléta-t-il.

Tom Alsting les vit s'engouffrer dans le couloir, sans comprendre ce qui se passait.

Annabel et Salhindro traversaient l'une des galeries principales du centre commercial, zigzaguant entre les promeneurs.

À se trouver au milieu de tous ces clients potentiels, Annabel éprouva un frisson. Elle repensa à l'hiver dernier, à Caliban, ses désirs de consommation, de meurtre, à tout ces « pousse-Caddies » dans les supermarchés qu'il convoitait comme une friandise. Cette histoire l'avait particulièrement éprouvée. Elle ne l'avouait à personne, mais il lui arrivait de faire des cauchemars, elle se réveillait en sueur, avec le désir, le *besoin*, de hurler. La peur au ventre. Il lui semblait avoir été aux confins du supportable, au bord d'abysses sans fond où l'homme n'existait plus.

De marcher ainsi de concert avec un autre flic, cela lui rappelait sa collaboration avec Jack Thayer. Elle lui rendait visite régulièrement au cimetière, lui raconter sa semaine, ses petites joies et ses tracas du moment. Subitement, ici, à des milliers de kilomètres de chez elle, elle se vit comme elle devait être réellement : une femme seule, quasi routinière, en passe de devenir sénile. *N'exagère pas... tu es jeune...*

La grosse pomme la happait lentement, en même temps que son boulot, elle se *zombifiait* pour échapper à ses peurs.

Ne joue pas à ça, pas ici, pas maintenant. Tu déprimes, c'est tout ! Faut toujours que tu noircisses le tableau !

Était-ce vraiment le cas ? N'était-ce pas plutôt une once de clairvoyance ?

Salhindro montra du doigt un magasin, celui qu'ils cherchaient. Annabel cligna des paupières plusieurs fois pour chasser ce mauvais rêve et se focalisa sur le présent.

Un homme, la trentaine, se trouvait derrière le comptoir. Il avait des yeux d'un bleu délavé surprenant. Une cicatrice peu discrète lui barrait le cou.

– Bonjour, que puis-je pour vous ? demanda-t-il aimablement.

Il scruta rapidement Salhindro qui portait son uniforme d'officier de police, mais ne s'attarda pas.

– Nous avons besoin de quelques informations dans le cadre d'une enquête, expliqua Salhindro.

– Ah, vous êtes tous les deux flics.

431

L'employé dévisagea Annabel, très surpris qu'une si ravissante femme puisse être à la solde d'une telle cause. Du coup, son désir de lui faire du gringue s'évapora en un instant.

– Vous êtes le patron ? voulut savoir Annabel.

– Non, bougez pas, je vous l'appelle. Monsieur Blueton !

Un petit homme aux cheveux blancs, impeccablement rasé et habillé avec soin, sortit de l'arrière-boutique.

Salhindro et Annabel se présentèrent.

– Je me doutais qu'on allait encore me poser des questions avec ce qui est arrivé à Trevor. Vos collègues me harcèlent au téléphone. Entrez, suivez-moi, on sera mieux au fond pour discuter.

Ils entrèrent dans la petite pièce attenante qui sentait le brûlé et la graisse. Des centaines de clés vierges de toute gravure reposaient sur des crochets en compagnie d'un arsenal d'outils. Blueton trouva trois tabourets sous les établis et ils s'assirent autour d'une table abîmée par les centaines d'heures de travaux.

– Alors, que vais-je devoir vous fournir cette fois-ci ? J'ai déjà tout donné à l'inspecteur… euh, Cooper, je crois.

Salhindro hocha la tête, Cooper et Alsting travaillaient sur la biographie de Trevor.

– Connaissez-vous ces noms ? demanda Annabel en lui présentant la liste des trois victimes du tueur.

– Ça ne me dit rien, fit Blueton après avoir lu attentivement le papier. Qui est-ce ?

– De vos clients.

– Ah ? Et, euh… vous imaginez sans peine que je vois beaucoup de monde chaque semaine, je ne connais pas la plupart d'entre eux, vous savez, d'autant que j'emploie des garçons pour m'assister, comme Trevor. Je suis l'un des seuls serruriers du coin, alors on peut dire que j'en vois du monde.

Salhindro lui adressa un sourire aimable.

– Bien sûr, dit-il. Dites-moi, monsieur Blueton, quand une personne vient vous voir pour faire un double de ses clés, est-ce que vous lui faites remplir une fiche, ou quelque chose ?

Blueton eut l'air embarrassé.

– C'est-à-dire que non, pas vraiment, on voit tellement de gens, on ne s'en sortirait pas. On fait le double en quelques minutes et on leur rend, c'est tout. Beaucoup de clients nous laissent leur trousseau, partent faire leurs achats et passent récupérer leurs clés et les doubles au retour.

– Vous conservez un registre avec ces transactions ? demanda Annabel.

– Un cahier, oui, mais il y a juste les montants et la date, c'est tout.

– On vous paye souvent par chèque ou par carte ?

– Euh, oui, comme partout.

Annabel adressa un bref coup d'œil à Salhindro.

– Donc, votre magasin dispose d'un relevé de compte avec les numéros de chèques et de cartes de crédit encaissés.

Blueton acquiesça.

– Je peux vous en faire une photocopie si vous le souhaitez.

– S'il vous plaît, monsieur Blueton, remercia Larry.

Blueton se leva et ouvrit une armoire en acier. Il prit une chemise en carton et l'apporta sur la table.

– Au fait, puisque ça a l'air de vous intéresser, Trevor fait toujours les photocopies des chèques qu'on nous signe, il dit que c'est au cas où la banque le perdrait avant qu'on nous l'encaisse.

Annabel n'en croyait pas ses oreilles.

– Vous avez toujours ces photocopies ?

– Oh, oui. Attendez voir.

Il prit ses lunettes dans la poche de sa chemise et lut quelques papiers.

– Ça va me faire tout drôle de plus l'avoir ici, Trevor. Il bossait bien vous savez. Comme quoi… C'est tout de même fou quand on y pense… Trevor suspecté d'être un meurtrier.

Il se leva pour fouiller parmi les autres dossiers de son armoire.

– Moi, je n'engage que des gars qui ont des ennuis, continua-t-il. Qui sortent de prison, comme Peter ici, ou Mark avant lui.

Mark Suberton, compléta Annabel. L'ancien collègue dont Trevor s'était servi pour attirer les flics dans son piège, pour bien leur faire comprendre qu'il en faisait ce qu'il voulait.

Blueton poursuivait son monologue en cherchant :

– Trevor, lui c'était le côté asocial, il sortait pas de prison, mais d'hôpital psychiatrique, non pas qu'il était dangereux, c'était juste un garçon un peu paumé…

Larry nota dans un coin de sa mémoire qu'il fallait également obtenir des informations sur ce séjour en psychiatrie ; Cooper et Alsting devaient bosser dessus, présuma-t-il.

– Ah, je les ai ! s'écria Blueton.

Il lança sur la table une pochette en plastique contenant des photocopies de mauvaise qualité.

Salhindro l'ouvrit et étala sur la table les différentes pages.

434

– Il n'y a que pour les mois de mai et juin, avertit le propriétaire du magasin, je les jette au fur et à mesure sans quoi on ne s'en sortirait pas.

Annabel et Larry passèrent dix minutes à trier les différents chèques, vérifiant le nom sur chacun. Il y en avait plus d'une centaine. Brusquement, Annabel abattit son poing sur la table.

– J'en ai un ! M. et Mme Rosamund. Daté du 5 juin.

Salhindro prit le chèque et secoua la tête.

– C'est ça, c'est comme ça qu'il fait. Les autres ne sont pas là, il les a probablement repérés il y a quelque temps, en avril, ou il les a jetés volontairement. Monsieur Blueton, vous permettez qu'on utilise votre téléphone ?

Ils passèrent les deux heures suivantes à lire les noms figurant sur les autres chèques à l'inspecteur Alsting qui, depuis le Central, lançait les recherches.

Ils devaient trouver s'il y avait de jeunes mariés parmi ces noms.

Si tel était le cas, c'étaient peut-être les prochaines victimes sur la liste du tueur.

Annabel trépignait d'impatience. Ils se rapprochaient de lui. Ils étaient tout près.

Encore un peu de chance, et ils sentiraient bientôt son souffle de bête sauvage. Alors toutes les énigmes prendraient fin. Ils sauraient tout. Quel était le secret de ce tueur-araignée.

Son horrible secret.

54

Brolin attendait devant la maison.

Il vit Meats en sortir, l'air contrarié. Lloyd Meats lui expliqua que Craig et son équipe n'avaient rien trouvé en dehors d'un verre brisé dans la cuisine, éventuel signe de lutte, d'une très courte empoignade. Si le tueur avait laissé des traces, l'eau les avait parfaitement nettoyées.

– Josh, je vais vraiment finir par croire que ce type est une araignée, lança un Meats dépité.

Et c'était vrai qu'on revenait toujours à cela : les araignées. Brolin sentait que s'il pouvait percer ce mystère, alors il en saurait assez sur le tueur pour en faire un portrait psychologique, la première étape vers son arrestation. Ou au moins cela permettrait de se centrer davantage sur certains suspects que sur d'autres.

– L'enquête de voisinage est en cours, continua Meats. On a peut-être une piste. Avec une amie de Dianne Rosamund. Cette amie dit que Dianne lui parlait beaucoup de son voisin ces derniers temps, elle le suspectait de cacher quelque chose. On va aller questionner ce voisin, un dénommé Jimmy Beahm. On verra bien, c'est maigre, mais c'est tout ce qu'on a pour le moment.

Brolin s'étira et entendit son dos craquer.

– Je vais retourner en ville, prévint-il. Cette histoire d'araignée nous échappe totalement, je veux comprendre.

– Qu'est-ce que tu vas faire ?

– Retourner voir une certaine Debbie Leigh que j'avais rapidement croisée avec Annabel lundi matin, elle tient une boutique spécialisée dans les araignées et les serpents.

– Je te tiens au courant si on a du nouveau.

Meats attrapa un des hommes qui rentrait au Central et lui demanda de déposer Brolin au passage.

Lorsqu'il fut seul, Meats, les mains sur les hanches, recula de quelques pas et contempla la maison.

C'était un beau pavillon. Dans un quartier paisible, avec des habitants tranquilles, voire sympathiques.

Il devait faire bon y vivre.

Jusqu'à la nuit dernière.

Brolin poussa la porte de la boutique *Bug'em all*, l'air y était humide.

Une jeune femme rousse, Debbie Leigh, était accroupie devant une cage de verre, en train de la nettoyer. Avant qu'elle ne relève la tête, Brolin eut tout loisir de contempler sa nuque et son tatouage en forme d'araignée qui dépassait du col ample.

Brolin n'eut pas le temps de se présenter, elle le reconnut aussitôt et lui offrit une moue joyeuse en s'écriant : « Oh, le détective privé ! » Il lui expliqua qu'il tournait un peu en rond, et qu'il cherchait *le* détail qui pourrait relancer l'enquête.

Debbie Leigh se montra très coopérative, répétant ce qu'elle avait déjà dit. Que d'après elle, l'homme qu'ils recherchaient était un éleveur, un vrai connaisseur : il pouvait se faire importer des veuves noires *menavodi* de Madagascar, et il savait que chez cette espèce, la canicule multipliait la toxicité du venin et faisait exploser l'agressivité de la femelle.

Brolin eut beau insister, Debbie Leigh ne put lui être d'aucune aide supplémentaire. Il ne parvenait pas à trouver l'ouverture, *la* piste qui était exploitable. Avait-il affaire au criminel parfait ? Insaisissable ?

Il remercia la jeune femme, qui lui répondit par un sourire charmeur. Elle était assez jolie, adepte du sport, supposa Brolin, au regard de sa tenue et du dessin de ses jambes. Elle était également enfiévrée par ses créatures qu'elle adorait jusqu'à s'en faire tatouer une sur la nuque. Elle ne devait pas garder ses amants très longtemps, ils devaient vite déguerpir en la traitant de folle, d'illuminée, ou d'immature, la batterie des épithètes dont on affuble souvent les gens vraiment passionnés. Brolin conclut l'entretien sur quelques questions plus directes. Debbie n'avait pas fait d'études spéciales sur les insectes, elle se considérait comme une autodidacte dans le domaine. Elle avait ouvert sa boutique un peu avant l'été 2001 et les affaires marchaient correctement.

Dans la rue, Brolin s'arrêta pour acheter une petite bouteille d'eau. L'air était suffocant, et la sueur lui collait à la peau. L'ombre des quelques buildings du centre-ville n'était plus suffisante.

Seul, il était clair qu'il n'arriverait à rien. La personnalité même du tueur lui échappait totalement. Il s'était rarement senti aussi impuissant. Qui pouvait lui être d'une quelconque aide alors ? Nelson Henry ? Non, il avait déjà dit tout ce qu'il sa…

Brolin s'arrêta. Sa main s'ouvrit comme pour attraper un fantôme.

Était-il à ce point perturbé pour avoir oublié le message de Connie ? Il *sentait* depuis le matin qu'il n'en avait pas totalement fini avec les araignées, avec la documentation, et il ne parvenait pas à se rappeler ce qui lui manquait. Tout simplement le message laissé par la technicienne de laboratoire à NeoSeta, avant qu'il ne soit attaqué, lui disant qu'elle avait peut-être des informations pour lui. Sa voix trahissait une inquiétude, un malaise. Il se pouvait qu'elle craigne les gens de NeoSeta.

Brolin saisit son téléphone portable et fut rassuré de retrouver en mémoire le message de Connie d'Eils avec son numéro.

On décrocha à la deuxième sonnerie.

– Connie d'Eils, je vous écoute.

Sa voix était peu sûre, très timide.

– Bonjour, c'est Joshua Brolin.

– Oh, bonjour. Je, euh, j'ai appris par les infos que vous avez été agressé, c'est horrible. J'espère que vous allez bi…

– Je vais très bien, les médias exagèrent toujours. Je vous appelle suite à votre message, vous aviez des informations, m'a-t-il semblé.

– Oui, euh, on pourrait peut-être se voir…

Brolin eut l'impression que ça lui avait coûté un effort surhumain d'oser proposer une telle chose.

Ils convinrent d'un rendez-vous en ville pour déjeuner et se retrouvèrent dans un petit restaurant de la 22e avenue.

Brolin était déjà assis lorsqu'elle entra. Elle portait des vêtements amples pour dissimuler ses vingt kilos superflus, et lui adressa un sourire crispé en le voyant. Assez maladroite, elle esquissait des débuts d'excuses qu'elle chuchotait dès qu'elle heurtait une personne avec ses coudes ou avec son sac, tout en s'efforçant d'éviter tout contact physique. Gauche et n'assumant pas son physique, déduisit un peu rapidement le privé.

– Je suis désolé, je suis en retard, commença-t-elle.

Brolin l'invita à s'asseoir en face de lui.

Elle se maquillait trop, comme si elle avait peur de manquer de goût, pour souligner qu'elle aussi prenait soin d'elle-même. Mais l'effet final était plutôt triste. Plus encore que la première fois où il l'avait vue, Brolin avait l'impression qu'elle avait grandi dans une ferme perdue dans le Middlewest, et qu'elle tentait par tous les moyens de s'affirmer en tant que femme et surtout pas comme fille de la campagne profonde. Le résultat était pourtant à l'opposé de ses espérances. D'autant qu'il émanait de son visage une certaine disgrâce que le maquillage soulignait plus qu'il ne l'atténuait.

Brolin essaya de la mettre un peu plus à l'aise en échangeant quelques banalités. Puis il passa à ce qui les amenait ici :

– Vous vouliez me parler d'élevage, si j'ai bien compris votre message ?

Elle hocha vigoureusement la tête.

– Oui, oui. C'est l'autre jour, quand vous parliez avec Gloria, la chef de projet chez NeoSeta, je l'ai entendue vous dire qu'il n'existait pas d'élevage possible pour recueillir la soie d'araignée en quantité intéressante.

Elle venait de parler à toute vitesse, gagnée par l'enthousiasme. Soudain, elle se rendit compte qu'elle perdait le contrôle d'elle-même et se ressaisit en se redressant sur sa chaise et en adoptant un débit plus lent :

– En fait, c'est pas vrai. Il y a déjà eu un élevage d'araignées pour leur soie. C'était au début du siècle sur l'île de Madagascar. Je suis tombé sur ce récit en faisant des recherches à l'époque de mes études.

Exactement l'île d'où provenaient les veuves noires du tueur, les *menavodi*, remarqua Brolin.

– Ces cultivateurs de soie avaient installé des colonies entières de *Nephila*, une espèce d'araignée très robuste, assez grande puisqu'elle fait jusqu'à vingt centimètres, et qui produit énormément de soie. C'est une espèce assez originale, elle fait partie des rares araignées à pouvoir vivre à proximité d'une congénère sans soucis. Bon, il faut tout de même pas les mettre dans la même toile, mais elles peuvent se tolérer, chacune chez elle, à très courte distance… Les cultivateurs avaient donc « infestés » les arbres de Nephila, et ils venaient tous les jours les prendre pour récolter la soie. Le fil était embobiné grâce à une petite machine à vapeur, et il était possible de récolter jusqu'à 25 000 mètres de fil de soie en une journée avec l'ensemble de la production.

– Je ne comprends pas, si c'était si efficace, pourquoi ne fait-on pas la même chose plutôt que d'effectuer de longues et coûteuses manipulations génétiques ? interrogea Brolin.

– Parce que cette exploitation s'étendait sur plusieurs hectares et que le fil de soie est si fin qu'il en faut plusieurs kilomètres pour le rendre utilisable. À petite échelle, cette exploitation fonctionnait très bien, mais elle coûtait très cher, et il était impossible d'en faire une industrie. Il aurait fallu couvrir l'île entière de Nephila… Et le coût d'entretien et d'exploitation aurait été encore une fois supérieur au rendement. C'est là tout le problème de l'élevage d'araignées, il est possible, mais il ne peut pas être rentable. Cette tentative a sombré dans l'oubli.

– D'accord, fit Brolin, mais imaginons que mon but ne soit pas de gagner de l'argent, que je sois prêt à tout pour obtenir de la soie d'araignée en grande quantité, peu importent les coûts, est-il possible que je fasse moi-même mon élevage ?

– Oui, bien sûr. Il vous faudra des connaissances dans le domaine arachnéen, mais c'est tout à fait possible. En revanche, si vous voulez le faire ici, à Portland, ça va vous demander des efforts particuliers. Tout d'abord parce qu'il vous sera impossible d'élever les Nephila en plein air, ne serait-ce qu'à cause du climat. Il vous faut donc une sorte de serre, un terrarium géant.

– Une cave ?

– Oui, une grange bien fermée, ou même une pièce de votre appartement. Il faut y contrôler la température et l'hygrométrie – le taux d'humidité. Ensuite il vous faudra un autre endroit pour votre élevage d'insectes, des blattes ou des drosophiles ailées, la nourriture des Nephila. Tout ça demande une réelle connaissance et un investissement total, c'est une passion envahissante !

– Mais c'est possible…

Pour la première fois, Brolin entrevoyait une solution au mystère du tueur-araignée. En fait cette réponse à l'énigme de la soie n'était pas un secret jalousement gardé, c'était en réalité tout simple, ce qui l'étonna.

– Dites-moi, mademoiselle d'Eils, cette histoire d'élevage à Madagascar, c'est assez connu ? Je veux dire, dans le milieu des arachnophiles.

Elle haussa les épaules.

– Je ne crois pas, non. L'exploitation n'a duré qu'un an ou deux et c'était il y a un siècle. J'imagine que plus personne ne se souvient de ça…

– Il est donc normal que vos supérieurs, Gloria Helskey et le Dr Haggarth, ne soient pas au courant de cette anecdote, malgré leurs fonctions ?

Connie d'Eils plissa les lèvres en réfléchissant.

– Eh bien, c'est que… balbutia-t-elle. Ils ignorent peut-être l'histoire de l'élevage à Madagascar, en revanche ils sont au courant qu'on peut « traire » des Nephila, oui, ils le savent puisque nous étudions les Nephila en laboratoire, rappelez-vous ces grosses araignées que vous m'avez vue nourrir. Mais ils n'aiment pas parler de tout ça, ils sont terrorisés à l'idée qu'on puisse leur voler leurs idées et moins ils peuvent en dire, mieux ils se portent.

Brolin était sceptique. Gloria Helskey et Haggarth avaient été catégoriques en affirmant qu'il était impossible de faire un élevage d'araignées pour en extraire la soie. Ou bien, ils étaient des paranoïaques convaincus, ce qui n'était pas du tout impensable. Ils protégeaient leurs travaux comme un secret militaire… Militaire.

Brolin songea d'un coup à la base dans la forêt. À côté de la clairière où tout avait commencé.

Réfléchis, si le tueur a situé son point de départ là-bas, ce n'est pas un hasard !

Il savait tout cela, il y avait déjà pensé. La clairière en soi n'était rien, un bout de végétation perdue au milieu de nulle part. C'était la proximité avec la base militaire abandonnée qui lui conférait une autre dimension. C'était la base qui avait son importance, Brolin en était convaincu. Une base des plus discrètes. Quel pouvait être le rapport avec le tueur et les araignées ?

Une idée germa dans l'esprit du détective.

– Je peux vous poser une question un peu délicate ? demanda-t-il.

Connie d'Eils fut troublée. Si elle n'avait pas eu autant de fond de teint, on aurait pu constater qu'elle rougissait, devina le privé.

– Il y a à l'ouest de la ville une base militaire perdue dans la forêt. Elle est abandonnée depuis quelques années. Je me demandais si vous n'en auriez pas entendu parler par hasard ?

Cette fois, ça n'était plus une gêne amusante que Brolin perçut dans le regard de son interlocutrice. Elle était réellement embarrassée. Il décida de la brusquer un peu :

– Alors ? Je pense que vous savez de quoi je parle, n'est-ce pas ?

Connie peina à avaler sa salive, elle poussait d'un doigt son assiette.

– Euh… oui, j'en ai déjà entendu parler.

– Pourquoi ?

Elle inspira profondément.

– Parce que l'armée y faisait des expériences.

– Sur les araignées ? continua Brolin.

Nelson Henry lui avait dit que l'armée s'était intéressée à la soie d'araignée.

– Pas directement, mais sur la soie, corrigea Connie. Ils ont essayé de trouver un moyen de la récolter à très grande échelle, mais c'était beaucoup trop cher, ils ont abandonné.

– C'est pour cela qu'ils financent en partie Neo-Seta… Comment savez-vous tout cela ?

Brolin doutait qu'elle pût avoir travaillé dans cette ancienne base près de la clairière aux veuves noires. Les scientifiques que l'armée recrutait n'avaient pas un profil type mais on devait veiller à éviter les personnalités fragiles.

Elle répondit sur le ton de la confidence :

– Une partie du personnel de NeoSeta travaillait dans cette base il y a quelques années, dont le professeur Haggarth et Gloria Helskey, mais d'autres encore, je ne les connais pas tous. C'est pour ça que NeoSeta les a embauchés.

Brolin hocha la tête. Et comme dans toute entreprise, les petits secrets se propageaient vite. D'autant plus qu'Haggarth et Helskey, qui avaient certainement été engagés pour leurs spécialisations, n'avaient pas dû faire partie intégrante de l'armée, ils n'étaient peut-être pas tenus au silence. À bien y songer, beaucoup de laborantins de NeoSeta devaient être d'anciens collaborateurs de cette base. Pourquoi la société avait-elle choisi Portland pour s'installer ? Parce qu'elle disposait d'un vivier de scientifiques déjà formés. Dès la naissance de NeoSeta, l'armée lui avait communiqué quelques informations sur le sujet pour ne pas perdre de temps. Oui, tout s'emboîtait, Brolin voyait juste.

– Ils sont nombreux dans le personnel de NeoSeta à avoir travaillé dans cette base, je suppose ?

Connie approuva.

Ça n'était pas, ou plus, un secret d'État, on leur demandait un minimum de discrétion quant à leur passé, sans plus.

En face, Connie, la tête engoncée entre ses épaules, guettait les réactions du détective avec une certaine jubilation.

Brolin la prit en pitié. Il comprenait tout d'un coup sa présence ici, rien qu'en observant son attitude devant la part de gâteau qui traînait dans l'assiette de leur voisin. Connie avait à plusieurs reprises fixé le dessert en avalant sa salive, luttant pour ne pas en commander. Sa vie se résumait probablement à cela, une intégration difficile parmi les citadins et des luttes perpétuelles contre elle-même, pour se confondre avec ceux qui l'entouraient. Être maquillée pour tenter d'être jolie, essayer de maigrir, de s'habiller correctement, être « dans le coup », comme tous ces gens. Tant de choses que Connie n'était pas. Et l'apparition de Brolin dans sa vie avait soudain ouvert une porte vers l'inédit, vers un peu d'excitation, du renouvellement dans sa triste existence. C'était un constat amer et cruel, et pourtant Brolin eut à cet instant la certitude d'y voir clair.

Le privé cala sa tête contre le mur derrière lui. Il regardait les voitures et tous les passants défiler devant le restaurant.

Le tueur avait travaillé dans cette base de l'armée. C'était là-bas qu'il avait acquis ou peaufiné son savoir sur les araignées. Il y avait même de fortes chances pour qu'il soit un employé de NeoSeta.

Non, tu vas trop loin ! Tu n'en sais rien, et sans déduction formelle, toute hypothèse n'est qu'un écueil de plus sur la route de la vérité, tu le sais.

Il devait dégager la pensée du tueur, cerner ce qu'il était.

Pendant une demi-seconde, il eut le sentiment d'avoir toutes les réponses entre les mains et d'être sur le point de les imbriquer toutes ensemble. La frustration n'en fut que plus grande. Il y était presque. Il ne manquait plus que la petite étincelle pour lier le tout.

Juste un détail.

55

L'atmosphère en début de soirée vira à l'électrique au-dessus de Portland.

L'air était lourd, et les cieux étaient devenus gris, conférant des reflets argentés à la luminosité du jour.

De lugubres grondements descendirent des nuages pour rouler et tonner parmi les immeubles de la ville. À mesure que l'orage gagnait en fierté, les zébrures de colère se multipliaient et venaient s'ancrer dans les voûtes de ce temple improvisé à la gloire de Zeus qu'était devenue la région de Portland. Le paysage se transformait, coiffé d'un toit en trompe-l'œil, soutenu de colonnes de lumière torturée, où tremblait le tapis de vie sous le tambour céleste.

Annabel sourit à cette tentative de lyrisme. C'était malhabile, elle s'en doutait, mais cela synthétisait à peu près la pensée de Jack Thayer, le détective poète. *En tout cas, ça ne lui rend pas justice !* Elle dédia cette fugitive tirade *in petto* à la mémoire de Jack, qui adorait tant les orages, et surtout en parler avec des mots bien à lui. Si possible en rapport avec la mythologie ou la littérature.

La pluie se mit à tomber de plus en plus violemment, jusqu'à renforcer la trame de l'orage, et bientôt, on ne distinguait plus l'autre côté de la rue.

Brolin arriva à ce moment, trempé, ses cheveux noirs hérissés par le vent comme un bouquet d'épines. Il monta dans la Mustang et claqua la porte.

Annabel le couva des yeux. Les gouttes perlaient sur son visage, brillantes comme des bijoux de peau.

– Larry n'est pas là ?

Annabel réintégra la réalité, elle se mit à regarder un peu partout, et s'humecta les lèvres.

– Hum… Non, il voulait passer la soirée avec sa belle-sœur, l'enterrement de son frère a été dur pour la famille. Tu veux reprendre le volant ?

– Non. Prends la direction des quais, on a une soirée chargée. Alors, raconte-moi tout, au téléphone tu m'as dit que vous étiez tout proches de lui, du tueur, qu'est-ce que c'est que cette histoire ?

– On a trouvé comment il choisit ses victimes.

Annabel se pencha pour tenter de distinguer la route au travers de la pluie drue. Elle sentit le regard de Brolin sur elle. La jeune femme ne parvint pas à retenir un rictus.

– Épaté, hein ? se moqua-t-elle. C'est Trevor Hamilton qui sélectionnait les victimes. Dès qu'une ou un client assez jeune venait faire un double de ses clés, s'il avait le malheur de payer par chèque, Trevor photocopiait les chèques pour se renseigner sur la personne. Une fois qu'il avait le nom, il devait aller dans les mairies, ou consulter les registres des paroisses. Son objectif était de trouver des couples mariés depuis peu. Une fois qu'il en identifiait un, il n'avait plus qu'à faire un repérage des lieux, s'assurer qu'il n'y avait ni système d'alarme, ni chien. Et si tel était le cas, il avait ses victimes toutes désignées.

– Bon boulot.

– Et ça n'est pas tout. On a épluché toutes les photocopies que Trevor a faites depuis sept semaines. On a deux noms qui pourraient correspondre. Deux couples « fraîchement » mariés. Ils pourraient être les prochaines victimes si Trevor a eu le temps de communiquer leur nom à celui qui se cache derrière tout ça.

Brolin laissa échapper un sifflement d'admiration. Cela reposait sur beaucoup de « si », mais c'était de loin la meilleure nouvelle depuis longtemps. Annabel termina son exposé :

– Les flics ont débarqué chez ces victimes potentielles pour tout leur expliquer et les assurer qu'ils seraient protégés en permanence par des hommes en civil. Les deux couples ont courageusement accepté de jouer le jeu de l'appât, et toute une armada surveille les deux maisons. Si le tueur passe à l'acte, il sera aussitôt pris. L'inconvénient c'est que ça mobilise autant de flics qui pourraient travailler sur l'enquête.

La pluie cognait sur le pare-brise à la manière d'un grand orchestre entièrement composé de tam-tam.

– Et toi ? s'enquit Annabel. Quelque chose ? D'abord, où va-t-on ?

– Chez une connaissance. Quelqu'un… dont les ressources sont d'une aide inestimable. C'est là-bas que j'ai résolu l'enquête sur le Fantôme de Portland, il y a trois ans.

– Oh.

Annabel n'insista pas. Elle savait que cela n'était pas bon à évoquer. Contre toute attente, Brolin poursuivit :

– Je ne l'ai pas souvent revu depuis. Nous partageons tous deux le poids d'avoir survécu à celle que nous aimions.

Annabel posa brièvement sa main aux doigts brisés sur celle de Brolin.

Puis le moteur s'emballa et Annabel passa la vitesse supérieure.

Les grilles s'ouvrirent toutes seules, et la Mustang continua son périple au travers d'un bois devenu mystérieux sous cette pluie insistante. Brolin n'était que très rarement venu en ces lieux, et à chaque fois, il avait plu. Était-ce la pluie qui lui rappelait cet endroit et l'y attirait, ou la propriété était-elle sous l'effet d'un charme étrange ?

Un sourire froissé naquit sur son visage.

Il devait être exténué pour se mettre à penser ainsi.

La route tourna avant de déboucher sur une clairière rendue boueuse.

De cette terre trempée s'élevaient des tours et des fenêtres sombres, un colossal manoir en pierre aux arcs-boutants et aux clochetons luisant dans l'orage.

– Nous voilà sur les terres Desaux, murmura Brolin.

– Qui vit là ? Le comte Dracula ? gloussa Annabel.

– Anthony Desaux. Un millionnaire français, un peu excentrique. Il a une culture énorme, et surtout, il dispose de l'une des bibliothèques privées les plus riches du pays ! En particulier en ce qui concerne les vieux manuscrits. Il a même quelques incunables.

– Incunables ? Qu'est-ce que c'est ?

– C'est ainsi qu'on appelle les ouvrages antérieurs à 1500, des premiers temps de l'imprimerie.

Annabel contemplait ce navire gothique qui flottait dans la mélasse, un labyrinthe architectural servant de tanière au millionnaire. L'argent avait quelque chose de fascinant. Peut-être à cause des libertés qu'il permet, supposa-t-elle.

– Il fait quoi, cet Anthony Desaux, pour être si riche ? s'enquit-elle.

– Je n'ai jamais demandé, je sais qu'il est d'une famille fortunée, et il possède plusieurs sociétés, dont quelques-unes dans l'agroalimentaire.

– Pour un Français, c'est original… Et il fait dans le vin, notamment ? plaisanta la jeune femme. Qu'espères-tu trouver dans ses livres ?

Brolin lui fit signe de se garer sur le côté.

– Des informations sur les momies, répondit-il.

Annabel le fixa, incrédule.

– Voilà notre hôte, signala Brolin en sortant de la voiture.

Anthony Desaux les accueillit avec un immense parapluie, ils coururent tous les trois jusqu'au hall d'entrée du manoir. Desaux inclina la tête vers Annabel.

– Soyez la bienvenue chez moi, mademoiselle.

La jeune femme lui rendit son sourire en dissimulant son étonnement. Il devait avoir la cinquantaine bien passée, peut-être soixante ans, et affichait une forme et une élégance remarquables. Annabel réalisa alors qu'il était tout à fait séduisant. Anthony Desaux se tenait parfaitement droit, presque hautain, et sa chemise était tendue sur son torse encore puissant. Il devait pratiquer beaucoup de sport, sa carrure en témoignait.

Il avait des cheveux blancs, lissés avec précision en arrière, la peau du visage vernie à l'after-shave de luxe, et son sourire dévoila une dentition d'ivoire.

Desaux se tourna vers Brolin.

– Cela faisait longtemps.

Les deux hommes se dévisagèrent un moment.

– Entrez, venez, invita enfin Desaux en allant poser son parapluie contre un des murs. Je ne reçois pas beaucoup de visites, aussi je vous demande la plus grande indulgence quant à mes manières d'hôte exécrable !

Il se frotta les mains.

– Désirez-vous boire quelque chose ?

Ses deux « invités » répondirent par la négative.

Brolin avala sa salive en observant les vieilles pierres qui les entouraient. Des souvenirs piquants lui revenaient en mémoire.

Anthony Desaux perçut ce changement chez le détective privé.

– Le jugement approche, dit doucement le millionnaire. Nul doute qu'*il* sera condamné à mort.

Annabel comprit qu'ils parlaient du Fantôme de Portland. Ce tueur en série que Brolin avait arrêté. Et qui l'avait détruit.

Le grondement du tonnerre leur parvint étouffé par la masse du manoir. Ils demeurèrent tous trois immobiles pendant quelques secondes.

– On raconte qu'il n'a pas dit un mot en trois ans, sauf à vous, lâcha enfin Desaux, lorsque vous êtes allé le voir dans sa cellule, il affirmait qu'il ne parlerait à personne d'autre. Est-ce vrai ?

Brolin détourna le regard pour répondre :

– C'est ce qu'il disait en effet.

Desaux cédait à sa curiosité.

– La presse a fait ses choux gras de cette entrevue, dit-il, un journal a même fait sa une avec une prétendue phrase du détenu : « J'ai formé des tueurs un peu partout pendant ces années, bientôt ils s'abattront sur le monde… » Je me suis toujours demandé si c'était vrai. A-t-il réellement dit cela ?

452

Desaux avait récité la phrase comme si à force de la lire elle était restée imprimée sur l'intérieur de sa rétine.

Brolin marcha sur plusieurs mètres dans le gigantesque hall. Il caressa du bout des doigts une antique tapisserie française. Et à la grande surprise d'Annabel, il raconta une partie de ce qui s'était passé ce jour-là :

– C'est ce qu'il a dit. Un gardien peu scrupuleux a revendu ce qu'il avait entendu à un tabloïd… Mais ça n'était que le rêve tordu d'un être maléfique. Pendant sa vie, le Fantôme de Portland, Dante comme je l'appelle, a voyagé à travers plusieurs États. Il m'a raconté comment il repérait les enfants solitaires dans les petites villes, les gamins marginaux, un peu différents des autres. Ces gosses mélancoliques. Il les approchait et les violait. Plusieurs fois lorsqu'il pouvait le faire sans prendre trop de risque. Il leur parlait beaucoup aussi. La plupart du temps, caché derrière un masque dans une camionnette. Il les attirait avec des glaces. Et il leur bourrait le crâne d'inepties sur le monde, sur la sexualité, sur la façon de devenir plus puissant que les autres, sur le fait que c'était horrible et honteux d'être violé, qu'ils ne seraient plus jamais les mêmes, qu'ils seraient à jamais différents des autres… Et j'en passe. Dante choisissait des victimes dociles, fragiles et solitaires, en espérant que le traumatisme qu'il leur infligerait ferait d'eux des tueurs en puissance. Il avait lu quelque part qu'on expliquait la violence des tueurs en série par les traumatismes qu'ils avaient subis étant enfants, des viols en particulier, et une profonde solitude. Le jour où je l'ai vu dans sa cellule, Dante m'a avoué les viols répétitifs de plus de quarante gamins en vingt ans. Ce jour-là, il m'a dit que si cinq ou six seulement passaient à l'acte, il serait alors le plus heureux des « pères ».

Anthony Desaux ne sourcilla pas. C'était un individu de marbre, un roc dont la fonction sociale interdisait la faiblesse.

– Que son histoire soit vraie ou un mensonge de provocation, j'espère qu'il brûlera en enfer, dit-il faiblement.

Brolin releva les yeux vers le maître des lieux. Après un temps il prit la parole :

– Comme je vous l'ai dit au téléphone tout à l'heure, le temps presse, si nous pouvions…

– Bien sûr, suivez-moi.

Ils déambulèrent dans le manoir jusqu'à la bibliothèque, une immense salle boisée aux rayonnages labyrinthiques. La salle ressemblait à ces bibliothèques mystiques des grandes universités, avec leur aspect vieille Europe, les murs de pierre et le large dôme qui les surplombait.

Les pas de Desaux résonnèrent lorsqu'il alla s'emparer d'une télécommande sur un guéridon près de l'entrée. Il la tendit vers le fond, et soudain, des dizaines de petites lampes s'illuminèrent au-dessus des étagères. La poussière dansa un instant dans ces rigoles dorées, à l'instar de spectres fuyants.

La pluie s'écrasait en rythme contre les hautes et étroites fenêtres.

– Il y a une table au milieu de la pièce, avec trois chaises, et tout à l'heure mon majordome nous apportera des sandwichs.

– Je vous suis déjà reconnaissant de nous donner accès à votre propriété, remercia Brolin, il n'est pas utile que vous passiez la soirée à nous aider davantage.

– Bien au contraire, rétorqua l'intéressé, je connais ces livres mieux que quiconque, et je vais vous faire gagner du temps. La dernière fois que vous êtes venu ici, je n'ai rien fait, j'étais absent, et ce temps perdu a coûté des vies. Oh, je ne vais pas vous faire le coup du « je me sens responsable », soyez sans crainte, mais j'ai eu le temps d'y penser en trois années de solitude insomniaque.

Brolin finit par acquiescer doucement.

– En ce cas, dans un premier temps nous cherchons tout ce que vous avez de plus précis sur « comment les Égyptiens préparaient leurs momies », c'est l'aspect pratique qui nous intéresse.

Le vieil homme se frotta les mains, fit un clin d'œil à Annabel et s'enfonça dans les profondeurs de ce temple du savoir.

Annabel s'approcha de Brolin.

– Il est… surprenant, chuchota-t-elle. Je parie que malgré son âge, il collectionne les femmes.

Comme Brolin ne répondait pas, elle changea de sujet :

– Pourquoi les momies ?

Cette fois il tourna la tête vers elle.

– Sydney Folstom m'a téléphoné. Elle venait d'envoyer son rapport à Meats et a eu la gentillesse de me prévenir à mon tour. Elle a travaillé sur les deux victimes, Carol Peyton et Lindsey Morgan. Et notamment sur la méthode utilisée pour les vider sans les ouvrir. Les examens toxicologiques sur ce qui restait de sang ont révélé la présence de cannelle, d'où l'odeur d'épice, et surtout d'un mélange d'huile de cèdre, de chaux et de soude. Il restait des morceaux d'anus et de vagin que le Dr Folstom a trouvés extrêmement dilatés. Elle pense qu'on a injecté ces produits par ces deux orifices pour accélérer la putréfaction, et surtout liquéfier les entrailles afin de pouvoir les extraire par là. En répétant ces lavements régulièrement, d'après elle, il ne faudrait pas plus de vingt-quatre ou quarante-huit heures pour vider entièrement le corps. Et c'est ce qui pourrait expliquer la légère teinte jaunâtre des torses.

– C'est un procédé existant ?

– Justement, pas à sa connaissance, mais elle se demande s'il n'y a pas un rapport avec les momies. Car pour le cerveau, la seule explication envisageable c'est que le tueur ait utilisé les méthodes des embaumeurs égyptiens, d'où l'absence de l'os ethmoïde chez les deux victimes. Il a cassé cet os par le nez, il a alors pu le repousser à l'intérieur et extraire le cerveau à l'aide d'un crochet inséré dans le nez. C'est assez délicat mais tout à fait faisable, il suffit ensuite de procéder à un lavage à l'eau pour débarrasser la boîte crânienne des derniers petits fragments, en maintenant la tête levée pour que le liquide s'écoule.

Annabel avala sa salive et se frotta nerveusement le bras. C'était répugnant. Elle imaginait les mains du tueur en train de secouer la tête rasée et désormais vide de Carol Peyton, et des ruisseaux d'eau rose sortir par une narine et se déverser dans la bouche de la morte avant de couler par terre. Des débris organiques souillant le sol au milieu d'une mare de substances poisseuses.

Elle secoua la tête.

– Et maintenant qu'on sait cela, qu'est-ce qu'on va trouver de plus dans des livres sur les momies ? demanda-t-elle en chassant les terribles images de son esprit.

– Le moyen de resserrer les mailles du filet au plus près possible du tueur.

Il adressa alors à la jeune femme un regard déterminé.

456

Pour la première fois depuis le début de l'enquête, Annabel eut le sentiment qu'il prenait de l'avance sur le meurtrier. Il ne lui disait pas tout, il savait quelque chose. Brolin avait mis longtemps à pénétrer son esprit.

Mais l'ancien profileur du FBI avait enfin trouvé la faille.

Et il fondait à présent au cœur de ce qu'était le tueur.

Dans son intimité.

Il *devenait* le tueur.

56

La silhouette d'Anthony Desaux se découpait parmi les ombres de la bibliothèque, l'obscurité affûtait ses traits et transformait ses petits yeux vifs en deux perles sans vie qui réfléchissaient la lumière des quelques lampes à la manière d'un crocodile.

Il rejoignit Annabel et Brolin au milieu de la vaste salle, et posa sur la table d'étude une pile de livres, dont certains avaient l'apparence de grimoires de sorcellerie. Un parfum de cuir et de poussière monta aux narines des deux compagnons d'investigation.

– Voilà qui peut contenir des informations sur la momification, dit-il.

Ils feuilletèrent en silence les pages jaunies, reportant quelques notes de temps à autre sur un carnet. La douleur commençait à envahir la main blessée d'Annabel, elle prit deux cachets en maudissant cette fichue attelle qui la grattait.

Après une demi-heure, Brolin demanda à Anthony Desaux s'il avait des livres sur les produits ou les plantes utilisés dans le vaudou, ou bien sur la faune marine, en particulier sur les toxines que l'on pouvait trouver dans l'océan.

Desaux dissimula son menton dans la paume de sa main, l'air tout d'un coup contrarié.

– Sur les toxines ? Je ne vous garantis rien. En revanche, sur le vaudou, je devrais pouvoir trouver.

Il fit un clin d'œil au privé. Brolin savait qu'une collection inestimable d'ouvrages occultes était enfermée entre ces murs, dans une pièce entièrement dédiée aux mystères de ce monde. Un lieu où il ne voulait pas remettre les pieds. Trop de souvenirs hantaient cet endroit, Joshua savait qu'à l'instant où il entrerait, les reliquats du passé afflueraient en nombre, le submergeraient, il savait qu'il aurait du mal à contenir sa peine.

Revenir ici après presque trois ans était une douce folie. Anthony Desaux avait joué un rôle important dans cette affaire, indirectement certes, mais tout de même. Brolin leva les yeux vers le clair-obscur des allées qui couraient entre les hautes étagères de bois épais.

Les contours d'une présence se dessinèrent. Une grande femme, jeune, aux cheveux longs. Une courbe parfaite qui appelait Brolin.

Les yeux du privé cillèrent, plus humides qu'un instant auparavant.

C'était ici qu'il avait réellement connu cet amour. En ces lieux.

Une douce folie…

La main du millionnaire se posa sur son épaule.

Chaude et ferme.

Il fixait Joshua sans rien dire. Le langage de l'âme suffisait. Desaux fit un imperceptible signe de la tête et se leva. Le port altier, comme à son habitude, il disparut à la recherche des livres nécessaires.

Brolin pivota vers Annabel.

Elle lisait. Un bref mouvement de ses yeux vers le haut, vers lui, suffit à Brolin pour savoir qu'elle avait assisté à la courte scène. Et qu'elle n'en dirait pas un mot. Elle savait que le passé n'était parfois que saveurs, et que les goûts ne pouvaient s'échanger.

Celui de l'amertume moins que tout autre.

Une heure avait passé.

Ils n'avaient pas tardé à trouver nombre d'indications sur la façon d'extraire le cerveau d'un corps avant la momification. L'hypothèse du Dr Folstom se confirma, le tueur copiait le protocole des Égyptiens. Chaque fois, était mentionnée la nécessité de briser l'os ethmoïde, de le repousser à l'intérieur du crâne avant d'insérer un crochet pour atteindre l'organe et le sortir par morceaux.

C'était la méthode employée par le tueur-araignée.

Annabel et Brolin affinèrent leurs recherches.

Ce fut la jeune femme qui fit mouche la première. Elle tapota sur la couverture d'un livre.

– Les seuls écrits expliquant l'art de l'embaumement sont le fruit de deux historiens grecs : Hérodote et Diodore de Sicile, rapporta-t-elle. Il n'y a, semble-t-il, aucun texte égyptien qui traite du sujet, c'était un secret bien gardé. La momification était un art lucratif, et la concurrence faisait rage, chacun taisant ses méthodes. Concernant les deux historiens grecs, les procédés relatés par Hérodote ne correspondent pas à ce que nous cherchons, il y est question d'incision sur les flancs. En revanche, Diodore raconte : « Les embaumeurs remplissaient des seringues d'huile de cèdre qu'ils injectaient dans l'abdomen. Ils ne découpaient pas la chair, ni n'extrayaient les organes internes, mais introduisaient simplement l'huile par l'anus. Ensuite, ils momifiaient le corps pendant un certain nombre de jours, pendant lesquels l'huile ressortait du corps, emportant avec elle les organes internes sous forme liquide. » C'est exactement ça.

– Sauf que notre tueur ne veut pas y passer trop de temps, aussi ajoute-t-il de la chaux et de la soude pour accélérer le processus, compléta Brolin.

– Et maintenant ? demanda Annabel. On confirme des méthodes, mais ça ne nous rapproche pas de lui pour autant…

– Détrompe-toi…

Brolin fit face à Desaux. Celui-ci avait écouté chaque mot sans jamais interrompre pour demander des éclaircissements. Et Brolin lui en savait gré. Desaux était intelligent, il lisait la presse et devait savoir que le nom de Joshua Brolin venait d'être rapproché d'une enquête sur un meurtre. La police faisait appel à ses compétences. Pourtant le millionnaire se prêtait au jeu de l'aide sans rien en retour. C'était un homme droit, s'avisa le privé. Qui aurait pu devenir un ami, en d'autres circonstances.

– En ce qui concerne votre demande sur les toxines de la faune océanique, je n'ai pas grand-chose, peut-être ce livre sur les poisons du monde sous-marin. J'en ai fait un bref survol à la recherche d'explications sur les toxines et en particulier celle dont vous m'avez parlé, la tétrodotoxine. Voilà ce que j'ai trouvé.

Desaux poussa l'ouvrage vers Brolin, lui indiquant plusieurs pages marquées d'encarts.

Brolin les lut en diagonale. Il y était question de poisson-globe, la variété supposée contenir la tétrodotoxine. La plupart des poissons-globes pêchés aux États-Unis étaient inoffensifs, les intoxications extrêmement rares et plutôt dues à la phycotoxine paralysante qu'à la tétrodotoxine, absente de leur corps.

La quantité de cette toxine très puissante était associée à la saison – l'été étant la période la plus favorable –, au sexe – la femelle étant la plus riche –, et à l'emplacement géographique. Sur ce dernier point, les mers asiatiques et les Caraïbes regorgeaient de poissons-globes contenant de la tétrodotoxine, mais aussi la région côtière de la Basse-Californie.

C'était certainement là que s'approvisionnait le tueur. Était-ce une piste exploitable ? Peu probable. Il suffisait qu'il se soit déplacé une fois jusqu'en Californie pour faire son stock auprès de pêcheurs, ce qui était humainement invérifiable.

L'élément qui interpellait le plus Brolin était cette mention du poisson-globe que l'on trouvait aux États-Unis. Il était écrit que quasiment tous les restaurants japonais qui préparaient du poisson-globe dans le pays servaient la variété américaine, celle contenant la phycotoxine paralysante et non la tétrodotoxine, ce que peu de gens savaient. Y compris les amateurs de ce poisson.

Si le tueur avait voulu obtenir les effets précis de sa toxine « faiseuse de zombi », il devait connaître ce détail pour se procurer la variété adéquate de poisson-globe.

Brolin fit ses remarques à voix haute.

Annabel se pencha vers lui.

– Josh, j'ai beau réfléchir, je ne vois pas en quoi tout cela nous rapproche du tueur… Que cherchons-nous exactement ? Toutes ces informations ne font que confirmer ce qu'on savait ou supposait déjà.

Brolin désigna le livre avec un geste d'évidence.

– Il nous a été nécessaire de chercher. Parce qu'il s'agit de connaissances précises. Que ce soit l'emploi d'une toxine rare aux effets méconnus du commun des mortels ou bien une méthode d'éviscération datant de l'Égypte antique, ce sont des procédés qui demandent un savoir, et le tueur *a* ce savoir. Il ne s'est pas trompé, il n'a pas lu dans un livre que la tétrodotoxine était contenue dans les poissons-globes pour s'empresser de s'en procurer, non, il a su que les poissons qu'il trouverait dans notre pays contenaient une variante, la phycotoxine paralysante, dont les effets ne sont pas ceux de la tétrodotoxine. Il a su que, s'il voulait exactement cette toxine, il ne la trouverait qu'en Basse-Californie.

Brolin serra le poing sur la table.

– Il est méticuleux, affirma-t-il. Et pas dans un domaine, mais dans tous. Pour les araignées il savait que lorsqu'il fait chaud comme en ce moment, la pire espèce est la veuve noire de Madagascar, la femelle, dont la dangerosité du venin croît avec la canicule. Pour les injections qu'il pratique, il savait qu'il lui fallait un poisson-globe femelle, pêché en été. Il savait comment faire pour vider un corps humain de ses viscères, en utilisant l'huile de cèdre ! Qui aurait pensé à employer de l'huile de cèdre comme les Égyptiens le faisaient ? Non, il ne s'est pas documenté, il *sait* tout cela.

Desaux s'était reculé dans son fauteuil, très attentif à ce que disait Brolin. Il n'en perdait pas une miette, mais le privé n'était pas inquiet. Le millionnaire n'en répéterait rien à personne.

– Annabel, reprit Brolin, lorsque le tueur a mis au point sa stratégie, il n'a pas passé un an dans des bibliothèques à faire des recherches, il n'y a que dans les films que ça marche comme ça. Pour nous, rassembler toutes ces données, ces livres, a été facile parce que c'est lui qui nous a tout mis sous les yeux. Mais lui ne s'est pas dit, « tiens, quel genre de truc démentiel je pourrais bien faire ? ». On n'en vient pas à tuer des gens comme ça du jour au lendemain, à moins d'être fou. Et je peux te dire que, compte tenu de l'attention qu'il porte au moindre détail, il ne s'agit pas d'un fou. C'est une personne qui s'est demandé ce qu'elle savait, ce qu'elle pouvait faire avec ses connaissances, pour passer à l'acte.

Brolin s'interrompit, d'autres mots sur les lèvres.

– Hé bien ? Qu'y a-t-il ? Qu'allais-tu dire ? insista Annabel.

Son regard était voilé. Il voyageait. Tous les détails des meurtres revenaient à présent en gros plan, les lieux, tout ce qu'il avait appris sur le tueur et son mode opératoire.

– Le plus probable, dit Brolin lentement, c'est encore que son plan s'est peu à peu imposé de lui-même au tueur. Au fur et à mesure que le meurtre, le besoin – ou l'envie – de tuer a grandi dans son esprit, son mode opératoire s'est tissé tout seul. À partir de ce qu'il est, de ce qu'il sait, de ce qu'il fait dans la vie. On n'invente pas dans ces circonstances, on répond à un besoin irrépressible, et pour l'assouvir on est soi-même, pas une création. Un criminel peut jouer un rôle dans la vie de tous les jours, mentir à tout le monde avec perfection, cependant lorsqu'il tue, il est lui-même, pur. Et nous n'avons pas affaire à une mise en scène. Du moins pas dans le but de nous égarer ou de nous mener en bateau. Les mises en scène du tueur avec l'eau et ses cocons d'araignée font partie intégrante de sa signature, de ce qu'il *est*.

Brolin revoyait avec précision les lieux de dépose des cadavres.

– Je suis certain que tout cela a émergé de son esprit à partir de son quotidien, continua-t-il. C'est parfaitement intégré dans son délire meurtrier, il ne s'agit pas

464

d'ajout, de maquillage. Il tue aussi pour ça, pour cette « mise en scène ». Il y a deux catégories à différencier. *Ce qu'il veut dire*, ce qui est transmis par ses meurtres, et sa *méthode*, qu'il emploie parce qu'elle sert son besoin, son message, mais aussi parce qu'elle fait partie de lui, de ses actes.

Brolin s'agitait, il oubliait peu à peu ce qu'il était lui-même pour ne plus être qu'un esprit en analyse de données, un pur intellect.

Il s'empara d'une feuille vierge et traça un trait pour la séparer en deux colonnes. *Ce qu'il veut dire* d'un côté et *Sa méthode* de l'autre.

Ce qu'il veut dire :

• *Présence de l'eau. Besoin de pureté ? de se purifier ?*

• *Obsession des araignées. Se compare-t-il à elles ? Symbolique du mythe d'Arachné qui lui convient ? Phobie très répandue, ce qui lui convient pour faire peur au plus grand nombre, pour être au-dessus du « lot » ?*

• *Victimes toujours femmes mariées depuis peu. Envie de s'attaquer à une notion sacrée ? À l'amour ? de tuer cette pureté ? Rapport à sa vie personnelle ? Vengeance vis-à-vis de la gent féminine, humiliation ?*

Annabel, qui lisait par-dessus l'épaule de Brolin, ajouta :

– À chaque fois, il n'y a pas d'enfant.

Brolin acquiesça.

• *Victime sans enfant. Pourquoi ? Se sent incapable d'en tuer ?*

• Les maris jouent un rôle secondaire, ils sont absents du premier plan, ils sont endormis ou assassinés sans mise en scène mais avec acharnement. Inutilité du mari ? Perçu comme un rival ?

Brolin passa à la colonne suivante.

– Ce soir, c'est surtout celle-ci qui nous intéresse, du moins dans l'immédiat.

Sa méthode :
Discrétion, pénètre chez les gens, ne cherche pas la confrontation directe. Lâcheté ou cela ne lui procure aucune émotion, ne fait pas partie de son besoin ? Il fuit le combat, mais est capable de maîtriser quelqu'un par la force.
• Utilisation de tétrodotoxine. Avec dosage adéquat. Connaissance des poissons – Ichtyologiste ? Des poisons – toxicologue ? Du vaudou (pour l'usage de cette toxine) – il est d'origine haïtienne ? Ou bien historien, ethnologue ?
• Connaissance parfaite des araignées. Y compris de leur histoire : Madagascar, élevage de Nephila pour leur soie (qui est sa méthode probable pour obtenir de quoi confectionner ses cocons). Scientifique ou passionné ? A vécu à Madagascar ?
• Connaissance des méthodes d'éviscération pour la fabrication de momies. Égyptologue ?

Sur ce dernier point, Annabel corrigea :

– C'est l'usage de l'huile de cèdre qu'il connaissait peut-être, plus que l'égyptologie.

Anthony Desaux, qui était resté parfaitement silencieux jusqu'ici, prit la parole :

– Un toxicologue rassemblerait toutes ces connaissances. Le venin d'araignée, les toxines des poissons-globes et pourquoi pas l'emploi de substance comme cette huile de cèdre à l'époque des pharaons.

Annabel et Brolin l'observèrent. Un semblant de sourire redressait un peu ses lèvres.

– Un toxicologue ou un anthropologue qui aurait travaillé sur le vaudou, peut-être à Haïti, je crois que le mythe des zombis – donc l'usage de la tétrodotoxine – vient de là-bas. Un toxicologue ou un ethnologue qui aurait étudié la momification ainsi que les araignées. Pourquoi pas ?

– Ça fait beaucoup, contra Annabel. Qui sait, peut-être que ces sujets se sont mélangés dans son environnement professionnel ? Un journaliste, un journaliste scientifique ?

– Ça m'étonnerait, dit Brolin. Un bon journaliste s'imprégnera de son sujet, il le potassera le plus possible, mais il a rarement le temps d'approfondir pleinement, d'assimiler toutes les connaissances au sujet des thèmes qu'il aborde, il est un vecteur d'informations et non un puits de savoirs multiples.

Brolin tapota nerveusement son paquet de cigarettes.

– Si on s'en tient à Portland, poursuivit-il, cela restreint grandement les recherches. Dans un premier temps on va se mettre en quête de toxicologues, d'ethnologues ou anthropologues qui auraient travaillé sur l'un de ces trois sujets.

– Le milieu universitaire, proposa Anthony Desaux. Il regorge de chercheurs un peu farfelus dans ce genre.

Cette fois, son sourire était nettement plus marqué.

Finalement, il n'avait pas perdu son temps, cette soirée avait été très intéressante.

Il s'en frotta les mains.

57

La porte de la bâtisse se referma brutalement.

La Chose s'effondra dans le fauteuil tout proche.

L'enquête progressait. Pourtant elle était confiante. Jamais les flics ne l'attraperaient, non, jamais.

En revanche, ce Brolin devenait gênant. Elle ne lui avait pas réglé son compte, c'était une grave erreur.

Qu'elle ne commettrait plus.

Brolin et cette petite pute. Annabel O'Donnel, disait le journal.

La Chose étouffa un bâillement. Heureusement qu'elle ne bâillait pas en permanence en public, ça serait suspect. Jusqu'à présent une telle tension nerveuse la parcourait pendant la journée qu'elle tenait le coup.

Elle était exténuée et il était déjà tard. Le manque de sommeil était plus difficile à supporter qu'elle ne l'avait pensé. Elle avait acquis un rythme, pourtant la fatigue se faisait toujours sentir. Ses nuits étaient si courtes qu'elle ne rêvait que de son quotidien. Parfois, elle se réveillait et dans les heures suivantes, elle était saisie d'un doute affreux : ce souvenir un peu brumeux, était-ce un rêve ou la réalité ?

La Chose sursauta. Elle s'agita, en panique, pour trouver l'heure. Venait-elle de dormir à l'instant ? Sa montre.

Elle soupira. Non, elle ne s'était pas assoupie, elle venait à peine de finir de nourrir ses pensionnaires. Celles de l'extérieur.

Ce soir, c'était la dernière fois qu'elle s'en occupait.

À partir de demain, en fin d'après-midi, elle lançait la solution finale. Tout serait alors terminé.

Oh, oui, le repos. La paix éternelle.

Elle partirait à jamais, laissant derrière elle le chaos et la mort.

Peut-être qu'*ils* comprendraient enfin. Peut-être qu'alors, ils verraient la vérité en face, la futilité de leurs existences. Tous ces gens aveugles, se manipulant les uns les autres, des vies entières de faux-semblants, avec l'amour pour servir de jointures élastiques. L'amour. Quel grand mot ! Le dernier synonyme d'espoir. Le monde était devenu cacophonique, les repères tronqués, des illusions en guise de modèles. Pouah ! Il était temps que cela change, qu'elle, la Chose, intervienne pour éteindre le grand feu d'artifice à coup de terreur, pour qu'enfin l'*humanité* se retrouve.

Au temps où elle avait élaboré son projet, elle ne savait pas tout à fait comment et quand elle enclenche-rait le dernier rouage de sa mécanique destructrice. Elle songeait que le moment se ferait sentir de lui-même. Et c'était le cas.

Elle était… *Non ! Pas las ! Tu ne peux pas être las de ce que tu es en train d'accomplir ! Tu ne peux pas !*

Le visage de la Chose se brisa. D'un coup.

Il se plissa et se contracta comme une éponge, et les larmes se mirent à couler. De véritables sanglots s'emparèrent de la Chose.

Non, pas la Chose. Elle avait un nom… Un vrai, avant… Oui, elle n'était pas la Chose, elle s'appelait…

La Chose bondit en hurlant de colère, elle se propulsa contre le mur. Un cadre se décrocha et tomba sur le sol. Le cri qui sortit de sa gorge était animal. Il respirait la rage. Et la tristesse, tout au fond, comme un enfant recroquevillé dans un angle, ramassé pour ne rien laisser dépasser.

Les poings de la Chose s'abattirent férocement contre le fauteuil.

Elle s'écroula par terre, épuisée. Des larmes s'accrochaient encore dans ses cils.

Se relever. Descendre s'occuper de *l'autre*.

Et aller dormir, demain serait un grand jour.

Ce serait *son* dernier jour.

Oui, c'était bien ainsi. Demain elle prendrait ses filles, et elle commencerait à les semer, principalement dans les bacs de fruits et légumes des supermarchés, mais également dans les boîtes aux lettres des gens, par toutes les fenêtres de voitures laissées entrouvertes sur les parkings, et avec cette chaleur, il y en aurait. Elle essaimerait dans toute la ville dès demain, déposant ses araignées dans les bus aussi, partout où elles pourraient se faufiler et frapper, le jour même, ou dans un mois. Quasiment tout son élevage serait disséminé. Cela allait prendre du temps, ce qui lui était complètement égal. Et même si elle devait laisser tomber toute autre activité, peu importait, du moment qu'elle mettait la ville à feu et à sang.

Bientôt Portland compterait ses blessés et ses morts, et on n'aurait que son nom sur les lèvres. L'araignée, la Chose… Elle…

Et demain soir, alors, elle tirerait sa révérence.

Oui, c'était ainsi que tout devait aller et s'achever.

Cependant, il faudrait préserver les apparences, le matin, avec ceux qu'elle croiserait. Ensuite, elle aurait toute la ville pour elle.

La Chose s'ébroua et descendit à la cave.

Les marches en bois. Les recoins humides de béton froid. La machine à laver, les trois baignoires. Le plan de travail où elle avait consacré tant d'heures à prélever le venin dans les glandes de ses *Phoneutria fera*. Venin qu'elle avait conservé comme arme.

C'était efficace ! Ce type en avait été un bon exemple. Dans la clairière, cet endroit magique où elle était souvent venue réfléchir. C'était là qu'elle avait trouvé le courage de lancer son projet. Dans ce sanctuaire, c'était là que tout avait commencé. Symboliquement. Parce que avant ça il y avait eu le couple l'année dernière. Là, ça avait été pour tester son *produit miracle* à base de tétrodotoxine.

Une injection au mari, pour en voir les effets sur l'homme. La femme aurait dû subir le même traitement, mais la Chose n'avait pu résister. Il fallait qu'elle meure. Devant ses yeux. La priver de cette vie. Elle avait maquillé le meurtre en suicide, allant jusqu'au chalet où elle avait suivi le couple une fois, lors de ses repérages, pour abandonner le corps. Les flics avaient tout gobé.

Et pendant le printemps dernier, elle avait infesté la clairière, à côté de la base.

Au début elle venait y déposer ses veuves noires, pour que les randonneurs fuient, et aussi pour voir si un de ces cons se ferait mordre et en crèverait. C'était cette période où la Chose était pleine de haine, insensible et désireuse de donner la mort. Elle était plus sage main-

471

tenant, plus mature, et entièrement dévouée à son objectif : le règne de la terreur. Il n'y avait que comme ça que la population retournerait à plus de simplicité.

La Chose se souvint de ce jour où elle se trouvait dans le sous-bois, à réfléchir. Elle avait aperçu ce type arriver, et fouiller *sa* clairière.

Elle était descendue. Depuis quelques semaines déjà, elle venait avec une seringue dans son sac. Et elle avait l'arme suprême avec elle : l'*Atrax robustus*. Son araignée si terrible. Elle l'emmenait en rêvant qu'elle parviendrait un jour à l'enfoncer dans la bouche d'un randonneur, pour le voir se débattre, effrayé, et mourir.

Il lui avait manqué le courage d'agir jusqu'à cet instant.

Pourquoi y était-elle parvenue ce jour-là ? Elle n'en savait rien. Le type s'était débattu, mais la Chose avait de la force, elle s'était longuement entraînée pour ça, uniquement dans ce but. Elle l'avait maîtrisé, lui avait injecté le venin, à deux points différents, espacés de quelques centimètres, comme les crochets d'une araignée.

Et juste avant qu'il ne meure, elle avait sorti l'Atrax de son sac.

La créature était horrible, avec ses articulations bien visibles, ses mandibules énormes, son abdomen luisant et sa peau tendue sur ses membres comme du latex noir. L'Atrax terrorisait les gens.

D'autant plus qu'elle était extrêmement dangereuse. Pour la victime, les cheveux de la nuque se redressaient, et l'instinct déployait toutes ses alarmes dans le cerveau du malheureux qui sentait l'araignée grimper sur lui en se rapprochant du visage. Car la Chose était retorse, oh oui, elle l'était. Elle avait arraché les pattes d'une sauterelle et l'avait enfoncée dans une narine de cet homme agonisant. Et l'Atrax s'en rapprochait. Nerveuse d'être contrainte de marcher sur... de la peau humaine, ses mandibules s'agitaient, prêtes à mordre à la moindre alerte.

Cerise sur le gâteau, la Chose avait découvert que, si elle injectait une large dose de venin à ce moment, la victime mourait instantanément, figeant l'expression de terreur qui l'habitait.

La Chose entra dans le vivarium où elle élevait ses filles.

Une partie seulement. Les autres, les Nephila, étaient dans un autre bâtiment.

Tout au fond, se trouvait une dernière porte.

La Chose ouvrit le cadenas et passa de l'autre côté.

Allongée sur une table : Dianne Rosamund.

Entièrement nue, un bandage tout autour du cou. Là où la Chose avait planté son couteau.

Dès que la lame s'était enfoncée dans la chair, la Chose s'était arrêtée. Elle ne procédait jamais ainsi d'habitude. Elle assommait sa victime et l'emportait. Mais la tuer sur place, aussi vulgairement qu'avec un coup de couteau dans la gorge, c'était... répugnant. Et un véritable gâchis.

Comme la femme – Dianne – ne s'était pas débattue, n'avait pas crié, la Chose l'avait allongée aussitôt pour lui bander le cou afin de stopper l'hémorragie. Heureusement, elle avait frappé sur le côté, à distance des veines et des artères, en revanche le bout du couteau avait ripé contre les cervicales, elle avait souvenir de la résistance et du grincement se propageant dans le manche de l'arme. Pourtant cela ne semblait pas avoir eu de conséquences fâcheuses. À première vue.

À présent, Dianne Rosamund était nue sur cette table, menottée à l'aide d'instruments achetés dans le commerce.

La Chose se pencha sur la blessure.

Ça n'était pas très beau, peut-être que c'était plus profond qu'elle ne l'avait supposé. De toute façon, cela n'avait plus grande importance.

La Chose s'empara d'un drain de vingt centimètres et le posa à côté des bocaux en verre. Chacun contenait dix litres. Des étiquettes à l'écriture serrée indiquaient les contenus :

« SOUDE », « HUILE DE CÈDRE », « CHAUX ».

Ensuite, la Chose alluma la bouteille de gaz de la petite forge portative qui était posée sur un tabouret. C'était une forge que les maréchaux-ferrants transportaient pour chauffer les fers avant de les appliquer aux chevaux. La Chose l'avait achetée lors d'un vide-grenier, elle en avait immédiatement pressenti l'utilisation.

La Chose contourna la table, vers une meule à aiguiser. Il suffisait d'actionner la manivelle sur le côté et la pierre prenait assez de vitesse pour affûter n'importe quelle lame. La Chose aspergea d'eau la pierre et la fit tourner. Elle attrapa une énorme mèche à foreuse et en posa le bout pour affiner la pointe. C'était une mèche hélicoïdale, de quarante centimètres de long, que la Chose avait rendue pointue comme un clou.

La Chose laissa la pierre mouliner et plongea l'extrémité de la mèche dans la forge devenue incandescente.

Pendant que le métal rougissait, elle prit un écarteur gynécologique et, après avoir ouvert les lèvres génitales de Dianne d'une main brusque, l'enfonça dans son vagin. Celle-ci revint à elle aussitôt, en gémissant.

Elle ouvrit les yeux, voulut bouger, et le cercle des menottes mordit ses chevilles et ses poignets, elle était attachée aux quatre pieds de la table, les bras écartés, tout comme les cuisses. Rien n'avait changé.

Elle déglutit en grimaçant, sa gorge était en feu. Et l'instrument froid qui était à présent en elle lui faisait mal. Elle avait l'impression qu'elle saignait, que les parois de son intimité s'étaient déchirées quelque part. Elle cambra les reins pour tenter de se dégager, sans résultat. Ses yeux se remplirent de larmes. Elle était déjà revenue à elle plusieurs fois. À chaque fois persuadée que le cauchemar était fini. Qu'elle serait chez elle.

Elle se mit à hurler lorsqu'elle sentit des doigts palper son sexe sensible.

La Chose enfonça encore plus l'écarteur sous les cris déchirants de Dianne.

Puis elle enfila un gant à sa main droite et saisit la longue mèche rougeoyante.

Elle allait devoir la rentrer en Dianne, la pointe en fusion ouvrirait les chairs comme des rideaux qui se déchirent sans peine. Et elle recommencerait, par l'anus, pour se tracer un chemin le plus loin possible dans l'abdomen. Ensuite le drain permettrait de faire pénétrer les liquides jusqu'aux organes situés plus haut. Dianne serait morte alors, sauf si la mèche ne perforait aucun point vital, ce qui serait exceptionnel. C'était néanmoins arrivé avec la seconde victime, Lindsey. Elle était finalement morte une demi-heure plus tard, après une agonie à rendre fou.

Le hasard faisait bien les choses. À moins que ça ne soit la souffrance. Chaque fois, ses victimes mouraient en hurlant, figeant leur calvaire sur les traits de leur visage. Tout comme ce type que la Chose avait tué dans la clairière. Elle n'y avait pas pensé au début mais c'était désormais une évidence : elle devait signer ses actes de cette grimace barbare.

La méthode était parfaite. Et comme il ne subsistait rien, elle était de surcroît indécelable par les flics.

Il suffirait de deux jours de macération, en renouvelant les lavements, pour que le torse se vide. Ensuite la Chose pourrait nettoyer la cavité avec son petit crochet. Celui-là même qui allait lui servir à extraire le cerveau.

La Chose leva la mèche fumante devant elle.

La chaleur irradia jusqu'à son front.

Ses dents brillaient d'une lueur rouge.

Elle pouvait y aller.

Sa main libre se plaqua sans ménagement sur le pubis de Dianne, les doigts s'enfonçant dans la peau. Il fallait tenir, avec toute la force possible, car dans un instant, elle allait sacrément bondir.

La Chose commençait à avoir de l'expérience.

À l'étage, une antique horloge du début du siècle battait les secondes d'un lancinant tic-tac.

Juste à côté, se trouvait une photo, une des rares à être encore sur les murs. La seule en fait. Elle avait échappé aux colères de la Chose.

On y voyait la Chose, quelques années auparavant, beaucoup plus jeune. Debout à côté d'un cheval. Avec le sourire.

La douceur et la naïveté se partageaient ce faciès joyeux.

Des hurlements que nul n'aurait pu penser humains montèrent du sous-sol.

58

La Mustang était garée à côté d'une longue hacienda blanche, le siège de NeoSeta.

À huit heures et demie, la chaleur du matin avait déjà effacé les bienfaits de la pluie nocturne. Le soleil entrait dans le hall par la grande porte, scintillant sur toutes les surfaces réfléchissantes.

Annabel et Brolin faisaient face à un homme en costume. Ce dernier secouait la tête avec acharnement. Le charme de celui que beaucoup comparaient à Pierce Brosnan était à ce moment altéré par la colère qu'il contenait à grand-peine.

– Non, monsieur Brolin, je vous le répète, le fichier de notre personnel est confidentiel, comme dans toute entreprise. N'insistez plus.

Annabel glissa discrètement sa main sur celle de Joshua, pour qu'il ne poursuive pas. Le détective privé venait d'expliquer à Donovan Jackman, le responsable des relations publiques de NeoSeta, qu'il était vital pour leur enquête qu'ils aient accès aux fichiers du personnel. Cela pouvait sauver des vies, avait-il ajouté en vain.

– Je suis sincèrement navré, dit Jackman d'un ton tranchant qui contrastait avec ses propos, si la police vient avec un mandat, alors je me plierai à la décision d'un juge, en dehors de quoi il est impensable que quiconque d'extérieur à notre société consulte nos fichiers.

Le responsable de la sécurité apparut dans le champ de vision de Brolin.

Le privé secoua la tête.

Derrière Donovan Jackman, plusieurs personnes en blouses blanches passaient en direction des ascenseurs. Les scientifiques descendaient aux labos. Parmi ceux-là, Brolin reconnut aussitôt le petit homme aux lunettes et à la couronne de cheveux blancs : le professeur Haggarth qui l'avait éclairé sur la soie d'araignée. Il était en grande conversation avec une femme de taille moyenne, l'air strict et le regard fatigué. Brolin la reconnut également, Gloria Helskey, la chef de projet. Elle aperçut alors Brolin et lui adressa un bref sourire avant de disparaître dans l'ascenseur.

Personne ne lui parlerait sans l'accord de Jackman. C'était peine perdue.

– Merci de votre coopération, lança-t-il à Donovan Jackman avant de tourner les talons et prenant Annabel par le bras.

Une fois dehors, la jeune femme détailla à nouveau la structure impressionnante de l'entreprise. Puis elle accéléra le pas jusqu'à rejoindre son compagnon.

– Alors, vas-tu me dire pourquoi tant d'acharnement sur le personnel de NeoSeta ? Je ne suis pas sûre que ce soit le meilleur endroit pour commencer nos recherches… Comme l'a fait remarquer M. Desaux, les universités sont un bon point de départ pour trouver un anthropologue ou un toxicologue. J'en conclus que tu as de bonnes raisons…

– Le point zéro.

Annabel écarquilla les yeux tandis que tous deux montaient dans la voiture.

– Qu'est-ce que c'est ?

Le privé introduisit la clé de contact mais ne démarra pas.

– Dans une série de meurtres, il faut toujours déterminer le point zéro, le point d'origine. Le premier crime.

Comme la plupart des détectives, Annabel connaissait les procédures d'investigation habituelles – enquête de voisinage, interrogatoire des suspects, examen des indices matériels… – tout en avouant n'avoir aucune formation pour le meurtre en série, que très peu d'inspecteurs rencontraient dans leur carrière. Depuis qu'elle fréquentait Brolin, certaines notions lui devenaient familières mais elle n'avait jamais entendu parler de ce « point zéro ».

– Dans notre cas, poursuivit le privé, le premier meurtre connu remonte à l'année dernière, le couple Fischer. Suicide apparent pour elle, et empoisonnement à la tétrodotoxine pour lui. On peut dire aujourd'hui que le tueur s'entraînait, c'était « un coup pour rien », du moins à ses yeux. Il n'a pas tué pour satisfaire ses désirs, il n'y avait rien de personnel dans ces crimes, c'était bien pour préparer son grand saut, son *coming out*. Donc, il faut regarder plus récemment. Et le meurtre gratuit de Fleitcher Salhindro. Une vague mise en scène qui ressemble à celle qu'il élabore avec les femmes, sans la développer. En revanche, on sait que la clairière est infestée de veuves noires, et ce depuis plusieurs semaines. C'est là-bas qu'il a commencé. Il y allait souvent, c'est un endroit hautement symbolique pour lui. Reste à trouver pourquoi.

– La base militaire ?

Brolin fit signe que c'était ce qu'il pensait.

– Personne n'y met les pieds en dehors d'un ou deux squatteurs occasionnels. En revanche, la clairière qui s'étend au pied du complexe militaire est de temps à autre fréquentée par des randonneurs. Idéal pour frapper en toute discrétion. Pour se lancer, *piano*, dans le crime, pour débuter son « travail » de mort. En fait, je pense que le tueur faisait partie du personnel militaire, de là à imaginer qu'il venait souvent se ressourcer dans cette clairière...

– Et le rapport avec notre venue ici ce matin ?

– Une employée de NeoSeta m'a confirmé qu'une partie du personnel est composée d'anciens de la base, l'armée finance certains travaux qui se font ici, ils en ont profité pour « recycler » une partie de leurs scientifiques compétents.

– Et donc le tueur travaillerait ici désormais. Pourquoi pas ? Reste à trouver un type dans le personnel avec une formation en anthropologie, ethnologie ou toxicologie – ou n'importe quoi approchant – qui est passé par l'armée dans les années quatre-vingt-dix.

Annabel laissa échapper un ricanement.

– Je n'arrive pas à croire qu'on puisse être si précis avec... finalement presque rien !

– Presque rien ? Ça fait plus d'une semaine qu'on est sur le coup, Annabel. Essaie de retracer tout le schéma depuis le début, ce qui nous a conduits à nos déductions cette nuit sur la profession ou le parcours du tueur. Je n'appelle pas ça « presque rien ».

Elle hocha la tête.

– Oui, excuse-moi. C'est juste que... je ne mène pas une enquête de cette manière, je suis davantage comme Lloyd Meats, à interroger à tout va d'éventuels témoins, à arpenter du bitume plutôt que des pages de documentation, plus classique en somme.

Brolin remis la main sur la clé de démarrage. Il la tourna.

Il y eut un « clic » inhabituel. Sous le capot.

Puis tout le véhicule fut secoué et le moteur rugit. La Mustang commençait à fatiguer, ça n'était pourtant pas le moment qu'elle les lâche, songea Brolin.

Puisque la solution NeoSeta n'avait pas fonctionné – il faudrait attendre l'intervention de Meats avec un mandat –, ils allaient devoir écumer les universités. Rencontrer des spécialistes et faire appel à leur connaissance du milieu, rassembler des listes de noms, en espérant qu'un de ceux-là viendrait faire « tilt ».

Finalement, tout ce travail pouvait ne déboucher sur rien de concret. C'était le plus rageant.

La voiture retrouva un axe routier plus fréquenté et roula vers la ville.

Annabel brisa le silence, revenant à la charge :

– Et pour en arriver là, à propos de la base militaire, tu as « supposé » qu'ils y faisaient des expériences sur la soie d'araignée, ou c'est encore une déduction qui m'a échappé ?

– C'est Nelson Henry qui nous a dit que l'armée s'intéressait aux araignées pour leur soie, tu te rappelles ? Tu étais avec moi ce jour-là. Henry n'a pas fait d'allusion à cette base-là, il ne peut pas savoir, mais compte tenu du contexte, ça m'a semblé envisageable. Il suffisait d'avoir un peu de chance et de tomber sur la bonne personne, en l'occurrence Connie d'Eils, la petite employée que tout le monde considère comme une gentille paumée à NeoSeta, mais qui a des oreilles et des yeux. Je crois qu'elle s'est fait un malin plaisir de tout me répéter sur le personnel.

Annabel fit claquer sa main valide sur le tableau de bord.

– Quoi ? s'inquiéta Brolin.

– Nelson Henry ! Je l'avais trouvé bizarre, un peu trop nerveux, toi aussi d'ailleurs, on en avait parlé. Du coup j'ai demandé à mes collègues de New York s'ils pouvaient se renseigner sur lui. J'ai pas rappelé.

Elle prit son téléphone et composa le numéro de ligne directe du capitaine Woodbine. Celui-ci décrocha et s'enthousiasma d'avoir de ses nouvelles.

– Capitaine, vous vous souvenez, je vous avais demandé un coup de main, quelques infos sur un dénommé Nelson Henry, je sais que ça vous…

– Oh ça va… Je vous connais. Bien sûr que j'ai cherché !

Il soupira longuement, un peu trop pour être naturel, il voulait souligner qu'il n'approuvait pas son entêtement, comprit Annabel.

– Je n'ai presque rien trouvé, je vous ai faxé mes notes, au numéro d'hôtel que vous m'aviez donné avant de partir.

Tout s'expliquait.

– En fait, je n'y suis pas, je n'y suis pas descendue du tout, avoua Annabel.

– Bon, attendez, je dois avoir la feuille quelque part, ne quittez pas. Ah, voilà.

Woodbine murmura dans le combiné tandis qu'il lisait l'état civil.

– Oui, c'est ça, rien à signaler. Né en 1942 à Los Angeles, il est divorcé depuis, euh, 1983, sans enfant. Il est diplômé de l'université Columbia en biologie, euh… Il vit à Rock Creek depuis 1979, enfin d'après mes renseignements, c'est la date où il a acheté sa maison dans l'Oregon, et il travaille aujourd'hui à mi-temps pour le laboratoire du muséum d'histoire naturelle de Portland. Et enfin, il...

Annabel écouta attentivement chaque point, mais c'était un homme tout à fait normal. Peut-être qu'il était nerveux de nature, et qu'ils étaient tombés le mauvais jour.

Jusqu'à ce que Woodbine aborde le dernier point.

Là, Annabel se figea.

Elle posa aussitôt la main sur l'avant-bras de Joshua.

Il tourna la tête vers elle et la découvrit avec le téléphone à l'oreille, l'air abasourdi.

Au carrefour suivant, la Mustang était lancée comme une balle en direction du centre-ville.

Ils fonçaient vers le muséum d'histoire naturelle.

59

Trevor Hamilton avait un alibi pour la nuit où Lindsey Morgan avait été enlevée, la même nuit où on avait abandonné le cadavre de Carol Peyton. À cela venait s'ajouter « l'agression » – pour ne pas dire « tentative d'assassinat » – de Joshua et Annabel. Hamilton était dans le coma lorsque c'était arrivé. Il ne faisait aucun doute que c'était le tueur-araignée qui était derrière tout ça.

Alors pourquoi le sperme de Hamilton était-il dans les gorges des victimes ?

Voilà la question qui hantait l'esprit de Lloyd Meats lorsqu'il descendit de voiture.

Et pourquoi avait-il passé le mystérieux coup de téléphone le jeudi 13 au matin pour qu'on découvre le premier cadavre et que toute l'affaire commence ?

Meats priait pour que ses hommes trouvent quelque chose en fouillant dans le passé de Hamilton. Il connaissait forcément le tueur.

Oui, c'est obligé ! Le coup de téléphone, le sperme, et puis l'empreinte sur la lampe torche, l'empreinte de Mark Suberton, assassiné, et collègue de Trevor Hamilton !

Il y avait un lien avec le tueur. Obligatoirement.

Meats passa devant la façade d'un pavillon mis sous scellés par la police, la demeure des Rosamund. Vingt-quatre à trente-six heures depuis la disparition de Dianne Rosamund et on n'en avait toujours pas la moindre trace. Meats se faisait peu d'illusions quant à son sort.

Ils n'allaient pas tarder à la trouver, quelque part en banlieue, dans un endroit désert, un lieu boisé et avec de l'eau à proximité.

Elle serait aussi légère qu'une enfant.

Et aussi vide qu'un insecte bu par une araignée.

Meats frappa du pied dans une canette en aluminium qui ricocha contre une poubelle. Il soupira et marcha pour ramasser la canette et la mettre dans la poubelle.

Puis il remonta la petite allée jusqu'à la maison voisine de celle des Rosamund. Le nom des Beahm était inscrit sur la sonnette.

L'inspecteur appuya sur le bouton et attendit.

On vint lui ouvrir après une minute.

Jimmy Beahm se tenait dans l'encadrement de l'entrée. Il était bedonnant, mal rasé, et ses cheveux – peu nombreux – étaient sales. Il arborait l'expression de celui qu'on dérange.

Meats lui mit son badge de flic sous les yeux.

– Inspecteur Meats. Je peux vous poser quelques questions ?

Beahm se redressa et tout d'un coup l'inspecteur crut déceler une certaine tension.

– Qu'est-ce que vous voulez ? demanda Beahm sur un ton agressif.

Meats s'efforça au contraire de répondre doucement :

– Juste vous poser quelques questions. Je n'en ai pas pour longtemps. Puis-je entrer ?

Beahm hésita puis sortit en fermant la porte derrière lui.

– C'est le bordel à l'intérieur, dit-il. On sera mieux dans le jardin.

– Comme vous voulez. Vous êtes marié, monsieur Beahm ?

– Vous le savez, non ?

Meats pinça les lèvres.

– Votre femme est là ? voulut-il savoir.

– Non, elle travaille.

– Vous connaissez vos voisins, les Rosamund ?

Jimmy Beahm fit signe que c'était le cas, il semblait excédé.

– C'est à cause du meurtre, c'est ça ? J'ai rien à dire, j'ai rien entendu, rien vu, j'ai seulement lu les journaux, comme tout le monde, s'énerva-t-il. Oui je les connais, et non je ne les apprécie pas. Lui encore, j'ai rien contre lui, mais elle, c'est une vraie fouine.

Il prit une cigarette dans sa poche de chemise et l'alluma.

– Pourquoi ça ?

– Oh merde, faites pas l'innocent, on a dû vous le dire ! Elle connaissait tout le monde dans le quartier et elle passait son temps à raconter des conneries avec ces demeurées ! Mme Rosamund adorait m'espionner, elle se planquait là-haut (il désigna une fenêtre au premier étage de la maison d'à côté) et matait ce qui se passait chez moi.

– Pourquoi faisait-elle ça, d'après vous ?

– Qu'est-ce que j'en sais ? lança Beahm dans un nuage de fumée. Elle était mal baisée et cherchait n'importe quoi pour plus s'emmerder à la maison ?

Ils marchaient dans le jardin derrière l'habitation des Beahm, et Meats remarqua une trappe à l'arrière de la terrasse. La fameuse trappe dont on lui avait parlé. D'après une habitante du quartier amie de Dianne Rosamund, cette dernière surveillait Jimmy Beahm parce qu'il manigançait un mauvais coup. Dianne pensait qu'il dissimulait quelque chose dans sa cave.

– Il fait une de ces chaleurs, vous ne trouvez pas ? intervint l'inspecteur en s'épongeant le front. Peut-on descendre, on sera au frais pour parler ?

Meats désigna la trappe et guetta la réaction de son vis-à-vis.

Jimmy Beahm pâlit.

– Non, c'est dangereux en bas, je fais des travaux. Venez, on va plutôt se mettre à l'ombre sur la terrasse.

Meats attrapa le coup d'œil que Beahm lui adressa fugitivement. Il lui cachait quelque chose.

– C'est inutile, je me rends compte que je dois vous mettre mal à l'aise. Comme vous le savez, votre voisin a été assassiné et sa femme enlevée. Je fais le tour du quartier pour avoir d'éventuels témoignages. Vous n'avez donc rien entendu dans la nuit d'avant-hier ?

– Rien.

– Vous étiez là ?

– Oui, avec ma femme. On a… eu une petite dispute. Mais ça s'est arrangé.

Si c'était vrai, Meats doutait que ce fût la première. Jimmy Beahm avait le profil du type qui hurle après sa femme à longueur de temps.

– Votre femme pourrait le confirmer ?

– Bien sûr ! J'ai passé toute la nuit avec elle, si c'est ce que vous voulez savoir…

Meats composa un sourire qui se voulait amical.

– Ne vous offensez pas, ce sont des questions de routine. Monsieur Beahm, je vous remercie et vous souhaite une bonne journée.

Lloyd Meats contourna la maison, retrouva sa voiture.

Il mit le contact et lorsqu'il passa devant chez Jimmy Beahm, il prit bien soin de ne pas rouler trop vite pour que, s'il était derrière une de ses fenêtres, Beahm puisse le voir partir.

Au bout de la rue, Meats accéléra pour faire le tour du pâté de maisons et se garer à l'écart. Il marcha rapidement jusqu'à la propriété des Rosamund, passa sous le ruban jaune de la police et longea le mur de thuyas qui le séparait du jardin des voisins.

Là, Lloyd Meats s'agenouilla et rampa parmi les arbustes pour avoir une vision correcte sur l'arrière de la maison des Beahm.

Et surtout sur la trappe.

Il s'écoula à peine un quart d'heure avant que Jimmy Beahm ne sorte de la cave en repoussant cette fameuse trappe.

Il suait à grosses gouttes et était essoufflé comme quelqu'un qui a peur d'être surpris.

Mais le plus important aux yeux de Lloyd Meats, c'était qu'il portait un gros sac en toile sur l'épaule.

Assez gros pour contenir un être humain recroquevillé.

60

La sérigraphie sur le verre de la porte indiquait : « Prof. N. Henry ».

Brolin frappa et poussa la porte après avoir entendu « C'est ouvert ! ».

Le bureau était aménagé en laboratoire, avec plusieurs consoles encombrées d'instruments scientifiques. Une dizaine de terrariums s'empilaient dans le fond, tous habités par une créature à huit pattes.

Henry se leva trop vite en découvrant le visage de ses visiteurs, la tête lui tourna et il se rassit aussi rapidement en clignant des paupières.

– Bonjour monsieur Henry, vous vous rappelez de nous ? Joshua Brolin, détective privé, et Annabel O'Donnel. Vous pouvez nous accorder quelques minutes ?

Nelson Henry était visiblement déstabilisé de les voir ici, dans son environnement, il ne s'y était pas préparé.

– Je n'ai vraiment pas le temps, je suis navré, en revanche, si vous me laissez votre numéro, je peux vous rappeler un peu plus t…

– Ça ne prendra qu'un instant, insista Brolin sur un ton définitif.

Il tira un tabouret et s'assit de l'autre côté du bureau du quinquagénaire. Annabel préféra rester debout, elle s'accota à une étagère farcie de dossiers.

Brolin fixa le professeur :

– Monsieur Henry, lorsque nous vous avons rencontré à propos de la soie d'araignée, vous nous aviez parlé de l'armée. D'après vous, elle s'était intéressée à cette matière, pouvez-vous nous en dire un peu plus ?

Henry se passa la langue sur les lèvres à plusieurs reprises. Il semblait chercher quelque chose dans un angle de la pièce. Annabel suivit son regard vers une malle en osier. Le jour entre certains brins laissait deviner le goulot d'une bouteille. Elle se souvint du bourbon ouvert chez lui lorsqu'ils étaient venus. Était-il alcoolique ?

– C'est que, c'est l'armée, balbutia-t-il, on ne sait pas grand-chose là-dessus. Ils ne publient pas dans les revues scientifiques… J'ai entendu parler de recherches effectuées à une époque à Natick dans le Massachusetts, mais il me semble qu'ils ont tout abandonné faute de succès probants.

Brolin s'appuya sur le sous-main, dardant sur le professeur un regard intense.

– Vous n'avez jamais entendu parler d'une base dans la forêt, non loin d'ici ? demanda-t-il calmement. Une base où l'on travaillait sur la soie d'araignée…

Nelson Henry déglutit péniblement. Il passa une main dans ses quelques cheveux blancs.

Brolin décida d'abattre son joker, l'information qu'Annabel avait obtenue par téléphone :

– Nous savons que vous êtes entré dans l'armée en 1969, au sein de leur laboratoire de recherche sur l'armement, à Natick, Massachusetts. Curieuse coïncidence, non ? À partir de là, votre dossier est confidentiel, mais nous savons que vous habitez votre maison à Rock Creek depuis 1979, et que vous avez pris ce boulot au musée il y a seulement trois ans. De là à dire que vous aviez été muté à la fin des années soixante-dix à cette base dans la forêt, pour prendre votre retraite militaire à sa fermeture, il n'y a qu'un pas que je franchis sans hésitation.

Henry se leva précipitamment, mais Brolin était déjà devant lui. Le professeur se rassit aussitôt. Il se sentit soudainement abattu.

Il guetta le téléphone du coin de l'œil.

Que pouvait-il faire ? Appeler ses amis ?

Les appeler…

Il était grand temps de voir les choses en face : il n'était qu'un vieux grincheux, à moitié alcoolo, et dont l'armée se foutait éperdument à présent. Cette base supposée secrète dans la forêt n'était plus qu'un tas de gravats sans importance et, n'en déplaise aux conspirationnistes, il ne s'y était jamais fait grand-chose de faramineux. On y avait expérimenté certaines armes au laser, sans parvenir à un résultat satisfaisant, et les gilets pare-balles en soie d'araignée, plus légers et plus résistants, n'avaient jamais abouti. En fermant la base, l'armée avait proposé à une majorité de ses scientifiques de profiter d'un partenariat avec une société privée qui leur offrirait des salaires plus importants, NeoSeta. Mais lui avait pris sa retraite anticipée, n'ayant plus le courage de quitter son petit univers pour se reconstruire une nouvelle vie.

Aujourd'hui l'armée se moquait de ce qui pouvait être révélé sur ses activités dans cette base. Tout n'y avait été qu'échec.

Alors, qui pouvait-il appeler ?

Longtemps il s'était répété qu'il lui suffisait de prendre son téléphone pour que ses anciens amis de l'armée viennent lui rendre service, il s'était complu dans cette gloriole illusoire.

Nelson Henry eut un éclair de lucidité, il se vit tel qu'il était vraiment, ce qu'il était devenu en vingt ans, depuis le départ de sa femme. Un solitaire paranoïaque, un peu porté sur la bouteille.

C'était brillant. Il pouvait être fier…

– Monsieur Henry…

La voix était douce, c'était celle de la jolie jeune femme.

Il redressa la tête.

Annabel savait qu'elle devait procéder avec délicatesse. Pour Brolin, l'homme qu'ils avaient en face d'eux était un suspect potentiel, elle le connaissait trop bien désormais pour ne pas le savoir. Elle, se fiait à son instinct, une intuition façonnée au travers de son expérience de la nature humaine, sur le terrain. Et pour elle, Nelson Henry était un vieil homme un peu paumé. Se sentant probablement abandonné par cette puissance qui l'avait choyé et fait vivre pendant des décennies.

– Nous ne cherchons pas à vous compromettre ou vous embarrasser, dit-elle. Le fait est que vous pouvez peut-être nous aider à sauver des vies. Nous recherchons quelqu'un qui a sûrement travaillé avec vous, dans cette base. Un individu connaissant les araignées et ayant une formation en toxicologie, ou en ethnologie. Et qui pourrait exercer aujourd'hui à NeoSeta.

Henry eut un rapide coup d'œil vers sa malle en osier en s'humectant les lèvres. Il serra le poing aussitôt. Annabel devinait qu'il réprimait à grand-peine son désir de se servir un verre.

– Je ne sais pas, dit-il enfin. Je suis désolé.

– Vous avez bien dû tisser des liens d'amitié avec d'autres scientifiques là-bas, non ? N'auriez-vous jamais entendu parler d'un de vos collègues qui aurait un savoir assez important sur ces domaines ?

Henry secoua la tête. Lui-même semblait déçu de ne pouvoir l'aider. Il remarqua l'attelle à la main de la jeune femme et l'observa un instant.

Brolin pivota vers Annabel pour échanger un regard avec elle. Il lui demandait son avis. Elle haussa les épaules. Que pouvaient-ils espérer de plus ?

Brolin refit face à Henry et le questionna directement :

– Vous êtes sorti en soirée lors des dix derniers jours ?

Henry parut surpris de cette question.

– Non, je suis resté chez moi…

– Quelqu'un pourrait le confirmer ?

Annabel eut un pincement au cœur. Elle n'était pas certaine que c'était le meilleur moyen de procéder avec Nelson Henry.

– Non, je vis seul. Dites, vous n'êtes pas en train de me suspecter dans votre histoire de cocon ? Ce truc dont vous m'aviez parlé la dernière fois !

Brolin leva les deux mains, en signe d'apaisement.

– Comprenez que je dois vous poser ces questions, s'expliqua-t-il. Tenez, voici ma carte, si vous pouviez réfléchir à tout cela, c'est extrêmement important. Vraiment.

Le détective privé se leva.

– Une dernière chose : savez-vous s'il y a quelqu'un qui travaille au musée qui s'y connaisse en poison, en toxine un peu originale ? Nous aurions besoin de lui poser quelques questions.

– Oui, allez à l'étage inférieur, je crois que c'est la première porte à droite après l'escalier. Ils sont deux et l'un d'entre eux a fait récemment un mémoire sur les toxines venimeuses.

Brolin le remercia et Annabel lui adressa un salut amical avant de sortir.

En fermant la porte, elle chuchota à Brolin :

– Ça n'est pas lui…

– En tout cas il n'a pas d'alibi, répondit le privé tout aussi doucement.

En rejoignant l'escalier, Annabel demanda :

– Tu comptes suspecter aussi l'expert en toxine venimeuse que nous allons rencontrer ?

– Pas pour le moment, mais la première impression est toujours la meilleure. En revanche, s'il y a d'autres scientifiques qui s'intéressent aux toxines et en particulier à la tétrodotoxine sur Portland, lui le saura. À défaut d'autre chose…

Dans leur dos, une porte s'ouvrit brusquement. La voix de Nelson Henry traversa le couloir :

– Attendez !

Annabel et Brolin se retournèrent. Le professeur les rejoignit et se planta juste devant eux.

– Je ne me souviens pas d'un ethnologue ou d'un toxicologue qui ait travaillé avec moi sur les araignées, cependant il y avait un homme à qui on fournissait de temps en temps des doses de venin, il travaillait sur les toxines. C'est votre question sur mes collègues du musée qui m'y a fait penser. Cet homme était ethnobotaniste à l'origine, recruté par la base pour étudier les propriétés des toxines paralysantes. Il touchait un peu aux deux domaines que vous m'avez demandés, ethno et toxico.

– Vous vous souvenez de son nom ?

– Bien sûr, on s'est croisés pendant presque dix ans. Mais si je vous en parle c'est parce que vous avez insisté, alors on ne sait jamais, des fois que... Ses recherches, ou je ne sais quoi. Par contre, vous pouvez le rayer de la liste de vos suspects si c'est à ça que vous pensiez.

– Pourquoi ?

– Il est mort.

L'espoir n'avait duré qu'une poignée de secondes.

– Enfin si vous êtes amateur d'histoires un peu fantastiques, continua Henry avec un demi-sourire, vous pouvez toujours insister, parce que tout un tas de rumeurs un peu folles ont circulé à son sujet au moment de son décès. Pour se faire un peu peur, on chuchotait qu'il n'était pas *vraiment* mort.

– Comment ça ? demanda Annabel.

– Il faut remettre les choses dans leur contexte, on travaillait sous couvert du secret dans une base qui n'était pas sur les cartes, et au milieu d'une forêt gigantesque ! Alors, c'est vrai que parfois, pour décompresser et pour faire un peu peur aux collègues féminines, on disait qu'il n'était pas totalement mort. Parce qu'il travaillait sur une toxine censée vous faire paraître mort sans l'être tout à...

– La tétrodotoxine ? intervint Brolin.

– Oui, c'est bien possible, ça me dit quelque chose en effet. L'armée s'intéressait à ce produit pour plonger des hommes dans une sorte d'hibernation, je crois qu'à terme, le projet devait passer entre les mains de la NASA, pour les voyages dans l'espace. Je suppose que les résultats ne correspondaient pas à leurs espérances, l'étude est sûrement tombée à l'eau, je ne sais pas.

– Quel était le nom de cet homme ?

– Oh, ne vous imaginez pas toute une histoire avec ça, il est bien mort, c'était juste pour plaisanter à l'époque… Je me suis dit qu'il correspondait avec ce que vous cherchiez. Il a été incinéré. Il s'appelait William Abbocan. Un brave type.

61

Lloyd Meats longea la haie de thuyas. Il sortit son arme de son holster en prenant soin de la pointer vers le sol. De l'autre côté, Jimmy Beahm ouvrait le coffre d'une vieille Honda rouillée pour y déposer son sac de grande taille.

Au moment où il débouchait sur la pelouse de Beahm, l'inspecteur Meats le vit jeter son fardeau comme s'il n'était pas plus lourd qu'un sac de couchage.

Il l'a vidée... Elle ne pèse plus rien maintenant... C'est lui ! C'est lui ! Dianne Rosamund avait raison, il cachait bien quelque chose dans sa cave ! Et c'est parce qu'elle savait qu'il l'a tuée, qu'il a massacré son mari.

Meats releva le canon de son arme, il s'approcha à petits pas rapides. Puis inspira un grand coup avant de lancer d'une voix claire et autoritaire :

– POLICE ! NE BOUGEZ PLUS, VOUS ÊTES EN ÉTAT D'ARRESTATION !

Beahm, qui avait les mains sur le hayon du coffre, prêt à l'abaisser, releva la tête d'un coup. Il vit Meats et le canon de son arme pointé sur lui.

L'inspecteur fit deux pas de plus.

– Inutile de résister, c'est terminé, Beahm. Allez, laissez vos mains en l'air, bien en vue, et agenouillez-vous.

Cinq mètres les séparaient.

Lorsque Meats aperçut les deux prunelles du suspect bouger de droite à gauche pour analyser l'environnement, il sut ce qui allait se passer.

Beahm pivota et se lança à toute vitesse dans la contre-allée, pour contourner sa maison, vers son jardin. Il savait qu'aucun flic n'oserait lui tirer dans le dos alors qu'il n'avait pas d'arme à la main.

Meats eut une demi-seconde d'hésitation, prêt à presser la gâchette, puis, réalisant qu'il n'y avait pas de danger direct puisque Beahm fuyait, il poussa sur la pointe de ses pieds et se mit à le poursuivre, l'arme pointée vers le ciel.

Meats hurla :

– ARRÊTEZ-VOUS !

Et il fit feu une fois, visant les nuages.

Beahm ne ralentit pas. Il traversa son jardin jusqu'à la palissade qui en fermait l'extrémité. Il sauta pour se hisser au sommet, malgré son poids, et se laissa retomber de l'autre côté au moment où Meats l'atteignait à son tour.

Quelques secondes plus tard, Meats basculait dans la ruelle qui serpentait entre les maisons du quartier. Beahm courait de toutes ses forces pour rejoindre un axe plus large, avec des voitures.

L'inspecteur était sur ses talons, suffoquant déjà à sprinter dans cet air brûlant. Il vit Beahm déboucher au bout de la ruelle.

Au moment où une fillette surgissait sur son minuscule vélo à roulettes.

Beahm tenta de sauter par-dessus.

Sa lourde cuisse entra en contact avec le guidon et heurta la fillette qui fut balayée par la vitesse.

Elle s'effondra sur le goudron, la tête rebondissant en claquant sur la route.

Beahm manqua de trébucher et se rétablit avant de foncer de plus belle.

Pendant un court instant, Meats sentit son bras armé se déplier en direction du fugitif. Puis se rétracter. Il ne devait pas. Il pouvait y avoir du monde. Et on ne tire jamais sur un suspect qui s'enfuit. Sauf s'il menace directement la vie d'autrui.

Lorsqu'il arriva au niveau de la fillette, Meats vit une jeune fille s'agenouiller à côté d'elle en criant. Il y avait un peu de sang qui coulait vers le caniveau.

Meats posa son téléphone portable à côté d'elle en passant.

– Appelez une ambulance ! s'écria-t-il en accélérant à nouveau.

La sueur commençait à lui brûler les yeux.

Beahm courait aussi vite qu'il le pouvait avec son large excès de poids et malgré la canicule. Son rythme trahissait l'épuisement qui le gagnait, ce qui redonna de l'énergie à l'inspecteur. Bientôt celui-ci ne fut plus qu'à quelques mètres.

Meats haletait, il aurait voulu avertir Beahm, lui ordonner de s'arrêter, mais il n'y parvenait pas. Il était tout près maintenant.

Il pouvait sentir la transpiration du criminel.

Il allait l'avoir. Dans un instant.

Beahm sentit qu'il était rattrapé. Aussi agrippa-t-il le poteau d'un panneau de signalisation et il se freina d'un coup.

Meats n'eut pas le temps de s'immobiliser, et rentra de plein fouet dans le fuyard.

Les deux hommes roulèrent sur le sol jusqu'à ce que Beahm se retrouve sur Meats, levant un poing pour l'abattre sur le visage du flic.

Meats frappa de toutes ses forces avec son bras libre. Celui qui tenait l'arme.

La crosse entra en contact avec la joue de Beahm, puis le front, avant de revenir une troisième fois pour écraser son oreille et en arracher un bout avec le guidon du canon.

Beahm roula sur le côté en vociférant.

Meats eut à peine le temps de lui passer les menottes avant de s'accroupir au-dessus de l'accotement pour vomir, tant à cause de l'effort que de la chaleur et de la peur rétrospective.

Deux voitures de police étaient garées sur la chaussée, Jimmy Beahm assis à l'arrière de l'une d'entre elles. Meats avait refusé qu'on appelle un infirmier pour soigner la vilaine blessure que le suspect avait à l'oreille. Cela attendrait qu'ils soient tous au Central.

L'ambulance transportant la fillette et sa grande sœur venait à peine de quitter la rue en direction de l'hôpital.

Meats fit signe à un des officiers de police :

– Emmenez-le, je vais chez lui avec l'autre voiture.

Il savait qu'il n'avait pas besoin de mandat immédiat pour ouvrir le sac dans le coffre de la vieille Honda, non plus que pour jeter un coup d'œil au sous-sol. Il pouvait jouer sur la situation et sur les circonstances pour suspecter Jimmy Beahm de détenir une victime vivante chez lui, ce qui autorisait Meats à entrer pour vérifier qu'aucune vie n'était en danger.

La deuxième voiture déposa Meats devant la maison du suspect. Le hayon du coffre de la Honda était toujours ouvert.

L'inspecteur se frotta la barbe en s'approchant. Il avait les jambes tremblantes.

Le sac était bien là. Meats saisit la fermeture.

Il s'humecta les lèvres et inspira pour se donner du courage.

Et il l'ouvrit.

Meats fit un pas en arrière.

Il resta là pendant une minute, avant de tourner les talons et de foncer derrière la maison, pour ouvrir la trappe dont il fit sauter le cadenas d'un coup de pelle.

Il descendit les marches en bois, pénétrant la fraîcheur et l'odeur d'humidité qui habitaient l'endroit. Ainsi qu'un parfum mentholé qui provenait du fond du couloir, derrière une porte.

Meats entra dans cette pièce sombre et alluma l'interrupteur.

Lorsque les ampoules illuminèrent les lieux, l'inspecteur en resta bouche bée.

Avant de s'asseoir sur un tabouret poussiéreux en se prenant la tête à deux mains.

62

En sortant du muséum d'histoire naturelle, Brolin appela Larry Salhindro qu'il trouva à son bureau, au Central de police.

– Larry, on a peut-être une piste, il faudrait que tu nous trouves tous les renseignements possibles sur un certain William Abbocan. Il travaillait pour l'armée, aussi auras-tu un peu de mal à accéder à certaines données. Je suis avec Annabel, on arrive tout de suite.

Lorsqu'il raccrocha, Annabel le dévisagea.

– Tu penses vraiment qu'il peut y avoir un lien entre lui et notre tueur ? demanda-t-elle.

– Abbocan bossait dans cette base qui semble être importante pour le tueur, il connaissait la toxicologie puisqu'il était fourni en venin d'araignée de temps en temps, Nelson Henry nous l'a dit. Et surtout il étudiait la tétrodotoxine. Combien de personnes dans cet État peuvent à ce point correspondre à notre profil, d'après toi ? À mon avis, il n'y en a pas deux.

– Et qu'il soit mort, ça ne te dérange pas ?

– Pour le moment, je me concentre uniquement sur le fait qu'il est le seul, probablement l'unique, à satisfaire à tous les critères. Je crois que ça vaut le coup d'approfondir dans ce sens, non ?

Annabel leva les mains devant elle.

– Je voulais juste que tu me le dises, se justifia-t-elle. Tu sais, c'est difficile de toujours essayer de te suivre, de *deviner* ce que tu penses. Mais sur ce coup je suis avec toi, c'est ce que j'aurais fait ; de toute façon on n'a que ça…

Brolin l'observa curieusement. Un mélange de tristesse et de… de douceur ? s'interrogea la jeune femme. Comme s'il était sur le point de lui faire une confidence, ou de la prendre dans ses bras en s'excusant pour tous ces moments où il pouvait être aussi glacial qu'un iceberg.

Ne prends pas tes désirs pour la réalité !

Brolin tourna la tête en direction de la Mustang et son expression impassible glissa à nouveau sur ses traits et son regard.

Qu'est-ce que tu croyais ? se maudit Annabel. Ces fractions d'intimité avec les émotions réelles du détective privé étaient rares, et ne duraient jamais longtemps. Si bien que la jeune femme en était venue à songer que, dans ces brefs instants, elle flirtait avec l'âme de Brolin.

Elle n'avait, décidément, pas une relation normale avec lui.

Larry Salhindro leur avait préparé une petite place dans sa caverne recelant la mémoire récente de la police, là où les empilements de dossiers ressemblaient à des stalagmites.

À peine étaient-ils assis que Larry leur sauta dessus :

– Où est-ce que vous avez trouvé ce nom de William Abbocan ?

Annabel laissa Brolin expliquer la situation. Les déductions, les recoupements, jusqu'à Nelson Henry.

– Pourquoi, tu as quelque chose sur lui ? demanda en retour le détective privé.

Salhindro frappa son index sur une suite de notes illisibles posées devant lui.

– Pas grand-chose, date de naissance, de décès…

– Quand est-il mort exactement ? l'interrompit Annabel.

– Euh… Le 14 avril 1998, à l'âge de trente et un ans, il a été renversé par un bus en traversant, le truc con.

– Marié, des enfants ? voulut savoir Brolin.

Salhindro pointa son doigt sur sa feuille :

– Justement, c'est là que ça devient intéressant. Comme tu l'avais prévu, on ne sait pas grand-chose de lui, en dehors de son cursus universitaire scientifique, puisqu'il est recruté par l'armée en 1992. À partir de là, on n'a plus rien, je présume que l'armée fait barrage aux informations concernant les scientifiques qui travaillent pour elle.

– Surtout lorsque c'est au sein d'une base qui n'existe pas… murmura Annabel.

– Ça encore, c'est un secret de polichinelle, commenta Salhindro, du moins pour celui qui prendrait le temps de se documenter auprès des gens habitant les petites villes à proximité. L'armée aime disposer de bases qui n'apparaissent pas sur les cartes, c'est pratique pour ne pas être emmerdé ; tiens, c'est comme cette fameuse Zone 51 au Nouveau-Mexique ou au Nevada, je ne sais plus, on a longtemps cru qu'ils y cachaient un vaisseau extraterrestre alors que l'Air Force y faisait les essais de ses avions furtifs… Depuis trente ans, l'armée ferme ses bases « non officielles », je crois qu'ils en ont marre qu'on crie au complot dès qu'on tombe sur un site classé « secret-défense ».

– Qu'y a-t-il de si intéressant avec Abbocan ? demanda Brolin pour revenir au débat d'origine.

– Ah oui, ça concerne sa femme. Une certaine Constance Abbocan. Ils se sont mariés en 1995, apparemment ils s'étaient rencontrés sur la base.

– Quoi ? s'étonna Annabel.

– Oui, certainement puisqu'il s'avère qu'elle aussi appartenait à l'armée. J'ai retrouvé quelques informations sur elle : diplômée en zoologie, spécialisée dans la systématique et l'évolution des arthropodes, dont les araignées font partie.

Ces derniers mots agirent comme une formule magique, transportant en leurs cœurs le sésame de l'énigme qui torturait tant Brolin. En un instant, toutes les pièces du puzzle s'imbriquèrent dans le bon ordre. Il voyait clair. Il comprenait enfin la logique criminelle dans tous ces actes.

Comment avait-il pu ignorer cette solution si longuement ?

– C'est elle, trancha-t-il.

Salhindro voulut le tempérer :

– Josh, c'est une femme, n'allons pas trop vite, j'ai juste dit qu'elle travaillait aussi sur la base, ça ne fait pas d'ell...

– Non, Larry, c'est elle, il n'y a aucun doute.

Brolin observa son ami puis passa à Annabel.

– Vous n'avez pas compris ? C'est une femme qui commet tous ces crimes... Depuis le début, elle nous le dit : « *Je suis une femme.* »

63

Brolin se leva.

– Depuis le début, on trouve la présence de l'eau sur toutes les scènes de crime. Que ce soit parfaitement assimilé et voulu ou une réponse à un besoin qu'il ne s'explique pas, le tueur s'arrange toujours pour qu'il y ait cette omniprésence du liquide. Symbole de la purification et du renouveau, peut-être parce qu'il veut nous dire quelque chose comme « je me lave de ce que je suis, de mes actes », ou peut-être pour apaiser sa conscience. Quoi qu'il en soit, c'est un symbole rare, pour ne pas dire unique, chez les criminels de ce genre. Tous les spécialistes de meurtres en série vous le diront, on sait l'importance du feu en général chez les serial killers, en rapport direct avec leur crime ou par une fascination perverse dans leur quotidien. On connaît aujourd'hui la fameuse « triade » propre à l'enfance/adolescence de la plupart des tueurs en série : énurésie, cruauté ou sadisme envers autrui, et pyromanie. Cette même fascination qu'il semble qu'on ait détectée chez Trevor Hamilton.

Brolin marqua une courte pause avant de reprendre :

– Mais chez le tueur aux araignées, c'est l'eau et pas lwla femme également. De la vie, du don de vie, et de la naissance. Je sais à vous regarder que cette symbolique ne suffit pas à vous convaincre que le tueur est une femme, et vous auriez raison s'il n'y avait que ça.

« C'est un ensemble. Il faut voir ses crimes comme un tout, la réponse curative à une souffrance. Et encore une fois je le répète : nous n'avons pas affaire à un dément inconscient de ses actes, bien au contraire. C'est une personne tout à fait lucide quant au crime qu'elle commet, j'en veux pour preuve qu'elle prend soin de choisir des familles sans enfant, pour ne pas avoir à les supprimer si les choses tournaient mal. Dans les premiers temps, avant que nous la mettions en colère, elle ne tuait pas les maris, elle avait recours à un stratagème ingénieux pour qu'ils ne se réveillent pas, jamais de violence inutile. Quel genre de tueur se donnerait tant de mal pour se procurer la tétrodotoxine simplement pour ne pas avoir à tuer les maris de ses futures victimes ?

– Quelqu'un qui ne tourne pas rond ! tonna Salhindro, un barge qui s'est constitué un petit monde de valeurs égoïstes et qui n'hésite pas à tuer pour atteindre son plaisir, tout en obéissant à des règles stupides qu'il se serait inventées, comme d'intervenir sans que les maris puissent s'éveiller !

– Non, Larry, rétorqua Brolin. Ce modèle de tueur que tu décris se sert de ses victimes comme d'un instrument pour atteindre le plaisir, ou pour se rapprocher d'un objectif précis élaboré dans ses fantasmes, il ne considère jamais ses victimes comme des êtres humains, mais comme des choses, des objets. Notre tueur aux araignées a parfaitement conscience des autres et de leur possession. Saphir en est la preuve.

– Ton chien ? s'étonna Salhindro.

– Oui. Le soir où il est entré chez moi, le tueur aurait pu se débarrasser de Saphir sans problème, avec de la viande empoisonnée à la mort-aux-rats ou tout simplement lui enfoncer un long couteau dans la gorge. Tout plutôt que d'utiliser une dose de son produit à base de tétrodotoxine, un mélange difficile à se procurer, à élaborer, que le tueur n'a pas hésité à « gâcher » pour neutraliser Saphir. Il avait conscience que c'était une vie, et il ne souhaitait pas la prendre. Combien de criminels feraient une chose pareille pour un chien ?

– Tu oublies le cerf dans les bois ? contra Salhindro. Cette pauvre bête éparpillée sur plusieurs mètres !

– Parce que le tueur était furieux ! Il voulait nous montrer de quoi il est capable, c'était un avertissement pour nous engager à l'observer mais à ne pas intervenir. Il veut que ses actes soient connus de plus grand nombre – il a orchestré le coup de téléphone pour qu'on trouve la première victime – sans pour autant que la police l'approche de trop près.

– Il tue le cerf en guise de crime préventif, si je te suis bien, détailla Annabel, pas tout à fait convaincue. Une sorte de sacrifice nécessaire qui peut peut-être, du moins dans son esprit, lui éviter de prendre des vies humaines, celles des flics qui chercheront à l'attraper.

– Tout à fait. Ce que je veux dire c'est que nous avons affaire à un tueur différent, qui ne tue pas pour répondre à un fantasme. Et pourtant il y a de la rage dans ce qu'il fait.

« Il écarte les maris dans un premier temps, ce sont les femmes, des jeunes mariées, qu'il cherche. Il les emporte, les vide de toute substance et les abandonne dans la nature, le royaume des araignées, emmitouflées dans des cocons de soie. Pourquoi les vider de tout ce qu'elles contiennent ? Pour les désincarner, pour dire qu'elles ne sont rien, qu'elles n'ont rien en elles, elles sont vides, voilà comment le tueur voit ses victimes, et comment il veut qu'on les voie à notre tour. Et il s'est donné du mal pour ne pas abîmer l'enveloppe, pour ne pas pratiquer d'incision directe, car il veut nous montrer qu'elles sont ainsi *naturellement*, vides.

– Et asexuées, fit remarquer Annabel. Il les rase entièrement, des pieds au crâne.

– Je ne suis pas sûr, corrigea Brolin. S'il les voulait asexuées, il maquillerait leur sexe, le déformerait d'une manière ou d'une autre, idem pour les seins. Non, je crois qu'il les veut dans le plus simple appareil, toutes égales, sans distinction de couleur de cheveux, ou de longueur, de sourcils ou je ne sais quoi. Ce n'est pas chaque victime qui est importante, c'est l'ensemble, ce sont les femmes en général qu'il veut toucher, dont il veut parler. *Les femmes sont vides*, voilà ce qu'il dit. Et les maris inutiles.

– Je croyais que les maris n'avaient aucune importance ? exprima Annabel.

– Au début c'est ce qu'on aurait pu penser, avec les deux premiers crimes, les Peyton et les Morgan. Mais avec le meurtre de Christopher Rosamund récemment, la donne a changé. Il a été frappé à la gorge, puis dans le dos, et on l'a retourné ensuite, alors qu'il devait déjà être mort ou qu'il allait l'être dans les secondes suivantes, pour le frapper à nouveau au torse, et lui arracher le sexe. Ça c'est ce que j'appellerai un mouvement de haine. Le tueur ne l'avait jamais fait. Dans la vision du tueur, l'homme est absent, inutile ou alors inconscient de ce qui se passe vraiment. Et lorsque cet homme est vraiment présent, alors il est source de haine.

« Je vous disais qu'il faut analyser les crimes dans leur ensemble, et donc on peut aussi s'intéresser aux méthodes du tueur. En particulier à cette fascination pour les araignées. Que sont-elles dans l'esprit collectif ? Une source de peur. Quoi d'autre ? Qu'a-t-on l'habitude de dire des araignées lorsqu'on pense à elles ?

– Qu'elles dévorent leurs mâles, proposa Annabel en songeant que cette notion venait renforcer la théorie de Brolin.

– Exact, et même si ça n'est pas vrai pour toutes les araignées, c'est quelque chose qu'on assimile à ces créatures. Elles sont autonomes, elles vivent sans mâle, ne s'en servant que pour se reproduire et le dévorant ensuite. Voilà qui nous rapproche encore plus de notre tueur, n'est-ce pas ? Sans compter que le mythe fondateur de l'araignée, Arachné, est l'histoire d'une femme maudite pour l'éternité, condamnée à tisser alors qu'elle allait se suicider après s'être rendu compte qu'elle avait défié les dieux. Une femme qui n'a pas pu réaliser sa volonté et qui a été contrainte de souffrir, à jamais. Si on synthétise tout cela qu'est-ce que ça nous donne ?

Annabel résuma :

– Un tueur qui affectionne la notion de solitude, d'autonomie sans l'homme, qui déteste ce dernier lorsqu'il s'impose, et qui dans le même temps considère toutes les femmes comme vides. Ah, et qui cherche à se purifier de ses crimes, ou peut-être à nous dire qu'il fait cela pour donner la vie, je ne sais pas trop comment interpréter la notion d'eau en fait.

– Encore une fois, intervient Brolin, si le tueur la rend omniprésente, c'est qu'elle est le substrat même de ce qu'il recherche : symbole de purification, de la vie, et de la femme.

Larry, qui oscillait entre admiration et incrédulité, objecta :

– Si pour lui « les femmes sont vides », alors pourquoi le symbole féminin de l'eau pourrait bien le fasciner à ce point, c'est pas logique !

– Parce qu'il est humain. Il a ses failles. Le tueur n'est pas lui-même une machine, c'est un être humain qui a eu une vie avant tout cela, et qui aujourd'hui encore souffre de ses reliquats. Le tueur est une femme, probablement instable psychiquement, une femme fragile, en tout cas qui l'a été, et qui est passée de l'autre côté. Elle se sait femme, et s'accepte dans la symbolique de l'eau, tout en se considérant à part, pour nous délivrer, à nous et au monde entier, son message de mort et de colère contre les femmes et les hommes. Les femmes qui n'ont rien à l'intérieur, qui ne font rien, qui ne servent plus à rien, et les hommes inutiles et absents lorsque quelque chose d'important se passe.

« C'est une personne qui a souffert, à qui il est arrivé quelque chose de traumatisant, et qui maintenant ne parvient plus à vivre parmi tous ces monstres.

Devant le regard étonné de Salhindro, Brolin ajouta :

– Oui, Larry, je pense qu'à ses yeux, les monstres, c'est nous. Pas elle. Et cette victime c'est Constance Abbocan.

Salhindro haussa les sourcils en soupirant, il ne savait plus quoi penser.

– Lorsqu'elle a basculé de l'autre côté, probablement pas d'un coup, mais plutôt progressivement, sur une période de quelques mois, elle a dû chercher dans ce qu'elle savait pour se reconstruire, en tout cas pour se définir un moyen de survivre à ce traumatisme. Et parce qu'elle travaillait avec les araignées, elle s'est assimilé une partie de ce qu'elles représentent. De même, lorsque la nécessité de *parler* au monde – même si cette communication s'est faite au travers de crimes –, de dire aux autres ce qu'elle ressentait, est devenue trop forte pour être contenue, elle a cherché comment le dire. Son mari n'aura pas manqué de l'informer sur les propriétés de la tétrodotoxine, et étant lui-même ethnobotaniste, il devait connaître l'usage que faisaient les Égyptiens de l'huile de cèdre et donc leurs procédés d'éviscération, à moins qu'il n'ait eu des livres à la maison détaillant cette opération. Autant de choses que Constance Abbocan a pu apprendre au cours de leur vie commune.

– La mort de son mari pourrait être l'élément qui a déclenché sa folie ? demanda Annabel.

– Peut-être. À nous de chercher. Quoi qu'il en soit, elle était déjà particulièrement instable avant ça, il ne suffit pas d'un seul événement, si tragique soit-il, pour faire d'une personne un tueur redoutable. On en revient à un maître mot : c'est un *ensemble* qui provoque un tel résultat. C'est pourquoi il faut voir les crimes comme un immense puzzle détaillant la personnalité du coupable. Parce que ces actes sont le résultat d'une émotion exacerbée, ils sont chargés de parcelles de cette émotion, de la personnalité du tueur. À nous de savoir comment les lire, et comment les rattacher les unes aux autres afin de comprendre le raisonnement qui habite le tueur. Encore une fois : un tueur qui n'est pas psychotique possède obligatoirement sa logique, construite d'après ce qu'il est, et étant l'essence même du pourquoi il tue, elle s'imprègne *logiquement* dans le crime lui-même, à nous de remonter en sens inverse jusqu'à l'individu. Voilà la base même du profilage.

Le silence tomba sur le bureau encombré. Salhindro tapotait de ses doigts boudinés les quelques notes qu'il avait rassemblées.

– Je sais pas… dit-il enfin. Je ne suis pas entièrement convaincu. J'ai peine à croire qu'une femme puisse faire ça. Le sperme dans la gorge des victimes, c'est pas une femme qui penserait à un truc aussi terrible !

– Pourquoi pas ? C'était un leurre, on sait maintenant que Trevor Hamilton n'est pas celui qui a enlevé Lindsey Morgan et abandonné le corps de Carol Peyton, il a un alibi qui tient la route. Tout ce qu'on a sur lui, c'est son sperme sur les victimes et le coup de téléphone qu'il a passé. Il peut n'être qu'un sous-fifre ou un instrument. Personnellement, je ne crois pas qu'il soit complice, les crimes véhiculent un univers bien trop singulier et cohérent pour être l'assemblage de deux personnalités. Pour moi, Trevor n'est qu'un outil dont s'est servi le tueur pour nous dérouter.

– Dans ce cas, pourquoi ne pas continuer sur ta lancée du symbolique ? renchérit Annabel. Le sperme dans la gorge c'est quoi ? La notion de salissure, de semence gâchée, ou peut-être le moyen de dire « le sperme de l'homme étouffe la femme, l'empêche de respirer, de parler ».

Brolin pointa son index en direction d'Annabel.

– Voilà qui correspond au reste. Tu y es, c'est un élément plus *parlant* que ce que je viens de considérer. Bien sûr, puisque le tueur se donne un mal fou pour ne pas *inciser* ses victimes et malgré tout, il les « ouvre » à la gorge pour déposer le sperme. C'est donc que c'est très important pour lui. Plus qu'un leurre, c'est aussi un moyen de communication. Et je crois que ta dernière hypothèse s'intègre parfaitement avec le reste. Il ne faut pas voir ce sperme comme le résultat d'une attaque sexuelle, mais plutôt comme une attaque contre les hommes. L'homme s'immisce dans la femme, là où il ne devrait pas être, il la pollue, il cherche par tous les moyens à la pénétrer, il l'étouffe dans tous les sens du terme, il la prive de sa voix, lorsque l'homme est *dans* la femme, elle est vide… Ça rejoint ce que fait le tueur lorsqu'il s'en prend à une victime de sexe masculin, comme Christopher Rosamund. Il s'est acharné sur lui, et en particulier sur ses organes génitaux. La source du traumatisme serait-elle là ? Des abus sexuels ? Haine envers l'homme et sa représentation virile en tout cas.

La porte du bureau s'ouvrit dans leur dos.

Lloyd Meats entra en s'épongeant à l'aide d'essuie-tout, il venait de s'asperger d'eau.

– On m'a dit que vous étiez ici, lança-t-il en guise de bonjour.

– Ça n'a pas l'air d'aller ? s'inquiéta Salhindro.

– Je viens de perdre ma matinée sur une fausse piste. Jimmy Beahm, le voisin des Rosamund.

– Celui que Dianne Rosamund surveillait ?

– Oui, il agissait à l'instar d'un criminel, planquant quelque chose dans sa cave, d'après ce qu'elle disait.

– Et alors ? Les délires d'une femme un peu parano qui s'emmerde et qui s'invente des trucs pour passer le temps ? proposa Salhindro avec le sourire du célibataire endurci.

Lloyd Meats visa la corbeille à papier et y lança l'essuie-tout roulé en boule.

– Oh non, elle n'avait pas « fantasmé », dit-il. Jimmy Beahm est au chômage depuis plus d'un an, il avait décidé de se faire un peu de fric en cultivant de l'herbe dans son sous-sol.

Salhindro étouffa un gloussement.

Meats hocha la tête avec dérision, il n'avait aucune envie d'en rire :

– Je vous jure, ce type a une installation avec des lampes spéciales dans sa cave, il faisait pousser plusieurs pieds. Je l'ai arrêté tandis qu'il s'enfuyait avec un gros sac que j'ai pris pour sa dernière victime. Il était rempli à craquer de plantes ! Il venait de les arracher et allait s'en débarrasser lorsque je suis intervenu. Le meurtre des Rosamund et la présence de tous ces flics autour de chez lui ont dû lui foutre la trouille et il a voulu tout jeter.

Brolin l'encouragea d'une tape amicale sur l'épaule et des premiers mots qui lui vinrent à l'esprit :

– Tant pis pour le temps perdu, c'est l'essentiel d'une enquête, non ?

– Sauf que cet enfoiré ne s'est pas laissé faire et qu'il a renversé une fillette de huit ans en tentant de s'enfuir. Elle est à l'hosto et aux dernières nouvelles, les médecins ne peuvent assurer qu'elle n'aura aucune séquelle. Tout ça pour dix plants d'herbe ! J'étais à deux doigts de l'abattre, cette pourriture.

Meats se servit un gobelet à la fontaine à eau. Il ne supportait pas l'idée de cette fillette dans un lit d'hôpital, de ce que les statisticiens du crime appelaient « les dommages collatéraux ». Il savait déjà que le soir même, il serait au chevet de la gamine, avec une poupée dans son emballage afin de s'épargner d'avoir à trouver les mots pour les parents.

– Les gars en dessous m'ont dit qu'ils avaient détaillé la bio de Trevor Hamilton, fit-il pour changer de sujet et se focaliser sur autre chose que cette peine et le sentiment de culpabilité.

Salhindro acquiesça.

– Oui, concernant la fouille de son appartement, ça n'a rien donné, on n'a pour le moment rien d'utile. Et l'autre mauvaise nouvelle c'est à propos de la fameuse toxine, la… tétrodotoxine, lut-il. Kiewtz dit qu'on peut se la procurer facilement auprès des pêcheurs californiens, en leur achetant des poissons-globes, il faut ensuite prélever les viscères et d'autres parties du poisson pour en extraire la toxine. N'importe qui ayant des rudiments de biologie peut le faire.

Meats fourragea dans sa barbe en regardant le plafond.

– Chier… murmura-t-il.

Salhindro ignora le fax qui arrivait, il adressa un bref coup d'œil à Brolin et se tourna vers l'inspecteur dirigeant la cellule :

– Écoute, Josh a une théorie sur le tueur. Avec Annabel ils ont fait leur enquête de leur côté. Et… peut-être que tu devrais écouter ça.

Meats fit face au détective privé et à la jeune femme, curieux de les entendre. Il savait que Brolin était capable de véritables traits de génie, mais parfois il allait un peu trop loin dans ses interprétations.

Brolin et Annabel se partagèrent le récit de leur enquête, puis l'ancien profileur détailla son analyse pour recentrer son explication autour de Constance Abbocan, qui d'après lui centralisait tout ce qu'ils cherchaient : elle avait travaillé dans cette base qui prenait une portée symbolique pour le tueur, elle maîtrisait parfaitement le domaine des araignées, son mari était ethnobotaniste et donc pouvait l'avoir formée sur la tétrodotoxine puisqu'il l'étudiait et même sur l'huile de cèdre et son usage dans l'Égypte antique.

516

Présenté succinctement, il fallait reconnaître que tout cela convergeait, remarqua Salhindro. Mais ce qui acheva de le convaincre fut un détail que Brolin considérait comme anodin. Les gouttes de sang relevées dans la chambre de la première victime avaient été non pas essuyées mais bues. Le tueur avait posé le papier sur les gouttes pour qu'elles soient absorbées plutôt que de frotter le parquet. C'était aux yeux du gros flic un geste typiquement féminin.

Meats, quant à lui, n'attendit pas la fin des déductions, il décrochait déjà le téléphone pour qu'on lui trouve de toute urgence l'adresse de Constance Abbocan.

– J'ai déjà essayé de lancer une recherche, expliqua Salhindro lorsque Meats eut raccroché. Et je n'ai que l'adresse où vivait le couple autrefois, j'ai même creusé dans ce sens juste avant qu'ils n'arrivent (Larry désigna Annabel et Brolin du menton). Mais après la mort de William Abbocan, l'agent immobilier que j'ai eu au téléphone m'a dit que la maison était à l'abandon, il ne sait rien d'une « Mme Abbocan », en tout cas il ne l'a jamais vue.

– Ça vaudrait le coup d'aller y jeter un coup d'œil, fit remarquer Brolin.

Meats approuva.

– Larry, c'est quoi ce fax qui est arrivé tout à l'heure ? demanda-t-il en devinant le nom « Abbocan » sur la première ligne.

Salhindro se pencha pour prendre la feuille.

– C'est la suite des infos que j'ai demandées sur Mme Abbocan, fit-il en lisant les données.

Son visage s'obscurcit brusquement.

– Merde... Attendez une minute...

517

Larry se redressa et se mit à fouiller un dossier ouvert sur son bureau jusqu'à trouver ce qu'il cherchait.

Il releva les yeux vers les trois personnes qui le fixaient dans l'expectative.

– Je crois bien qu'on a notre tueur, lâcha-t-il enfin.

64

Tout scepticisme avait à présent quitté Larry Salhindro. Ce qu'il avait sous les yeux défiait toute coïncidence, à ce niveau, ça ne pouvait qu'être une preuve de culpabilité.

Il montra le dossier ouvert devant lui.

– Ce sont les derniers rapports de Cooper et Alsting sur la biographie de Trevor Hamilton. Où il est question des séjours répétés de Trevor dans un hôpital psychiatrique de la ville, jusqu'au début de 2001. Il était soigné pour des troubles importants, considéré comme psychotique. Mais aucun médecin ne l'a jamais tenu pour dangereux, il n'était pas violent. Il avait peur d'être « morcelé » d'après ce que j'ai sous les yeux. Il est stipulé que Trevor était fasciné par le feu, l'unique source de désir sexuel chez lui semble-t-il. Les médecins pensaient qu'il avait peur d'être absorbé par les femmes lors d'un coït. « Enfant, il n'est pas sorti du cadre œdipien, il assimile sa mère à un objet unique d'amour… Son reflet dans l'œil de sa mère a été perturbé et… »

– D'accord, il avait un problème, en quoi est-ce que ça nous rapproche du tueur ? s'impatienta Meats.

– Justement, j'y arrive. Son premier internement date de la mort de sa mère en 1997. C'est un type assez étrange, il ne vivait plus chez elle, elle l'avait contraint à quitter l'appartement pour qu'il s'assume, et il naviguait entre les petits boulots qu'il ne conservait jamais longtemps. Entre-temps, il ne supportait pas le contact des femmes, trop exclusivement tourné vers l'amour maternel. Il semble qu'avec le décès de sa mère, il n'ait pas été capable de poursuivre, il a refusé cette mort pour finalement être régulièrement interné à partir de là. Jusqu'en 2000, où on l'estime en « nette amélioration puisqu'il est avéré que Trevor Hamilton partage une amitié avec une pensionnaire de sexe féminin de l'établissement et qu'il accepte les contacts physiques – sans ambiguïté – avec elle, ce qui témoigne des progrès du sujet sur sa pathologie ». Les informations dont je dispose ne mentionnent pas le nom de cette pensionnaire.

Salhindro brandit alors le fax qu'il avait reçu une demi-heure auparavant :

– Et que découvre-t-on ici ? Que Constance Abbocan a été internée à la demande de son mari en 1996, dans le même établissement. Voilà le lien entre Trevor et… celle qui pourrait se cacher derrière tout ça.

– Est-elle sortie de l'hôpital ? demanda Annabel.

– Oui, en 2001, deux mois après Trevor Hamilton.

– Tu as les causes de l'internement ? s'enquit Brolin.

– Non, mais on doit pouvoir insister auprès des médecins, compte tenu des circonstances, pour avoir quelques détails.

Meats bondit au-dessus de Salhindro.

– Tout correspond, fit-il en jetant un rapide regard vers Brolin et Annabel. On met le paquet, Larry, trouve-moi tout ce que tu peux sur cette Mme Abbocan, ce qu'elle fait maintenant, où elle est, tout.

Salhindro jeta un coup d'œil à sa montre.

– On est vendredi soir, fit-il remarquer, la plupart des services administratifs vont fermer pour le week-end, ça va être coton...

– Débrouille-toi, trancha Meats en prenant le téléphone pour composer un numéro de poste interne. Kiewtz ? Rapplique immédiatement dans le bureau de Larry, ramène Alsting, Cooper et... Prends tout le monde avec toi, on a peut-être identifié le tueur.

Brolin se leva, aussitôt suivi par Annabel.

Voyant qu'ils allaient partir, Meats leva le pouce vers eux.

– Beau travail, tous les deux.

Brolin lui répondit d'un vague signe de la tête et disparut dans le couloir. Annabel leur fit un petit au revoir de la main et rejoignit son compagnon.

Dans le couloir, Annabel se rapprocha du privé.

– C'est terminé. Ils vont l'attraper et toute cette horreur ne sera plus qu'un mauvais souvenir d'ici quelques heures.

Les portes de l'ascenseur s'ouvrirent sur tous les inspecteurs de la cellule d'enquête, Cooper, Alsting et les autres. Ils saluèrent Brolin avant de s'engouffrer dans le bureau de Salhindro.

Dans l'ascenseur, Annabel guetta une réaction sur le visage de Brolin, elle le trouvait bien calme tandis que toute cette sombre histoire prenait fin.

– Joshua... Je... Je me disais qu'on pourrait peut-être passer le week-end ensemble, avant que je reparte... si cela te tente.

Un rictus apparut sur les lèvres du privé.

– Une fois que tout sera terminé, je prendrai une semaine entière de repos, et j'espère bien que tu seras là… En attendant, j'aimerais encore me rendre utile et leur faire gagner du temps à tous…

– Comment ça ?

Brolin posa une main puissante sur les reins d'Annabel alors que les portes s'ouvraient sur le parking souterrain.

– On va aller jeter un coup d'œil à l'ancienne maison des Abbocan. Comme je l'ai dit tout à l'heure, je pense que le tueur a vécu un traumatisme qui l'a poussé dans ses retranchements, quelque chose qui a eu lieu dans son passé. Aussi allons-nous visiter un fragment de ce passé, qu'en penses-tu ?

J'aurais dû m'en douter ! tonna Annabel en son for intérieur. *Il ne s'arrête jamais, pas tant qu'il n'est pas certain que sa proie est à terre, vaincue.* Que pouvait-elle faire ? Le laisser partir seul et rentrer au chalet ?

– J'en pense que tu vas y laisser des plumes un jour, à toujours t'acharner… Bien sûr que je t'accompagne. Et l'adresse, tu sais comment l'obtenir ?

Pour le coup, c'était un vrai sourire qu'il lui adressait.

– Elle était dans le dossier, sous mes yeux, pendant toute cette réunion…

Une fois encore, la Mustang démarra en rugissant pour les porter en direction de l'est.

Parmi les fantômes du passé.

65

Treize heures trente.

Les rues de Portland sont quasi désertes tant le soleil s'acharne sur la moindre parcelle non ombragée. Les appétits cuits, les humeurs flâneuses évaporées, tout le monde se terre dans son bureau ou chez soi dans l'attente du crépuscule.

Quelque part en ville, la Chose s'active, ignorant l'oxygène brûlant qu'elle aspire, sans égard pour son corps suant, elle n'a pas une seconde à perdre. Déjà six grandes surfaces alimentaires qu'elle visite pour y déposer *ses filles* dans les étalages de fruits et légumes. *Latrodectus*, veuve noire, ou *Atrax robustus*. Dans ce dernier cas, c'est la mort assurée.

Dans l'une d'entre elles, la Chose passe devant le rayon des peluches. Une idée lui vient à l'esprit, une idée redoutable. Mais il y a un risque. Un enfant pourrait être victime de son piège.

Non, pas si elle met l'araignée en hauteur, sur les étagères les plus hautes, celles où seuls les adultes peuvent choisir et attraper la peluche de leur choix.

Sauf qu'un enfant pourrait assister à la scène et en être traumatisé...

Et alors ?

Que deviendra ce gosse ensuite ? Un homme ou une femme, comme les autres ! Il faut donner dans le sensationnel !

Oui, voilà. *Theraphosa blondi*, une mygale gigantesque, surnommée la Goliath d'Amérique du Sud, avec des poils urticants sur le corps qui se confondront parfaitement avec les animaux synthétiques. La Chose va la chercher dans sa voiture, parmi les nombreuses boîtes entreposées à l'arrière du véhicule. Cette mygale causera probablement plus de peur et de traumatisme que de mal – même si la Chose n'aimerait pas être celui ou celle qui se fera mordre par ces énormes crochets –, mais cela contribuera à la légende.

Bientôt la panique submergera la ville tout entière. Les gens sauront qu'ils ne sont en sécurité nulle part, pas même chez eux, ils n'oseront plus bouger dans leur propre maison, ils n'ouvriront plus leur courrier, n'iront plus faire leurs courses, ne prendront plus leur voiture, bientôt la rumeur se propagera, elle s'amplifiera sûrement, et ce sera le chaos.

À cette pensée, la Chose esquisse un sourire.

Sur ce visage fatigué, il ressemble davantage à une grimace.

La Chose a besoin de se reposer. Le corps et l'esprit.

Tout ça devient pénible. Elle n'en peut plus.

Elle serre les poings, elle a les larmes aux yeux.

Non, elle n'a pas le droit de s'arrêter ainsi. *Continue !* hurle son âme. Mais au fond, tout au fond, il y a un enfant qui se blottit dans un angle de pénombre, et qui continue de pleurer.

La Chose agit mécaniquement, sans trop intellectualiser.

Allez, encore deux grands magasins et elle aura terminé.

Au passage, elle s'arrête entre les voitures sur les parkings ; avec cette chaleur, les gens ont laissé un petit espace ouvert tout en haut de leur fenêtre, pour faire entrer un peu d'air, au cas où, pendant qu'ils sont à leurs achats.

La Chose en profite, elle y glisse une petite surprise noire avec une tache rouge sur l'abdomen qui semble dire : « Danger de mort ! » et ça n'est pas tout à fait faux. *Latrodectus menavodi.*

À chaque galerie marchande qu'elle croise, elle s'arrête chez les vendeurs de chaussures. Il n'est pas difficile de déposer discrètement quelques araignées dans les modèles d'exposition, c'est sombre et confortable pour ses créatures, elles y seront bien et se dissimuleront tout au fond, dans l'attente qu'un pied vienne s'approcher d'elles, alors elles se sentiront agressées et mordront de toute leur fureur, injectant le venin hyper toxique dans leur victime.

La Chose n'a pas le temps de se rafraîchir, elle a encore beaucoup à faire, la journée va être longue.

Toutes les bouteilles de gaz sont chez elle, il ne reste plus qu'à les installer. La Chose a réussi à se procurer une arme à feu, qui normalement ne servira qu'une fois, une seule balle sera nécessaire, aujourd'hui, pour sa dernière journée.

Sa dernière journée…

Elle n'en peut plus.

Ce soir elle sera morte.

Elle l'a décidé.

Annabel et Brolin étaient arrêtés dans la petite bourgade de Cascade Locks, à moins de dix kilomètres à vol
d'oiseau de l'ancienne base perdue dans les monts. La
toute petite ville était coincée entre les gorges de la
Columbia River, et les contreforts sauvages qui s'éten-
daient sans fin au sud. Une haute colline longiligne
entièrement recouverte de forêt dominait la route.
L'ancienne maison des Abbocan se trouvant quelque
part là-dedans.

Annabel acheta des sandwichs à un vendeur qui semblait sur le point de faire un malaise dans la chaleur de
sa cuisine, pendant que Brolin cherchait sur une carte
comment monter jusqu'à la bâtisse. Comme beaucoup
de scientifiques qui avaient travaillé pour cette base
officieuse, les Abbocan s'étaient installés dans un
endroit assez proche, et surtout à l'écart de la civilisation, pour éviter tout commérage inutile et toute
surveillance.

Ils déjeunèrent dans l'herbe, sous l'ombre d'un sapin
de Douglas.

Cela faisait vingt minutes que Brolin n'avait pas dit
un mot lorsqu'il rompit enfin ce mutisme :

– Comment ça se passe depuis cet hiver ? Je veux
dire, ton quotidien…

– Comme toi, je crois. Seule.

Elle s'empressa d'ajouter après un petit rire
ironique :

– Mais pas malheureuse pour autant.

Brolin contempla au loin le flot tranquille de la
Columbia et les falaises escarpées qui venaient se
planter en son bord. Il savait que la jeune femme éprou-

vait une attirance ambiguë envers lui, le désir d'une amitié puissante ou peut-être plus… Qu'en était-il de ses sentiments à lui ? Était-il capable d'éprouver une émotion dense pour quelqu'un ? Pourquoi se sentait-il apaisé lorsqu'elle était là ? Il venait d'y réfléchir pendant de longues minutes. Et il avait fait le choix de s'exprimer :

– Annabel, ces trois dernières années, je me suis reconstruit à partir de vide, pour me protéger, j'ai rempli mon être de blancs pour ne plus souffrir. Et pourtant, à l'idée de bientôt te voir repartir, je crois que ton départ va me remplir d'une… absence, qui elle, sera douloureuse.

La jeune femme se figea. Jamais elle n'aurait pu imaginer Brolin avoir ces mots, c'était au-delà de l'image qu'elle s'était faite de lui.

Elle ouvrit la bouche, et aucun son n'en sortit.

– Nous avons chacun nos vides, nos absences, poursuivit le privé, et je crois qu'ils sont complémentaires…

– Qu'est-ce que tu es en train d'essayer de me dire ?

Elle ne reconnaissait plus sa voix, fébrile et si faible.

– Je suis trop souvent focalisé sur un point précis, enchaîna-t-il, et le reste m'échappe, et toi justement, tu as ce sens du terrain, le pragmatisme de l'investigation, tu…

– Joshua, qu'est-ce que tu veux dire ? Qu'on ferait de bons associés ?

– Je crois, oui…

Elle encaissa la nouvelle avec la puissance d'un train lancé à pleine vitesse. Fallait-il qu'il soit toujours imprévisible ? Et au-delà, était-ce exactement ce qu'il voulait, qu'elle vienne s'associer avec lui ? Il recherchait plus qu'une partenaire en elle, il souhaitait un rapprochement, une entente de tous les jours, atténuer leurs différences. Qu'ils ne partagent plus seulement les mêmes silences, mais le reste aussi.

Annabel posa sa main sur l'épaule du privé. Les yeux de la jeune femme s'abîmaient dans le paysage, quêtant une réponse improbable dans le pied des falaises lointaines.

Ce fut sa seule réponse.

Les branches basses glissèrent sur le pare-brise de la Mustang, et cette dernière déboucha dans une modeste clairière au milieu de laquelle trônait l'ancienne demeure du couple Abbocan.

La peinture avait disparu sur la maison, ne laissant que les lignes parallèles du bois usé et des fenêtres grises. La bâtisse était noire, une tache floue au milieu des hautes herbes palpitantes, semblable à une bête avachie, tournant le dos vers le sommet de la colline.

Un énorme corbeau, aussi gros qu'un poulet, sautillait devant le perron. Il tourna ses globes d'ébène vers les deux intrus qui sortaient de voiture.

– Avec un bon coup de tondeuse, de la peinture fraîche et six mois de ménage, ça peut être un coin sympa, commenta Annabel.

Elle s'étira et épongea son front humide avant d'attraper une bouteille d'eau et de s'en renverser sur tout le visage et les cheveux. Elle la tendit à Brolin qui la refusa.

– Allons jeter un coup d'œil à l'intérieur, dit-il.

En s'approchant, il inspecta le sol à la recherche de traces de pneus récentes. La terre était si sèche qu'elle ne marquait pas, c'était inutile.

– Il y a comme un chemin dans les hautes herbes, montra Annabel. Qui conduit à la porte.

Brolin, qui était plus avancé, désigna le sol du doigt.

– Il y a encore quelques dalles, c'est pour ça.

Le corbeau déplia ses ailes et s'envola en croassant.

– Depuis combien de temps la maison est-elle abandonnée ? interrogea la jeune femme.

– William Abbocan est mort en 1998, et sa femme était déjà internée depuis deux ans. Ça fait donc quatre ans qu'elle est comme ça. Mme Abbocan aurait dû revenir ici en 2001, lorsqu'elle est sortie de l'hôpital psychiatrique, mais ça n'est pas le cas. Elle n'a pas fait rétablir l'électricité, ni rien, en fait on a perdu sa trace presque aussitôt. Pourquoi ?

– Regarde les fenêtres, répondit Annabel, elles sont toutes intactes. Sales, certes, mais aucune n'est cassée.

Brolin monta les quatre marches du perron, jusqu'à la porte d'entrée.

– Personne n'est venu depuis quatre ans. Et des squatteurs dans la région, il ne doit pas y en avoir beaucoup, de toute façon ils ne doivent pas connaître l'existence de cette maison paumée dans les bois.

Annabel essuya l'eau qui gouttait depuis ses sourcils jusqu'à ses lèvres. Les seuls occupants de cet endroit avaient été un homme mort dans un accident et une femme folle, soupçonnée d'être une criminelle en série. *Parfait !* se dit la jeune femme. *Tout ce qu'il faut pour être à l'aise…*

Brolin prit la petite trousse qu'il avait toujours sur lui, dans la poche arrière de son jean, et en tira un gant de latex qu'il enfila. De sa main gantée, il tourna la poignée de la porte.

– C'est fermé, dit-il. Tu sais crocheter une serrure ?

Annabel secoua la tête.

– J'ai essayé une fois lors d'une intervention à New York, j'ai cassé mon instrument dans le trou et il a fallu tout démonter.

– Comme je suis aussi doué que toi, ça peut prendre un moment.

Et lui qui parlait de complémentarité il y a une heure ! songea Annabel en pouffant. Ils formaient un duo de choc !

Brolin rouvrit sa trousse pour en extraire deux tiges métalliques. Il s'accroupit devant la porte et tenta de violer le mécanisme.

– Je vais faire le tour de la propriété pendant que tu fais ça, d'accord ?

Déjà concentré, Brolin répondit d'un claquement de langue sur le palais.

Annabel marcha en direction de la forêt et de sa lisière, contournant un bouquet épais de ronces. Les insectes s'épanouissaient bruyamment. Toute une faune stridulait et bourdonnait dans ce royaume farouche.

Brolin avait bien choisi son moment pour proposer une association. Annabel lui en voulait. Il aurait pu aborder ce sujet avec plus de délicatesse, dans un contexte différent, dans la soirée par exemple… C'était bien lui. C'était une demande trop personnelle, il se mettait en position de danger en cas de refus, lui qui s'était construit une carapace pour éviter toute blessure de l'âme, il n'avait pu contenir sa demande plus longuement après avoir pris la décision d'en parler.

Que pouvait-elle faire maintenant ? Quitter New York, son travail, ses proches ? Pour trouver quoi ?

La ville et le boulot ne sont que des excuses, c'est l'enquête que tu aimes, le terrain, et détective privé c'est aussi ça… Les proches ? Elle n'avait guère plus que sa grand-mère, qui se ferait un plaisir de lui rendre des visites régulières. Non, concrètement l'idée n'était pas impossible.

Alors quoi ?

Le voulait-elle vraiment ? Que représentait Brolin pour elle ?

Outre son charisme et ce voile de mystère qu'il traînait dans son sillage ? Elle devait répondre à cette question, pour savoir ce qu'elle voulait vraiment.

La margelle en pierre d'un puits dépassait d'un conglomérat de feuilles étoilées. Annabel s'en approcha, pour se rendre compte qu'une plaque de bois vermoulu recouvrait le trou. Curieuse, elle prit appui sur une motte de terre et poussa de toutes ses forces sur le couvercle qui racla sur une dizaine de centimètres.

Une armée de cloportes se mit à courir sur le rebord.

Le puits n'était qu'un artifice de décoration, des pierres montées là pour faire joli, il n'y avait que de la terre à l'intérieur.

Annabel soupira et reprit son examen de la vaste friche, elle se déplaçait en repoussant de la main les herbes coupantes qui lui barraient le chemin.

Soudain, elle arrêta son geste en détectant du coin de l'œil une forme minuscule, presque en contact avec son doigt.

Une coccinelle.

Immédiatement, Annabel fit le lien avec la clairière, Eagle Creek 7. Là où le tueur déposait des veuves noires. Si c'était bien Constance Abbocan, alors elle pouvait être venue ici pour s'approprier les lieux comme elle l'avait fait avec la clairière, et y installer ses maudites araignées.

Elle se tourna. La maison lui semblait tout d'un coup assez éloignée, avec toute cette végétation à la population grouillante autour d'elle.

Ne pas paniquer. Après tout, ça n'était qu'un assemblage de suppositions.

De suppositions cohérentes.

Non, elle ne devait pas se laisser envahir par la peur. Il y avait très peu de chances pour que des veuves noires se trouvent ici, et encore moins pour qu'Annabel en touche une. Alors la probabilité qu'elle se fasse mordre...

Sauf qu'elle ne se sentait plus du tout sereine désormais. D'autant qu'elle portait une robe ample – ils étaient censés rencontrer des experts toute la journée, et Annabel avait pensé qu'une tenue agréable à regarder serait un atout supplémentaire.

Tu n'as qu'à réduire tes déplacements, au lieu de tout visiter, tu peux observer d'ici avant de rentrer rejoindre Brolin à l'intérieur...

Oui, elle n'avait qu'à faire ça et...

De là où elle se tenait, elle pouvait scruter une bonne portion du « jardin ». Et notamment une ouverture un peu trop marquée pour être naturelle dans l'orée de la forêt, juste au-dessus de la maison.

Il n'y avait pas de sentier reconnu à proximité, elle l'avait vu sur la carte de Brolin, ça ne pouvait être qu'une piste de quelques mètres.

Vers quoi ?

Annabel remonta sa robe sur ses jambes, il suffisait de bien regarder où elle mettait les pieds. Où conduisait ce sentier ?

L'intérieur de la maison ressemblait à ces musées historiques que l'on trouve en bord de route dans les petites villes. Tout un intérieur reconstitué dans les moindres détails et figé à jamais. C'était comme si William Abbocan était parti en vitesse un matin sans tout ranger en se disant qu'il le ferait à son retour, et qu'après sa mort, quelques heures plus tard, personne n'eût plus rien touché pendant quatre ans. Il y avait un bol et une cuillère dans l'évier, couverts d'un dépôt beige, et une boîte de corn flakes était renversée sur la table de la cuisine. Son contenu avait été vidé depuis longtemps par les rongeurs.

Les rayons du soleil traversaient les fenêtres en quelques endroits moins sales et poussiéreux, découpant dans le salon des triangles dorés. Les meubles étaient rares, la décoration spartiate, sans vie et sans goût.

Des bottes de cow-boy étaient couchées dans le vestibule, toutes craquelées. Un fil de soie barrait l'entrée de l'une d'entre elles, vestige d'une araignée de passage. Ce qui, ici, n'avait rien de rassurant.

Brolin déambula dans les pièces, sans savoir ce qu'il cherchait exactement sinon à s'imprégner d'une atmosphère.

Tout était intact. On n'avait touché à rien au cours de ces dernières années, laissant les saisons s'approprier les murs, et les ombres y danser.

Brolin posa machinalement sa main non gantée sur la rambarde de l'escalier.

Il l'ôta brusquement.

Non pas qu'il ne devait pas laisser d'empreintes, bien que cela comptât, c'était surtout ce contact du bois froid qui l'avait surpris. Par association d'idées, il repensa à l'aspect extérieur de cette maison. Sombre, aux angles démultipliés par les jeux d'ombres.

Le bâtiment grinçait dans l'air chaud du jardin tandis que ses entrailles étaient aussi froides que celles d'un mort.

Brolin monta lentement les marches.

Une petite créature courut à l'étage, une souris s'enfuyant vers son abri. Elle ne devait pas avoir l'habitude d'être dérangée.

Joshua remarqua alors la décoloration sur le mur.

Plusieurs rectangles plus clairs, les uns après les autres, épousant l'ascension des marches.

Des cadres absents.

On avait décroché des gravures ou des photos.

Brolin colla son nez dessus. Il était difficile de dire de quand cela datait. Six mois ? Un an ? D'après la couche de poussière, on pouvait supposer que l'opération avait été faite au cours des dix-huit derniers mois.

Constance Abbocan.

Elle était revenue chercher les photos. Avec cet éclairage nouveau, Brolin se demanda si le manque de meubles et de décoration au rez-de-chaussée ne provenait pas du fait qu'on était venu se servir. Mme Abbocan avait pris ce dont elle avait besoin après être sortie de l'hôpital psychiatrique, pour s'installer ailleurs. Sous un autre nom ? Et si l'armée l'avait aidée dans cette démarche ? En remerciement de son travail et pour s'assurer qu'elle serait discrète.

Peut-être…

Brolin visita l'étage. Quatre pièces laissées en l'état.

Le lit dans la chambre n'était pas fait. L'odeur de renfermé était puissante, presque piquante.

Au pied d'une étagère, il trouva un livre renversé. Il se pencha et le saisit. La reliure avait mémorisé une position à force de pression, et les pages tournèrent toutes seules jusqu'à s'immobiliser sur des phrases à l'encre passée.

L'une d'entre elles était soulignée :

« L'homme est une corde tendue entre l'animal et le Surhomme, une corde au-dessus d'un abîme. »

Brolin la relut.

Il avait longuement cherché une réponse à ce qu'étaient les tueurs en série. Des centaines de formules incomplètes s'étaient succédé dans son esprit.

Il ferma les paupières un court moment, et remercia Constance Abbocan de lui avoir ouvert son âme.

Puis il reposa le livre sans prendre connaissance de son auteur, il s'intéressait davantage au lecteur, et Nietzsche retourna à la poussière.

Il n'y avait plus rien ici. Constance Abbocan était venue prendre tout ce qui la rattachait au passé. Tous les objets personnels, les photos, et même ses vêtements.

Il ne flottait plus en ces lieux qu'un âcre parfum d'oubli.

Le sentier grimpait à flanc de colline.

Les racines et les branches le noyaient si bien qu'il disparaissait après quelques mètres. Personne ne l'avait emprunté depuis un bon moment, pas fréquemment en tout cas, songea Annabel.

Elle se pencha pour ramasser un bout de bois mort dont elle se servit pour soulever les amas de végétaux qui s'entassaient face à elle. Malgré l'attelle, la douleur de ses deux doigts brisés lui fit rapidement prendre le bâton de l'autre main.

La terre était un peu plus tassée sur un sillon d'une cinquantaine de centimètres de large, l'empreinte du sentier. Annabel procéda ainsi pendant dix minutes jusqu'à deviner un mouvement entre les arbres qui épousait le relief de la colline et semblait monter vers un gros rocher saillant.

Les oiseaux piaillaient de tronc en tronc, se répondant depuis les profondeurs de la croûte forestière.

Soudain, toutes les feuilles se mirent à bruisser sous le souffle d'une très légère brise. Annabel tourna sur elle-même pour admirer ce tremblement dans les arbres, c'était comme si la forêt tout entière était prise d'un sursaut.

Cette idée creusa une ride de malaise dans l'esprit de la jeune femme. Tout d'un coup, cette analogie ne lui plaisait plus. *Qu'y avait-il au bout du sentier ?* semblait répéter la nature.

Rien ! C'est toi qui donnes du sens à ce qui n'en a pas... contra la jeune femme.

Elle était décidément une vraie citadine.

Le rocher, couvert de mousse, s'érigeait à plus de quatre mètres. Annabel le contourna, suivant le lit de ce qui devait être le sentier.

Le spectacle qui s'offrit à elle était digne d'un film de Tim Burton.

La nature s'était développée en une véritable architecture alambiquée. Les racines d'un chêne poussant au sommet du talus sourdaient pour venir caresser le rocher de leurs doigts noueux, se transformant en arc, et même en voûte. Annabel s'approcha et entra dans ce corridor fermé d'un mur de terre d'un côté et de la haute pierre de l'autre. Bientôt le plafond de racines la surplomba.

L'ensemble se prolongeait sur plusieurs mètres, se coupant de la lumière du jour pour former une grotte à l'odeur d'humus et de champignon.

Le pied d'Annabel heurta un objet creux qui roula sur le sol.

Ses yeux commençaient à s'habituer à la pénombre.

Elle s'accroupit pour tâter de sa main intacte ce qu'elle supposait être un tas de branchettes, de quoi faire un feu.

Ses doigts se posèrent sur de la matière sèche et friable.

Elle palpa plus bas, sur le côté. Cela prenait la texture du cuir, un cuir rêche et racorni. Puis il y avait bien une petite branche, et une autre, parallèle, qui…

Annabel se releva précipitamment.

Elle saisit son bâton et fourragea dans le toit de racines afin de creuser un orifice qui laisse entrer un peu de lumière.

Elle recula et posa son regard sur ce qui dormait au fond de ce boyau.

Un squelette humain.

Il avait en partie brûlé, les vêtements avaient fondu à plusieurs endroits, il ne restait guère que la veste en cuir de reconnaissable. Les côtes de la cage thoracique saillaient en dessous, ce qu'Annabel avait pris pour de grosses brindilles.

Et alors… L'objet creux dans lequel elle avait buté était… un crâne qui avait roulé pour se renverser.

À présent, il fixait la jeune femme de ses orbites abyssales.

Annabel se força à inspirer profondément. Ça n'était pas la première fois qu'elle voyait un cadavre, encore moins un squelette. Il était là depuis assez longtemps pour ne plus contenir le moindre tissu organique, tout avait été rongé par les insectes et les animaux, aussi l'odeur était-elle quasi nulle, hormis cette fragrance de champignon.

Qui cela pouvait-il bien être ?

Elle se remit au niveau du corps et procéda à une analyse sommaire.

Le feu avait consumé tout le haut du corps de la victime, épargnant la portion inférieure, l'abdomen et le visage. C'était la décomposition et le travail des nécrophages qui avaient achevé de le nettoyer.

Les jambes et les avant-bras étaient collés, la victime devait être ligotée lorsqu'on l'avait brûlée.

Mais le pire était dans la position même du cadavre.

Recroquevillé. Comme pour échapper aux morsures du feu.

Il était très certainement vivant lorsqu'on l'avait embrasé.

Annabel espérait qu'il n'était alors pas conscient, tout en sachant que la douleur avait dû le ramener à lui avant la fin de son calvaire.

Du bout de son bâton, Annabel releva un peu le torse.

Elle avait participé à la macabre découverte, l'hiver précédent, d'un charnier lors de l'enquête sur la secte de Caliban, une multitude de squelettes ; elle en gardait quelques souvenirs d'identification.

Le bassin de celui-ci ressemblait davantage à celui d'une femme si sa mémoire était bonne, mais elle ne pouvait le certifier, elle n'était pas experte en anthropologie médico-légale.

En revanche, l'intérieur de la veste en cuir, sur le devant du torse, n'était pas trop abîmé. Et un angle de porte-cartes dépassait de la poche.

Annabel aventura sa main vers la poche intérieure, frôlant le sternum froid.

Un mille-pattes jaillit entre les côtes, il tomba sur le poignet de la jeune femme qui jura en secouant violemment son bras pour éjecter l'insecte. Le haut du squelette s'affaissa.

– Merde…

Cette fois elle réitéra l'opération, plus consciencieusement, et s'empara du porte-cartes. Elle s'étonna au passage d'avoir encore de la suie sur les doigts malgré l'apparente ancienneté du crime.

L'étui en cuir avait souffert également. Il ne restait rien de ce qui ressemblait à une carte de crédit fondue.

Cependant, la carte d'identité n'était pas totalement calcinée.

On pouvait y lire la fin d'une date de naissance et surtout, sur la ligne supérieure :

« ... NSTANCE – DEBORAH – AB... »

Annabel se laissa tomber, assise sur une petite pierre.

Il faudrait vérifier quel était le second prénom de Constance Abbocan, mais elle était déjà prête à parier qu'il s'agissait de Deborah.

Toute cette histoire prenait une tournure qu'elle n'aimait pas.

Elle qui avait cru, trois heures plus tôt, que tout serait résolu avant la soirée, était désormais habitée par le sentiment que le pire était peut-être à venir.

Soudain, une partie de la lumière disparut, et une silhouette se glissa dans la grotte, derrière Annabel.

66

Larry Salhindro se heurtait à l'imminence du week-end.

La majeure partie des services administratifs qu'il tentait de joindre ne se donnait pas la peine de commencer des recherches dans leurs archives, sachant qu'il y en avait pour plusieurs heures et que c'était bientôt le moment de partir. On lui demandait de rappeler le lundi matin.

Le gros flic tempéra dans un premier temps avant de perdre toute patience et d'opposer à toute récalcitrance un tranchant : « Je vous conseille pour votre carrière de ne pas faire entrave à l'action de la police, il s'agit d'une enquête prioritaire, des vies sont en jeu ! » Lancée d'un même souffle avec le ton adéquat, cette phrase lui ouvrit les portes de services prétendument déjà fermés.

Ainsi, il en sut un peu plus sur l'histoire de Constance Abbocan.

D'après les médecins qui l'avaient suivie à l'hôpital psychiatrique, elle avait été une femme parmi tant d'autres, pas bien installée dans sa féminité, pas sûre d'elle et névrosée, comme beaucoup d'êtres humains de ce pays. Larry savait qu'elle avait été recrutée par l'armée pour ses compétences dans le domaine des arthropodes, et que pendant ces années de discrétion, elle s'était comportée à l'image de tous ses collègues qui vivaient quasiment en autarcie, entre membres du personnel de cette base, probablement pour éviter d'avoir à expliquer aux civils quelle était leur profession ou d'avoir à répondre à des questions embarrassantes du style : « Chérie, pourquoi ne veux-tu jamais que je vienne te voir à ton boulot ? Tu me caches quelque chose ? » Larry imaginait nombre d'explications logiques au fait que Constance était tombée amoureuse d'un autre scientifique de la base, William Abbocan. Ils s'étaient mariés peu après.

L'événement déclencheur eut lieu dans les mois suivants.

Dans les dossiers médicaux, William Abbocan certifiait qu'avant cela sa femme n'avait jamais eu de comportement « anormal ». Elle n'avait pas confiance en elle, et se sentait toujours très embarrassée quant à sa féminité, cependant elle agissait « à l'instar de n'importe quelle femme ».

En novembre 1995, le couple Abbocan avait eu un accident de voiture. William conduisait et il n'avait pu maîtriser sa trop grande vitesse sur une route dans les monts à l'est de Portland.

Sa femme était enceinte.

Elle perdit l'enfant dans l'accident, ainsi qu'une grande quantité de sang. On dut lui ôter la rate, un rein et les organes génitaux qui avaient tous été gravement touchés pendant l'accident.

D'après les psychologues, le « délire de perte » était alors installé.

À mesure que les mois passèrent, elle se remettait physiquement tandis qu'elle sombrait psychiquement.

Dans l'esprit de Constance, c'était un cauchemar sans fin, une injustice improbable, qui la contraignit à fuir la réalité. Une fois encore, les psychologues décrivaient son état par un phénomène de « décompensation » dû au choc de l'accident et de ses conséquences. Une décompensation qui la fit entrer dans son délire.

Un délire de persécution, et de haine envers son mari – qui conduisait ce jour-là et qui n'avait pu éviter l'accident. C'était lui qui l'avait mise enceinte également. Et donc, d'une certaine manière, il était à l'origine de sa souffrance. Ce délire se propagea bien vite aux hommes dans leur ensemble, car c'était un homme qui lui avait pris sa féminité, qui « l'avait vidée » pour reprendre ses propres termes. Et aucun homme n'était intervenu pour la sauver.

Elle devint de plus en plus instable, souvent violente envers son mari qui n'eut finalement d'autre choix que de la faire interner de force en 1996. Internement qui acheva de nourrir la haine de Mme Abbocan pour celui qu'elle avait épousé.

Ayant perdu les attributs de sa féminité, elle ne se sentait plus femme, elle n'était plus « qu'entre deux », entre les bourreaux et les reproductrices. Les rapports mentionnaient qu'elle s'était alors entièrement rasée, le crâne, mais également les sourcils, le pubis…

Au fil de son internement elle avait développé un refus de tout contact avec d'autres femmes, elles qui pouvaient avoir des enfants, elles qui cédaient aux hommes si facilement, au nom de l'amour. Une notion que Constance Abbocan apprenait à détester. Lors de ses entretiens avec les psychiatres, elle était toujours volubile s'il fallait aborder « l'amour ». C'était un

« sentiment pollué », disait-elle, une émotion pure qu'on s'appropriait désormais avec une facilité odieuse pour justifier tout état d'euphorie. Les gens perdaient de plus en plus la notion d'amour, répétait-elle, c'était pour ça que le monde devenait de plus en plus effrayant, et à moins d'un électrochoc qui force les gens à mieux se découvrir, cela ne ferait qu'empirer. On ne retournerait plus aux sentiments purs, c'était fini. Il n'y avait plus que haine et mensonge, c'était ce que son mari et les hommes en général lui avaient appris. Ils l'avaient détruite.

Le jour où on lui annonça la mort de son époux, elle ne témoigna aucune émotion.

Pendant toute la durée de son internement, jamais elle ne montra le moindre signe d'agressivité, elle se contentait de rester à l'écart des autres pensionnaires, hommes et femmes.

Jusqu'à sa rencontre avec un autre patient. Un homme, plus jeune qu'elle, presque adolescent. Lui était là pour un état psychotique, une peur d'être morcelé qui lui faisait craindre les femmes autres que sa mère, récemment décédée. C'était Trevor Hamilton.

Les médecins ne parvinrent pas à expliquer clairement ce qui rapprocha ces deux personnalités, sinon en supposant qu'il y avait chez Constance Abbocan des similarités avec la mère de Trevor. Pour Constance, Trevor ne se posait pas en tant que séducteur, il n'émanait de lui aucune « dangerosité », il recherchait en elle un simple réconfort. Peut-être était-ce ce qui, à elle, lui avait plu. Au début, ils restaient plusieurs heures côte à côte, sans se parler ou se toucher. Ils s'observaient.

D'une certaine manière, eux aussi partageaient les mêmes silences.

Puis on les vit de plus en plus ensemble, à parler lentement, chacun son tour.

Au fil des mois, Constance se laissa repousser les cheveux. Elle accepta même le contact physique avec Trevor, de le prendre par les épaules, et lui se laissa faire.

Les médecins trouvèrent cela très positif, tout en veillant à ce qu'il n'y ait aucun dérapage, leur plus grande peur était un transfert, que Trevor voie en elle sa mère et elle son fils. Mais les entretiens les rassurèrent.

Constance et Trevor se soignaient l'un l'autre.

Trevor eut l'autorisation de quitter l'établissement en janvier 2001, avec obligation de suivi psychiatrique pendant un an. Il en fut de même pour Constance, deux mois plus tard. À la fin de cette période de suivi, les derniers bilans mentionnaient une stabilité incroyable et préconisaient l'arrêt de l'obligation de soins, l'un comme l'autre pouvaient poursuivre des consultations à leur demande uniquement. Ce qu'aucun ne fit.

Larry Salhindro relut :

« *Constance et Trevor se soignaient l'un l'autre.* »

En apparence.

Ils avaient dupé le docteur chargé de leur suivi. Ou plutôt *elle* l'avait dupé.

Pendant quatre années son délire avait pu se construire, et apprendre à se dissimuler, progressivement, pour qu'on ne la persécute plus. Pour qu'un jour, on la laisse ressortir, qu'elle soit libre.

Libre d'agir. Libre de s'adresser au monde entier au travers de ses crimes.

Ces quatre années lui avaient appris à cacher ses troubles parce que la société n'en voulait pas. Tout ce qu'elle dirait ou ferait devrait être dit ou fait dans le plus grand secret.

Et pendant quatre ans, elle avait élaboré son projet.

À présent, Larry réalisait à quel point Brolin avait vu juste. Le tueur s'était construit peu à peu, de ce qu'il *était* et de ce qu'il *savait*.

La passion de Constance Abbocan pour les araignées avait dû s'assimiler avec ses souffrances, et bon nombre d'analogies l'avaient séduite. Ainsi l'aspect solitaire de la créature, qui ne se sert du mâle qu'une fois, pour l'accouplement, avant de le chasser ou, mieux, de le dévorer. L'araignée vivait seule, ne supportant pas la présence d'une autre femelle à proximité. Tant d'éléments qui lui correspondaient parfaitement.

Pendant son internement, la haine de Constance pour les hommes s'était effacée au profit d'une rage envers les femmes qui ne s'émancipaient pas. Les hommes n'étaient finalement que des objets dérisoires… Les femmes, elles, avaient le pouvoir de procréation, elles n'avaient pas besoin de l'homme, juste de sa semence, et pouvaient se suffire à elles-mêmes. Mais les femmes d'aujourd'hui étaient vides, elles se laissaient étouffer par l'homme…

Larry supposait qu'il y avait aussi une large part de jalousie destructrice dans le délire de cette femme tueuse.

Il en savait davantage sur sa folie à présent. Il n'y avait plus l'ombre d'un doute. Ils tenaient leur coupable.

Restait à retrouver sa trace, ce qui était beaucoup plus difficile, et ils avaient très peu de temps.

Elle n'avait pas le profil d'une personne fréquentant les milieux de la délinquance, se procurer de faux papiers d'identité n'était pas une tâche facile, et

Salhindro était prêt à parier qu'elle ne l'avait pas fait. Elle se cachait quelque part dans la région. Un travail au noir ? Peut-être en indépendant, à son compte, pour plus de sécurité.

Et il y avait son état, elle ne se considérait plus comme une femme. À coup sûr, elle s'était à nouveau rasée entièrement depuis sa sortie, elle portait une perruque au quotidien pour ne pas attirer l'attention et la retirait le soir venu, lorsqu'elle était seule. Peut-être se déguisait-elle en homme ? C'était une hypothèse à ne pas négliger. Ils pouvaient chercher une femme se faisant passer pour un homme… Et à ce petit jeu, Larry pressentait qu'elle pouvait être très bonne.

De toute façon ils allaient mettre la main sur elle, elle n'avait aucun réseau criminel sur lequel s'appuyer, elle était toute seule. Elle s'était servie de Trevor Hamilton pour sortir de l'hôpital psychiatrique et pour brouiller les pistes, lui demander probablement sa semence qu'elle conservait au congélateur pour la déposer dans les corps ensuite. C'était fort probable… Larry n'était pas un expert en la matière, mais il supposait qu'on ne pouvait déceler la congélation préalable du sperme sans procéder à des tests plus élaborés que les protocoles courants d'autopsie. Trevor n'était qu'un pantin, et Larry avait acquis la certitude qu'il ne savait rien des meurtres.

Il imprima les différents documents qu'il venait de recevoir par e-mail.

Le témoin lumineux de son téléphone clignotait. Un message pendant qu'il effectuait ses recherches. C'était l'inspecteur Alsting qui lui demandait de rappeler de toute urgence.

– J'ai une bonne et une mauvaise nouvelle, Larry. Je commence par la mauvaise : Trevor Hamilton vient de décéder à l'hôpital.

– Merde…

– Mais tout n'est pas perdu, mon vieux, la bonne c'est que le tueur vient d'abandonner un nouveau cadavre, lança Alsting sans plus de forme.

– T'appelles ça une *bonne* nouvelle ?

Larry était excédé, il avait failli ajouter « connard ».

– Celui de Dianne Rosamund. C'est un peu cynique je te l'accorde, mais on savait qu'on ne la retrouverait pas vivante. Elle est à côté d'un étang pas très loin de la ville. Meats est sur place.

Larry ouvrit la bouche sans avoir le temps de s'exprimer, Alsting enchaîna dans la foulée :

– Il semble que le tueur soit pressé. Il n'a pas attendu la nuit pour laisser le corps, il s'en est débarrassé il y a moins d'une heure et un témoin l'a vu. C'est ça l'aspect « positif ». Il s'agit d'une femme blonde, conduisant une voiture rouge.

Le filet se resserrait.

67

Agenouillée dans la grotte de terre, de pierre et de racines, Annabel releva la tête.

Elle venait de remarquer le changement de luminosité, quelqu'un était dans son dos.

Son Beretta était accroché à sa hanche, sous son débardeur, elle ne le quittait plus maintenant qu'elle savait que le tueur en avait après eux. Son attelle à la main droite l'empêchait de se servir de son arme correctement, et elle se savait nettement moins habile de sa main gauche. Pas le temps d'y réfléchir.

Tout son corps pivota, ses jambes la propulsant vers le haut, pendant que son bras allait chercher l'arme.

– C'est moi ! Joshua !

La silhouette était en contre-jour, mains tendues devant elle. Le contour se précisa.

– Merde, ce que tu m'as fait peur ! souffla-t-elle.

– Je suis désolé. Je ne t'ai pas trouvée en bas, dans le jardin et puis j'ai vu ce début de chemin jusqu'ici… La maison a été vidée de tout ce qui pouvait être intéressant, photos ou journal intime. Constance Abbocan est passée par là à sa sortie d'hôpital psychiatrique.

– Elle ou quelqu'un d'autre…

Annabel s'écarta pour dévoiler le squelette sur le sol.

– Tiens, il y avait ça dans la veste.

Elle lui tendit la carte d'identité en partie fondue.

Brolin était contrarié. Tout s'expliquait parfaitement si le tueur était Constance Abbocan. S'il s'agissait bien de son squelette ici, alors c'était à n'y plus rien comprendre. Il secoua la tête.

– Ça pourrait être une mise en scène, pour nous tromper nous faire croire qu'elle est morte, suggéra-t-il.

– Mais ça peut aussi être elle. Ce qui signifierait qu'on fait fausse route depuis un moment. Josh, et si… ton profil n'était pas tout à fait juste, après tout, ça tient plus de l'art que de la science, tu vois ce que je veux dire, peut-être que ça n'est pas une femme, on ne doit pas se limiter uniquement à ce champ…

– Pour moi, le tueur est une femme. *Tout* converge en ce sens.

Brolin agita ce qui restait de la carte d'identité.

– Redescendons en ville, il faut prévenir Meats et Larry.

Ils retrouvèrent la voiture et moins d'une demi-heure plus tard Brolin captait à nouveau un réseau pour appeler Salhindro. Larry ne lui laissa pas le temps de parler du squelette :

– On la tient presque ! s'écria-t-il dans le combiné. Josh, elle a commis sa première erreur, on a un témoin qui l'a vue ! Pas distinctement, mais il a aperçu une femme blonde qui sortait un paquet blanchâtre de son coffre de voiture, ce type est allé voir ce que c'était lorsqu'elle est partie et il a découvert le cadavre de Dianne Rosamund. Meats est sur les lieux.

Il y eut un sifflement dans le combiné. Salhindro ajouta :

– Autre chose : Trevor Hamilton est mort. Il ne s'est pas remis de sa chute.

Brolin marqua un blanc, puis il se reprit. Pour l'heure il n'était temps que de se consacrer à ce qui les faisait avancer :

– Larry, peux-tu te procurer le dossier médical de Constance Abbocan, des radiographies ou n'importe quoi dans ce genre, comme son fichier dentaire par exemple ? Il faudrait que tu envoies un inspecteur avec un des anthropologues ou odontologues qui travaillent avec le Dr Folstom, c'est important. Il y a un squelette chez les Abbocan, dans leur ancienne maison, et il se pourrait que ce soit Mme Abbocan.

Brolin lui expliqua tout, ce qu'ils avaient fait et comment remonter jusqu'au cadavre dans sa grotte étrange, et il raccrocha.

– Ils envoient quelqu'un ? questionna Annabel.

Brolin acquiesça et répéta tout ce que son ami avait dit.

– Regarde dans la boîte à gants, s'il te plaît. Il doit y avoir un carnet de notes avec la liste de nos suspects. Tous les arachnophiles de la région.

Annabel s'exécuta et trouva ladite liste. Ils s'arrêtèrent dans une petite cabane en bois où on servait de la bière locale.

– J'ai un contact au service des immatriculations de l'État, si je peux le joindre il nous renseignera sur la couleur des voitures parmi les noms de notre liste.

Annabel, qui avait souvent recours au même service pour la ville de New York, siffla doucement.

– Ça peut nous prendre des heures le temps de tous les contrôler.

– Pas si on réduit la liste aux femmes.

– Josh, le tueur est en train de nous manipuler !
Écoute, je suis catégorique sur un détail : celui – ou
celle – qui m'a attaquée dans les bois la première fois
n'avait pas ou très peu de cheveux, je pense qu'il est
chauve. Ce qui signifie que le tueur portait une perruque
cet après-midi lorsque ce témoin l'a vu sortir de sa voiture. Et d'autre part, il est particulièrement costaud, ça
je peux te l'assurer. Un peu trop pour une femme, il me
semble.

Après une courte pause, Annabel ajouta sur un ton
plus conciliant :

– Je reconnais que ton profil psychologique est en
tout point logique, les détails s'imbriquent parfaitement, lorsque tu les expliques selon ta méthode, et à
t'écouter je ne peux que m'accorder avec toi, le tueur
est une femme. Mais le contact que j'ai eu avec lui me
pousse à penser le contraire.

Brolin n'était pas d'accord.

– Quoi qu'on en pense, même le plus ingénieux des
criminels ne peut falsifier le « pourquoi » il tue vraiment sans que cela apparaisse d'une manière ou d'une
autre. Cela étant, je comprends ton point de vue. Pour
le moment nous n'avons pas beaucoup d'alternative,
alors commençons comme ça et si cela ne donne rien,
nous élargirons les recherches… Si les flics ne l'ont pas
attrapée entre-temps.

Brolin prit un stylo et entoura les noms de femmes
sur leur liste.

– Josh, pourquoi ne pas laisser Meats et ses hommes
faire ce boulot ? Tu ne crois pas qu'on en a déjà assez
fait ?

– Meats est sur la nouvelle scène de crime, l'inspecteur Balenger est en chemin pour expertiser « notre »
squelette, et les autres sont soit en train d'assurer la pro-

tection des deux couples supposés être les prochaines victimes, soit en train de retourner toute la ville pour découvrir sous quelle identité se cache Constance Abbocan aujourd'hui, alors je crois que ça vaut le coup qu'on poursuive encore un peu, tu ne crois pas ?

Les choses présentées ainsi, que pouvait-elle dire ? Les trois quarts de la division criminelle se consacraient déjà à cette affaire et la criminalité à Portland ne s'était pas figée pour autant, pour laisser à la police le temps de tout résoudre.

Brolin appela son contact qui était en train de rentrer chez lui. Il fit demi-tour et les rappela vingt minutes plus tard. Il était presque dix-neuf heures. Dehors le soleil ne faiblissait presque pas même si l'air prenait une teinte moins agressive, plus orangée.

Il fallut une heure supplémentaire pour dégager deux noms.

Deux femmes qui, parmi la liste des personnes ayant un rapport avec les araignées, conduisaient une voiture rouge.

Deux suspects dont l'une était blonde.

Gloria Helskey. La chef de projet à NeoSeta.

– Maintenant qu'on a l'adresse, on va retourner sur Portland pour te louer une voiture, expliqua Brolin. Plus de temps à perdre, et tu vas aller jeter un coup d'œil chez Gloria Helskey.

L'autre était Debbie Leigh. Cette jeune femme rousse qui tenait une boutique d'arthropodes et de serpents en centre-ville.

Brolin avait une intuition. Il préférait envoyer Annabel sur la première suspecte, l'éloigner d'un danger potentiel. Car plus il y pensait, plus cette Debbie Leigh correspondait au profil du meurtrier.

Suffisamment en harmonie avec ses araignées pour s'en être tatoué une sur la nuque.

Et maintenant qu'il repensait à elle, Brolin se souvenait qu'elle avait mentionné l'ouverture de sa boutique, juste avant l'été 2001. Quelques mois après la sortie d'hôpital de Constance Abbocan.

Car pour Brolin il ne faisait aucun doute qu'ils étaient toujours à la recherche de Mme Abbocan. Le squelette brûlé dans les bois n'était qu'un leurre. La biographie de Constance était bien trop en adéquation avec le profil du tueur. Elle était leur coupable. Sans aucun doute. Elle n'avait fait que changer d'identité.

– Pourquoi penses-tu que le temps presse à ce point ? interrogea Annabel. Il ne va tout de même pas attaquer un nouveau couple cette nuit ! Pas si rapidement !

– Je n'en sais rien, c'est une impression. Jamais le tueur n'avait commis la faute d'abandonner un cadavre en plein jour, d'habitude il est excessivement prudent. S'il a pris ce risque c'est qu'il ne pouvait faire autrement, c'est qu'il est pressé.

Brolin vida son gobelet en plastique avant de se lever.

– On ferait mieux de mettre la main sur lui sans tarder. C'est un être étrange, et s'il est pressé, c'est qu'il nous prépare quelque chose.

Le privé en avait l'intuition.

Le pire était peut-être à venir.

68

La nouvelle s'était propagée comme un incendie dans une forêt de pins, les véhicules de presse affluaient sur les « lieux du crime ». Un bord de route boisé, tout près d'un étang, sur la route d'État 224. Il n'y avait rien d'autre qu'une bande de bitume et des troncs de part et d'autre. Les journalistes se succédaient pour saisir une image, une ambiance, n'importe quoi pourvu qu'il y ait des ombres et que ça puisse faire fantasmer des milliers de téléspectateurs pour le journal du soir.

L'inspecteur Lloyd Meats tourna le dos au groupe d'individus qui lui posaient des questions en tendant leurs micros.

Les hommes du légiste emportaient en ce moment même le corps *trop léger* de Dianne Rosamund. Il était entièrement enroulé dans de la soie fibreuse. Et la présence de l'eau à proximité terminait de signer sans doute possible l'identité du meurtrier.

Meats retourna vers la voiture de patrouille dans laquelle était assis Mack Vargassian, leur « précieux » témoin. En fait, il n'avait pas vu grand-chose, c'était un vieil homme qui venait pêcher ici presque tous les jours, dans la Clackamas River dont l'étang n'était que le cul-de-sac d'une minuscule ramification. En fin d'après-midi, il avait rangé ses affaires, mis sa canne sur son épaule et avait rejoint le bord de la route. Il garait sa camionnette à moins d'un kilomètre, sur le parking d'une station d'essence qu'on pouvait distinguer au bout de la longue ligne droite, à la sortie des bois. En chemin, il avait aperçu une voiture rouge, il ne savait pas de quelle marque – il n'y connaissait rien – avec une femme blonde qui tirait de son coffre une forme ratatinée, semblable à un sac de couchage blanchâtre. Enfin, il supposait que c'était une femme parce que l'individu au loin avait les cheveux assez longs. Le temps que Mack Vargassian se rapproche – il était à trois ou quatre cents mètres –, la femme avait jeté son paquet sur le bas-côté et démarré sans perdre de temps.

Meats se pencha pour saluer le vieil homme. Il fit signe à l'officier de police à ses côtés :

– C'est bon, vous pouvez le ramener à sa voiture.

Mack Vargassian était solide. Il n'avait pas paniqué en arrivant au niveau du « paquet blanc » et en s'apercevant qu'il y avait une femme morte dedans. Il avait fait de grands signes au premier véhicule qui était passé pour qu'on prévienne la police et lui était resté près du corps afin que personne ne s'en approche. Il avait fait preuve de courage et de bon sens.

Plus que tout le reste, c'était la dernière portion de son témoignage qui avait intrigué Meats. En effet, Vargassian disait avoir vu l'automobile rouge s'arrêter tout au bout de la route, comme pour entrer dans la station-service. Ensuite il était tombé sur le cadavre et n'avait plus pensé à regarder dans cette direction.

Lloyd Meats prévint l'autre inspecteur présent sur les lieux et il monta dans sa propre voiture.

La station-service n'était pas très grande, elle comportait des toilettes et un snack fermé ainsi qu'un parking pour une douzaine de véhicules. Meats se gara et marcha tout autour, juste pour se faire une idée des lieux. Aucune voiture rouge aux alentours.

Les pompes n'étaient pas équipées pour le service automatique, il fallait obligatoirement payer à la caisse. On ne remonterait pas jusqu'au tueur avec l'empreinte de sa carte de crédit, il avait sûrement réglé en liquide. Avec de la chance le caissier pourrait décrire sa cliente.

Meats allait entrer dans le bâtiment gris lorsqu'il aperçut une caméra de surveillance braquée sur les pompes. Il fit claquer sa langue contre ses dents, émettant une série de petites aspirations. Ça, c'était un bon point pour eux. Si la caméra marchait et si elle enregistrait.

Le caissier ne parut pas surpris lorsqu'il vit l'insigne de police de Meats. Avec toute cette agitation dans les bois, il s'était attendu à une visite de ce genre.

– Ah, la caméra ? Bien sûr qu'elle marche ! C'est obligatoire. Mon assurance me l'a imposée, ça évite qu'un type se pointe, qu'il fasse le plein et se tire sans payer. Avec ça on peut le retrouver plus facilement. Sauf quand c'est une bagnole volée, ça arrive parfois.

– Aux alentours de dix-sept heures, une femme blonde avec une voiture rouge est venue ici, vous savez si elle s'est arrêtée pour remplir son réservoir ou si elle s'est simplement garée là, sur le parking ?

– Non, non, elle a mis de l'essence dans sa voiture. Je m'en souviens.

– Vous pourriez la décrire ?

– Euh… bah, je sais pas trop. C'est que des gens j'en vois tout le temps, on finit par plus vraiment les regarder, on les confond tous. J'ai eu une bonne cinquantaine de clients dans la journée…

Meats fit signe qu'il comprenait. C'était courant, les témoins conservaient rarement plus qu'une impression générale, une couleur de vêtement ou de cheveux, sans détails.

– Et la cassette, je pourrais la voir ?

– Oh, euh, oui. Dites, vous allez me la remplacer ?

Meats soupira et posa un billet de dix dollars sur le comptoir. Le caissier disparut dans un réduit attenant et en revint avec une cassette vidéo à la main.

– Peut-être que vous voulez la voir maintenant ?

– C'est possible ?

– Oui, j'ai un magnétoscope derrière, avec un petit écran, je vous préviens c'est noir et blanc, c'est comme ça que ça enregistre.

Ils visionnèrent la cassette en accéléré, après l'avoir calée sur la fin d'après-midi. À trois reprises, Meats lui ordonna de repasser en vitesse normale lorsqu'une femme seule descendait de voiture. Le noir et blanc ne permettait pas de distinguer précisément la couleur des véhicules.

L'horloge digitale incrustée dans la vidéo indiquait 17 : 19 lorsqu'une Datsun de couleur s'arrêta. Une femme, très certainement blonde, en sortit, manifestement pressée. On ne pouvait distinguer clairement son visage, elle ne levait jamais la tête.

En revanche, la plaque minéralogique était en partie lisible.

Et Meats sut qu'avec un rapide traitement de l'image par un professionnel, on parviendrait à lire le numéro d'immatriculation.

Cette fois il la tenait.

69

Ce fut par la radio que Brolin apprit la nouvelle.

Trois personnes venaient d'être hospitalisées suite à une morsure d'araignée. L'une d'entre elles était morte quelques minutes plus tôt, les deux autres étant dans un état jugé « sérieux ».

Trois en une journée.

Le tueur accélérait le rythme.

Avant d'arriver devant l'immeuble où logeait Debbie Leigh, Brolin entendit un nouveau flash d'information annonçant qu'une quatrième personne avait été mordue. Les autorités sanitaires de la ville prenaient le problème très au sérieux et la police, tout en admettant qu'il s'agissait peut-être d'un acte criminel, ne faisait pour autant aucune recommandation de prudence, jugeant le problème « préoccupant » bien que relativement « localisé » au regard du nombre d'habitants à Portland.

Brolin coupa la radio et sortit. Il était au sud du centre-ville, devant un immeuble moderne. C'était déjà un mauvais point pour lui. On savait que le tueur emportait ses victimes et les conservait deux ou trois jours à ses côtés, ce qui ne semblait pas pensable dans un immeuble.

La boutique.

Oui, il faudrait y faire un tour, c'était peut-être là que les preuves se trouvaient.

Le détective privé entra dans le hall à la recherche des escaliers vers le sous-sol, vers le parking. Une fois en bas, il entreprit d'examiner toutes les places sur les deux niveaux jusqu'à localiser le véhicule de Debbie Leigh dont son ami au service des immatriculations lui avait donné une description ainsi que le numéro de plaque minéralogique.

La voiture était au premier niveau. Brolin posa la main sur le capot, il était chaud. Ce qui n'a rien d'étonnant avec ce temps, s'entendit-il dire. Pour peu que Mlle Leigh laisse sa voiture dehors toute la journée quand elle travaille…

Au moins il pouvait légitimement supposer qu'il la trouverait chez elle.

Il remonta dans le hall, vérifia le numéro d'appartement sur les boîtes aux lettres et prit l'ascenseur jusqu'au quatrième et dernier étage.

Les options étaient restreintes. Brolin devait être naturel, ne pas éveiller ses soupçons, faire comme s'il avait d'autres questions sur les araignées, des points urgents à clarifier. Une fois dans l'appartement, face à face, il pourrait la sonder.

Il espérait être plus fort qu'elle à ce petit jeu.

Sa main s'égara sur sa hanche pour tâter le renflement de son arme à feu.

Ne pas éprouver de stress, être calme. Il y avait plus de neuf chances sur dix pour que Debbie Leigh soit une femme respectable.

Il frappa à la porte.

Brolin espérait simplement détecter à temps s'il était sur la dixième possibilité.

La porte s'ouvrit.

*
* *

Annabel était au volant de la voiture que Brolin lui avait louée, en direction du nord-ouest de Portland.

Le soleil était à présent bas sur la ligne d'horizon, flirtant avec les sommets de collines, il les arrosait de son ornement du soir.

Brolin avait insisté : « Tu te gares à bonne distance. Ça ne sert à rien de te faire remarquer, tu t'assures juste qu'elle est chez elle et tu te planques pour la surveiller. Au moindre détail qui te semble suspect, tu appelles Larry. Surtout, tu ne prends pas de risque, tu y vas pour la surveiller, c'est tout, au cas… » Elle l'avait interrompu. Il était agaçant parfois, à vouloir contrôler la situation à la perfection. Elle n'était pas stupide non plus, elle connaissait son boulot et savait qu'elle n'avait pas de mandat – qui, même si elle avait été sur sa juridiction, lui aurait probablement été refusé par manque de preuves – et que Gloria Helskey n'avait très certainement rien à se reprocher.

Elle n'y allait que pour faire un peu de surveillance.

Et si l'occasion se présentait, elle pourrait toujours s'approcher un peu. Pour ouvrir le coffre de la fameuse voiture rouge par exemple, pour y chercher une trace de soie. Annabel n'avait aucune idée de la manière dont elle ouvrirait ce coffre, elle se faisait confiance. Elle improviserait.

La voiture quitta l'autoroute 26 à Cedar Mill, une ville de la banlieue, et traversa la bourgade pour

560

rejoindre une rue moins construite qui serpentait entre les arbres.

Le salaire de Gloria Helskey devait être confortable puisqu'elle possédait un appartement à Coos Bay sur la côte, et une ferme rénovée à proximité de son travail. Annabel s'engagea dans l'impasse qui conduisait à cette ferme isolée par un pâturage d'une vingtaine d'hectares où n'évoluait plus un seul animal.

La barrière de bois qui délimitait l'accès à la propriété n'était pas fermée. À en juger par son état, elle ne devait guère être déplacée souvent, remarqua Annabel au passage.

Elle suivit le chemin au gré des ornières capricieuses en admirant l'étendue paisible qui l'entourait. C'était un endroit agréable pour vivre. Reposant.

Et un peu triste, pensa Annabel. Oui, c'était triste de voir toute cette herbe sans animaux pour s'y épanouir. Ça manquait de vie.

Au bout de la route, Annabel fit prendre un peu d'élan à sa voiture pour monter le talus qui masquait la ferme.

Son cœur tressauta.

Elle ralentit, presque à l'arrêt.

Les mains crispées sur le volant, elle s'enfonça dans son siège.

70

Lloyd Meats n'avait pas voulu que le groupe d'intervention de la police se joigne à lui et ses hommes. Ils devaient se tenir prêts, en cas de besoin, on ferait appel à eux. Pour l'heure, il fallait s'assurer que le tueur était chez lui. S'il n'était pas là, il faudrait se cacher et attendre son retour, on ne pouvait pas prendre le risque de débarquer à vingt autour de sa maison et qu'il s'en rende compte au moment de rentrer.

La sagacité de Brolin lui avait fait dresser le bon profil.

Le tueur était une femme. Spécialiste des araignées, et employée par la firme NeoSeta, l'une des pistes que la police n'avait pas vraiment exploitées jusqu'à présent, par manque de temps.

La vidéo de la station-service l'avait trahie.

Sa plaque d'immatriculation.

Gloria Helskey.

Dès le nom et l'adresse dévoilés, Meats avait foncé. Il ne savait rien d'elle. Était-ce la nouvelle identité de Constance Abbocan ou cette dernière était-elle l'innocente victime d'un quiproquo ? Qui se cachait réellement derrière Gloria Helskey ?

Même s'ils l'arrêtaient ce soir, il resterait encore de longues heures de vérification avant de clore le dossier et de le passer au procureur.

Les deux voitures banalisées s'engagèrent sur une route qui, d'après la carte, était parallèle à la ferme de la suspecte. Ils stoppèrent devant un ancien silo agricole abandonné, branlant dans le vent comme une tour de guet touchée par la guerre.

Meats se tourna vers l'inspecteur Cooper qui l'accompagnait.

– On va couper à travers champs pour se rapprocher de la ferme discrètement, on laisse les véhicules ici avec Perkinson, les autres viennent avec nous.

Cinq inspecteurs de police se mirent à gravir la butte du silo. De l'autre côté, ils n'auraient qu'une barrière à franchir et un demi-kilomètre à marcher jusqu'au bâtiment, si Meats avait correctement interprété sa carte.

Meats n'était pas tout à fait au sommet de la butte lorsque Cooper s'inquiéta :

– Merde, qu'est-ce que c'est ? Un feu de forêt ?

De la fumée noire se dilatait dans les hauteurs célestes.

Meats accéléra jusqu'au sommet et posa une main sur son front pour se protéger du soleil.

La colonne de fumée ressemblait à un intestin de coton teint, se dépliant vers l'infini. Elle provenait de la ferme.

Brusquement, une boule de feu jaillit au loin, ronde et gourmande, elle grossit en une seconde avant que ses flammes ne ternissent et viennent alimenter à leur tour le tronc de fumée. Le grondement de l'explosion fit trembler le sol sous les pieds des inspecteurs.

– Oh, putain ! s'écria Meats. Retournez aux voitures ! Retrouvez la route, de l'autre côté ! Foncez sur place et appelez les secours !

Lui se mit à courir en direction de l'incendie.

Il dévala la pente en évitant de justesse l'entorse de cheville, sauta par-dessus une barrière en piteux état et traversa un pâturage laissé en friche. Il transpirait à grosses gouttes, sa chemise était trempée, lorsqu'il arriva aux abords de la propriété. Ses poumons lui faisaient l'effet de deux sacs en papier gonflés à bloc et qui menacent de se rompre à chaque pas supplémentaire.

La ferme avait la forme d'un L dont l'une des ailes brûlait. Une armée de flammes débordait par toutes les issues, grimpant le long des murs, tirant ses flèches incandescentes en toutes directions pendant que la fournaise crépitait à la manière de mitrailleuses devenues folles. Une portion du toit avait été soufflée par l'explosion.

Meats aperçut alors l'alignement de bouteilles de gaz sous l'un des murs. Le feu rampait depuis une fenêtre en leur direction, étendant ses bras tentaculaires vers la demi-douzaine de bombes en puissance.

La voiture rouge était bien là, déjà avalée par le roulis mécanique de l'incendie qui se propageait hors de la bâtisse. Une seconde voiture se trouvait en plein milieu du chemin, portière ouverte du côté conducteur.

Meats se mit à fouiller la maison du regard.

Une seconde explosion déchira l'aile déjà éventrée de la maison.

Meats fut plaqué dans l'herbe par l'onde de choc et le souffle brûlant du champignon rougeoyant.

Il cligna des yeux plusieurs fois à la recherche de ses repères.

Ses oreilles sifflaient.

Il se rendit aussitôt compte qu'il avait un goût de cendre dans la bouche. Il releva la tête.

Il pleuvait des centaines de bardeaux ardents qui entraient en contact avec la terre en émettant un « *pschiii* » aigu, libérant ainsi le parfum suffocant du carbonisé.

C'est au milieu de ce chaos symphonique que Meats la vit.

La présence dans la maison, dans l'aile encore intacte, au-delà de cette porte grande ouverte vers les ombres de la demeure.

Elle avait disparu, quelque part dans une des pièces.

Cette silhouette qu'il connaissait.

Meats hurla dans le vacarme :

– Annabel ! Sortez de là ! Tout va sauter !

Son cri fut aussitôt englouti dans le rugissement du feu.

Ce dernier tournoyait, il gonflait rageusement pour gagner davantage encore en bestialité.

Le feu prenait possession des lieux et personne ne pouvait plus l'arrêter. C'était une créature féroce, implacable, une machine de destruction.

Meats se releva brutalement et courut vers la porte ouverte.

Les flammes s'intensifièrent et leurs doigts griffus agrippèrent les bouteilles de gaz.

71

Brolin marchait dans la rue.

Debbie Leigh n'était pas seule lorsqu'il était arrivé. Elle était en compagnie de ses parents, arrivés la veille de Tucson. Ils avaient passé tout ce temps ensemble, Brolin s'en était assuré habilement, sans poser la question directement pour ne pas se montrer agressif ou suspicieux. De nombreuses photos de Debbie en compagnie de sa famille ou de ses différents petits amis tapissaient les murs de son salon, témoignant par là d'une joie de vivre et surtout d'un passé construit sereinement. Loin des quatre années d'hôpital psychiatrique de Constance Abbocan. Debbie Leigh n'était pas le nouveau nom de cette meurtrière, elle n'avait rien à voir avec tout cela, c'était à présent une évidence.

Il s'était planté.

Il prit son téléphone portable et essaya de joindre Annabel, il tomba sur la messagerie. Avait-elle coupé sa sonnerie pour surveiller la maison de Gloria Helskey ?

Gloria Helskey.

Non, pas elle. Brolin se rassura en se rappelant qu'il l'avait aperçue le matin même lors de son très bref passage à NeoSeta, en compagnie du professeur Haggarth. Et le tueur avait eu le temps, l'après-midi, de larguer un nouveau cadavre en banlieue sud-est de Portland, à l'opposé de NeoSeta. Matériellement, Gloria n'avait pas pu le faire en sortant de son travail en fin d'ap...

Sauf si elle avait pris son après-midi.

Non, elle...

Pourtant Brolin se devait de considérer cette option comme possible.

Rappelle-toi, tu sais que Gloria Helskey travaillait pour l'armée, dans cette base près de la clairière, elle est spécialiste des araignées...

Le privé essaya de se remettre en situation, le jour où ils avaient parlé ensemble à NeoSeta ; portait-elle une alliance ? Il n'en avait pas souvenir mais était tout d'un coup prêt à parier que non.

Elle vit sûrement seule !

Il se souvint de l'adresse.

Dans une maison isolée, l'endroit rêvé pour un tueur !

Et elle était blonde, comme la suspecte aperçue l'après-midi.

C'est une perruque...

Tout convergeait vers elle maintenant qu'il y réfléchissait.

Pourquoi s'était-il entêté sur cette Debbie Leigh ? Il avait oublié l'objectivité pour écouter ses impressions. Une erreur impardonnable.

Annabel.

Il l'avait envoyée là-bas en songeant qu'il n'y avait aucun danger.

Non ! Tu recommences à supposer alors que tu n'as pas d'élément probant !

Gloria Helskey n'avait pas pu déposer le corps de l'autre côté de la ville en fin d'après-midi, se répétat-il. Sauf si elle avait pris son après-midi.

Annabel est là-bas pour guetter, elle n'interviendra pas... rassure-toi.

Brolin consulta sa montre. Vingt et une heures passées. Donovan Jackman – le responsable des relations publiques – ne serait plus à NeoSeta. Il restait une option.

Brolin fonça à la Mustang.

Il entra dans le Central de police quelques minutes plus tard, monta au cinquième étage et passa de bureau en bureau. Il finit par trouver quelqu'un qu'il connaissait.

– Arnold, j'ai besoin d'un numéro de téléphone, de toute urgence.

Brolin obtint le numéro du domicile de Jackman. Il le composa en sortant de l'immeuble. Ses mots furent tranchants.

Il ne laissa aucun choix à Donovan Jackman.

Il voulait savoir si Gloria Helskey avait pris son après-midi aujourd'hui.

Jackman répondit. Puis ajouta une autre phrase.

Et Brolin s'immobilisa, au milieu de la rue.

La fumée empoisonnait l'air, elle nappait la partie supérieure de chaque pièce d'un fleuve de vapeurs mortelles.

Annabel avait saisi un linge dans la cuisine pour se couvrir la bouche. Elle n'y avait trouvé personne, non plus que dans le salon et la bibliothèque.

En découvrant qu'une moitié de la maison était en flammes à son arrivée, elle avait écouté son instinct de flic : s'assurer que personne n'était à l'intérieur. Meurtrier ou pas, victimes ou preuves éventuelles, peu importait, elle devait vérifier que personne ne risquait de périr sous les flammes. Sachant que la fumée montait, Annabel avait cherché l'escalier de l'étage en premier lieu, elle avait couru de pièce en pièce, sans trouver qui que ce fût.

Il ne restait que les salles du fond, les plus éloignées de l'aile en feu. Pour cette dernière, Annabel ne pouvait rien faire. Son téléphone n'avait pas de réseau dans ce coin reculé, et la ligne de la maison ne fonctionnait déjà plus. Les secours ne pourraient arriver que lorsqu'on verrait la fumée dans le ciel depuis Cedar Mill.

Elle poussa la porte de ce qui était une chambre. La plus spacieuse, et surtout l'unique à être véritablement aménagée.

Annabel la vit immédiatement.

Juste en face d'elle. Un revolver dans une main.

Immobile.

Annabel ouvrit la bouche et fit un pas en avant pour faire quelque chose.

C'était trop tard.

La mort habitait la pièce depuis plusieurs minutes au moins.

Il n'y avait plus rien à faire pour l'en empêcher.

Tout avait été très vite pour la Chose.

Pour sa dernière journée.

Les araignées dans toute la ville. Abandonner le cadavre dans les bois, au bord de la route, et foncer à la ferme.

Là, elle n'avait eu aucune peine à prendre son arme.

La mort n'était pas si mystique que ça finalement. Il suffisait d'un revolver, d'une balle froide qui pénètre vos chairs, qui déchire votre boîte crânienne et perfore votre cervelle, creusant un chemin de bouillie en amont de sa trajectoire, selon son onde de choc.

C'était bien plus facile qu'elle ne l'avait songé toute la journée. Poser son doigt sur la gâchette. Ne pas trembler. Faire preuve d'assurance.

Oui, c'était bien plus facile qu'elle ne l'avait pensé, faire jaillir la mort avec autant de calcul et de calme.

Poser le canon sur sa peau.

Que les yeux se ferment. Le cerveau vient de comprendre que c'est fini.

Et l'index produit la pression nécessaire sur la courbe de métal.

D'abord une résistance assez tangible sous le bout du doigt.

Et de l'action jaillit le néant.

La Chose avait tout simplement posé le canon sur le bas de son visage, à l'entrée de la bouche.

Et appuyé sur la détente.

74

Lorsque Lloyd Meats entra dans la pièce, il vit tout de suite le sang qui éclaboussait le mur.

Les résidus de cervelle qui avaient collé sous la chaleur de l'impact.

Et le ballet aérien des milliers de gouttes pourpres qui grimpaient jusqu'au plafond.

Il avait suffi d'une balle.

En pleine tête.

Gloria Helskey était allongée sur son lit. Les yeux absents.

Le choc du coup de feu avait déplacé sa perruque blonde sur son crâne. Elle tenait encore son arme dans la main.

Le carnage était frais, il datait de moins d'une heure certainement, les mouches arpentaient la plaie dans la bouche et à l'arrière de la tête.

Annabel qui se tenait à son chevet porta sa main valide à son Beretta mais interrompit son geste en s'apercevant que l'intrus était Meats. Elle aussi venait à peine de découvrir le cadavre. Gloria Helskey était morte sur le coup, bien avant qu'ils n'arrivent.

– Il faut sortir d'ici sans tarder, il y a des bouteilles de gaz qui vont tout faire sauter d'un instant à l'autre ! s'écria Meats.

Annabel entreprit alors d'envelopper le cadavre dans le drap qui recouvrait le lit.

– Qu'est-ce que vous foutez ? tonna Meats. On n'a pas le temps ! Elle s'est suicidée, il faut se tirer d'ici !

La jeune femme continua à empaqueter le corps, gênée dans ses mouvements par l'attelle à sa main droite, et Meats jura en la rejoignant pour l'aider à porter. Il entra en contact avec la peau tiède de Gloria Helskey et son opinion fut confirmée. Elle s'était tiré une balle en pleine tête au cours de la dernière heure, deux heures, pas plus.

Ils traversèrent le couloir central, Annabel tenant les épaules, Meats assurant sa prise aux chevilles. Le drap se mit rapidement à goutter sur le linoléum. Des taches vermillon.

Le grondement du feu remplissait la maison tout entière, une litanie d'infra-basses vibrant jusque dans les fondations. Meats se mit à tousser avec violence. La fumée leur piquait les yeux, les larmes traçaient des sillons brillants sur leurs joues.

Ils arrivèrent devant la porte, à quatre mètres de l'oxygène.

Une gerbe de flammes s'abattit devant l'ouverture, un rideau infranchissable qui fit grimper la température de plusieurs dizaines de degrés dans toute la pièce.

Comme il était apparu, le voile de flamme se rétracta, laissant l'accès libre pendant quelques secondes.

Annabel et Meats foncèrent.

Ils jaillirent dans ce crépuscule frelaté aux relents d'apocalypse.

Fuyant le monstre qui se jetait avidement sur la moindre parcelle de vie pour la consumer, Annabel et Meats avaient parcouru une vingtaine de mètres lorsqu'ils perçurent un déclic mécanique dans leur dos.

Le haut des premières bouteilles de gaz était calciné.

Elles explosèrent.

Une trombe de mort déchiqueta tout sur son passage, pulvérisant toute matière de son onde de choc. Ce qui n'était pas totalement réduit en morceaux se fit aussitôt cribler par une centaine de copeaux d'acier en fusion émanant de l'enveloppe de chaque bouteille de gaz. Un raz-de-marée bouillonnant vint alors carboniser les restes du carnage.

Annabel et Meats furent balayés par la déflagration.

L'inspecteur s'envola pour s'écraser contre un muret de pierre, il n'eut pas conscience des craquements lugubres de ses os. La frénésie du choc disloqua plusieurs connexions nerveuses dans son bras, rompant même ses muscles. Deux trous fumaient dans son dos, deux débris chauffés à blanc en train de faire fondre ses chairs.

Tout alla trop vite pour Annabel. La détonation envoya le cadavre de Gloria Helskey sur elle, avant de les soulever toutes les deux pour les projeter dans les pâturages, à plusieurs mètres.

Pendant trente secondes, la poitrine de la jeune femme ne se souleva pas.

Puis elle avala l'air dans une aspiration virulente.

Ses yeux s'ouvrirent.

Elle poussa le cadavre qui l'étouffait, et laissa échapper un cri de douleur. Tout son corps était aussi rigide et douloureux que si elle avait eu une crampe généralisée.

Les sirènes de deux voitures se mêlèrent bientôt aux multiples craquements du feu.

Annabel vit des débris enflammés retomber tout autour d'elle.

Elle était en vie.

*
* *

Les alentours de la ferme ressemblaient au sommet d'un volcan en éveil. Des volutes de fumée grise s'élevaient du sol un peu partout dans un large périmètre, chaque débris terminant de se consumer dans les hautes herbes. Une demi-douzaine de véhicules encerclaient le lieu de la catastrophe : camions de pompiers, premiers secours ou voitures de police, avec autant de radios crépitantes qui s'entremêlaient depuis les portières ouvertes.

Des brancardiers chargèrent Lloyd Meats dans une ambulance, il fallait le transférer d'urgence dans un hôpital. Il avait les paupières papillonnantes. Annabel le vit relever la tête pour la chercher du regard. Il y eut un reflet miroitant dans ses yeux lorsqu'il la reconnut, et la jeune femme sut qu'il s'en tirerait.

La nuit, en couvrant les braises chaudes, souligna leurs présences multiples, et bientôt une lueur diffuse d'ambre rougeoyant enveloppa la scène.

Larry Salhindro aida à refermer les vantaux arrière de l'ambulance en dressant vers Meats un pouce encourageant. Puis il rejoignit Annabel qui se tenait un peu à l'écart, assise par terre.

– Il est sonné, rapporta-t-il. C'est un type costaud, ça va aller pour lui.

Annabel inclina son visage sur le côté. Salhindro s'accroupit pour être à son niveau.

– Qu'est-ce que je vous sers, mademoiselle ? J'ai un bon café froid dans une thermos qui date de deux jours, notre spécialité. Et peut-être même des donuts du week-end dernier.

Annabel lui rendit un demi-sourire en guise de réponse. Dans son crâne, il n'y avait que l'écho sourd d'une effroyable explosion, plus proche du hurlement d'une créature démoniaque que de la réaction physique.

Elle vit un spécialiste de la scène de crime recouvrir le cadavre de Gloria Helskey de son drap après lui avoir passé une sorte de cotons-tiges sur les mains et le visage pour les prélèvements de poudre. Annabel connaissait tout cela, les méthodes étaient les mêmes de la côte Est à la côte Ouest. Et ces gestes familiers lui firent un peu de bien, la rapprochant de sa réalité. Loin de ce chaos ambiant.

Les bâtonnets étaient humidifiés avec de l'acide citrique très dilué, pour « capturer » plus aisément les résidus de tir, se souvint-elle. Il s'agissait d'une simple vérification d'usage pour s'assurer qu'il n'y avait pas là une mise en scène à la place du suicide apparent. Le coup de feu avait obligatoirement libéré une large quantité de poudre qui s'était répandue dans l'air, et en partie sur la main tenant la crosse ainsi que sur le visage, qui était le point d'impact.

Annabel songea aussitôt qu'on adapterait aux circonstances la méthode d'analyse. Il n'y avait que peu de doute sur la véracité du suicide, et la police préférerait avoir des résultats rapides. On oublierait donc le microscope électronique à balayage, le fameux MEB, pour faire l'analyse selon la spectrométrie d'absorption atomique. Cela prendrait environ cinq heures pour chercher la présence de baryum, antimoine et plomb, les principaux résidus de tir. La méthode était moins fiable qu'avec le MEB mais nettement plus rapide. Un scientifique s'était un jour amusé à calculer que l'analyse des tampons de prélèvement avec le MEB équivalait à chercher une balle de tennis sur un terrain de foot, à trente centimètres du sol et avec des œillères. Les résultats étaient en revanche d'une grande fiabilité.

Annabel se concentrait sur son savoir théorique pour fuir la peur qui la secouait encore.

La marge d'erreur était ici relativement faible. Elle savait qu'on pouvait trouver de l'antimoine dans les étains ou du baryum dans les huiles de garagistes par exemple, mais la probabilité que Gloria Helskey ait eu un contact avec tout cela en même temps était réduite. Oui, la spectrométrie d'absorption atomique était ce qu'il y avait de mieux dans ce cas. C'était…

– Annabel ? Annabel ? Ça va ?

Elle cligna des yeux et vit Salhindro en face d'elle, l'air inquiet.

– Oui…, murmura-t-elle.

Le gros flic se pinça l'arête du nez en réfléchissant, puis il s'assit à ses côtés.

– Ça a dû être rudement violent ici, dit-il doucement. Mais vous vous en êtes tirés, tous les deux.

La voix filtrait jusqu'à Annabel au travers du sifflement qui ne quittait plus ses oreilles depuis trente minutes.

– Josh est au courant ? demanda la jeune femme.

– Pas encore, les téléphones portables ne passent pas ici, et je ne veux pas lui faire relayer l'info par radio, je veux le lui dire moi-même.

Il posa une main amicale dans le dos d'Annabel.

– C'était votre enquête aussi, ajouta-t-il, vous avez largement contribué à ce que tout s'arrête. Et vous avez payé de votre personne tous les deux pour cela.

Salhindro observa un instant l'attelle sur la main droite de la détective new-yorkaise.

– L'inspecteur Balenger est allé voir le squelette que vous avez trouvé dans les bois, continua-t-il. L'anthropologue a confirmé qu'il s'agissait d'une femme, mais après un rapide examen des os, en particulier du bassin, il est très sceptique sur le fait que ça puisse être Constance Abbocan. Cette dernière n'a jamais eu d'enfant, et le squelette semblerait dire le contraire. Donc ça ne correspond pas. Ça fait nos affaires… On va approfondir, savoir comment elle a fait pour changer de nom, comment elle est devenue Gloria Helskey. Quant au squelette, c'était probablement une tentative pour nous dérouter, elle aura fait fondre sa carte d'identité, juste ce qu'il faut pour qu'on puisse encore lire son nom, et l'aura abandonnée à côté d'une de ses victimes anonymes… Je ne sais pas, on découvrira bien tout ça.

Annabel toussa, et tenta de se calmer en respirant profondément.

– Larry, je ne crois pas que je sois en état de conduire, tu peux me déposer ?

– Bien sûr.

Il se leva et lui tendit une main pour l'aider à faire de même. Lorsqu'elle appuya sur ses muscles, Annabel perçut la décharge dans tout son être. Il lui semblait tout à coup qu'elle était au lendemain d'un marathon, chaque parcelle de son corps courbatue à l'extrême. Elle grimaça et se mit à marcher. Ses membres étaient lourds et le moindre geste douloureux.

– Il faut que tu passes par l'hôpital, prévint Salhindro. C'est pas prudent, on ne sait jamais, tu n'as peut-être rien de cassé, mais tu…

– J'irai, ne t'en fais pas. Simplement, je voudrais me retrouver un peu auparavant, voir Joshua, décompresser.

Il acquiesça et lui fit signe de le suivre vers sa voiture.

Au passage, ils contournèrent le cadavre de Gloria Helskey, dont la tête émergeait du drap ensanglanté.

On lui avait pris sa perruque pour la mettre sous scellés.

Son crâne nu et endommagé luisait dans la tiédeur naissante du soir.

75

C'était une maison décatie, légèrement en retrait par rapport aux autres dans la rue, dans un quartier résidentiel très calme, en partie habité par des personnes âgées.

Tous les volets au premier étage étaient fermés, remarqua Brolin, et il y avait de la lumière au rez-de-chaussée. Une Toyota au pare-chocs tordu était garée devant le garage en bois, au fond du jardin.

Brolin vérifia le nom sur la boîte aux lettres. C'était bien là.

Il hésita encore une fois.

Ne devait-il pas appeler Meats et tout lui raconter ? Lui expliquer ses déductions, et ce qu'il venait d'apprendre de la bouche même de Donovan Jackman ?

Combien de chances avait-il que ça ne soit pas une fausse piste, une de plus ? Meats n'avait pas de temps à perdre, à l'heure qu'il était, il se pouvait même qu'il soit déjà en train de passer les menottes aux poignets du tueur, après l'avoir identifié grâce au témoin.

Alors que faisait-il là, lui le détective privé supposé apporter à l'investigation un éclairage différent ?

Il exploitait la moindre piste. Voilà ce qu'il faisait. Ne rien laisser au hasard.

Il allait entrer discrètement, jeter un coup d'œil et, s'il ne trouvait rien de suspect, il confierait tous ses doutes aux flics qui feraient le boulot en toute légalité.

Et si tu te regardais en face pour une fois ! Est-ce si affligeant que de s'avouer la vérité ? Que tu espères avoir vu juste, et que tout au fond de toi, tu souhaites te mettre dans une situation particulière ! Hein, c'est ça ? Ce que tu veux, c'est provoquer cet imprévu, te trouver face au tueur, et jauger ta réaction !

Brolin coupa court à cette réflexion, il l'occulta en examinant le voisinage pour s'assurer que personne n'était en train de le surveiller.

D'un geste souple, il franchit la courte palissade et traversa la pelouse mal entretenue jusqu'au flanc droit de la demeure.

Par chance, le lampadaire le plus proche éclairait par intermittence, nimbant la rue d'une clarté sépulcrale. Brolin en profita pour longer le mur jusqu'à un soupirail. Il s'agenouilla dans la terre et enfonça sa tête dans le renfoncement de la paroi, pour être le plus près possible de la fenêtre. Cette dernière était opacifiée par une couche épaisse de crasse et de poussière et une araignée avait tissé une longue toile dans son angle. Par prudence, Brolin prit soin de se tenir à l'opposé du petit arthropode. Il posa une main sur le bas du carreau pour s'approcher encore plus près.

Il ne faisait pas tout à fait noir dans la cave, une pâle lueur émanait d'une des pièces.

Aucune ombre en mouvement, pas de signe de présence en bas. Cependant, la vitre était si sale qu'on ne pouvait être sûr de rien.

Brolin recula les épaules.

Il était encore accroupi dans la terre lorsqu'une silhouette passa dans son dos.

Furtivement.

Le privé releva le visage et pivota pour se lever en se frottant les mains.

Il s'immobilisa en remarquant alors la présence à ses côtés. À cinq mètres.

Un gros chat noir avec ses yeux jaunes qui le fixaient, scintillants dans l'obscurité.

Il lui fit penser à un guetteur, surveillant le jardin.

Brolin fit un clin d'œil au félin qui ne le quittait pas du regard, pour se rapprocher de l'angle de la maison.

Il voulait voir s'il y avait une porte à l'arrière.

Juste avant de tourner, le privé se rendit compte qu'un des battants du garage était entrouvert. Le bâtiment était assez volumineux, suffisamment pour y stationner deux véhicules et quelques meubles.

Son attention dériva sur la Toyota. Le bas de caisse était vraiment proche du sol, et penché vers l'arrière. Le coffre était lourdement chargé.

Non, bien plus que si c'était un cadavre... Ne sois pas obnubilé.

Brolin quitta les ombres profondes du mur pour s'élancer à découvert.

Le grincement caractéristique de la porte-moustiquaire crissa depuis la façade arrière de la maison.

Brolin se laissa tomber et roula aussitôt derrière un arbuste.

Une personne se tenait dans la lumière jaillissant de la cuisine. Elle portait un sac dans une main, et semblait n'avoir rien remarqué.

Brolin dévisagea l'individu.

Comment avait-il pu se faire berner de la sorte ?

Qui se cachait réellement derrière ce faciès déterminé, cette démarche fière et assurée ? Ses épaules étaient droites, carrées, le maintien d'une personne qui pratique du sport, qui s'entretient. Sa ligne le confirmait, et Brolin devinait que ces mains pouvaient se refermer avec une poigne d'acier.

Tout ce sport n'avait rien à voir avec l'esthétisme du corps. C'était pour être en forme face à ses victimes.

Les doutes qui polluaient encore l'esprit du détective privé disparurent devant la transformation qu'il pouvait détailler depuis sa cachette. Ça n'était pas tout à fait la même personne. Il sut qu'il avait démasqué le responsable de toute cette horreur. C'était si évident à cet instant.

Brolin s'en voulut de ne pas avoir percé ce secret plus tôt. Il avait le coupable sous les yeux depuis le début ou presque, il avait guetté les réactions de tous ceux qu'il avait croisés, mais il n'avait pas ausculté *l'ombre* de chacun.

L'individu passa devant Brolin. Ce dernier fit coulisser son bras vers son arme. Il pouvait intervenir maintenant. Tout arrêter en une poignée de secondes.

Pourtant il ne bougea pas.

Personne ne savait où il était, hormis Donovan Jackman qui avait fini par lui donner cette adresse. Et Brolin n'ignorait pas qu'une situation en apparence contrôlable pouvait dégénérer en un rien de temps. Surtout que la personne qu'il avait sous les yeux était imprévisible. Elle n'hésiterait pas, elle serait prête à n'importe quoi plutôt que de se faire arrêter, Brolin le pressentait au souvenir des actes criminels accomplis.

Non, pour une fois, il devait faire preuve de sagesse. Il devait prévenir Meats, qui pourrait être là avec un groupe d'intervention en moins de trente minutes.

La voiture est chargée, le tueur s'en va !

Alors s'il le fallait, Brolin le prendrait en filature.

L'individu ouvrit sa Toyota, posa son sac à l'arrière et referma la portière avant de faire demi-tour et de rentrer.

Le tueur faisait ses bagages, il quittait la ville, probablement la région.

Brolin hocha la tête. Le criminel avait délivré son message. À présent il partait pour ne pas risquer l'arrestation. Et qu'il le veuille ou non, Brolin savait qu'il allait recommencer. Ailleurs. C'était plus fort que lui, il souffrirait bientôt de ce manque qu'éprouvent les meurtriers en série dès qu'ils commencent à tuer. Le sang est la plus puissante des drogues. Et il recommencerait. Il délivrerait au monde son message.

La porte arrière de l'habitation se referma. Et la tension aussi poisseuse qu'une eau usée quitta le jardin.

Brolin s'approcha de la voiture tout en restant courbé.

Son pied accrocha un fil tendu sur le sol, et le détective privé chuta en avant. Il emporta avec lui le fil et entendit un craquement de branche en même temps qu'un bruit de verre qui se brise.

Sans prendre le temps de se débarrasser du filet qu'il avait agrippé, Brolin recula à toute vitesse dans la pénombre des haies les plus proches. Le rideau d'une fenêtre bougea au rez-de-chaussée.

Joshua déroula avec des gestes très lents le fil qui s'était accroché à sa cheville. On avait tendu plusieurs filets dans les herbes, une installation rudimentaire qui passait inaperçue avec la nuit.

Le tueur devait s'en servir pour recueillir des insectes en plus de ceux qu'il élevait pour nourrir ses araignées.

Le privé guetta la porte qui ne s'ouvrit pas.

Après deux minutes, Brolin jugea qu'il pouvait sortir de son abri.

Que fallait-il faire ? Sortir sans tarder et appeler Meats et ses hommes ? C'était la décision la plus sage. Au fond de lui, Brolin la regrettait presque. Une part de lui souhaitait régler le problème tout seul.

Lui et le *Monstre*.

Lui seul pouvait vraiment comprendre sa nature. Son paradoxe.

D'une part, un monstre qui massacre des êtres humains sans aucune hésitation, et d'autre part, un être dont les souffrances exacerbées au long de son existence ont brûlé toute humanité. Et qui agit alors pour survivre, pour se créer des reliefs de vie, d'émotion. Un être qui détruit pour être.

Brolin anticipait l'instant où il entrerait dans la pièce, lorsque leurs regards se croiseraient, et que le tueur se saurait démasqué. Il verrait le reflet de ses propres terreurs, de ses doutes, dans les prunelles de Brolin.

Il n'y aurait pas de duel.

Brolin aurait déjà son arme au poing, il la lèverait et le tueur comprendrait que c'était ainsi que tout devait s'achever. Il deviendrait à son tour la victime, il verrait enfin son propre regard chez son bourreau, jusqu'à son dernier souffle.

Et il paierait pour les démons de Brolin.

Après… il n'y aurait plus que silence.

Joshua demeura à réfléchir pendant un moment.

Annabel s'immisça dans ses pensées. La tempérance se dilua en lui.

Les pensées ne sont pas des actes, se répéta-t-il. Quels que soient cette haine et ce cynisme qui le nourrissaient, il ne les éluderait jamais par une justice tronquée, une loi du Talion au goût amer de Némésis.

Il relâcha la pression sur la crosse de son Glock qui resta dans son holster.

Ce qui n'empêchait pas de bien faire les choses.

La voiture était toute proche. Il pouvait au moins y jeter un coup d'œil.

Quelques pas chassés pour ne pas baisser sa garde face à cette porte arrière qui pouvait s'ouvrir sur la mort.

Des sacs s'entassaient sur la banquette arrière et sur le siège passager. C'était bien ça, le tueur partait.

Brolin fut alors attiré par un fin bourdonnement provenant du garage, encore un peu plus loin dans le jardin. La tentation le démangeait.

Juste pour s'assurer qu'il n'y a pas de danger supplémentaire là-dedans, pour prévenir la force d'intervention, et après je me tire et je passe ce coup de téléphone.

Ses mots sonnèrent creux, même pour lui. Il était question de soif de savoir, de curiosité dans l'antre du Mal.

Un dernier coup d'œil vers la porte. Toujours immobile.

Brolin courut jusqu'au garage.

Il se glissa à l'intérieur.

Immédiatement, il prit son crayon lumineux qu'il conservait dans sa pochette d'investigateur, toujours calée dans sa poche de jean.

Le mince faisceau qu'il délivrait dévoila un sol en terre battue.

Le bourdonnement était un peu plus franc, Brolin se guida à l'ouïe pour remonter jusqu'à un générateur qui tournait au ralenti. Il était presque arrêté. Un cadran indiquait une température et un autre l'hygrométrie. Ils étaient en chute libre.

587

Un gros tuyau en partait vers l'intérieur de la pièce. Brolin le suivit et s'arrêta presque dans la foulée.

Un mur de plastique l'empêchait de poursuivre. De sa lampe, Brolin tenta de distinguer ce qui se trouvait au-delà, il ne vit rien de précis. Il longea la paroi transparente jusqu'à dénicher l'entrée, une porte découpée par une fermeture à glissière qu'il fit descendre.

Était-ce la tanière du tueur, son sanctuaire ? Là où il éviscérait les corps, là où il retenait captives ses prisonnières avant de les mettre à mort ?

De l'autre côté, il faisait beaucoup plus humide et chaud qu'à l'extérieur. Brolin ne tarda pas à découvrir que le mur de plastique était en fait une face d'un grand cube isolé qui remplissait presque toute la surface du garage.

Il comprit brusquement où il était.

Sa lampe fouilla avec frénésie sur les côtés.

Des formes griffues. Des centaines de doigts noueux tendus vers lui.

Partout autour de lui, Brolin était cerné par ces mains horribles aux ongles tordus, aux manches flottantes.

Les extrémités d'une vingtaine de petits arbres de deux mètres de haut.

Des arbustes en plastique.

Couverts d'un linceul de soie.

Des dizaines et des dizaines de toiles recouvraient toutes ces branches, une peau de soie parait chaque parcelle de cet ersatz de végétation.

Et partout, des Nephila grosses comme des poings qui couraient au milieu de leurs pièges, traînant leurs abdomens boursouflés sur d'immenses pattes pointues, et agitant leurs chélicères comme autant d'armes tranchantes. Elles envahissaient tout l'espace et Brolin comprit en tournant sur lui-même qu'il avait eu une chance inouïe d'arriver au milieu de cet endroit sans en être couvert.

Il était au centre d'un terrarium géant. À dimension humaine.

Qui pouvait dire ce que le sol recelait encore comme horreur ?

Tarentule dissimulée sous la terre, en attente d'un pied se posant à proximité ? Mygale velue, se déplaçant vivement malgré son gigantisme ?

Le privé prit conscience que depuis qu'il était entré, ça n'était plus le bourdonnement du générateur qu'il entendait, mais le grouillement d'une centaine d'arthropodes.

C'était ici que le tueur recueillait la soie nécessaire à ses cocons.

Tout doucement, Brolin entreprit de rebrousser chemin.

Il ne connaissait pas la dangerosité réelle de ces araignées.

Soudain, une voix surgit dans son dos et il sentit en même temps sur sa nuque le souffle qui l'accompagnait.

– N'ayez pas peur, elles ne sont pas dangereuses.

Brolin porta aussitôt sa main à son Glock et voulut amorcer un mouvement pour se retourner.

L'aiguille pénétra sa gorge sur le côté, il la sentit nettement s'enfoncer.

– Si vous bougez encore d'un centimètre, je vous injecte tout le contenu de cette seringue.

La main libre de son agresseur le délesta de son arme.

– Très bien, monsieur Brolin, et si nous terminions ce que nous avions commencé ?

L'aiguille s'enfonça encore un peu plus.

Et le produit se déversa dans le corps du détective privé.

76

Larry Salhindro conduisait lorsque le téléphone portable d'Annabel émit un « bip » qui signifiait qu'elle avait de nouveau une couverture pour son réseau.

Elle tenta d'appeler Brolin. Le téléphone sonna jusqu'à accéder à la messagerie.

– Tu n'arrives pas à le joindre ? se renseigna Salhindro.

Elle répondit par la négative.

– Où veux-tu aller ? Je te ramène au chalet ?

Annabel scruta le paysage qui défilait. Ces maisons où la vie allumait les lumières des fenêtres.

– Non, finit-elle par dire, plutôt en ville, quelque part avec de l'animation. J'ai envie de voir des gens, de sentir de l'insouciance et du bonheur autour de moi.

– Très bien. Il y a un feu d'artifice tiré sur Waterfront Park ce soir, pour fêter l'été. Il y aura des marchands de glaces si tu veux du frais…

Constatant qu'elle ne rebondissait pas, il ajouta :

– Et il y aura du monde.

En approchant du centre-ville, Salhindro demanda à la jeune femme si elle voulait qu'il l'accompagne. Elle déclina l'offre en le remerciant gentiment. Elle préférait être un peu seule pour se remettre et elle contacterait Brolin avant de rentrer.

– Comme tu voudras, répondit Salhindro. Mais ne fais pas l'idiote et va à l'hôpital pour faire un check-up, d'accord ? Bon, tu traverses la rue jusqu'à la place avec toutes les petites cahutes où ils vendent des conneries et tu continues tout droit, tu verras le parc d'où sera tiré le feu d'artifice. Si tu as le moindre souci, tu m'appelles, je serai à proximité, au Central de police.

Elle déposa un baiser sur la joue du gros flic qui n'osa pas lui faire remarquer qu'elle sentait le brûlé.

La voiture s'éloigna et Annabel se mit à marcher sur le trottoir, vers la succession de cabanes en bois où on pouvait acheter diverses babioles artisanales et des sucreries. Les premiers mètres furent difficiles, Annabel avait les jambes lourdes et elles lui faisaient mal, comme si elles étaient couvertes d'ecchymoses.

Comme l'avait dit Larry, il y avait du monde. Beaucoup de familles, avec des enfants criant et riant. L'image de Brady, le mari d'Annabel, se superposa à ces visages. Elle chassa immédiatement toutes ces pensées. Ça n'était pas le moment. Brady ne la quitterait jamais, c'était une certitude, mais il ne devait plus la hanter. Elle se l'était promis depuis l'hiver dernier. Il en allait de sa vie, de sa reconstruction.

La plupart des gens convergeaient vers l'est, traversant une large avenue pour entrer dans le parc bordant la rivière.

Annabel reprit son téléphone et essaya à nouveau de joindre Brolin. Elle laissa sonner.

Il décrocha au sixième bip, juste avant que le répondeur ne prenne le relais.

– Josh, c'est moi, Annabel. Tu es où ?

Rien.

– Josh ?

Un léger sifflement, comme une respiration nasale dans le micro.

– Josh, qu'est-ce qu'il y a ?

– Où es-tu ? lui répondit-on.

La voix était neutre et monotone. Annabel ne sut dire de qui il s'agissait, mais elle était sûre que ça n'était pas le détective privé. Elle s'empressa de vérifier le cadran digital pour constater que c'était bien le numéro de Brolin.

– Qui êtes-vous ? Où est Joshua ?

– Joshua est là, tout près. Il n'est pas… très en forme. Où es-tu ?

– Qu'est-ce qu…

– La ferme ! J'ai dit : où es-tu ? Je viens de te dire que Joshua n'était pas en forme, tu veux que je le laisse crever ? C'est ça ? Alors je le dis pour la dernière fois : où es-tu ?

– Waterfront Park, répondit Annabel en serrant son téléphone.

Une sueur froide coulait dans son dos ; sans loi d'attraction, elle se répandit, tétanisant sa nuque et remontant vers son esprit.

– Parfait, ça n'est pas très loin. Tu vas venir nous voir. Attention : ne préviens pas les flics. Si j'ai le moindre doute, Brolin est mort. Tu viens seule. Tiens, tu sais ce qu'on va faire ? Tu vas rester en ligne. Et me parler. Et si tu t'arrêtes, je plante mon scalpel dans l'œil de Joshua et je l'enfonce jusqu'à touiller sa cervelle, tu as compris ?

– Oui.

Son interlocuteur lui donna une adresse, dans les faubourgs nord de la ville, non loin de l'aéroport.

– Alors parle-moi, et n'oublie pas : si tu te tais, Brolin n'est plus.

– Attendez, je n'ai pas de voiture, je dois prendre un taxi et…

– Ta gueule ! Je veux t'entendre distinctement me parler, même lorsque tu t'adresseras au chauffeur du taxi. Et si ton discours est inintelligible, si j'ai l'impression que tu fais autre chose en même temps, comme écrire un mot, je raccrocherai. Tu sais ce que ça signifiera.

Annabel respirait fort, son corps douloureux depuis l'explosion se crispait encore plus sous la peur et la rage qui l'envahissaient. Soudain elle réalisa que sa batterie de téléphone était assez faible, elle écarta le combiné de son oreille un très court instant pour s'en assurer et reprit aussitôt la parole :

– Je n'ai plus beaucoup de batterie, je vous jure que c'est vrai !

– Je t'ai prévenue, si je ne t'entends plus, peu importe la raison. Brolin est mort et moi je ne serai plus là le temps que tu arrives.

– Il me reste à peine un quart d'heure avant d'être coupée !

– Alors c'est à peine suffisant pour venir jusqu'ici. Je serais toi, je commencerais à chercher un taxi.

Pour la première fois depuis le début de la conversation, la voix prit un ton plus chargé en émotion, presque amusé, pour ajouter :

– Un taxi très rapide.

77

Annabel se jeta sur le distributeur de billets qui se trouvait derrière elle. Elle raconta le moindre de ses gestes à son correspondant inconnu. Elle prit trois cents dollars et se mit à courir sur le trottoir en réprimant à grand-peine les grimaces de douleur que lui arrachait son corps courbatu.

Lorsqu'elle vit un taxi au loin dans la rue, elle lui fit des signes frénétiques du bras et se jeta devant lui en tenant toujours son appareil de sa main droite, celle avec l'attelle.

Le chauffeur klaxonna et se mit à l'injurier.

Annabel ignora ses protestations pour ouvrir la porte arrière et montra les billets au chauffeur en lui mentionnant l'adresse.

– Ils sont à vous si j'y suis dans quinze minutes et que vous ne m'interrompez pas dans ma conversation, lança-t-elle en désignant son téléphone portable qu'elle prit soin de bien maintenir à côté de sa bouche.

Considérant la liasse, le conducteur hésita un très court instant avant de contenir ses insultes pour accélérer.

La voiture grimpa la rampe pour franchir le Steel Bridge et vint prendre encore plus de vitesse sur l'autoroute 5 qui transperçait la ville du nord au sud.

Annabel s'efforçait de tenir un discours cohérent au débit continu. Dès qu'elle se mettait un peu à réfléchir pour se tirer de cette situation cauchemardesque, elle perdait le fil de ses mots et ralentissait son phrasé. L'autre la coupait :

– Tu ne me convaincs pas, alors pense moins et parle plus !

Ou d'un lapidaire :

– Plus vite !

Annabel devait trouver une solution. Elle fonçait dans la gueule du loup et n'avait pas la moindre idée de la façon de s'en sortir. On ne lui en laissait ni le temps, ni les moyens. Impossible de maintenir un monologue cohérent tout en analysant les faits pour trouver une parade.

Dix minutes qu'ils étaient en route lorsque son téléphone émit son signal de « batterie faible ».

Annabel se pencha vers l'homme qui était au volant :

– Il faut aller plus vite !

– Hey ! Je fais ce que je peux ! On y est presque !

Annabel l'avait écouté pendant moins de cinq secondes, sans parler.

Elle entendit dans son écouteur :

– Je t'avais prévenue, tant pis pour lui.

– Non ! Attendez, attendez ! Je continue de parler, attendez !

– Alors plus un blanc cette fois. Allez !

Annabel chercha ses mots une seconde et enchaîna tout de suite sur ce qu'elle voyait, les inscriptions sur les panneaux, tout et n'importe quoi pour avoir de la substance à narrer.

Un autre signal lui indiqua que le téléphone allait bientôt couper.

Elle ferma les yeux en s'enfonçant les ongles dans la paume.

Lorsqu'elle les rouvrit, elle aperçut le panneau vert avec ses lettres blanches indiquant le nom de la rue où elle était attendue.

Un dernier bip strident.

La voiture s'arrêta devant une maison décrépie. Une Toyota était garée dans le fond, près d'un garage.

Annabel jeta les billets au conducteur et sortit pour se précipiter vers l'entrée du jardin.

– J'y suis, mais ça va couper, je n'ai plus de batterie et…

Il n'y avait plus rien, l'appareil ne fonctionnait plus.

Le taxi s'éloignait déjà dans la rue.

Les lumières du rez-de-chaussée s'éteignirent toutes en même temps.

Seule persistait une infime lueur filtrant d'un soupirail. On l'attendait à la cave.

78

Annabel s'approcha de la porte d'entrée.

Que devait-elle faire à présent ? Se précipiter au sous-sol, là où il y avait de la lumière, pour que ce… *fou* n'exécute pas Brolin ? C'était se jeter dans le vide sans la moindre assurance, elle n'avait aucune chance de survie. *Mais Brolin va mourir !*

Brolin était peut-être déjà mort.

Ne pas tergiverser. Le fou devait être en train de l'observer, dissimulé derrière une de ces fenêtres.

Qui était-il ? Annabel ne comprenait plus rien. Gloria Helskey était morte, il n'y avait aucun doute là-dessus. Était-ce un règlement de compte n'ayant rien à voir avec cette affaire ?

Non, c'était lié avec les araignées. Avec ce tueur qu'ils pensaient avoir démasqué ce soir. Une mise en scène.

En découvrant son cadavre, ils avaient *supposé* que Gloria Helskey était une fausse identité pour Constance Abbocan. Le vrai tueur, Constance, avait joué sur ce que la police savait, ou croyait savoir.

Subitement, le nom qu'elle venait de voir sur la boîte aux lettres l'interpella.

Connie d'Eils.

La technicienne de laboratoire à NeoSeta.

Annabel se mordit la lèvre en réalisant le parallèle du prénom.

Connie. Un diminutif de Constance.

Annabel chassa sa curiosité, l'heure n'était plus à l'enquête. Elle devait prendre une décision.

Que fallait-il faire ?

De toute manière, elle ne pouvait plus faire demi-tour, si Brolin était encore en vie c'était maintenant qu'il fallait agir. Revenir sur ses pas pour aller prévenir les flics le condamnerait à mort.

Annabel prit son Beretta dans sa main gauche avec toujours ce sentiment de gêne. Elle savait qu'en cas de nécessité, elle serait bien moins efficace, moins précise qu'avec sa main droite. La jeune femme essaya de bouger les doigts sous l'attelle, en forçant. Une décharge puissante remonta dans son poignet.

C'était risqué.

« Tant pis », se dit-elle. Elle entreprit d'arracher le bandage en vitesse et de défaire son attelle qu'elle laissa tomber. Cette fois elle ferma le poing et ses deux doigts cassés protestèrent à grand renfort de pics douloureux. Annabel transféra son arme dans sa main droite. En cas de besoin, elle devrait maintenir la crosse de toutes ses forces avant de presser la gâchette et serrer les dents.

Elle était sur le palier, elle ouvrit la porte sur le vestibule étroit.

La gueule de son arme pointée devant elle.

Il lui fallait trouver l'accès à la cave, c'était là que Connie avait laissé les lueurs de ce qui devait être des bougies.

C'est là qu'elle veut que tu ailles !

Et sachant qu'Annabel descendrait, la tueuse pouvait avoir préparé le terrain en conséquence. Elle serait cachée quelque part sur son chemin. Elle laisserait passer la détective devant elle et sortirait de sa tanière au dernier moment, par-derrière. Et tout s'achèverait ainsi.

Annabel fut tentée de fouiller rapidement le rez-de-chaussée, pour s'épargner toute mauvaise surprise. Elle posa un pas en avant et s'arrêta. Elle n'avait pas ce temps.

Brolin pouvait être en train d'agoniser à ce même instant.

Annabel avança dans le couloir. Le plancher grinça sous son poids.

Maintenant le tueur savait qu'elle était entrée.

Son oreille capta le balancier bruyant d'une grosse horloge dans une pièce toute proche.

L'obscurité était trop dense pour qu'elle puisse discerner les détails. Elle devait allumer, elle ne pouvait faire autrement.

Ses doigts libres tâtonnèrent à la recherche d'un interrupteur, tous ses autres sens aux aguets. Elle en trouva un qu'elle actionna sans résultat.

Le compteur. À la cave bien sûr. Elle est maligne...

Le prédateur qui traque sa proie en terrain connu a l'avantage. D'autant plus lorsque cette dernière est aveugle.

Annabel se déplaça vers une ouverture sur le côté. Une pièce assez grande, la clarté lunaire pénétrait par les fenêtres et se reflétait dans la plaque de verre d'une table basse. Annabel reconnut un salon. Elle le fouilla du regard dans l'espoir d'y distinguer un téléphone. Sans résultat.

Elle ne pouvait attendre plus longtemps. Il fallait descendre.

La jeune femme continua sa progression dans le couloir. Un escalier grimpait à l'étage sur sa droite. Il faisait un coude après quelques marches et il était envisageable qu'on s'y soit posté pour attendre le passage de la détective. Annabel braqua son canon dans cette direction et passa.

Une autre ouverture devant elle, avec une pénombre argentée, la présence d'une fenêtre.

Annabel prit son inspiration et fit irruption dans la pièce en effectuant un panoramique complet, le Beretta devant elle.

Pièce vide.

Sauf une porte entrouverte.

Et une lueur ambrée qui dansait parmi les ombres au-delà.

La cave.

À cet instant, Annabel réalisa que le balancier de l'horloge avait été remplacé dans sa tête par les battements de son cœur.

Torp-torp. Torp-torp. Réguliers. Non pas rapides mais soutenus.

Répartissant sa stabilité, elle s'approcha avec les jambes relativement écartées.

Du bout du pied, elle ouvrit la porte.

Un escalier de bois s'enfonçait dans les entrailles de la demeure. Une bougie posée à mi-chemin, juste dans le coude qu'effectuait le serpent de marches. Du faux lierre recouvrait les murs, transformant la descente en grotte digne de l'antre des Morlocks.

Torp-torp. Torp-torp. Plus fréquents.

Annabel baissa la tête et entra.

Elle progressait en longeant la paroi la plus proche du coude, pour offrir le moins d'angle de tir possible à un éventuel agresseur l'attendant en bas.

Les marches couinèrent sur son passage.

Puis elle déboucha dans la première salle du sous-sol, longue et floue. Une bougie brûlait à même le sol de l'entrée d'une seconde pièce, à bonne distance. Un fin corridor de clarté s'étendait en direction d'Annabel, si fin qu'il n'ouvrait qu'une maigre brèche dans le royaume de ténèbres. Annabel ne pouvait absolument rien voir de ce qui se trouvait de part et d'autre de son chemin. Elle ne percevait même pas les murs.

Il suffisait de suivre la route de brique jaune, comme dans *Le Magicien d'Oz*, se dit-elle pour tenter de se rassurer. Un sentier de brique jaune au milieu d'une nuit opaque.

Torp-torp. Torp-torp. Torp-torp. Son cœur s'accélérait de plus en plus.

Annabel eut l'impression que son arme n'était plus aussi menaçante, que son canon tremblait.

Sa respiration était contenue, elle s'efforçait d'inspirer et expirer lentement, même si son corps réclamait plus d'air. Elle ne devait pas faire de bruit.

Elle avança.

Deux mètres.

Une goutte tomba dans de l'eau sur sa gauche.

Elle braqua son Beretta aussitôt vers l'obscurité.

Aucun son. Elle ne voyait rien.

Annabel déglutit et reprit sa direction.

Quatre mètres.

L'autre pièce se rapprochait.

Elle pouvait y apercevoir une table de camping assez réduite. Et des aquariums avec de la terre dans le fond et…

Ça n'était pas tout à fait des aquariums, remarqua-t-elle. *Évidemment, ce sont ses terrariums !* hurla une voix dans son esprit.

De là où elle se trouvait, Annabel ne parvenait pas à discerner les araignées à l'intérieur.

Puis elle se rendit compte qu'ils étaient tous ouverts. Et tous vides.

Immédiatement, Annabel scruta tout autour d'elle.

Son arme ne pointait plus dans l'alignement de ses pas, mais sur le ciment du sol.

Cette fois son corps s'était affolé. Elle ne parvint plus à contenir sa respiration et avala l'air à grandes goulées, trahissant encore plus sa position.

Et Annabel y alla.

Elle entra dans le vivarium de Constance.

Des fausses plantes recouvraient la moindre parcelle, le même faux lierre que dans l'escalier tapissait les murs depuis le plafond, et dégringolait, parfois au beau milieu de la pièce ; l'atmosphère était plus proche d'une jungle que d'un sous-sol en pleine ville.

Le soupirail, lui aussi, disparaissait en partie derrière une forêt de tiges.

Toutes ces feuilles vertes, tous ces recoins tortueux, autant de tanières potentielles pour les araignées qui n'étaient plus derrière leur paroi de verre.

Le souffle fébrile, Annabel se tourna pour embrasser tout le repaire de Connie d'Eils d'un seul regard.

Pour tomber nez à nez avec son corps.

Dépecé.

Du cou jusqu'aux mollets, une peau flasque et grasse était accrochée à une patère.

Annabel comprit en s'approchant.

C'était un costume de latex, une combinaison qu'on pouvait enfiler pour faire croire que l'on était bien plus gros qu'en réalité, comme dans ces films avec Eddie Murphy ou Robin Williams.

Connie d'Eils était aux yeux de tous une femme réservée, grosse et mal dans sa peau. Le soir, en enlevant sa perruque et sa deuxième peau, elle redevenait Constance, une femme sportive, au physique troublant, terriblement androgyne.

Et Annabel avisa la fente derrière le costume. Une autre ouverture, en partie masquée par la peau et par les rideaux de végétation.

Annabel recula d'un pas pour l'ouvrir de moitié.

Une odeur aigre l'assaillit d'un coup. Il y avait une dernière salle au-delà. Des étagères soutenaient des bocaux juste à côté de l'entrée.

Et au centre, allongé sur une table, reposait Joshua Brolin.

Il n'était maintenu par aucun lien.

Ses yeux étaient ouverts.

Fixant le plafond avec une parfaite immobilité.

Annabel bloqua ses hanches tandis qu'elle s'apprêtait à se précipiter sur lui.

C'était ce qu'on attendait d'elle.

Plutôt que de foncer, elle fit volte-face pour inspecter ses arrières, le puits de plantes et ses multiples recoins.

Personne.

Il ne restait plus qu'une possibilité : Connie d'Eils se trouvait avec Brolin, plaquée derrière la porte, ou attendant sous la table.

Elle pouvait aussi être dans les ténèbres de la première salle, là où tu ne voyais rien ! Non, ça n'avait aucun sens, elle aurait attaqué en voyant Annabel passer, elle aurait pu la surprendre aisément.

Le spectre de la mort était juste là, de l'autre côté, guettant ses mouvements, la détective en était sûre. Elle frapperait quand Annabel contrôlerait l'état de Brolin. Oui, c'était ça, lorsqu'elle lui tournerait le dos.

Brolin qui ne bougeait plus.

Non, il n'est pas mort ! C'est une apparence, c'est encore ce produit, cette toxine ! se répétait la jeune femme pour se convaincre.

Elle devait agir.

Annabel repéra un des bocaux avec l'étiquette « SOUDE » sur l'étagère à l'entrée de ce cachot où gisait Brolin. Elle prit sa décision en un instant.

Et s'élança.

Elle donna de toutes ses forces un coup de pied dans la porte à demi-ouverte pour qu'elle vienne heurter le plus violemment possible ce qui se trouvait derrière. Dans le même élan, elle attrapa le bocal de soude de sa main libre et le jeta sous la table pour arroser toute la portion où Connie d'Eils était susceptible de s'être cachée.

Le verre se brisa et son contenu se répandit tout autour.

Annabel était déjà trois enjambées plus loin, les épaules collées contre la paroi pour ne pas craindre ce qu'elle ne pouvait voir venir.

Son canon fouillait à toute vitesse la pénombre, droite, gauche, par terre. Annabel fit une flexion pour braquer le dessous de la table.

Personne.

Et si le tueur s'était déjà échappé ?

Avec le choc, la porte avait rebondi et s'était presque refermée.

La jeune femme vint au chevet de Brolin.

Il était figé dans l'absolu.

Le détective privé était mort.

Annabel arrivait trop tard.

Non, elle refusait d'y croire. C'était encore un tour du tueur, de Connie, elle l'avait empoisonné à la tétrodotoxine, elle ne pouvait l'avoir tué. Elle n'aurait pas pris ce risque tant qu'Annabel n'était pas arrivée, pour s'assurer qu'elle n'avait pas prévenu la police. Brolin aurait pu, dans le pire des cas, lui servir d'otage.

Annabel posa sa main sur le front du détective privé. Il était chaud.

Les émanations de la soude commençaient à lui piquer les yeux. Il fallait sortir.

La jeune femme comprit soudainement pourquoi elle ne croyait pas à cette mort. Ce que son esprit n'avait pas tout de suite analysé, ses sens l'avaient fait.

Les yeux de Brolin s'humidifiaient de plus en plus. Des larmes se formaient. Il réagissait aux vapeurs de soude.

On lui avait injecté juste ce qu'il fallait de toxine pour le paralyser, pas pour le tuer.

Une joie sans borne envahit Annabel, elle eut envie de hurler tant elle avait besoin de vider son trop-plein d'émotion.

Pourtant elle n'en fit rien.

Tout sourire s'effaça sur-le-champ.

Son cœur tressauta dans sa poitrine, triplant de vitesse d'un coup.

Il y avait une tache noire entre les lèvres de Brolin.

Un minuscule corps aux articulations multiples qui se trémoussait.

Annabel l'identifia sans peine, à cette espèce de sablier rouge sur son abdomen.

Une veuve noire était posée à l'envers entre les lèvres du détective privé. Pincée sur le dos par son abdomen, l'araignée ne parvenait pas à se redresser. Elle ne pouvait fuir.

Ni mordre.

Pas tant que le privé n'esquisserait pas le moindre mouvement avec sa bouche. Et tant qu'on ne le déplacerait pas.

C'était l'une de ces créatures particulièrement dangereuses. Mortelle.

Annabel se contraignit à calmer sa respiration. Ça n'était pas si grave. Avec un objet adéquat et un peu de temps, elle pourrait saisir l'arthropode et l'enlever. Il suffisait d'être concentrée.

Un geste franc et précis.

Il y eut une seconde ou Annabel fut emplie d'espoir.

Jusqu'à ce qu'elle remarque l'odeur.

Un parfum agressif, de plus en plus diffus dans le sous-sol.

Et elle comprit.

Finalement, Connie d'Eils allait avoir le dernier mot.

Annabel et Joshua étaient pris dans sa toile.

Toute la maison allait sauter.

C'était l'odeur du gaz.

Annabel observa alors la danse narquoise de la flamme de la bougie posée sur le sol.

79

Annabel se jeta sur la bougie, elle tomba dessus sans ménagement pour l'étouffer. Son Beretta glissa hors de sa main.

Il y a une autre bougie ! Devant les plantes !

La respiration du feu siffla d'un coup.

Un infime temps où le silence est plus lourd que toute vie.

Puis le déchaînement des enfers.

Une déferlante monstrueuse de flammes bleues balayant tout sur son roulis. L'éruption éclata depuis le haut des marches de la cave.

Porté par l'oxygène qu'il engloutissait aussi vite, le feu ravagea la première salle et s'engouffra dans la seconde.

Annabel força sur ses bras pour pivoter et repousser la porte.

Elle était en train de se relever lorsque les effluves de gaz qui avaient pénétré dans la pièce se matérialisèrent. Des rubans de souffrance lapis-lazuli dévoilèrent une arabesque complexe et destructrice.

Le gaz s'enflamma et prit la forme d'une âme torturée, cherchant à tout prix à se frotter à toute existence pour la ronger.

Annabel s'élança vers Brolin pour couvrir son corps.

Une grosse bouffée de chaleur les étouffa mais le feu les épargna. Le gaz ne s'était presque pas propagé ici.

Annabel se retrouva sur Brolin, le nez à quelques centimètres de la veuve noire. Celle-ci était sur le point de parvenir à se retourner. Elle était très animée, et Annabel devina qu'elle mordrait dès qu'elle le pourrait, son agressivité décuplée. Elle injecterait son venin mortel dans le visage de Brolin.

Le gaz enflammé ondulait au plafond en un serpentin de saphir phosphorescent.

La jeune femme ne tergiversa pas plus longuement. Elle passa les mains sous son débardeur pour arracher l'une des armatures de son soutien-gorge puis lissa le fil de fer pour s'en servir comme d'un crayon. Au-dessus de Brolin, elle approcha l'extrémité de son instrument improvisé des lèvres du privé et d'un geste brusque, elle frappa le parasite menaçant.

L'araignée s'élança pour se perdre quelque part dans le fond de la salle.

Annabel relâcha sa respiration. Il n'était pas temps de crier victoire pour autant.

La chaleur montait en flèche et de l'autre côté de la porte, un ouragan de flammes leur barrait la sortie.

D'ici quelques minutes, la porte céderait et bientôt le sous-sol dans son intégralité serait ravagé par l'incendie.

Le soupirail.

Il se trouvait dans l'autre pièce. Leur unique chance de survie.

Annabel prit Brolin par les épaules et le secoua sans grand espoir. Elle crut discerner un mouvement dans ses pupilles. Il fallait le porter.

Annabel chassa toute tentative de raisonnement. Si elle commençait à énumérer les contraintes, ils mourraient là.

Elle tira Brolin pour le redresser et le prendre sur ses épaules.

Annabel était une femme sportive. Parmi les plus doués des détectives de Brooklyn. Elle s'entraînait beaucoup, en particulier depuis la disparition de son mari.

Mais traverser une salle enflammée avec près de soixante-dix kilos sur le dos était au-dessus de ses capacités.

En temps normal.

L'adrénaline se propagea dans son sang comme des millions d'étincelles clignotant au même moment.

La rage bouillonnant dans son esprit se déversa le long de ses nerfs.

Et elle porta Brolin.

Les boules de feu étaient en train d'éclore partout autour d'eux, comme une cohorte de démons hurlants, menaçant la jeune femme de leurs langues incandescentes.

Annabel brisa le soupirail à coups de coude, s'enfonçant des triangles de verre dans les chairs.

Elle parvint à hisser le corps de Brolin au-dehors.

L'air frais s'engouffra un court instant sur elle avant d'être immédiatement repoussé.

Annabel agrippa les rebords de l'étroite ouverture.

Elle tira sur les muscles de ses bras tandis que plusieurs mèches de ses cheveux prenaient feu.

Une gueule ardente s'ouvrit derrière elle au travers d'une autre explosion. Une bouche énorme, tous crocs dehors, avec l'unique but de la dévorer.

Le visage brûlant fondit sur elle.

Annabel sortit la tête à l'extérieur et poussa de toutes ses forces pour jaillir le plus loin possible.

La nuit fut alors ballottée par un éclat fulgurant tandis que les flammes se précipitaient dehors pour attraper les jambes de la jeune femme.

Elles se rétractèrent sur le vide.

En rugissant.

80

Étendue sur la pelouse, Annabel aspirait l'air avec avidité. Il lui semblait qu'il n'avait plus fait aussi frais depuis des semaines. L'oxygène était délicieux, fluide et satiné dans sa gorge.

Annabel toussa, la fumée lui encombrait encore les bronches.

Elle roula sur le côté en laissant échapper un gémissement de douleur. Du repos, dormir. Dans de l'eau, oh, oui, dans de l'eau pour que son corps flotte, qu'il n'y ait aucun contact rêche sur sa peau sensible et que tous ses membres puissent se délier.

Sa main attrapa celle de Brolin. Les doigts du privé frémirent et se resserrèrent un peu.

Soudain, Annabel prit conscience du lieu et des circonstances.

Elle grimaça en se mettant à genoux et en cherchant son arme.

Le Beretta était resté en bas, dans la fournaise.

Annabel sonda le jardin tout autour d'eux.

Elle vit le portail ouvert.

Il n'y avait plus aucune voiture garée devant le garage. La Toyota était partie.

Plusieurs badauds s'approchaient progressivement de la maison en feu, sans pour autant quitter le trottoir.

Puis un couple se précipita sur Annabel et Brolin.

Annabel entendit des mots lointains, sans parvenir à s'y intéresser.

« Oh mon Dieu, vous allez bien ? » ; « Quelqu'un a appelé les secours ? » ; « Madame, madame, ça va ? » ; « Il y a quelqu'un d'autre à l'intérieur ? »...

Des tours tremblantes se formèrent sur les flancs de la maison, de hauts donjons noirs de fumée. Ça crépitait, sifflait, bourdonnait à mesure que le feu dégustait la bâtisse par ses entrailles.

Annabel se laissa retomber en arrière.

Elle fixa le ciel percé de brillants languissants.

Le tueur s'était enfui. Connie d'Eils leur avait échappé.

Annabel n'en ressentait ni colère ni frustration. Pas même une pointe d'abattement. Ils étaient vivants, l'important était là.

Annabel serra la main de Brolin dans la sienne, et demeura immobile jusqu'aux premières sirènes.

81

Constance – dite Connie – d'Eils avait épousé William Abbocan en 1995.

Parmi les renseignements que Larry Salhindro et les inspecteurs travaillant sur l'affaire avaient glanés, se trouvait quelque part le nom de jeune fille de Constance Abbocan. Il aurait suffi qu'Annabel ou Brolin tombe sur ce nom pour faire le rapprochement avec la jeune femme qui exerçait à NeoSeta.

Tôt ou tard, la cellule d'inspecteurs aurait relevé la coïncidence, très certainement lorsqu'ils auraient approfondi la piste des « spécialistes des araignées ». Mais la réalité en avait décidé autrement.

Des données que Salhindro avait récupérées sur Constance, l'ensemble fut confirmé plus tard par les différents témoins, médecins, psychiatres et les rares personnes qui l'avaient côtoyée.

Elle n'était ni folle, ni sadique, ni animée de pulsions destructrices.

Sa vie n'était pas celle que l'on pouvait retrouver chez beaucoup de tueurs en série.

C'était une femme comme tout le monde.

Peut-être un peu plus névrosée que la moyenne… Et encore, cela restait à prouver.

Mal dans sa féminité, doutant d'elle pour un rien, elle s'était épanouie davantage en rencontrant l'amour de son mari, puis avec sa grossesse. Jusqu'à cet accident de voiture. Elle y avait perdu de ses organes. De sa féminité. Et toute confiance par la même occasion.

Son mari était responsable de l'accident. Ensuite, il n'avait rien fait pour empêcher qu'on lui prenne son enfant et tout espoir d'en avoir un autre, un jour. Les docteurs qui s'étaient succédé, des hommes, avaient tous fait en sorte qu'elle soit à jamais détruite. Ils l'avaient vidée. De sa vie. De ses espoirs.

Qu'était-elle après ça ? Elle qui s'était construit une confiance dans le regard de son amour, comment pouvait-elle se reconstruire ensuite ? Cet homme qui était son mari, à qui elle ne pouvait pardonner, et dont les yeux ne reflétaient plus son image à elle.

Elle avait tout perdu.

« Le délire de perte », selon les guérisseurs de l'âme humaine.

Elle avait « décompensé », disaient-ils aussi.

C'était comme de fuir la réalité, lui avaient-ils expliqué.

Constance ne partagea jamais cette vision. Justement, elle aurait tant voulu pouvoir la fuir, cette réalité. Pour elle, la souffrance était quotidienne, pas une douleur physique, non ; c'était plutôt comme d'avoir une rayure au cœur, une rayure qui fait toujours sauter au même endroit les mêmes sentiments, et d'être condamnée à ressentir cette amertume qui s'était logée dans le sillon, sans arrêt. Ça, c'était bien réel.

Jour après jour, elle dut vivre au travers de cette amertume qui transformait tout en aigreur.

Elle travaillait à la base militaire et n'avait pas beaucoup de contact avec les autres, elle n'en eut presque plus aucun après l'accident. Dès qu'elle sortait, pour faire des courses ou même prendre l'air, elle croisait tous ces gens insouciants, ignorant la fragilité de l'être, ils passaient devant elle sans qu'elle existe, presque méprisants.

De leur mépris naquit sa haine.

Et puis il y avait son mari.

Elle ne supportait plus de le voir du matin au soir. Il agissait sur elle comme un flash-back perpétuel, lui jetant au visage tout ce qu'il n'avait pas fait. Elle le voyait à présent tel qu'il était vraiment : le pantin de son égoïsme, de ses désirs à lui. Il avait su profiter d'elle lorsqu'elle était femme, pour l'ignorer dès lors qu'elle était devenue cette... chose. La Chose.

Sans sexe. Sans possibilité de transmettre la vie à l'image de n'importe quelle autre créature terrestre.

Elle qui ne s'acceptait pas complètement avant l'accident, n'était tout simplement plus.

C'était pour cela qu'elle ne devait plus ressembler à un archétype particulier. Elle ne devait plus avoir de cheveux, ni poils, plus aucune féminité. Elle n'était plus femme. Ni homme. Elle devait faire du sport, de la musculation, pour être forte. C'était sa seule arme de défense, contre les autres. Ces hommes manipulateurs ou inutiles. Et ces femmes qu'elle jalousait pour leur capacité à être des femmes et aussi parce qu'elles spoliaient ce don en se compromettant avec les mâles...

Peu à peu, Constance avait découvert la vérité.

Elle était juste sous ses yeux depuis toutes ces années.

Il fallait prendre la nature comme modèle.

Pas ces espèces animales récentes, les mammifères. Mais les espèces qui avaient survécu aux cataclysmes, à la nuit des temps.

Les araignées en faisaient partie.

Quatre cents millions d'années qu'elles arpentaient le globe sans défaillir, même lors de la disparition des dinosaures.

Le modèle était là. Infaillible.

Solitaire, indépendante, et armée pour se défendre.

Le mâle n'était toléré que lors de la reproduction.

Constance avait trouvé la vérité. Sa passion devint son guide.

Son mari l'avait fait interner, ultime trahison – il était mort avant qu'elle puisse sortir, ce salaud – et il y avait eu la rencontre avec Trevor Hamilton.

Sur le coup, elle n'avait pas désiré cette « amitié ». Cependant le regard qu'il portait sur elle était étrange. Il ne la convoitait pas, il cherchait sa protection, son affection.

Constance l'avait aidé. Et il l'avait aidée en retour.

Il avait accepté de donner son sperme sans savoir ce qu'il deviendrait.

Un artefact hautement symbolique.

C'était par son biais qu'elle avait eu l'idée d'une fausse piste, pour les flics, pour les leurrer. Lorsqu'il lui avait parlé de son collègue, ce Suberton, qui avait fait de la prison. Il avait fallu le neutraliser avant de lui trancher le pouce pour avoir son empreinte. Et puis le lien professionnel Suberton-Trevor Hamilton reliait d'une certaine manière Trevor aux meurtres, en plus de sa semence. S'il le fallait, il pouvait servir de bouc émissaire – ce qui s'était passé d'ailleurs.

Connie avait semé des fausses pistes tout autour d'elle. Jusque dans son ancienne maison. Dans le cœur de l'arbre, là où dormait le squelette calciné… Avec un morceau de carte d'identité l'identifiant comme Constance Abbocan. Il avait suffi de trouver une femme, et de la brûler. Que c'était simple finalement… Connie avait enlevé la maîtresse de Jeremiah Fischer – celui sur qui elle avait essayé la tétrodotoxine avant de maquiller le meurtre de sa femme en suicide. Ainsi, le trio éliminé, il ne restait plus rien aux flics.

C'était génial.

Trevor lui permit de mettre la touche finale à son plan : les doubles des clés pour pénétrer chez ces *gens* qu'il fallait guider. Ces crétins.

Les meurtres étaient une nécessité.

Le monde ne comprenait pas, il était comme un enfant qu'il faut parfois mettre sur les voies.

C'est ce qu'elle avait fait. Distiller son message pour que, peu à peu, la population comprenne.

Mais elle n'allait pas non plus se sacrifier pour tous ces aveugles hautains. Elle avait fait ce qu'il fallait, puis la Chose était morte.

Aux yeux des flics.

Merci Gloria.

Poser le canon sur sa *peau.*

Gloria avait fermé les yeux. Elle n'avait pas tenté de se débattre, elle avait aussitôt su que c'était fini.

La Chose avait tout simplement posé le canon sur le bas de son visage, à l'entrée de la bouche.

Et appuyé sur la détente.

Le crâne avait sauté, répandant une myriade de fragments rouges, des tissus, du sang, et de la cervelle.

C'était parfait. Du moins pour préserver les apparences, pour gagner du temps.

Pourtant, il avait fallu que ce détective privé vienne mettre son nez dans ses projets.

Peu importait à présent. Elle était libre.

Ce soir, nous sommes le vendredi 21 juin.

La Chose est morte. Et Connie d'Eils roule vers le sud. L'est et l'ouest sont trop impliqués, l'un est naissant, l'autre crépusculaire, trop de certitude dans ces directions. Mais le sud est bien pour elle. Il ne prend pas position, il descend, il coule, comme de l'eau dans son lit. Et Connie s'y laisse porter. Oui, le sud c'est bien pour elle. Et qui sait ? Peut-être que tout au bout de la route, celle-ci s'élargit, et comme les rivières, elle se jette dans un océan…

Connie serre son volant en pensant à tout cela, la poitrine gonflée de toutes ces images.

Bientôt, elle aussi ne sera plus.

Si tout se passe bien, elle pourra se procurer une nouvelle identité. Celle-ci est trop risquée maintenant.

Une nouvelle vie.

Avec ses propres préceptes pour toute conduite.

À cet instant, Connie est sur l'autoroute 5.

Et parce qu'elle ne contrôle pas ses pensées, le disque de la vie se remet à tourner.

Les émotions l'enivrent.

Le soulagement, le réconfort, un soupçon de joie naît sur le bord de son cœur. Puis toute cette vie arrive à la rayure.

Le disque saute. Et l'amertume vient corrompre la mélodie.

Connie conduit en silence sur l'autoroute.

Et elle pleure.

On ne l'attrapera pas.

Jamais, ça elle le sait.

Et elle roule vers le sud.

82

Larry Salhindro apprit la nouvelle un peu après minuit.

Il se rendit sur les lieux de l'incendie pour entendre qu'une femme et un homme avaient été transférés à l'hôpital Providence Medical Center.

Boudiné dans son jogging trop petit, il se fraya un passage en montrant à tout va son badge d'officier de police.

Annabel et Joshua étaient dans la même chambre, la jeune femme l'avait exigé avec un aplomb que nul n'osa contrarier.

Elle était brûlée au deuxième degré sur le bas du dos et au troisième sur les bras. Malgré tout, elle offrit un sourire franc au gros flic lorsqu'il se précipita dans la chambre.

Il ne s'étonna pas de trouver la jeune femme allongée à côté de Brolin. Un goutte-à-goutte était relié au coude du détective privé qui cligna des yeux à l'arrivée de son ami.

Annabel avait vu juste, Connie d'Eils avait injecté une dose infime de son mélange à base de tétrodotoxine, dans le but de le paralyser.

Avait-elle hésité à le tuer ? Annabel en doutait, puisque le gaz était là pour ça. Elle avait voulu jouer avec lui, l'araignée entre les lèvres en témoignait. D'autant que, pendant toute l'opération, Brolin n'avait jamais perdu connaissance, l'un des effets de la tétrodotoxine étant justement de plonger sa victime dans un « coma physique » mais aucunement mental, à condition d'être éveillé au moment où la toxine faisait effet.

Lentement, Brolin reprenait le contrôle de son corps.

Des gazes stérilisées recouvraient ses avant-bras aussi, le feu ne l'ayant pas épargné.

Salhindro resta là pendant une heure à parler doucement avec Annabel. Essentiellement de cette terrible soirée.

Puis Brolin bougea un peu plus pour finalement tenter de s'asseoir.

Il y parvint presque mais Annabel l'aida à se rattraper lorsque son bras droit ne répondit pas. Il effleura la joue de la jeune femme.

En forçant, il parvint à mouvoir le membre récalcitrant.

Lorsqu'il observa Annabel, ses premiers mots furent doux, chuchotés :

– Tu sens le feu de cheminée, dit-il avec le sourire.

Salhindro s'emporta d'un rire franc. Annabel se contenta d'une courbe à peine dessinée à la commissure des lèvres.

Brolin leur expliqua comment il était remonté à Connie d'Eils.

Il leur rapporta son doute concernant l'emploi du temps de Gloria Helskey qu'il avait aperçue le matin même à NeoSeta, le coup de fil à Donovan Jackman et les renseignements obtenus à grand-peine.

Gloria Helskey n'avait pas pris son après-midi, mais elle était partie relativement tôt après un coup de téléphone. En revanche, il y avait bien une employée que Brolin connaissait qui avait pris son après-midi entier, il s'agissait de Connie d'Eils.

Et subitement, toute la mécanique s'était ébranlée dans les méandres psychologiques du détective privé.

Connie d'Eils.

Comment savait-il que Gloria Helskey travaillait pour l'armée auparavant ? Connie le lui avait dit. Elle avait attiré sa suspicion sur le personnel de NeoSeta pour détourner l'attention d'elle-même. Cette même Connie qui se maquillait trop – *comme pour se cacher, pour dissimuler d'immenses cernes également.* Connie qui manipulait les araignées en laboratoire sans aucun problème, en particulier les Nephila – *les Nephila, exactement l'espèce qui permet d'obtenir le fil de soie nécessaire à envelopper les cocons.* Connie la timide qui n'ose pas trop parler, se lancer, s'assumer – *parce qu'elle surveille le moindre mot qu'elle dit pour ne pas se trahir et pour paraître au-dessus de tout soupçon.* Brolin était venu à elle, pour son investigation, il avait soulevé son intérêt – et pour cause ! – avant qu'elle ne trouve un prétexte pour le revoir, pour qu'il lui parle de l'enquête, de ce qu'il savait. Elle avait choisi de lui donner une information importante – c'était le seul moyen de l'attirer et de l'approcher – sur les fameuses Nephila, ces araignées que l'on peut « traire ».

Car si elle était le tueur, elle s'était introduite chez lui, dans son bureau, avait certainement lu ses notes pour comprendre que Brolin pourrait tôt ou tard découvrir qui elle était vraiment. Elle devait le surveiller de plus près, suivre l'avancement de ses recherches.

Elle n'était en aucun cas cette fille perdue qui donne un peu de piment à son existence en aidant un détective privé.

Autant de doutes qui lancèrent Brolin sur sa trace. Donovan Jackman avait accepté à contrecœur de lui donner l'adresse de Connie d'Eils, et le privé était parti sur place pour se faire une idée plus précise.

Il avait pris un risque et en avait payé le prix.

Grâce à leurs informations croisées, la suite était déductible de tous à présent.

Connie d'Eils avait voulu brouiller les pistes, avec toute une mise en scène visant à transformer Gloria Helskey en coupable toute désignée. Gloria était partie plus tôt suite à un coup de téléphone, certainement Connie l'attirant dans son piège. Elle avait enfermé Gloria quelque part le temps d'aller déposer le nouveau cadavre avec la voiture de la chef de projet, tout en prenant soin de se faire remarquer. Puis de maquiller son meurtre en suicide.

Consciente de la fragilité de son plan, Connie avait préféré mettre le feu à la ferme de Gloria pour faire disparaître un maximum d'éléments. Il était à parier qu'on retrouverait dans les décombres plusieurs terrariums, censés faire croire que c'était là que Gloria élevait ses Nephila pour en prélever la soie.

Connie d'Eils avait pris soin de raser Gloria ; elle devait espérer qu'on retrouverait le cadavre chauve dans des ruines fumantes, un revolver à la main, et qu'on conclurait à un suicide.

C'était un plan culotté et qui pourtant était susceptible de marcher.

À condition que les enquêteurs ne remarquent pas que le feu avait été allumé *après* la mort de Gloria, ce qui reposait tant sur les compétences des investigateurs que sur la chance.

D'un autre côté, Connie d'Eils avait manipulé Brolin pour qu'il puisse confirmer que Gloria Helskey était le tueur. Car Gloria avait travaillé à la base militaire où tout avait commencé, et était une spécialiste des araignées. Tout se recoupait. Elle devenait le coupable parfait.

Connie avait bien préparé son coup.

En dehors de l'intervention de Brolin chez elle.

Son plan n'était pas infaillible mais pouvait lui offrir un peu de temps pour s'enfuir. Et il avait fonctionné.

Paradoxalement, c'était cette multitude de petites imperfections qui rendaient Connie d'Eils un peu plus humaine aux yeux de Brolin.

Le privé était épuisé.

L'hôpital était calme, invitant au repos. Annabel avala un autre comprimé contre la douleur.

Salhindro leur confia des nouvelles rassurantes sur l'état de Lloyd Meats. L'inspecteur était installé dans une chambre d'hôpital non loin d'une fillette qu'il semblait connaître, et Meats en était ravi.

Puis Salhindro s'en alla avec un clin d'œil.

Des résidus de nuit palpitèrent sur la chambre pendant qu'Annabel et Brolin évacuaient peu à peu la nervosité et la tension qui les maintenaient sur la brèche.

Puis l'aube se leva enfin, sur deux silhouettes endormies l'une contre l'autre.

Deux corps fragilisés.

83

Aux premiers rayons du soleil, ce matin-là, Dan Leroy était déjà debout. Il avait même englouti tout son petit déjeuner, pris sa douche et se dirigeait vers sa voiture. C'était son week-end de garde, il devait aller travailler, que ça lui plaise ou non.

Il ignora l'ascenseur et dévala les marches des quatre étages de son immeuble pour rejoindre la rue et sa voiture. Il s'installa derrière le volant tout en remarquant qu'il faisait déjà chaud. Qu'est-ce que ça allait être d'ici quelques heures ! Dan mit le contact et alluma la radio pour se tenir compagnie lors du trajet jusqu'à l'hôpital.

Il roula doucement jusqu'à rejoindre l'autoroute où il accéléra.

Tout de même, quelle canicule il y avait en ce moment ! Et on venait tout juste d'entrer dans l'été ! Que leur réservaient juillet et août ? C'était de pire en pire, le climat. Tout ça c'était la faute des hommes… Le trou dans la couche d'ozone, la fonte des glaces, et maintenant les animaux qui se comportaient bizarrement. Pas plus tard qu'hier soir, il avait entendu aux infos que plusieurs espèces migratrices se trompaient ces derniers temps en voulant retourner dans certains lieux, et elles venaient mourir ou se perdre ailleurs. Non, vraiment, on allait tout dr...

Dan vit la petite forme sur le bord de son short, à moins d'un centimètre de sa peau.

Il la reconnut immédiatement. Une veuve noire.

Très dangereuse.

Un bulletin d'alerte avait été envoyé à tous les hôpitaux de la région par le Département de la santé de la ville, mentionnant une hausse impressionnante et anormale du taux de morsures par veuve noire. Il y avait une photo sur le fax. On n'y voyait pas grand-chose, mais c'était à présent suffisant pour que Dan identifie sans aucun doute l'espèce qu'il avait sous les yeux.

Elle venait de tomber de sous le volant.

L'araignée déplia ses pattes fines et se mit à courir.

Un infime chatouillement parcourut Dan lorsqu'elle entra en contact avec la peau de sa cuisse.

Pris de panique, Dan se mit à secouer sa jambe avec frénésie.

Il hurlait.

Sur l'autoroute, sa Ford se déporta brutalement sur la droite.

Puis sur la gauche.

Une berline qui tentait de le doubler à ce moment dut freiner brutalement et le conducteur perdit le contrôle de son véhicule. La berline percuta le muret de séparation et retourna aussitôt au milieu de l'autoroute.

Un pick-up lui rentra dedans de plein fouet.

Puis deux autres voitures.

Une troisième.

Bientôt, le carambolage se densifia.

Une douzaine de carcasses à la tôle plissée s'emboî-
taient en fumant. De la chair se mêlait aux composants
synthétiques.

Et quelques cris.

Dan Leroy avait réussi à immobiliser sa Ford sur le
bas-côté, cinq cents mètres après l'accident.

Il n'avait rien, il était indemne.

Il s'en tirerait…

Physiquement du moins.

*
* *

Plus tard dans la matinée, Betty Chumpsey regardait
les clients déambuler dans l'allée fruits et légumes du
supermarché.

En fait, c'était essentiellement des clientes.

Betty les observait choisir leurs produits avec attention. Elle se fit au passage la remarque qu'il fallait
regarnir le bac aux pastèques. Et les pommes avaient
besoin d'être lustrées, elles ne brillaient pas assez, leur
couleur verte manquait de tonus sous les projecteurs.
Une bonne pomme, bien attirante, est une pomme qui
a une teinte vert plastique. Un vert si beau, si chatoyant
qu'il inspire la perfection. C'était ce qu'on lui avait
appris lors de son embauche. Ce que les clients attendaient en entrant ici, c'était de ne pas avoir à s'embêter
à choisir, si toutes les pommes étaient parfaites, c'était
gage de qualité. Pas de pommes plus petites que les
autres, pas de pommes avec une tache marron sur le
dessus, non, surtout pas, rien que de beaux fruits étin-
celants, à la couleur aussi pimpante qu'un vernis à
ongles neuf. Ça, c'était *rassurant*. Parce que les fruits
étaient à l'entrée du magasin, et un supermarché qui

vendait de si belles pommes ne pouvait qu'avoir de très bons produits.

Betty acquiesça bien qu'elle fût seule.

Oui, elle devait remettre un coup sur ces pommes sinon elle se prendrait un sacré savon. Il fallait qu'elle retrouve ce vaporisateur qui donnait de l'éclat aux fruits, où l'avait-elle mis déjà ?

Un peu plus loin, une cliente fit un bond en arrière et se mit à hurler.

Un hurlement terrible. Très aigu, rongé par le raclement de la gorge. Un hurlement des plus sincères, de terreur.

Le soir même, cette cliente reposerait sur un chariot.

Avec une étiquette au doigt de pied et au poignet.

Son mari et ses deux enfants pleureraient.

Tout ça à cause d'une araignée.

*
* *

La panique se généralisa vite à toute la ville de Portland et ses environs. Il y eut trente-huit morsures d'araignée en cinq jours, dont un peu plus de la moitié n'avait rien à voir avec la Chose, simplement des personnes mordues dans la nuit par une araignée commune et sans danger. Sur les trente-cinq mille espèces d'araignées recensées, il en existe à peine une trentaine qui soient dangereuses pour l'homme. Mais pendant plusieurs semaines, la moindre créature à huit pattes fut considérée comme mortelle.

Quatre personnes décédèrent directement des causes du venin.

Neuf autres lors de l'accident provoqué sur l'autoroute.

Deux souffrirent de paralysies partielles.

Et des milliers d'arachnophobie.
Le bilan était lourd. Il avait de quoi réjouir la Chose.
Où qu'elle fût.
Si tant est qu'elle pût le voir au travers de ses larmes.

84

Saphir redressa son museau avec un air endormi.

Les pas d'Annabel dans l'escalier l'avaient tiré de sa torpeur.

Il faisait un peu plus frais que d'habitude dans le chalet. Le chien leva les yeux vers l'attrape-rêve qui tournait doucement depuis sa poutre.

Annabel posa son sac dans l'entrée et alla dans la salle de bains pour changer ses bandages avant de prendre l'avion. Elle ouvrit sa chemise qu'elle posa sur le côté et déroula le tissu qui dissimulait son bras droit.

Longtemps elle avait conservé l'image de Brolin à l'aéroport de LaGuardia lorsqu'ils s'étaient séparés l'hiver précédent. Chaque fois qu'elle y avait songé, c'était avec une pique amère. Elle avait détesté ce départ.

Aussi venait-elle de refuser que Brolin l'emmène à l'aéroport, elle avait appelé un taxi. C'était mieux ainsi. Plus tranchant. La voiture arriverait et Annabel devrait monter pour repartir là où elle vivait.

Vivait-elle vraiment là-bas, alors qu'elle se prenait à imaginer à longueur de temps la présence de Brolin à ses côtés ?

Ce qu'elle pouvait détester les adieux… Ils avaient le don de remuer ce qu'on parvenait à immobiliser tout au fond de soi à grand coup de pseudo-certitudes telles que « *c'est mieux ainsi* » ou « *de toute manière on ne peut pas faire autrement* ».

La porte de la salle de bains s'ouvrit sur Brolin. Il n'était plus au téléphone.

– Meats est sorti de l'hôpital, lui confia-t-il. Je vais le voir ce soir.

Annabel l'observa dans le miroir.

Il n'était pas le même.

Les ombres de ses traits n'étaient pas aussi prononcées que d'habitude. Son regard moins intense, *moins menaçant*.

– Trevor Hamilton vient d'être enterré, il n'y avait personne en dehors d'une poignée de journalistes. Ça n'a pas duré longtemps, et personne ne l'a pleuré.

Il émanait de lui une sérénité qu'Annabel ne lui connaissait pas. Pas avec cette douceur dans les prunelles.

Brolin baissa les yeux sur ses épaules nues.

– Larry m'a dit qu'on n'a toujours pas de nouvelle de Constance d'Eils. Les avis de recherche sont à présent punaisés dans tous les postes de police du pays. Tôt ou tard, elle se fera arrêter.

Annabel acquiesça. Elle peinait à enrouler correctement la dernière bande sur son bras gauche, l'attelle de sa main lui compliquant la tâche.

– Laisse, fit Brolin en prenant le relais.

Son bandage terminé, Annabel remit sa chemise pour cacher ses bras blessés.

– Voilà, tu es parée pour partir maintenant, conclut Brolin.

La jeune femme le fixa. Non, elle n'était pas *parée*. Elle était contrainte. Pour son autre vie, de l'autre côté du pays. Pour son boulot de détective qu'elle aimait, pour ses repères qui l'y attendaient, pour les souvenirs de son mari. Pour toutes ces raisons, elle *devait* repartir. Quand bien même elle souffrait déjà de cette solitude qui l'attendait. Brolin allait lui manquer.

Les mots du privé sonnèrent en elle :

« Les femmes sont vides », voilà ce que le tueur nous dit.

Et elle ? Qu'était-elle désormais ? Une femme vide ?

Un klaxon retentit à l'extérieur. Son taxi l'attendait.

Annabel s'aspergea le visage d'eau et sortit dans le couloir.

Elle déposa un baiser sur le crâne du chien et prit son sac.

Brolin lui tint la porte.

Annabel appliqua son index sur ses lèvres avant qu'il n'ouvre la bouche.

Elle l'embrassa avec ce doigt entre eux.

Puis elle sortit sous le soleil. Le chauffeur déverrouilla son coffre pour y mettre le sac et rentra se poster derrière son volant.

– Il y a de la place pour toi ici, dit Brolin.

Annabel se figea. Il triturait un peu nerveusement un des boutons de sa chemise, la main sur la poitrine.

– Nous pourrions faire de grandes choses ensemble, ajouta-t-il. Je crois qu'on se complète parfaitement, non ?

À quoi faisait-il allusion ? Parlait-il travail, de cette association qu'il avait déjà évoquée, de ce projet de faire d'Annabel une enquêtrice privée à ses côtés ?

Annabel avait la main sur la poignée de portière.

Elle plongea son regard dans le sien. Sous ces sourcils d'ébène, parmi les ombres de ses pupilles.

Et elle lui rendit un sourire.

Épilogue

Le ciel avait la teinte d'un bijou très pur.

La mer ondoyait paisiblement, rejetant ses vagues sur le rivage dans un roulement à la puissance rassurante. La nature avait encore le contrôle. Il est encore des choses que l'homme ne peut maîtriser.

Brolin enfonça son pied dans le sable doux et chaud.

Une sensation de plénitude le traversa.

Aussi loin qu'il cherchait, il ne parvenait pas à se souvenir à quand remontaient ses dernières vacances avec une telle paix intérieure.

Elle n'était que provisoire, il le savait. Tôt ou tard, le feu qui couvait en lui se ranimerait.

Mais pour l'heure, il savourait l'instant.

Une pochette cartonnée était ouverte entre ses jambes.

Elle contenait des journaux américains, canadiens et mexicains.

Et sur le dessus se trouvait un article découpé très récemment.

Le titre était concis :

« LE PROCÈS DU FANTÔME DE PORTLAND TOUCHE À SA FIN »

Il y était question de sa condamnation. Le verdict devait tomber sous peu. Il ne faisait aucun doute qu'il serait déclaré coupable, expliquait le journaliste, seule demeurait la question de la peine : emprisonné à vie ou condamné à mort ?

Depuis la parution de l'article, la sanction était tombée et Brolin n'avait pourtant pas cherché à en prendre connaissance.

Il savait qu'elle serait lourde. Sans espoir pour le tueur en série, pour l'assassin de celle que Brolin avait aimée.

Une brise agréable souleva l'article.

Brolin ne le retint pas.

La fine feuille s'envola et virevolta au-dessus du flux aquatique qui berçait la plage.

Les journaux dans la pochette cartonnée commencèrent à prendre le vent ; Brolin posa le pied dessus pour les maintenir en place.

Il perdit contact avec l'article lorsque celui-ci chahuta la cime d'une vague au loin, l'écume blanche se confondant avec lui.

Brolin gonfla ses poumons.

Dans son dos, la végétation bruissait en rythme.

Le sel marin venait tirer les commissures de ses yeux.

Il repoussa les journaux. Pas maintenant, il n'avait pas envie de se plonger dedans tout de suite. Il aurait tout le temps dans la soirée pour les décortiquer à la recherche d'un fait divers atypique, probablement en rapport avec des araignées.

Constance d'Eils était quelque part, en liberté.

Un psychiatre célèbre venait d'étudier son cas, et avait clamé haut et fort qu'elle ne tuerait plus. Elle avait cru s'accomplir dans ses actes meurtriers pour finalement comprendre la nécessité de tuer la bête qui l'habitait, ce qu'elle avait symboliquement fait en mettant sa mort en scène via Gloria Helskey. Le psychiatre affirmait que maintenant elle referait sa vie sans être dangereuse pour autrui, qu'il ne fallait plus la craindre, juste l'arrêter.

Brolin ne partageait pas cet avis.

Il savait qu'elle n'était pas passée du mauvais côté de l'âme humaine pour en revenir indemne. Elle pourrait faire illusion quelque temps ; cependant, elle allait bientôt ressentir ce besoin d'être au travers des autres, et le meurtre en serait le moyen. Elle avait goûté l'ivresse du sang, elle l'avait recherchée, plusieurs fois. Le mobile était trop unique, son bien-être en dépendait trop pour qu'elle refasse son existence et trouve son équilibre ailleurs.

Et Brolin attendrait qu'elle ressurgisse.

En espérant qu'elle serait appréhendée bien avant, lors d'un banal contrôle d'identité routière, comme c'était si souvent le cas avec les criminels en fuite.

Brolin couvrit la pochette d'un peu de sable.

Une présence s'approcha sur sa droite.

Une femme.

Elle vint s'asseoir à côté de lui.

Sa peau était plus sombre, plus dorée, et elle portait un paréo sur son maillot de bain.

Brolin examina la ligne de l'horizon.

Il l'*admira* plutôt.

Cette profondeur impalpable où deux lignes pourtant parallèles dans l'infini se rejoignaient, à la frontière du possible, pour former un flou azuré. Aucun nuage en vue.

Et pour la première fois depuis bien longtemps, Brolin réalisa qu'il ne voyait pas en l'horizon un mur tranchant et imperméable mais l'absolu des lignes de perspective, le lointain et les vents courant vers un ailleurs.

Alors ses yeux se plissèrent, sa bouche s'entrouvrit pour creuser les rides de son visage, celles d'un sourire. Le sourire d'un homme usé.

Il voyait le champ des possibles.

Lorsque le soleil s'enflamma pour coucher avec la terre, il souriait toujours.

Il avait devant lui un horizon d'espoirs.

Sa main se posa sur celle d'Annabel.

Générique de fin

Cette trilogie qui s'achève aura demandé environ quatre années de travail. Mais sans l'aide d'un certain nombre de personnes, il en aurait fallu le double ! Voici donc les professionnels, connaissances et amis, qui ont apporté leur savoir et leur support :

Producteur et soutien : Michel Lafon.
Direction littéraire : Huguette Maure.
Précieuses relectures (ssss… !) et conseils littéraires : Françoise Clausse.

Relectures (ssss…), encouragements et motivation : Claire.
Relecture et communication : Frédéric.
Aide à la documentation : Sébastien.
Soutien moral, encouragements : ma famille et mes amis bien sûr.

Ont contribué (parfois sans le savoir, merci à leurs cours) à m'aider dans les recherches techniques (médecine légale, psychiatrie criminelle, etc.) : J.D. ; R.R. ;

L.M. ; Dr M.D. ; Dr D.L. ; Dr P.F. ; Dr G.S. ; M.C. ; J.L.C. ; J.L.V. ; Dr C.R. ; ainsi que Stéphane Bourgoin qui m'a permis, au tout début, de savoir par où commencer, et Chloé Schlesinger pour les informations sur la psychologie. Si, malgré mon attention, il y avait la moindre « erreur technique » dans cette trilogie, elle ne saurait être de votre fait, j'en porterais seul le blâme.

Deux amis romanciers m'ont soutenu et m'aident à me construire en tant qu'auteur : Jean-Luc Bizien grâce à nos discussions ; et Christian Lehmann avec ses conseils, nos déjeuners hebdomadaires me sont salutaires !

Que Margaux et tout le monde aux éditions Michel Lafon soient remerciés pour leur travail et leur détermination ; dans les heures creuses, c'est votre entrain qui me redonne l'énergie nécessaire pour repartir.

Enfin, l'étincelle qui a donné vie à tout cela n'aurait pu être sans un souffle de chance, et ce souffle, je le dois à deux amis : Alexis et Vincent. J'espère un jour pouvoir être à mon tour le vent porteur par-dessus votre épaule, pour vous aider dans vos idéaux.

L'écriture des romans s'est effectuée à Edgecombe, mon havre d'imaginaire.

FIN

Post-scriptum

Ainsi s'achèvent *Maléfices* et par là même les aventures de Joshua Brolin. J'espère que cette variation en trois opus sur l'enquête policière vous aura satisfaits, au moins divertis, j'en serai alors comblé.

L'essentiel de la documentation amassée pour l'écriture de ce livre est absolument vrai, il ne s'agit pas de science-fiction, notamment en ce qui concerne la production de soie d'araignée par le lait de mammifère, c'est en phase de développement. Jusqu'où ira-t-on ? Les effets de la tétrodotoxine sont réellement ceux décrits ici, c'est en voulant percer les mystères du vaudou et des fameux zombis qu'un ethnobotaniste a découvert les effets foudroyants de cette toxine. Que les arachnophiles me pardonnent d'avoir ici dépeint les araignées comme des créatures terrifiantes, c'est une peur courante, bien trop tentante pour un romancier… Une dernière chose, pour clore la parenthèse sur la documentation, qui vous fera peut-être frémir : cette histoire d'élevage à Madagascar, tout ça est entièrement véridique !

Il reste enfin un dernier point que nous devons aborder ensemble.

En effet, il est un élément qui n'aura pas échappé à certains et qui concerne le « tout », la trilogie dans son ensemble, en particulier défini au travers du choix des saisons.

L'Âme du Mal se passe pendant l'automne, c'est un roman mélancolique, c'est l'histoire d'une mort, la chronique d'une nostalgie annoncée… *In tenebris* prend place pendant l'hiver, on y découvre un nouveau Brolin, un fantôme parmi les vivants, où les émotions sont en berne, c'est avant tout l'histoire d'une stase… Quant à *Maléfices*, vous l'avez lu, il se déroule à la fin du printemps (le final a lieu le 21 juin, date hautement symbolique, bien sûr, du passage à l'été…), c'est un nouvel espoir, le cheminement vers le soleil… C'est certes simple, mais direct. Pour quand le dernier roman de la série, la dernière saison, pourriez-vous me dire ? Jamais. L'épilogue de *Maléfices* en est un prologue évident.

Il appartient à chacun de vous, désormais, d'en écrire la suite.

Tout cela n'a été qu'une incursion dans une vie, un tremplin pour notre esprit à tous, j'ai disposé les limites, insufflé les bases, c'est à vous d'imaginer, de comprendre, quel sera l'avenir de Joshua Brolin… Personnellement… je ne peux que pudiquement tirer le rideau et le laisser vivre ce qu'il va vivre… sans moi.

Je travaille aujourd'hui sur un nouveau thriller, avec de nouveaux personnages qui, je le souhaite, vous ouvriront bientôt leurs portes.

Pour finir, je sais que beaucoup d'entre vous auraient voulu savoir ce qu'est devenu le mari d'Annabel… Vous l'apprendrez un jour, c'est promis, dans une autre histoire bien différente, mais après tout, le monde est petit et ce qui était autrefois au premier plan peut devenir un personnage secondaire dans une autre histoire, et inversement, c'est ça aussi la vie… et l'écriture, un changement de perspective.

Mais chut…

À bientôt,

Maxime CHATTAM
Edgecombe, le 14 octobre 2003.

Et pour ceux qui souhaitent aller
un peu plus loin parmi les mots… :
www.maximechattam.com

Impression réalisée sur Presse Offset par

CPI
Brodard & Taupin

41298 – La Flèche (Sarthe), le 04-05-2007
Dépôt légal : mars 2005
Suite du premier tirage : mai 2007

POCKET – 12, avenue d'Italie - 75627 Paris cedex 13
Imprimé en France